JN138825

食物アレルギーのすべて 改訂第2版

基礎から臨床・社会的対応まで

編集

伊藤浩明

あいち小児保健医療総合センター

診断と治療社

改訂第2版の序

本書の初版が2016年に発刊されて5年が経過しました．日本小児アレルギー学会の「食物アレルギー診療ガイドライン」も，2016年版から2021年版に改訂出版されました．

2016年時点で，食物アレルギーの診療・研究および社会的な諸制度は，かなり成熟していると感じていました．しかしこの5年間を振り返ってみると，各分野で大きな進歩があったことを実感します．そこで，ちょうどガイドラインの改訂に歩調を合わせて，本書も改訂版を作成する運びとなりました．

本全体の構造や執筆者の多くは，初版を踏襲しています．それぞれの執筆者は，この5年間の進歩を大いに取り入れて，最新の情報にリニューアルしてくださいました．改めて，この5年間にどれほどの情報が新たに蓄積し，食物アレルギーに対するアプローチが変化してきたか，実感することができます．同じ章を読み比べてみるのも，この改訂版の醍醐味かもしれません．改めて，気合いのこもった原稿を執筆してくださった先生たちに，感謝いたします．

本書とガイドライン改訂の編集作業を通じて，私自身が実感している食物アレルギー診療の変化をあげてみます．

まず，食物アレルギーの診療そのものが，より安全で「患者に優しい」方向に向かっています．特に，食物経口負荷試験や経口免疫療法において，アレルギー症状を起こさないことがより重視されるようになりました．以前と比べて消極的な診療方針とも感じますが，より幅広い地域で，多くの医療機関が食物アレルギーの診療に取り組むようになった結果ともいえるでしょう．医療安全に対する社会の要請が強まっていることも，反映していると感じます．

食物アレルギーの発症抑制に関する臨床研究が進み，微量の抗原摂取による経口免疫寛容の誘導が，臨床現場にも実装されつつあります．それを支えているのは，乳児のアトピー性皮膚炎に対する標準治療が普及して，湿疹を完全にコントロールしたうえで摂取を進めることが，社会的なコンセンサスになってきたことです．

食物アレルゲンに関する知見は，分子レベルで飛躍的に進んでいます．それが，臨床現場における診断や食事指導に対する根拠を与え，現場で遭遇する多くの疑問に応えられるようになってきました．

最後に，アレルギー疾患対策基本法に基づく諸策が全国に広がり，アレルギー診療の均てん化が進んでいます．しかしそこには，各地域におけるアレルギー専門医の育成，成人移行または成人発症した食物アレルギー患者への医療提供など，まだ解決しなくてはならない問題が残されています．

本書が，ガイドラインの副読本として，皆様のお役に立てば幸いです．

2022年3月吉日

伊藤浩明

初版の序

IgE 抗体が発見されてからちょうど 50 年．食物アレルギーの研究や診療は，長足の進歩を遂げてきました．しかし，食物アレルギーという疾患はそれを追い越すかのように進化を続け，診療で直面する課題も社会的対応も，複雑さを増しています．

診断と治療社の川口さんから「食物アレルギーの新しい本を作りませんか」とお話をいただいたのが，ちょうど 1 年前．基礎から臨床・社会的諸問題まで網羅的に集大成したボリューム感のある本，という構想を合意したところで，本書の内容は迷うことなく決まりました．私の贅沢なわがままをすべて受け入れていただき，意中にあった全国の先生から快く執筆をお引き受けいただいて，本書は発刊に至りました．

冒頭を飾って，日本の小児アレルギー界の双璧である海老澤先生と栗原先生に，グローバルな視点と歴史的な視点から，現在の私たちの立ち位置を示していただきました．それに続く基礎・臨床医学の総論では，各分野のトップリーダーの先生から，最先端の情報を盛り込んだ迫力ある解説をいただきました．

私が“趣味”とする食物アレルゲンでは，「分子レベルの情報を遠慮なく書いてください」という意図を見事に汲み取って，食品科学における各分野のスペシャリストに，アレルゲン分子の本質に迫る記述をしていただきました．

臨床面では，現在診療・研究の第一線で活躍している医師と栄養士の皆さんが，臨場感溢れる解説を書いてくれました．アレルギーの診療に必要な知識やノウハウだけでなく，患児の生活や成長と共に歩む心意気を綴ってくれています．

最後に，アレルギーは本質的に社会に根ざした疾患であり，他のどんな疾患よりも社会制度と密接な関わりがあります．アレルギーの診療に携わる医療者は，その仕組みを知るだけでなく，積極的に病院から出て社会に関わることが求められます．医療者のアイデンティティーを持って病院から外に出ることは，大きなやり甲斐のある仕事です．

折しも本書は，日本小児アレルギー学会が改訂発行する「食物アレルギー診療ガイドライン 2016」と時期を同じくして発刊されます．ガイドラインでも，食物アレルギーの診療は，アレルゲンを除去して安全を保障する守りの姿勢（管理）から，少しでも食べられる方向に患者を導く攻めの姿勢（治療）に向かって，舵を切ったように思われます．本書はさらに，ガイドラインには書ききれない詳細な情報や，「本音」に溢れています．両者が同時に作成されていた経過上，一部の内容や言葉使いに齟齬が生じているところがあるかもしれません．その責は編者の私にあるとして，迷ったらガイドラインを正解とお考え下さい．

本書全体を通して，食物アレルギーに関する知識を得るだけでなく，その奥深さに迫ろうとする各執筆者の「気迫」を感じ取って頂けたら，望外の喜びです．

2016 年 10 月吉日

伊藤浩明

目 次

Ⅳ 食物アレルギーの臨床的課題

Ⅴ 食物アレルギーに関連する社会的諸問題

執筆者一覧

● **編集**（肩書き略）

伊藤　浩明　あいち小児保健医療総合センター

● **執筆者**（50音順，肩書き略）

和泉　秀彦　名古屋学芸大学 管理栄養学部
板垣　康治　札幌保健医療大学 保健医療学部 栄養学科
伊藤　浩明　あいち小児保健医療総合センター
井上祐三朗　千葉大学大学院医学研究院 総合医科学
今井　孝成　昭和大学医学部 小児科学講座
岩本　　洋　森永乳業株式会社 研究本部 健康栄養科学研究所 特殊栄養研究室
椦村　春江　名古屋学芸大学 管理栄養学部
宇理須厚雄　うりすクリニック
海老澤元宏　国立病院機構 相模原病院 臨床研究センター
岡崎　史子　龍谷大学 農学部 食品栄養学科
岡藤　郁夫　神戸市立医療センター中央市民病院 小児科
川本　典生　岐阜大学医学部附属病院 小児科
漢人　直之　かんどこどものアレルギークリニック
北林　　耐　旗の台アレルギー・こどもクリニック
近藤　康人　藤田医科大学 ばんたね病院 小児科
佐々木渓円　実践女子大学 生活科学部 食生活科学科
佐藤さくら　国立病院機構 相模原病院 臨床研究センター アレルギー性疾患研究部
塩見　一雄　東京海洋大学 名誉教授
杉浦　至郎　あいち小児保健医療総合センター 免疫・アレルギーセンター アレルギー科
鈴木　啓子　国立成育医療研究センター研究所 好酸球性消化管疾患研究室
高里　良宏　あいち小児保健医療総合センター 免疫・アレルギーセンター アレルギー科
玉利真由美　東京慈恵会医科大学 総合医科学研究センター 分子遺伝学研究部
千貫　祐子　島根大学医学部 皮膚科
長尾みづほ　国立病院機構 三重病院 臨床研究部
中島　陽一　藤田医科大学医学部 小児科学
中西里映子　認定NPO法人アレルギー支援ネットワーク
中野　泰至　千葉大学医学部附属病院 小児科
中村　陽一　横浜市立みなと赤十字病院 アレルギーセンター
夏目　　統　浜松医科大学医学部 小児科
成田　宏史　京都栄養医療専門学校 管理栄養士科
野村伊知郎　国立成育医療研究センター研究所 好酸球性消化管疾患研究室

橋場　容子　横浜市立みなと赤十字病院 アレルギーセンター
服部　佳苗　NPO 法人ピアサポート F.A.cafe
林　　典子　十文字学園女子大学 人間生活学部 健康栄養学科
廣田　朝光　東京慈恵会医科大学 総合医科学研究センター 分子遺伝学研究部
福家　辰樹　国立成育医療研究センター アレルギーセンター 総合アレルギー科
福冨　友馬　国立病院機構 相模原病院 臨床研究センター アレルゲン研究室
藤森　正宏　食の安全サポートオフィス
松尾　裕彰　広島大学大学院医系科学研究科 病院薬剤学
松原　　毅　森永乳業株式会社 研究本部 健康栄養科学研究所 特殊栄養研究室
丸山　伸之　京都大学大学院農学研究科 品質設計開発学分野
森田　栄伸　島根大学医学部 皮膚科
柳田　紀之　国立病院機構 相模原病院 小児科
山田千佳子　名古屋学芸大学 管理栄養学部
横大路智治　広島大学大学院医系科学研究科 薬物療法開発学
吉原　重美　獨協医科大学医学部 小児科学講座/アレルギーセンター
善本　知広　はくほう会セントラル病院 内科

I

食物アレルギー総論

食物アレルギーにまつわる日本の現況と歴史，最新の基礎研究を解説する．

A 食物アレルギーを巡る国際的な動向

海老澤元宏
(国立病院機構 相模原病院 臨床研究センター)

1 世界各国の研究の動向

食物アレルギーに関する国際的な動向を記載するに当たり，この60年あまりの論文数の増加に関してFood Allergy/Human/EnglishをキーワードにPubMedで検索してみた．図1に示すように1990年頃から増加傾向になり，2000年以降急増し，2021年は1,800編/年に迫ってきている．それをさらに国別に分けてみると図2のように欧米と日本が多く，アジアでは日本人の名前が入る論文数が最も多く次いで中国人，韓国人が入る論文が多いことがわかる．これらのことから21世紀に入り欧米・日本を中心に食物アレルギーの研究が大変盛んになってきていることがわかると思う．元々は食物アレルギーといえばIgE依存性の即時型症状を呈するものを

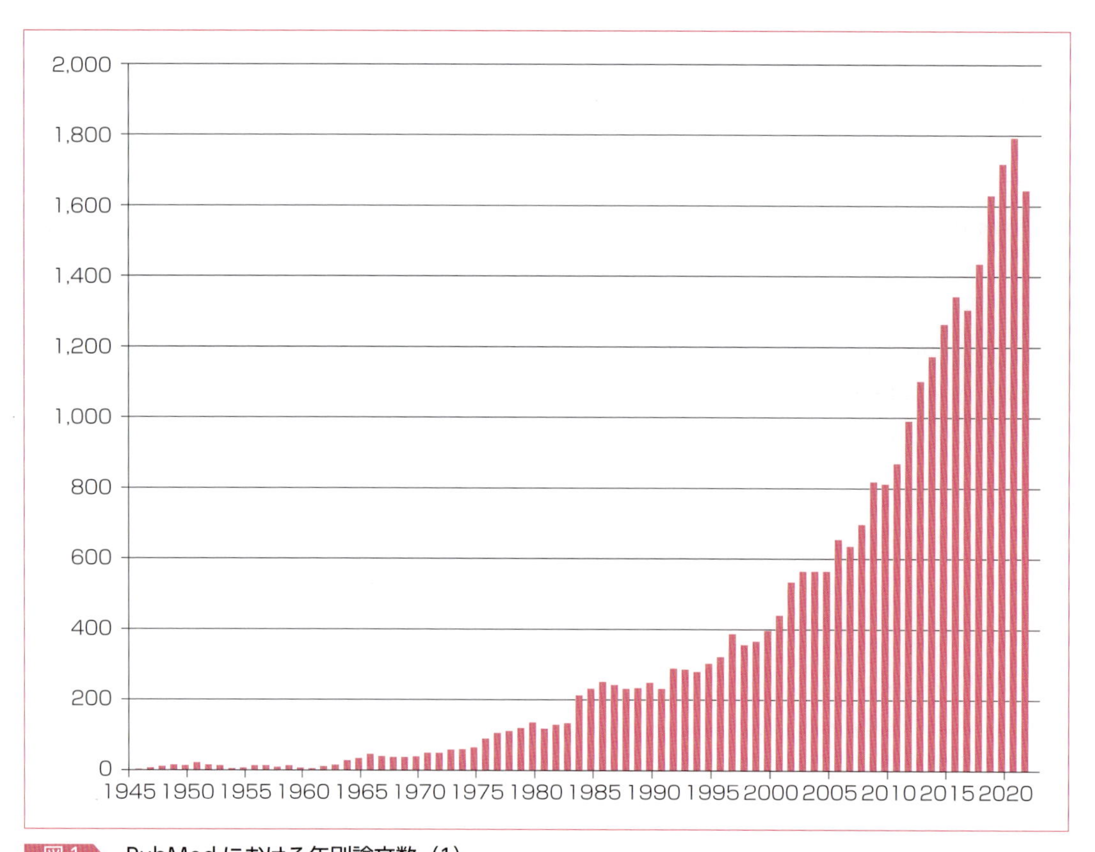

図1 PubMedにおける年別論文数 (1)
“キーワード Food Allergy/Human/English で検索”

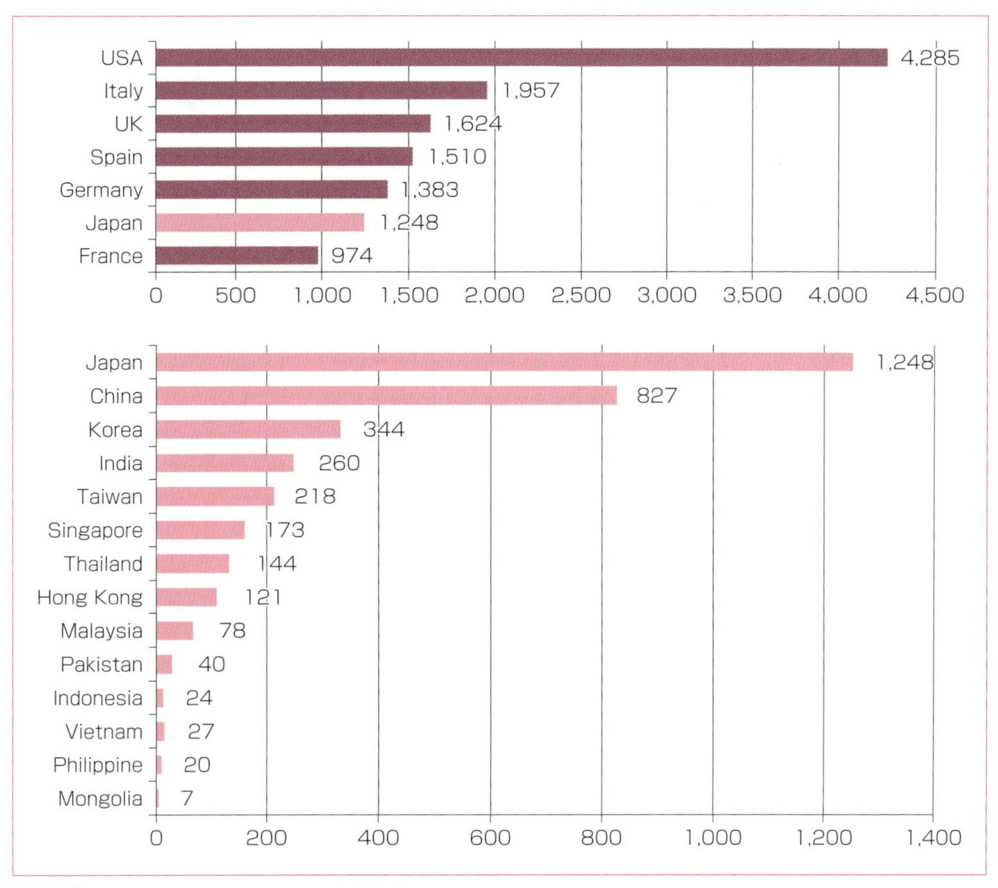

図2 PubMedにおける国別論文数
“キーワード Food Allergy/Human/English/(国名) で検索”

指すことがほとんどであったが，2000年以降は図3に示すようにFPIES（food protein-induced enterocolitis syndrome）の論文や図4に示すように欧米を中心にEoE（eosinophilic esophagitis）に関する論文の増加が目立ってきている．

1. 診　断

診断での研究のトピックスはComponent resolved diagnosis（CRD），Molecular allergen-based diagnosis（MAD），Molecular allergology（MA）などさまざまな呼び方があるが，分子生物学的に同定されてきたアレルゲンコンポーネントに基づいて診断を行って診療に応用していこうという動きである．この15年あまりで食物アレルギーの分野で最も進歩が顕著ですでに臨床で応用されているが，花粉症をはじめとした環境抗原の診断においても交差抗原性と真の感作を区別しようという試みが進んでいる．さらにその先のアレルゲン免疫療法にも応用が進もうとしている．食物抗原および環境抗原に関して2013年に世界アレルギー機構（WAO）からの総説[1]や2016年にヨーロッパ免疫アレルギー学会（EAACI）からハンドブック[2]が出されている．EAACIのハンドブックは現在改訂作業中で2022年に出る予定である．食物アレルゲンに限定した総説が*Allegol Int*にまとめてあるので参考にして欲しい[3]．近年はナッツ関連のコンポーネントの開発が進んでおり，それらを含めた最新の食物のコンポーネントに関する論文のまとめを表1～5に示す．

2. 食物経口負荷試験と管理

世界での現在の食物経口負荷試験（oral food challenge：OFC）の基本的なコンセンサスとし

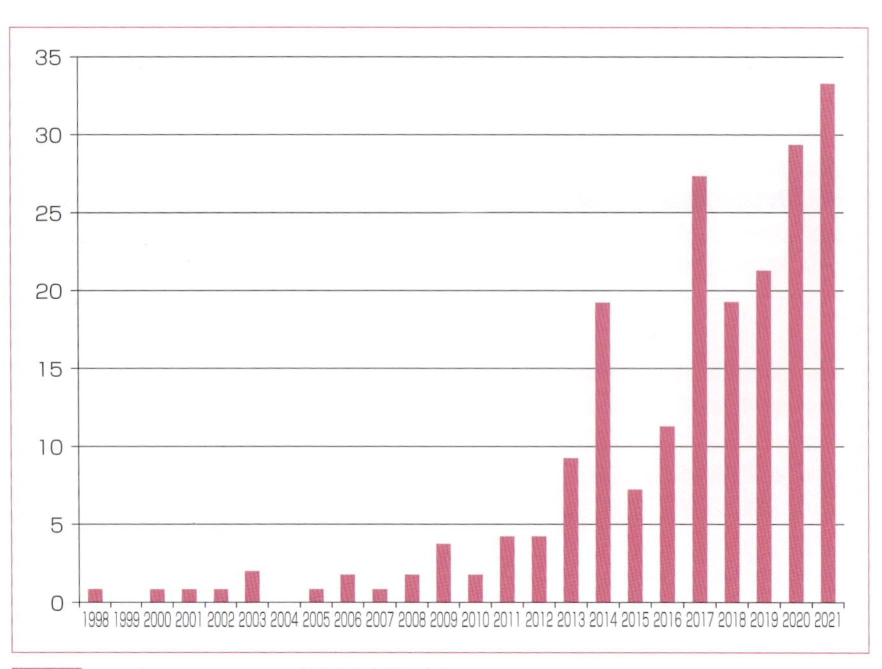

図3　PubMed における年別論文数（2）
“キーワード FPIES/Human/English で検索”

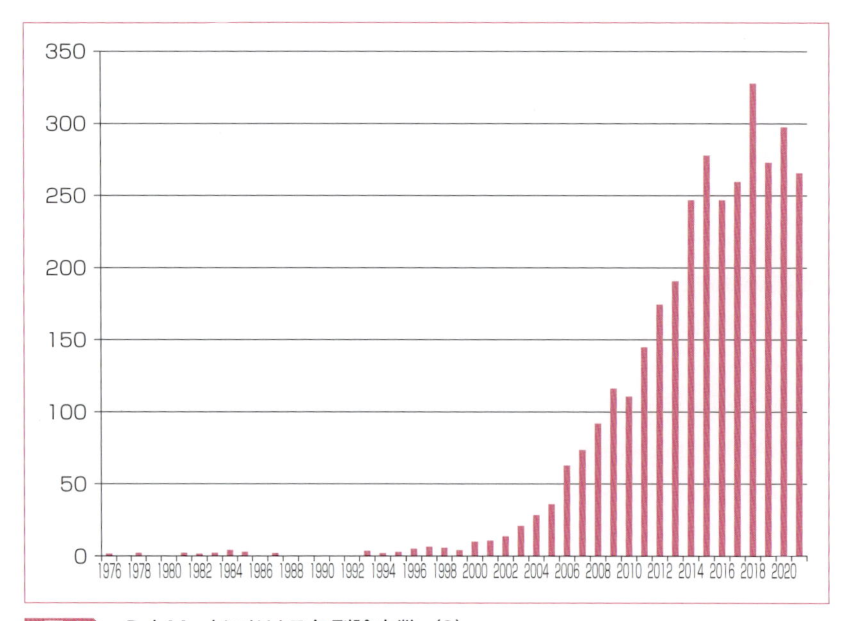

図4　PubMed における年別論文数（3）
“キーワード EOE/Human/English で検索”

ては 2012 年に *J Allergy Clin Immunol*（JACI）に掲載されている PRACTALL consensus report がある[4]．2008 年 10 月にアメリカアレルギー学会（AAAAI）と EAACI のエキスパートメンバーが二重盲検食物経口負荷試験に関する標準化を議論した報告である．Prechallenge assessment, Prechallenge assessment：challenge settings-safety issues，Challenge parameters：schedule and materials などが詳しく記述されている．負荷用量は牛乳を例にあげると 0.1 mL（3 mg の乳タンパク）

表1 鶏卵と牛乳のコンポーネント

抗原	コンポーネント	著者	年	結果	雑誌
鶏卵	Gal d 1（ovomucoid）	Ando, et al	2008	OVM-sIgE は加熱卵への反応性の指標として有用	*J Allergy Clin Immunol*
		Takahashi, et al	2018		*J Allergy Clin Immunol Pract*
		Ohtani, et al	2016	OVM-sIgE 高値は鶏卵アレルギーの予後と関連	*Allergol Int*
		Taniguchi, et al	2021		*Int Arch Allergy Immunol*
		Benhamou, et al	2015	OVM-sIgE は生と他の鶏卵アレルギーの区別に有用	*Pediatr Allergy Immunol*
	Gal d 2（ovalbumin）	Benhamou, et al	2015	OVA-sIgE は生と加熱卵アレルギーの区別に有用	*Pediatr Allergy Immunol*
ミルク	Bos d 4 (alpha-lactoglobulin) Bos d 5 (beta-lactoglobulin) Bos d 8（caseins）	Ahrens, et al	2012	casein, Bos d 4, Bos d 5-sIgE 低値はミルクアレルギーの耐性化と関連	*Clin Exp Allergy*
		Kuitinen, et al	2015	casein, Bos d 4, Bos d 5-sIgE の高値はミルクの経口免疫療法の不成功と関連	*Allergy*
	Bos d 8（caseins）	Boyano-Martínez	2009	casein-sIgE の高値は遷延するミルクアレルギーと関連	*J Allergy Clin Immunol*
		Caubet, et al	2013	casein-sIgE は焼いたミルクの反応性と関連	*J Allergy Clin Immunol*
		Yanagida, et al	2015	casein-sIgE が低用量目標のミルク経口免疫療法において低下	*Int Arch Allergy Immunol*

から開始し，7分割で最後は3,000 mg（90.9 mL）を目指していくプロトコールとなっている．診断を目的とする場合には偽陰性を防ぐために最大量としてタンパク量換算で2 g を推奨している．負荷試験間隔は最短で20分間隔としているが，少量から開始し投与間隔を長くすると脱感作を生じ偽陰性になる可能性も指摘している．

日本小児アレルギー学会から「食物アレルギーガイドライン2021（以下，ガイドライン2021）」が発刊され[5]，OFC に関しては厚生労働科学研究班から出された「食物経口負荷試験の手引き2020」をベースにしている[6]．「食物アレルギーガイドライン2016」の考え方を踏襲し[7]完全除去を避けることを目的に総摂取量を3段階に定め，摂取方法は単回あるいは2回，摂取間隔は30分以上を勧めている．このようなアプローチは PRACTALL consensus report と異なりわが国に独自な OFC なので，システマティックレビューにて，わが国特有のアプローチの有用性を検討した．表6[5]に示すようにエビデンスレベルは低いものの食物アレルギー患者もしくはその疑いのある者において OFC は鶏卵および牛乳の完全除去回避に有用な検査であることが示された[8,9]．「食物経口負荷試験の手引き2020」での新しい取り組みとしては OFC の安全性を担保するためにアナフィラキシーの有無などにより実施すべき施設を分類し，原因アレルゲン・即時型症状の既往・アナフィラキシーの有無・検査結果に基づいて総負荷量を提案している．

3. 積極的な治療（アレルゲン免疫療法）

この15年間あまりの間に食物アレルギーに関する積極的な治療の報告が相次ぎ，具体的には，経口免疫療法（oral immunotherapy：OIT），OIT＋omalizumab，舌下免疫療法（sublingeal immunotherapy：SLIT），経皮免疫療法（epicutaneous immunotherapy：EPIT）などである．OIT に関して当初耐性獲得を期待して特異的耐性誘導療法（specific tolerance induction therapy：

表2 小麦と大豆のコンポーネント

抗原	コンポーネント	著者	年	結果	雑誌
小麦	gliadin	Kotaniemi-Syrjänen, et al	2010	gliadins-sIgEは遷延する小麦アレルギーと小児気管支喘息の発症と関連	*Pediatr Allergy Immunol*
	ω-5 gliadin	Ebisawa, et al	2011	ω-5 gliadin-sIgEは即時型小麦アレルギーの診断に有用	*Int Arch Allergy Immunol*
		Nilsson, et al	2015	ω-5 gliadin-sIgEは小麦経口負荷試験の重篤な反応と関係	*Pediatr Allergy Immunol*
	ω-5 gliadin HMW-glutenin	Morita, et al	2009	ω-5 gliadin and HMW-gluteninはWDEIAの原因アレルゲン	*Allergol Int*
	lipid transfer protein (LTP)	Palacin, et al	2007	wheat LTPはBarker's asthmaと関連	*J Allergy Clin Immunol*
	α-amylase inhibitors	Pastorello, et al	2007	α-amylase inhibitors and lipid transferは即時型小麦アレルギーと関連	*Int Arch Allergy Immunol*
大豆	Gly m 4 (Bet v 1 homologues)	Fukutomi, et al	2012	Gly m 4-sIgEは成人大豆アレルギーと関連	*J Allergy Clin Immunol*
		Berneder, et al	2013	Gly m 4-sIgEは豆乳によるOASや全身性の反応のリスク因子	*Int Arch Allergy Immunol*
	Gly m 5 (7S globulin) Gly m 6 (11S globulin)	Holzhauser, et al	2009	Gly m 5 or Gly m 6-sIgEは大豆に対する重篤な反応と関係	*J Allergy Clin Immunol*
		Ito, et al	2011		*J Allergy Clin Immunol*
	Gly m 8 (2S albumin)	Ebisawa, et al	2013	Gly m 8-sIgEは大豆アレルギーの診断において最も優れたマーカー	*J Allergy Clin Immunol*
		Klemans, et al	2013		*Allergy*
		Kattan, et al	2015		*J Allergy Clin Immunol Pract*

SOTI）とよぶグループもあったが，最近はOITによる脱感作は可能だが，OITによる介入の結果と自然経過での耐性化（acquisition of tolerance）とは相当異なる状態と考えられてようになってきた．脱感作後に一定期間治療を中断しても不応を保てている状態はsustained unresponsiveness（SU）とよばれ，ガイドライン2021では「持続的無反応」とよぶことにした．SUに達していても運動や感染症による症状誘発が起こる症例が認められ，何をもって耐性化というべきなのか判断できないためである．OITの長年の経験から誤食等による症状誘発を防ぐことを第一段階の目標とし，目標量を低くしていく方向にシフトしてきている．

ピーナッツアレルギーに対するOIT治療薬（製品コードAR101）は第3相を終了し[10]，2020年3月にアメリカ食品医薬品局（FDA）より承認され製品名“PALFORZIA®”として4〜17歳対象にAimmune Therapeutics, Inc.（http://www.aimmune.com/）から発売された．Aimmune Therapeutics, Inc.は2020年10月にネスレに買収され傘下に入っている．“PALFORZIA®”は今後ヨーロッパ各国でも承認されていく方向で動いており，欧米ではOITに用いる製剤の標準化という

表3 ナッツ類，ゴマ，ソバのコンポーネント（1）

抗原	コンポーネント	著者	年	結果	雑誌
ヘーゼルナッツ	Cor a 1（PR-10） Cor a 9（11S globulin）	Inoue, et al	2020	Cor a 1-sIgE 低値と Cor a 9-sIgE 高値は日本人のヘーゼルナッツアレルギーの診断に有用	*Allergol Int*
	Cor a 9（11S globulin） Cor a 14（2S albumin）	Masthoff, et al	2013	Cor a 9 and Cor a 14-sIgE 陽性はヘーゼルナッツアレルギーの臨床的な反応性と関連	*J Allergy Clin Immunol*
		Kattan, et al	2014		*J Allergy Clin Immunol Pract*
		Beyer, et al	2015		*Allergy*
		Brandström, et al	2015		*Clin Exp Allergy*
		Buyuktiryaki, et al	2016		*J Allergy Clin Immunol Pract*
		Nilsson, et al	2020		*J Allergy Clin Immunol Pract*
	Cor a 14（2S albumin）	Carraro, et al	2016	Cor a 14-sIgE 陽性はヘーゼルナッツアレルギーの診断につながる	*Pediatr Allergy Immunol*
		Eller, et al	2016		*Allergy*

表4 ナッツ類，ゴマ，ソバのコンポーネント（2）

抗原	コンポーネント	著者	年	結果	雑誌
カシュー	Ana o 3（2S albumin）	Savvatianos, et al	2015	Ana o 3-sIgE 陽性はカシューとピスタチオの診断につながる	*J Allergy Clin Immunol*
		Lange, et al	2017	Ana o 3-sIgE はカシューナッツアレルギーの診断に有用	*Allergy*
		Sato, et al	2019		*J Allergy Clin Immunol Pract*
		Blazowski, et al	2019	Ano 3 への単一な感作はアナフィラキシーと関連	*Allergy*
クルミ	Jug r 1（2S albumin）	Sordet, et al	2009	Jug r 1 はアレルゲン性が強い	*Peptides*
		Blankestijn, et al	2017	Jug r 1-sIgE は成人のクルミアレルギー診断への付加効果はない	*J Allergy Clin Immunol*
		Sato, et al	2017	Jug r 1-sIgE は小児のクルミアレルギー診断に有用	*J Allergy Clin Immunol Pract*
	Jug r 3（LTP） Jug r 5（PR-10） Jug r 7（profilin）	Lyons, et al	2021	欧州では地域により主要なコンポーネントが異なる（南：Jug r 3，北・中央：Jug r 5，全体：Jug r 7）	*J Allergy Clin Immunol Pract*
	Jug r 1（2S albumin） Jug r 4（11S globulin）	Elizur, et al	2020	Jug r 1 と Jug r 4 はクルミアレルギーの診断に有用	*J Allergy Clin Immunol Pract*
	Jug r 4（11S globulin）	Blankestijn, et al	2018	Jug r 4 は成人のクルミアレルギーの診断に有用	*Clin Exp Allergy*

方向に動きつつあるが，開発コストや標準化のコストが上乗せされておりスーパーなどで用意できる食材を用いる場合に比べて非常に高価になっている．

もう 1 つはフランスのベンチャー企業の DBV Technologies（http://www.dbv-technologies.com/en/dbv-technologies/about-us）がピーナッツアレルギーに対する EPIT の治療薬（製品名 Viaskin®）

表5　ナッツ類，ゴマ，ソバのコンポーネント（3）

抗原	コンポーネント	著者	年	結果	雑誌
アーモンド	Pru du 6（11S globulin）	Kabasser, et al.	2020	Pru du 6 はアーモンドアレルギーの診断に有用	*Allergy*
マカダミア	Mac i 1（7S globulin）	Yasudo, et al.	2022	Mac i 1 はマカダミアナッツの反応性と関連	*J Allergy Clin Immunol Pract*
ブラジルナッツ	Ber e 1（2S albumin）	Rayes, et al.	2015	Ber e 1-sIgE はブラジルナッツの反応性と関連	*Clin Exp Allergy*
ゴマ	Ses i 1（2S albumins）	Maruyama, et al.	2016	Ses i 1-sIgE はゴマアレルギーの診断に有用	*Clin Exp Allergy*
		Yanagida, et al.	2019		*J Allergy Clin Immunol Pract*
		Saf, et al.	2020		*J Allergy Clin Immunol Pract*
ソバ	Fag e 3（7S globulin）	Maruyama, et al.	2016	Fag e 3-sIgE はそばアレルギーの診断を改善	*J Allergy Clin Immunol Pract*
		Yanagida, et al.	2018	Fag e 3-sIgE は重篤なアレルギー症状と関連	*Int Arch Allergy Immunol*
	Fag e 2（2S albumin） Fag e 5（7S globulin）	Geiselhart, et al.	2018	Fag e 2, 5, legumin への感作はソバの反応性と関連	*Clin Exp Allergy*

表6　OFC に関する Clinical Question（CQ）と推奨，推奨度・エビデンスレベル一覧

CQ	内容	推奨度	エビデンスレベル
CQ 3	日本の IgE 依存性鶏卵アレルギー患者もしくはその疑いのある者において，食物経口負荷試験は完全除去回避に有用か？		
	完全除去回避目的に食物経口負荷試験を実施することが推奨される．ただし食物経口負荷試験は，安全性に十分配慮して実施する必要がある．	1	D
CQ 4	日本の IgE 依存性牛乳アレルギー患者もしくはその疑いのある者において，食物経口負荷試験は完全除去回避に有用か？		
	完全除去回避目的に食物経口負荷試験を実施することが推奨される．ただし食物経口負荷試験は，安全性に十分配慮して実施する必要がある．	1	D

〔海老澤元宏，ほか（監修），日本小児アレルギー学会食物アレルギー委員会（作成）：食物アレルギー診療ガイドライン 2021，協和企画，2021〕

の第 3 相臨床試験を終了し FDA に製品の承認申請を行ったが，ディバイスの再試験を命ぜられたところでコロナのパンデミックを迎えて臨床試験の遂行や FDA との交渉に手間取りいまだ承認に至っていない．

いずれの企業もピーナッツの治療に最初に取り組み，次の段階として牛乳，ナッツなど他の食物アレルゲンの開発に取り組んでいる．

4．積極的な治療（生物学的製剤による介入）

OIT と高親和性抗 IgE モノクローナル抗体である omalizumab の組み合わせによる医師主導治験が行われた後[11]，ノバルティス社は食物アレルギーの領域になかなか参入してこなかった．最近，ClinicalTrials.gov で調べてみると表 7 に示すように omalizumab を用いた臨床試験（単独での治療や OIT との組み合わせ）がアメリカ，オランダ，カナダで進行中である．また，omal-

表7 抗 IgE モノクロナール抗体の食物アレルギーへの応用

<table>
<tr><th colspan="6">omalizumab</th></tr>
<tr><th>Rank</th><th>Title</th><th>Conditions</th><th>Interventions</th><th>Locations</th><th>URL</th></tr>
<tr><td>1</td><td>Behandling af Boern Med Foedevareallergi Med Omalizumab (Xolair)</td><td>Food Allergy</td><td>Drug：Omalizumab|Other：Placebo</td><td>Denmark</td><td>https://ClinicalTrials.gov/show/NCT04037176</td></tr>
<tr><td>2</td><td>Omalizumab as Monotherapy and as Adjunct Therapy to Multi-Allergen OIT in Food Allergic Participants (OUtMATCH)</td><td>Peanut Allergy|Multi-food Allergy</td><td>Drug：Omalizumab|Drug：Placebo for Omalizumab|Drug：Multi-Allergen Oral Immunotherapy|Drug：Placebo for Multi-Allergen Oral Immunotherapy|Other：Double-Blind Placebo-Controlled Food Challenge Based Treatment</td><td>United States</td><td>https://ClinicalTrials.gov/show/NCT03881696</td></tr>
<tr><td>3</td><td>Clinical Study Using Biologics to Improve Multi OIT Outcomes</td><td>Hypersensitivity|Food Allergy|Hypersensitivity, Food|Peanut Hypersensitivity|Peanut Allergy</td><td>Drug：Omalizumab|Drug：Dupilumab|Other：Placebo</td><td>United States</td><td>https://ClinicalTrials.gov/show/NCT03679676</td></tr>
<tr><td>4</td><td>Omalizumab to Accelerate a Symptom-driven Multi-food OIT (BOOM)</td><td>Food IgE-mediated Allergy|Immunotherapy|Omalizumab|Physiological Effects of Drugs</td><td>Biological：Omalizumab 16 mg/kg|Biological：Omalizumab 8 mg/kg|Biological：Placebo|Other：Multi-food oral immunotherapy (OIT)</td><td>Canada</td><td>https://ClinicalTrials.gov/show/NCT04045301</td></tr>
<tr><th colspan="6">ligelizumab</th></tr>
<tr><th>Rank</th><th>Title</th><th>Conditions</th><th>Interventions</th><th>Locations</th><th>URL</th></tr>
<tr><td>1</td><td>Efficacy and Safety of QGE031 (Ligelizumab) in Patients With Peanut Allergy</td><td>Allergy, Peanut</td><td>Drug：ligelizumab|Drug：Placebo</td><td>United States, Australia, Canada, Japan</td><td>https://ClinicalTrials.gov/show/NCT04984876</td></tr>
</table>

表8 抗 IL-4/IL-13 受容体抗体の食物アレルギーへの応用

<table>
<tr><th colspan="6">dupilumab</th></tr>
<tr><th>Rank</th><th>Title</th><th>Conditions</th><th>Interventions</th><th>Locations</th><th>URL</th></tr>
<tr><td>1</td><td>Effectiveness of Dupilumab in Food Allergic Patients With Moderate to Severe Atopic Dermatitis</td><td>Food Allergy</td><td></td><td>Netherlands</td><td>https://ClinicalTrials.gov/show/NCT04462055</td></tr>
<tr><td>2</td><td>Clinical Study Using Biologics to Improve Multi OIT Outcomes</td><td>Hypersensitivity|Food Allergy|Hypersensitivity, Food|Peanut Hypersensitivity|Peanut Allergy</td><td>Drug：Omalizumab|Drug：Dupilumab|Other：Placebo</td><td>United States</td><td>https://ClinicalTrials.gov/show/NCT03679676</td></tr>
<tr><td>3</td><td>Dupilumab and Milk OIT for the Treatment of Cow's Milk Allergy</td><td>Allergies Food Milk</td><td>Drug：Dupilumab|Other：Placebo</td><td>United States</td><td>https://ClinicalTrials.gov/show/NCT04148352</td></tr>
<tr><td>4</td><td>Gastrointestinal STRING Test With Oral Immunotherapy (STRING)</td><td>Eosinophilic Disorder|Food Allergy</td><td>Device：Entero-tracker</td><td>United States</td><td>https://ClinicalTrials.gov/show/NCT04943744</td></tr>
<tr><td>5</td><td>Study to Evaluate Dupilumab Monotherapy in Pediatric Patients With Peanut Allergy</td><td>Peanut Allergy</td><td>Drug：Dupilumab</td><td>United States, Canada</td><td>https://ClinicalTrials.gov/show/NCT03793608</td></tr>
<tr><td>6</td><td>Study in Pediatric Subjects With Peanut Allergy to Evaluate Efficacy and Safety of Dupilumab as Adjunct to AR101 (Peanut Oral Immunotherapy)</td><td>Peanut Allergy</td><td>Drug：Dupilumab|Drug：Placebo matching dupilumab|Drug：AR101</td><td>United States</td><td>https://ClinicalTrials.gov/show/NCT03682770</td></tr>
</table>

ClinicalTrials. gov

izumab より IgE 抗体のマスト細胞への結合を強く抑制する ligelizumab のグローバル治験（ピーナッツ）がアメリカ，カナダ，オーストラリア，日本で始まっている．

IL-4，IL-13 のリセプター（α鎖）をブロックする dupilumab の臨床試験も表 8 に示すように主にアメリカにおいてピーナッツ（単独での治療や OIT との組み合わせ）や牛乳（OIT との組み合わせ）に対して進行中である．

5. 予　防

システマティックレビューによるメタ解析で鶏卵とピーナッツに関しては早期摂取によるそれらの食物アレルギーの発症予防効果が報告されているが，牛乳に関してはまだ結論に至っていない[12]．2019 年と 2020 年に日本からランダム化比較試験の論文が国際誌に発表されているので解説する．

1 つ目の論文は慈恵医大のグループにより *JAMA Pediatrics* に報告されている[13]．その研究デザインは生後 1 日から母乳栄養に調製粉乳 5 mL/日を追加したグループ（調製粉乳追加群：151 例）と少なくとも生後 3 日は調製粉乳を与えずアミノ酸乳を追加したグループ（アミノ酸乳追加群：151 例）にランダム化し，その後は全く同じ方法で追跡して 2 歳の時点での牛乳に関する感作を主要評価項目として解析を行った．牛乳特異的 IgE 抗体価は母乳栄養に調製粉乳を追加したグループにおいて有意差をもって高く，2 歳の時点での牛乳アレルギーも調製粉乳追加群の 10 例に対してアミノ酸乳追加群では 1 例にとどまっていた．さらに鶏卵アレルギー・小麦アレルギーの発症に関しても調製粉乳追加群で多かった．つまり生後 1 週間以内の異種タンパクへの曝露が食物アレルギーを増加させる可能性が示唆されたのである．

もう 1 つの論文は沖縄県の複数施設とあいち小児保健医療総合センターによる研究で *J Allergy Clin Immunol* に報告された生後 1〜2 か月まで（2 か月間）の調製粉乳の摂取が生後 6 か月の時点での牛乳アレルギーの発症に与える影響を検討したものである[14]．その研究デザインは生後 1 か月の時点でランダム化し，生後 1〜2 か月の間，母乳栄養に調製粉乳を 10 mL 以上/日加えたグループ（調製粉乳追加群：243 例）と母乳栄養に大豆乳を加えたグループ（大豆乳追加群：249 例）に分け，生後 3 か月以降は必要に応じて調製粉乳を追加可能にして生後 6 か月の時点での牛乳アレルギーの評価を OFC にて行った．生後 6 か月の時点での OFC で診断した牛乳アレルギーは調製粉乳追加群で 0.8% であったのに対して大豆乳追加群では 6.8% と発症率が有意に高かった．つまり生後1〜2か月まで調製粉乳の少量摂取により牛乳アレルギーの発症予防が可能であるという報告である．

この 2 つの成果をまとめてみると図 5 のようになるのではないかと思う．生後 1 週間以内には牛乳ベースの調製粉乳の導入は避けて母乳不足にはアミノ酸乳（加水分解乳でよいのかは今

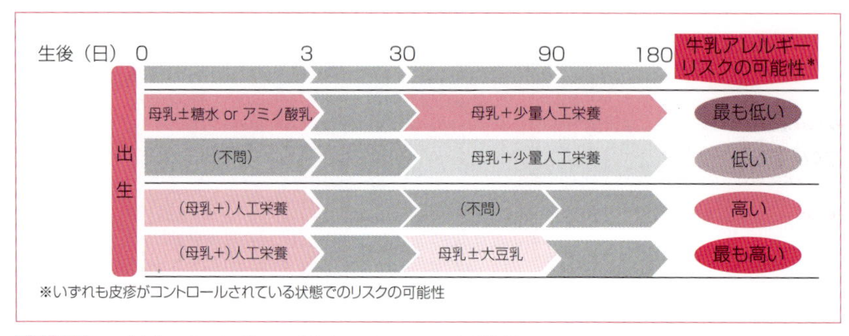

図5　牛乳アレルギーの発症のリスクの可能性

後の検討）を追加することで1か月まで養育し，生後1〜2か月までは母乳栄養に加えて調製粉乳を少し与えておくと6か月での牛乳アレルギーの発症を抑え，最終的には鶏卵/小麦も含めた2歳までの即時型食物アレルギーの発症を抑制することも可能ということである．母乳栄養を基本とすることに関してはアレルギーの発症に関係なく推奨されることであることを断っておきたい．

2 世界各国の診療水準の動向

日本と世界の食物アレルギーに関する診療のレベルの比較をする際にまず考慮しなくてはならないことはアレルギー専門医制度の有無，そして医療制度の違い，特に保険制度の違いと専門医へのアクセスの違いである．アメリカを中心に諸外国の現状を紹介してみたい．

1. アメリカのアレルギー専門医制度と医療制度

アメリカのアレルギー専門医制度は50年の歴史があり，内科医と小児科医の専門医をもつものが，2〜3年の研修を経て小児から成人までをカバーするアレルギー専門医となることができる．アメリカのアレルギー専門医は花粉症や環境アレルゲンに対して皮膚テストでの診断，そしてアレルゲン免疫療法を行う医師という位置づけである．したがってアレルギー専門医においても食物アレルギーの診断としては皮膚テストが行われることが圧倒的に多く，ゼロリスクでないOFCを行う医療機関は必然的に研究目的に限定されてくる．その結果，OFCは非常に限られた施設でしか行われていない．PALFORZA®が承認されたことで状況は変わりつつあると思うが，コロナパンデミックにより受診控えがアメリカでも2020〜2021年には顕著であったのでこれからどうのように変わっていくのかが注目される．

2. その他の国の実情

アジアではアレルギー専門医制度があるのは日本だけであり，OFCは一般診療となっておらず，OITもいまだあまり行われていない．アレルギー疾患の増加はアジア諸国では日本よりもタイムラグがあり，まだ研究の中心が気管支喘息に重点が置かれているのもその一因であろう．韓国では食物アレルギーに関してガイドラインも作成され機運は高まってきていると思われる．タイでアレルギーのトレーニングを受けている医師を2011年から毎年夏か春の入院で行うOITの時期に合わせて研修に受け入れているが，彼らが当院に来る理由はOFCとOITの見学が主目的である．コロナパンデミックにより2020年からは凍結状態である．

ヨーロッパに目を向けてみるとドイツなどではプライベートプラクティス（保険診療外）と通常診療（日本での保険診療的な部分）に分けられ，貧富の差が医療の質を決めることになる．また，フランスではアレルギー領域がほかの臓器別の領域から攻撃を受けており，アレルギー領域が危機を迎えていると聞く．英国では伝統的にアレルギー領域の関心は低く，アレルギー研究を行っている数施設に英国からの情報発信は限定されている．

3 日本の診療・研究レベルの進歩と世界のレベル

1. 日本での診療・研究の進展の背景

日本での食物アレルギーの診療・研究の進歩において表9に示すように2000年以降の食物アレルギー・アナフィラキシーの対策の進歩が大きく貢献したことはいうまでもない．特に2006年に入院で2008年に外来でもOFCが保険適用となったことが最も大きな出来事であっ

表9　食物アレルギー・アナフィラキシーの社会的対応の歩み

年	事項	担当
2002年	アレルギー物質を含む食品表示開始	（厚生労働省）
2005年	エピペン® の食物アレルギーおよび小児への適応拡大	（厚生労働省）
	「食物アレルギーの診療の手引き 2005」	（厚生労働省研究班）
	「食物アレルギー診療ガイドライン 2005」	（日本小児アレルギー学会）
2006年	食物アレルギー関連（入院での食物負荷試験・栄養指導）の診療報酬化	（厚生労働省）
2007年	アレルギー疾患への対応の現状報告（食物アレルギー有病率 2.6%，アナフィラキシー 0.1% との報告）	（文部科学省）
2008年	学校のアレルギー疾患に対する取り組みガイドラインおよび管理指導表	（日本学校保健会）
	外来での食物負荷試験の診療報酬化	（厚生労働省）
	“診療の手引き 2008” 改訂，“栄養指導の手引き” 2008 公開	（厚生労働省研究班）
2009年	「食物経口負荷試験ガイドライン 2009」	（日本小児アレルギー学会）
	業務としての救急救命士へのエピペン® の使用解禁	（厚生労働省・総務省）
	食物負荷試験実施施設公開	（厚生労働省研究班・食物アレルギー研究会）
2011年	保育所でのアレルギー対応　ガイドライン	（厚生労働省）
	エピペン® 保険診療の適用	（厚生労働省）
	「食物アレルギーガイドライン 2012」	（日本小児アレルギー学会）
	“診療の手引き 2011” 改訂，“栄養指導の手引き” 2011 改訂	（厚生労働省研究班）
2013年	日本小児アレルギー学会　“一般向けエピペン® の適応”	（日本小児アレルギー学会）
2014年	日本アレルギー学会　“アナフィラキシー GL”	（日本アレルギー学会）
2015年	“診療の手引き 2014” 改訂	（厚生労働省研究班）
2016年	「食物アレルギー診療ガイドライン 2016」	（日本小児アレルギー学会）
2017年	“診療の手引き 2017” 改訂，“栄養指導の手引き 2017” 改訂	（AMED ＆厚生労働省研究班）
2020年	“OFC の手引き 2020” 公開，“診療の手引き 2020” 改訂	（AMED ＆厚生労働省研究班）
2021年	「食物アレルギー診療ガイドライン 2021」	（日本小児アレルギー学会）

AMED：日本医療開発機構

た．今日のわが国における食物アレルギーの診療・研究の進展は OFC の保険診療の適用，そして全国への普及（日本小児科学会指導研修施設で 300 以上の施設で実施）なしにはあり得なかったと思う[15]．ガイドライン 2021 で CQ3 と 4 で OFC は鶏卵および牛乳の完全除去回避に有用な検査であることが示されたことを国際的に情報発信できた意義は大きかった．

2. 患者からの経験

当科で管理されていた牛乳アレルギーの患者がアメリカに家庭の事情で転勤になった例（症例 1），アメリカのカリフォルニア州在住の日本人家族の例（症例 2），米軍関係者を両親にもつピーナッツアレルギーの例（症例 3），母親が日本人のスイス在住の患者の例（症例 4）などいくつかの欧米における食物アレルギーの診療レベルを垣間見ることができたが，すべての症例を通した経験からいえることは「地方と都市，一般医と専門医での診療レベルの違いはあるものの日本ほど食物アレルギーに関して安価で手厚い診療を受けられる国はない」ということである．どのようなエピソードがあったか，具体的に紹介してみたい．

症例1

牛乳のアナフィラキシーのある女児で，牛乳 3 mL を目標とした OIT の途中でアメリカに転勤になったのだが，アメリカで近隣の医療機関を受診したところ除去とエピペン® の処方のみの指導であった．メールで逐次連絡をとりながら年に 1 回帰国するたびに抗原特異的 IgE 抗体の測定と OFC を実施し，2 年ほど経過し 3 mL→6 mL→25 mL と 2 週間除去しても摂取できるようになって加工品に乳を含む食品はほとんど摂取できるようになった．

症例2

ロサンジェルスの医療機関では皮膚テストで陽性の鶏卵，牛乳，小麦を完全に除去するように指示され，やはりエピペン® の処方だけで何も対応してもらえず，当初，筆者の知り合いを通した紹介で 1 年に一度帰国して OFC を実施していたが，ご家族の判断で思い切って日本（実家が沖縄）に食物アレルギーの改善を目的に帰国され，夏休み・春休み等を利用し微量摂取を目的とした OFC を受けて食物除去の解除を進めている．

症例3

国立病院機構相模原病院の近隣に座間キャンプや米軍関連の家族住居がある関係で軍関係のお子さん達の診療をすることもある．通常は米軍関係の方は横須賀の海軍病院を受診されることが多いようであるが，父が陸軍の軍人で母が海軍病院の院長のご子息が，ある日ピーナッツによるアナフィラキシーの治療を希望され通訳を伴い受診された．ティーンエイジャーで幼少期に診断を受けてからずっとエピペン® の処方を受け完全除去してきたが，2〜3 年日本に滞在するので OIT を日本で受けたいというのである．最初の 5 日間だけ入院管理とし 1 年間でピーナッツ 3 g を目標に増量し，2 年後には 2 週間除去しても症状の誘発はなくなった．サンアントニオに転居になる前に「アメリカ本土や海軍病院では受けられない治療を受けられ，アナフィラキシーの恐怖から逃れることができたこと」に感謝され帰国された．

以上，アメリカの医療の一部を垣間見た経験であるが，一般医レベルでは診断の見直しはせずにエピペン® 処方，専門医レベルでは皮膚テスト，食物アレルギーを専門とする大学病院レベルで OFC が可能（アメリカ内 10 施設程度）という状況のようである．

症例4

スイスに在住する父がスイス人で母が日本人の患者はミックスナッツを含むチョコレートを食べてアナフィラキシーを起こし，ピーナッツとナッツ類を完全に除去するように医師から指示されていた．しかし，検査もしてもらえず何が本当の原因なのかわからない状況であったので，保育園ではほかの児と離れて食事をさせられる等，いろいろな不都合が生じていた．現地の医師に原因の確定診断をして欲しいと申し出ても相手にしてもらえず途方に暮れていた．インターネットを通して日本のある団体の患者相談窓口を通して当院に照会があった．来日する日程に合わせて血液検査後に OFC の予約を確保し，感作のあったピーナッツ，カシューナッツ，アーモンド，クルミに関して OFC を順次実施したところピーナッツのみが原因であることが判明し，不必要な除去を中止することができたうえに保育園での対応も改善した．

スイスの食物アレルギーを専門とするジュネーブ大学の友人の医師にこの経験を話したら，「スイス国内では OFC が行える施設は小児・成人をあわせても 3 か所しかないから致し方ないのである」という説明であった．

文献

1）Canonica GW, et al.：A WAO-ARIA-GA^{2}LEN consensus document on molecular-based allergy diagnostics. *World Allergy Organ J* **6**：17, 2013
2）Matricardi PM, et al.：EAACI Molecular Allergology User's Guide. *Pediatr Allergy Immunol* **27**（Suppl.23）：1-250, 2016
3）Borres MP, et al.：Recent advances in component resolved diagnosis in food allergy. *Allergol Int* **65**：378-387, 2016
4）Sampson HA, et al.：Standardizing double-blind, placebo-controlled oral food challenges：American Academy of Allergy, Asthma & Immunology-European Academy of Allergy and Clinical Immunology PRACTALL consensus report. *J Allergy Clin Immunol* **130**：1260-1274, 2012
5）海老澤元宏，ほか（監修），日本小児アレルギー学会食物アレルギー委員会（作成）：食物アレルギー診療ガイドライン 2021，協和企画，2021
6）厚生労働科学研究費補助金（免疫・アレルギー疾患政策研究事業）食物経口負荷試験の標準的施行方法の確立：厚生労働科学研究班による食物経口負荷試験の手引き 2020（研究代表者：海老澤元宏），国立病院機構相模原病院臨床研究センター，2021
7）海老澤元宏，ほか（監修），日本小児アレルギー学会食物アレルギー委員会（作成）：食物アレルギー診療ガイドライン 2016，協和企画，2016
8）Murai H, et al.：Is oral food challenge useful to avoid complete elimination in Japanese patients diagnosed with or suspected of having IgE-dependent hen's egg allergy? A systematic review. *Allergol Int* **71**：221-229, 2022
9）Maeda M, et al.：Is oral food challenge test useful for avoiding complete elimination of cow's milk in Japanese patients with or suspected of having IgE-dependent cow's milk allergy? *Allergol Int* **71**：214-220, 2022
10）Vickery BP, et al.：AR101 Oral Immunotherapy for Peanut Allergy. *N Engl J Med* **379**：1991-2001, 2018
11）Wood RA, et al.：A randomized, double-blind, placebo-controlled study of omalizumab combined with oral immunotherapy for the treatment of cow's milk allergy. *J Allergy Clin Immunol* **137**：1103-1110. e11, 2016
12）de Silva D, et al.：Preventing food allergy in infancy and childhood：Systematic review of randomised controlled trials. *Pediatr Allergy Immunol* **31**：813-826, 2020
13）Urashima M, et al.：Primary Prevention of Cow's Milk Sensitization and Food Allergy by Avoiding Supplementation With Cow's Milk Formula at Birth：A Randomized Clinical Trial. *JAMA Pediatr* **173**：1137-1145, 2019
14）Sakihara T, et al.：Randomized trial of early infant formula introduction to prevent cow's milk allergy. *J Allergy Clin Immunol* **147**：224-232. e8, 2021
15）Ebisawa M, et al.：Pediatric allergy and immunology in Japan. *Pediatr Allergy Immunol* **24**：704-714, 2013

B 食物アレルギー：診療・社会的対応の変遷

宇理須厚雄
（うりすクリニック）

1 わが国の食物アレルギーの有症率

食物アレルギーの有症率は，日本学校保健会が実施した調査では，2004 年では小学生，中学生，高校生それぞれ 2.8%，2.6%，1.9% であったが，2013 年には 4.5%，4.8%，4.0% と増加していた[1)]．

東京都内市区町村で実施した 3 歳児健康診査の受診者の保護者からの回答をもとにしたアレルギー疾患の調査結果では，食物アレルギー有症率は，3 歳児のデータに限られるが，1999～2014 年までは増加傾向にあるが，2019 年では低下している（図 1）[2)]．近年，アレルギー疾患はいずれも増加傾向にあったが，食物アレルギーを含め低下傾向の可能性が示唆される．今後，他地域での経時的な調査発表が待たれる．

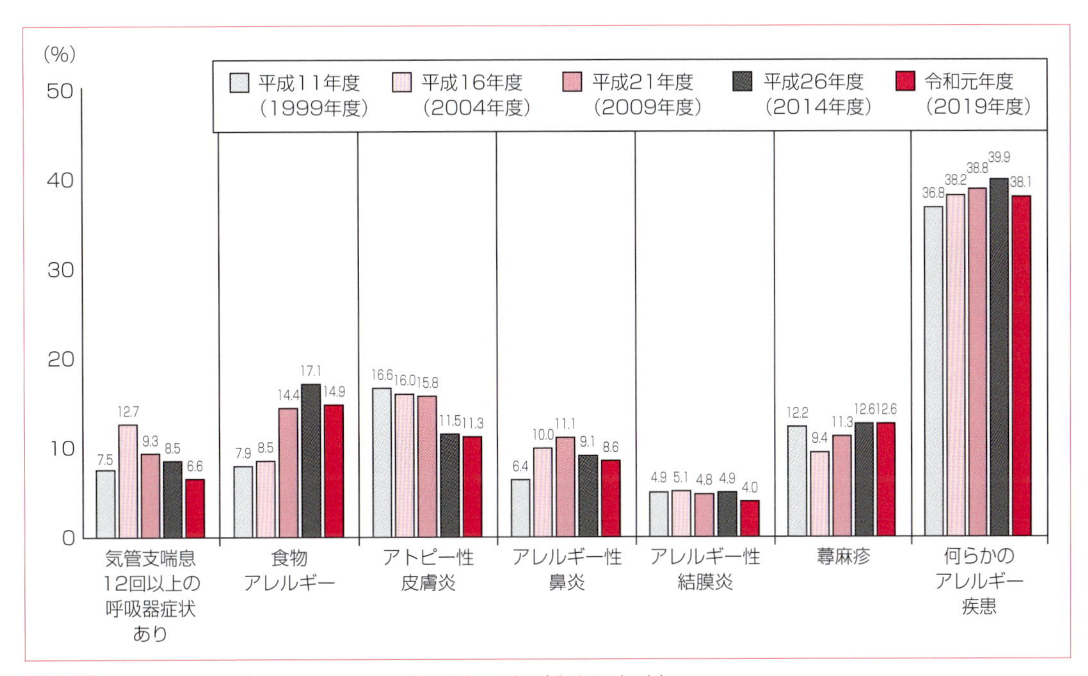

図 1 アレルギー疾患に関する 3 歳児全都調査（令和元年度）
〔アレルギー疾患に関する 3 歳児全都調査報告書（令和元年度），東京都健康安全研究センター．2020〕

2 原因食物の診断のための検査法

1．抗原特異的 IgE 抗体に基づいた原因食物診断

血清中抗原特異的 IgE（specific IgE：sIgE）抗体が定量的に測定できる方法が開発される前は，皮膚プリックテストや皮膚スクラッチテストが行われていた．現在も，標準的なプリック針を用いた皮膚プリックテストが食物アレルギー診療ガイドラインでも推奨され，日常診療で行われている．

1974 年にファルマシア社（現在のサーモフィッシャーサイエンティフィック社）から血清中総 IgE を測定できる RIST® キットと sIgE 抗体を定量的に測定できる RAST® キットが発売され，日本へは 1979 年に導入され（表 1），原因アレルゲンの同定に使われるようになった．

このような IgE の測定法の開発は，石坂公成・照子夫妻による IgE の発見[3]がなければあり得ない．それはアレルギー疾患の診療だけではなく，アレルギー研究にも多大な貢献をした．

IgE の発見以前は，患者血清中にはレアギンとよばれる抗体様物質が存在するとされ，これは，アレルギー患者の血清を正常の人の皮内に注射して，翌日，アレルゲンをその局所に皮内注射するとその局所にアレルギー様反応が起こる Prausnitz-Küstner（P-K）反応によって示されていたが，実体は不明であり，当時，IgA がレアギンという説が有力であった．

しかし，石坂夫妻は，この活性は 56℃ 30 分間の加熱で失活すること，ブタクサ抗原に反応する IgA 抗体を含む血清分画は P-K 反応を起こすのに，生体防御に関与する IgA 抗体は P-K 反応を起こさないことから，レアギンは IgA 抗体以外の非常に微量な物質ではないかという仮説を立てた．そしてついに新たな抗体を発見し，アレルギー性皮膚反応の紅斑（Erythema）の E をとって，γE globulin と名づけた．翌年 1967 年，スウェーデンの Johansson 博士と Bennich 博士が発見した新たなタイプの骨髄腫由来のタンパク質が石坂夫妻が同定した新しい免疫グロブリンと同一であることが判明し，1968 年に WHO がその免疫グロブリンを IgE と命名した．

しかし，IgE 結合能に基づいた原因食品の同定は，解決策とはならなかった．sIgE 抗体が陽性であればその食品を除去することが一般的となっていたが，限界も明らかになった．IgE 結合能には偽陽性が多いことが判明し，sIgE 抗体の存在は単に感作されていることを意味するが，必ずしも，過敏症状惹起につながらないことが証明された．

sIgE 検査は開発当初は検出マーカーとしてアイソトープが用いられたため，radioallergosorbent test の頭文字をとって RAST とよばれた．その後，蛍光酵素標識抗体を用いて高感度に検出する fluorescence-enzyme immunoassay（FEIA）法を用いる Immuno CAP®（サーモフィッシャーサイエンティフィック社）と商品名が変更された．

方法の変更がなされたにもかかわらず，いまだに sIgE 検査結果を RAST 値と記載されることがあるが，アイソトープを用いていないので間違いである．sIgE 抗体測定法の名称として RAST 法がいかに定着していたかが理解できる．

2．食物経口負荷試験の導入

正確な原因食品の同定が可能になったのは食物経口負荷試験（oral food challeng：OFC）が診療に導入されてからである．

2006 年には入院での OFC，2008 年には外来での OFC が保険適用となり，2009 年に「食物アレルギー経口負荷試験ガイドライン 2009」[4]も発刊された（表 1）．

OFC は一般診療での正確な原因食物の診断になくてはならない検査法となっただけではなく，食物アレルギー研究にも大きく貢献した．

表1 食物アレルギー：診療・社会的対応の変遷

	診療・社会的対応	食物アレルギー関連ガイドライン	園・学校での食物アレルギー対応
1979	RAST® キットが日本へ導入		
1995		改定 離乳の基本（厚生省）	
2001	アレルギー物質の食品表示制度の施行：特定原材料（義務）5品目，特定原材料に準ずるもの（推奨）19品目（2002年まで経過措置）		
	アレルギー物質の食品表示制度：特定原材料に準ずるものにバナナを追加（義務5品目，推奨20品目）		
2005	食物アレルギーと小児へのエピペン® 自己注射の適応拡大（自費診療）	食物アレルギー診療ガイドライン2005（日本小児アレルギー学会）	
2006	入院での食物経口負荷試験と食物アレルギーの栄養食事指導料の保険適用		
2007		授乳・離乳の支援ガイド（厚生労働省）	
2008	アレルギー物質の食品表示制度：特定原材料に準ずるものであったエビとカニを特定原材料へ移行（義務7品目，推奨18品目） 外来での経口負荷試験の保険適用		学校のアレルギー疾患に対する取り組みガイドライン（日本学校保健会）
2009	救急救命士：業務としてエピペン® 使用許可	食物アレルギー経口負荷試験ガイドライン2009（日本小児アレルギー学会）	
2011	エピペン® 保険適用	食物アレルギー診療ガイドライン2012（日本小児アレルギー学会）	保育所におけるアレルギー対応ガイドライン（厚生労働省）
2013	アレルギー物質の食品表示制度：カシューナッツとごまが特定原材料に準ずるものに追加（義務7品目，推奨20品目）		
2014		アナフィラキシーガイドライン（日本アレルギー学会）	
2015			学校給食における食物アレルギー対応指針（文部科学省）
2016		食物アレルギー診療ガイドライン2016（日本小児アレルギー学会）	
2019	アレルギー物質の食品表示制度：アーモンドが特定原材料に準ずるものに追加（義務7品目，推奨21品目）	授乳・離乳の支援ガイド（改定版）（厚生労働省）	保育所におけるアレルギー対応ガイドライン（厚生労働省） 学校のアレルギー疾患に対する取り組みガイドライン（日本学校保健会）
2021		食物アレルギー診療ガイドライン2021（日本小児アレルギー学会）	

sIgE抗体検査には偽陽性が多いと前述したが，一部の抗原では，sIgE抗体価とOFCの陽性率の関連を示すプロバビリティカーブ（probability curve）が描けることが判明し[5]，これに基づき，OFCが95%の確率で陽性となるsIgE抗体価が，卵，牛乳，小麦，魚，ピーナッツなどで示された．

さらには，アレルゲンコンポーネント特異的IgE抗体を測定することによって，粗抗原特異的IgE抗体よりも診断精度が上がることが証明された．その例として，卵白のGal d 1（オボムコイド），小麦の Tri a 19（ω-5 グリアジン），大豆の Gly m 4（PR-10），ピーナッツの Ara h 2（2S グロブリン），クルミの Jug r 1（2S アルブミン），カシューナッツの Ana o 3（2S アルブミン）などが利用できる．これは component-resolved diagnostics とよばれている．これらの研究も OFC による正確な原因食物の診断なしではなしえなかった．

3 治療：原因食物の除去

「食物アレルギー診療ガイドライン（以下，ガイドライン）2005」発刊までは，食物アレルギーの診療は医師の判断にまかされており，多くは，食物アレルギーに精通していると評判が高い医師の考えに従う方法が普及していた．

1．今では否定されている食物アレルギー治療（「食物アレルギー診療ガイドライン 2005」発刊以前）

1）食品のアレルゲン性強弱表

食物アレルギー患者にどの食品から摂取を指導するかという際に食品のアレルゲン性強弱表を参考にして指導する医師もいた．

たとえば，米（酒米＜白米＜もち米），魚（さより・きす・メルルーサ・いわな・ますくさけ＜黒まぐろ・さんま・にしん）などが表に掲載されているが，科学的根拠はなく，一部の医師の経験に基づいたアレルゲン性強弱であった．

マスとサケは同じサケ科，タイヘイヨウサケ属に属し，主要アレルゲンであるパルブアルブミンのアミノ酸配列にも高い相同性があり，アレルゲン性にほとんど差はない．

さらに，重症食物アレルギーのためタンパク質不足に陥るおそれがある患者には，食用蛙肉，ウサギ肉，鹿肉は日常の食生活では食さないためアレルギーを惹起するリスクが低いという理由で薦める医師もいた．

2）共通アレルゲン性の可能性がある食品はすべて除去

生物学的分類が近いものは共通アレルゲン性があるとして，除去の対象となった．たとえば，大豆アレルギーであれば，小豆，ひよこ豆，えんどう豆などすべて避ける指導がなされていた．しかし，大豆アレルギー患者でも他のマメ科食品を摂取できる患者は多い．

3）同一動物の部位が異なってもアレルゲン性は同じとみなす

鶏卵アレルギーの患者には鶏卵だけではなく，鶏肉など関連食品もすべて除去が指導された．牛乳が除去であれば牛肉も除去である．

4）アレルゲン性が減弱してほとんどアレルゲン性が残存していない製品まで除去

大豆アレルギーでは大豆から製造された醤油や味噌も除去とされ，ノン大豆醤油やノン大豆味噌が代替食品として市販されていた．醤油や味噌は発酵処理の過程でアレルゲン性が著明に減弱されており，大豆アレルギー患者のほとんどが醤油や味噌を除去する必要がない．

乳糖が含まれるすべての食品や薬品も牛乳アレルギー患者の場合除去が指導されていた．確かに，市販の乳糖には乳タンパク質が含まれるが，乳糖 1 g あたりの乳タンパク質量は数 μg である．一部の重篤な牛乳アレルギー患者では乳糖でアレルギー症状が惹起されるが，ほとんどの牛乳アレルギー患者は乳糖を無症状で経口摂取できる．ただし，乳糖を含有する吸入薬剤（抗インフルエンザ薬：イナビル®，リレンザ，喘息治療薬：フルタイドディスカス，アドエアディスカス），ステロイド静注薬〔ソル・メドロール® 静注用（40 mg）〕は発症するおそれが指摘されている．侵入経路が異なると発症閾値が異なることも判明している．

5）血中抗原特異的 IgE 抗体値に基づいた除去食

sIgE 抗体陽性だけでその食品が除去されていた．前述したように sIgE 検査結合能には偽陽性が多く，必ずしも，過敏症状惹起とは一致しない．この時代は「アレルギー症状が惹起されるおそれがある食品は除去」，つまり「疑わしきは除去」であった．

今日は，患者の QOL を考え，必要最小限の除去が当然となった．そのために正確な原因食物の診断が前提となる．これには経口負荷試験の食物アレルギー診療への導入が大きな役割を果たしたことは前述した．

2．ガイドライン発刊後の変遷：原因食物の安全量摂取

「食物アレルギー診療ガイドライン 2005[6]」はわが国で初めて作成された食物アレルギー診療ガイドラインである．医師間でも診療方針に差異が大きかっただけに，科学的根拠に基づいた診療の重要性を明記したこのガイドラインが標準的治療の普及に果たした役割は大きい．

このガイドラインでは，除去は原因食物だけとすべきとし，診断法として経口負荷試験を最も信頼性が高い方法と記載し，正しい原因食物の診断の重要性を明記している．

その後発刊された「食物アレルギー経口負荷試験ガイドライン 2009[4]」では，その標準的な方法が提示された．

ガイドライン 2012[7]では「正しい原因アレルゲンの診断に基づいた必要最小限の除去食」が食事療法のポイントの 1 つとされた．

ガイドライン 2005 には安全量摂取の考えはなかったが，ガイドライン 2012 では「食物経口負荷試験が陽性でも安全に摂取可能な食品の調理形態と量を決定できた場合には，症状を誘発しない範囲内で摂取を指導してもよい」と明記され，安全量摂取の概念が生まれた．

ガイドライン 2016[8]では「食物経口負荷試験にて陽性が確認された食物であっても，症状を誘発しない範囲の量の摂取や，加熱・調理によってアレルゲン性が低下して摂取できるものは，除去せずに摂取するように指導する」と，さらに積極的な安全量摂取を薦めている．ガイドライン 2021 でもそれが引き継がれている．安全量摂取でも長期間継続的に摂取することによって，経口負荷試験陰性となる患者が増えるという報告もある[9]．

4 アレルギー症状惹起とアレルゲン解析や分子生物学的手法の応用

一般的に，生物学的分類上近縁の食物の場合，タンパク質のアミノ酸配列の相同性が高く，交差抗原性が強いとされている．前述したように，以前は，生物学的分類が近い場合，交差抗原性によってアレルギー症状惹起を予想し，除去も指導されていた．しかし，科が同じ生物学的に近い食物同士でも，両者でアレルギー症状が出る場合と，片方だけしか出ない場合とがある．出る場合を両者間に臨床的交差反応性があるとよぶ．

科が同じ場合，臨床的交差反応性が強い組み合わせがある〔例：ウルシ科のカシューナッツ（カシューナットノキ属）とピスタチオ（カイノキ属），クルミ科のクルミ（クルミ属）とペカンナッツ（ペカン属）〕．一方，科が同じでも臨床的交差反応性が低い例としてマメ科のラッカセイ属の落花生とダイズ属の大豆がある．両者の間の臨床的交差反応性は 5% である[10]．

エビ，カニ，軟体動物のイカやタコ，貝類などの主要アレルゲンはトロポミオシンであり，交差反応性が存在する．臨床的には，エビアレルギー患者の約 70% がカニに対しても反応する．一方エビアレルギー患者の 20〜30% 程度がイカやタコ，貝類に反応するだけである[11]．トロポミオシンのアミノ酸配列の相同性をみると，エビとカニとは 90% 以上一致しているのに対

して，軟体動物とは60% 程度である．

鶏卵アレルギーの場合，主要アレルゲンであるオボムコイドに対するIgE抗体価が高い場合，加熱卵でもアレルギー症状が出現しやすいが，低値であれば加熱卵でアレルギー症状が出にくい．オボムコイドが加熱に対して安定であることがその理由と考えられている[12]．

牛乳アレルギー患者の約90%は加熱調理した牛肉を安全に摂取可能である．その科学的背景としては，牛乳の主要アレルゲンは，加熱に安定なカゼインと不安定な *β*-ラクトグロブリン，血清アルブミンなどであるが，牛肉には血清アルブミンしか存在しないことがあげられる．

このように最近は，主要アレルゲンの物理学的性状（加熱や消化酵素に対する安定性）や構造的相同性とアレルギー症状惹起との関連が解明されてきた．アレルゲン解析や分子生物学的手法のアレルゲン学への応用は，食物アレルギー研究に大きなインパクトを与えた．

5 経口免疫療法

これまで，原因食品の除去と加齢に伴う自然耐性獲得を待つしか対処法がない食物アレルギーであったが，積極的に耐性を目指す治療として食物経口免疫療法が登場し，2000年頃から論文が散見されるようになってきた[13]．

わが国では，ガイドライン2005では経口免疫療法に関する記載はみられないが，ガイドライン2012では追記で記載され，専門医によって研究的に行われている段階とされている．

ガイドライン2016では章のスペースをとって記述されている．具体的な方法や効果も記述されているが，そのリスクも併記され，安全性を最優先されることが強調されている．

経口免疫療法は専門的知識と経験を有する医師が臨床研究として実施することとし，一般診療としては推奨していない．ガイドライン2021でも同様の位置づけとなっている．課題は経口免疫療法に伴うアナフィラキシーなどの重篤な副反応である．最近は，より安全な経口免疫療法の開発研究も進んでいる．

たとえば低アレルゲン化した食品を用いる方法[14,15]，経皮免疫療法[16]，舌下免疫療法[17]，低用量での経口免疫療法[18]などが試みられている．

さらに，安全性と効率性を高める目的で抗ヒトIgE抗体であるオマリズマブ[19]のような生物学的製剤を併用することによって効率性だけではなく安全性を高める目的の研究が進んでいる．

6 食物アレルギーの社会的対応

大きな変化は食物アレルギーの診療だけではない．食物アレルギーの社会的対応でも確実な進展がみられている．2000年以前は，食物アレルギー患者自身や小児患者であればその保護者たちの自助努力に頼るのみであった．

2001年に「アレルギー物質の加工食品表示制度」が施行され，2002年までの経過措置で実際に開始された（表1）．この制度は誤食による事故を減らし，食物アレルギー患者の安全・安心に大きく貢献している．

当初，特定原材料5品目，特定原材料に準ずるもの19品目であったが，エビ，カニが特定原材料へ移行，バナナ，カシューナッツとゴマ，アーモンドが特定原材料に準ずるものへ順次追加され，現在では，特定原材料7品目，特定原材料に準ずるもの21品目になっている（表1）．

園・学校での食物アレルギー対応も地域差があるものの改善される機運がみられ，「学校のアレルギー疾患に対する取り組みガイドライン」（日本学校保健会 2008，2019），「学校給食における食物アレルギー対応指針」（文科省 2015），「保育所におけるアレルギー対応ガイドライン」（厚生労働省 2011，2019），さらには，市町村の教育委員会からの食物アレルギー対応指針の発刊はこれらの動きを推進する役目を果たしている（表 1）．

7 食物アレルギーの発症予防

ガイドライン 2005 では妊娠中並びに授乳中の食事制限の児による食物アレルギーの発症予防効果は証明されていないことから勧めていない．その当時，アメリカでは妊娠中のピーナッツ除去と授乳中のピーナッツとナッツ類の制限が推奨，ヨーロッパ小児アレルギー学会ではいずれの時期も除去を推奨しないと意見が割れていた．

わが国では，その後のガイドライン（2012，2016，2021）でも，妊娠中並びに授乳中の母親の除去は推奨していない．

離乳食の開始時期を遅らせることによって，食物アレルギーの発症を予防できるという説が一時期広がっていた．その影響かは不明であるが，離乳食開始時期が徐々に遅れてきていた．2015 年度乳幼児栄養調査（厚生労働省 2016）によると，頻度が最も高い離乳食開始時期は 1985 年では生後 4 か月であったが，1995 年と 2005 年では生後 5 か月，2015 年には生後 6 か月となっている．この間，食物アレルギーの有病率は増加傾向にある．

厚生労働省から発刊された「離乳の基本」や「離乳の支援」をみてみると，離乳食の開始は生後 5～6 か月が勧められている．一方，最も頻度が高い食物アレルギーである鶏卵の導入をみると，2007 年に発刊された「授乳・離乳の支援ガイド」では固ゆで卵黄の導入は生後 7～8 か月頃からとなっているが，2019 年の「授乳・離乳の支援ガイド改訂版」では固ゆで卵黄の導入は離乳初期から試してみる食品の中に「卵黄など」を追加，生後 5～6 か月頃からと早くなっている．

「改定 離乳の基本」（1995 年）では固ゆで卵黄の導入は 5～6 か月であったので，元に戻した形である．

最近は，乳児期からの積極的な早期介入によってピーナッツ，鶏卵，牛乳などで食物アレルギーの発症予防の研究がなされている．ピーナッツアレルギー発症予防に関して欧米では生後 4 か月から導入が薦められている．2016 年日本小児アレルギー学会から乳児期の鶏卵アレルギー発症予防に関する見解が出された．

乳児期の早期摂取が薦められる傾向にあるが，まだ，標準的な具体的な方法が決まっておらず，実臨床での対処法について今後の研究が期待される．

アトピー性皮膚炎の存在が食物アレルギー発症のリスク因子であるが，乳児期の保湿剤の使用による食物アレルギー発症予防効果については賛否がある．アトピー性皮膚炎のステロイド軟膏による治療が食物アレルギーに対する予防効果があるという報告もあり，議論がなされている．

食物アレルギー対応は原因食品の除去によるアレルギー症状発症予防（三次予防）から，耐性獲得を目指した安全量摂取や経口免疫療法，さらには，発症予防（一次予防）へと進みつつある．原因と「疑われる食品は除去」から「必要最小限の除去」へ，「原因食品だけの完全除去」から「原因食品でも誘発閾値を超えない安全量は摂取」へと，食物アレルギーの食事療法は，「除去から食べることを目指す」へとパラダイムシフトが起きている．さらには，根治を目指す経口免疫療法や発症予防を目指す研究が現在盛んに行われている．

文献

1）平成25年度学校生活における健康管理に関する調査中間報告．日本学校保健会，2014
2）アレルギー疾患に関する3歳児全都調査（令和元年度）報告書．東京都健康安全研究センター，2020
3）Ishizaka K, et al.：Pillars Article：Physicochemical Properties of Reaginic Antibody. V. Correlation of Reaginic Activity with γE–Globulin Antibody. *J Immunol* **97**：840–853, 1966
4）宇理須厚雄，ほか（監修），日本小児アレルギー学会食物委員会アレルギー委員会経口負荷試験標準化ワーキンググループ（作成）：食物経口負荷試験ガイドライン2009．協和企画，2009
5）Sampson HA：Utility of food–specific IgE concentrations in predicting symptomatic food allergy. *J Allergy Clin Immunol* **107**：891–896, 2001
6）向山徳子，ほか（監修），日本小児アレルギー学会食物アレルギー委員会（作成）：食物アレルギー診療ガイドライン2005．協和企画，2005
7）宇理須厚雄，ほか（監修），日本小児アレルギー学会食物アレルギー委員会（作成）：食物アレルギー診療ガイドライン2012，協和企画，2011
8）海老澤元宏，ほか（監修），日本小児アレルギー学会食物アレルギー委員会（作成）：食物アレルギー診療ガイドライン2016．協和企画，2016
9）Kim JS, et al.：Dietary baked milk accelerates the resolution of cow's milk allergy in children. *J Allergy Clin Immunol* **128**：125–131, 2011
10）Sicherer SH：Clinical implications of cross–reactive food allergens. *J Allergy Clin Immunol* **108**：881–890, 2001
11）富川盛光，ほか：日本における小児から成人のエビアレルギーの臨床像に関する検討．アレルギー **55**：1536–1542，2006
12）Ando H, et al.：Utility of ovomucoid–specific IgE concentrations in predicting symptomatic egg allergy. *J Allergy Clin Immunol* **122**：583–588, 2008
13）Longo G, et al.：Specific oral tolerance induction in children with very severe cow's milk–induced reactions. *J Allergy Clin Immunol* **121**：343–347, 2008
14）Urisu A, et al.：New approach for improving the safety of oral immunotherapy for food allergy. *Clinical & Experimental Allergy Reviews* **12**：25–28, 2012
15）Benhamou AH, et al.：State of the art and new horizons in the diagnosis and management of egg allergy. *Allergy* **65**：283–289, 2010
16）Sampson HA, et al.：Effect of Varying Doses of Epicutaneous Immunotherapy vs Placebo on Reaction to Peanut Protein Exposure Among Patients With Peanut Sensitivity：A Randomized Clinical Rrial. *JAMA* **318**：1798–1809, 2017
17）Schworer SA, et al.：Sublingual immunotherapy for food allergy and its future directions. *Immunotherapy* **12**：921–931, 2020
18）Ogura K, et al.：Evaluation of oral immunotherapy efficacy and safety by maintenance dose dependency：A multicenter randomized study. *World Allergy Organ J* **13**：100463, 2020
19）Wood RA, et al.：A randomized, double–blind, placebo–controlled study of omalizumab combined with oral immunotherapy for the treatment of cow's milk allergy. *J Allergy Clin Immunol* **137**：1103–1110, 2016

C 食物アレルギーの疫学・病型

今井孝成
(昭和大学医学部 小児科学講座)

1 定 義

食物アレルギーとは,「食物によって引き起こされる抗原特異的な免疫学的機序を介して生体にとって不利益な症状が惹起される現象」と定義される[1].

1. 食物による有害反応(図 1)[1]

食物による有害反応(adverse reactions to food)という病態のくくりの中に食物アレルギー(food allergy)は含まれる.さらに免疫学的機序を介する反応と介さない反応に分けられ,食物アレルギーは免疫学的機序を介する反応に含まれる.免疫学的機序はIgE依存性反応(IgE mediated reactions)と非IgE依存性反応(non-IgE mediated reactions)に分類される.一方で非免疫学的機序は食物不耐症とよばれ,食品中に含まれる薬理活性物質による反応や代謝性疾患などがこれに該当する.

別に食物による有害反応を,毒性物質による反応(toxic reactions)と非毒性物質による反応(non-toxic reactions)に分ける分類方法もある.毒性物質による反応には,自然毒(ふぐ毒,きのこ毒など)や食品に取り付いた病原体(細菌・ウイルス・寄生虫)の毒素による食中毒や寄生虫症が含まれる.毒性物質による反応は,発症はヒト側の因子によらず,すべてのヒトに発症する可能性がある病態である.一方で非毒性物質による反応に食物アレルギーや食物不耐症が含まれ,これは特定の体質を持ったヒトにのみ発症する特徴を有する.

2. 食物抗原感作と食物アレルギー

食物アレルギーと食物抗原への感作状態は分けて捉える必要がある.すなわち,食物アレルギーは当該抗原に感作され,アレルゲンの侵入に伴い症状が誘発される状態であり,一方で食物抗原への感作は,当該抗原の侵入があっても症状が誘発されない状態にある.検査による抗原特異的IgEの検出が診断の根拠にならないのは,単に抗原への感作を証明しているに過ぎない可能性があるからである.

なお,食物抗原への感作から食物アレルギーの発症は必ずしも食物だけに由来するわけではなく,感作経路も経口だけではなく,経皮,経粘膜等もある.この食物由来でない食物抗原への感作は,抗原の交差性に基づく.代表的なものとして花粉抗原感作に由来する果物などのアレルギー〔花粉-食物アレルギー症候群(pollen-food allergy syndrome:PFAS)〕がある.この場合の感作経路は,花粉の経皮および経粘膜が主体と考えられる.食物アレルギー症状の発症も,抗原の侵入経路は必ずしも経口とは限らない.たとえば摂食時に口周囲に触れることで発症する接触蕁麻疹は経皮,パン職人喘息(baker's asthma)の発症は経気道である.

なお食物アレルギーは食品成分によって誘発される症状を疾患定義とするため,ソバアレルギー患者がそば殻枕を使って何らかの症状が誘発された場合や,商品を開封後に混入したダニ

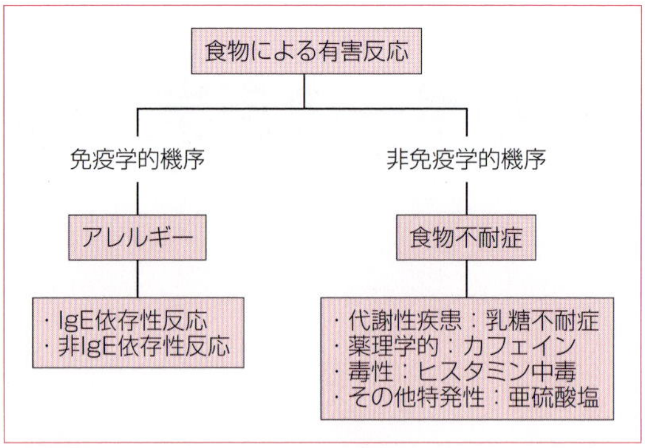

食物による有害反応
免疫学的機序 → アレルギー
・IgE依存性反応
・非IgE依存性反応
非免疫学的機序 → 食物不耐症
・代謝性疾患：乳糖不耐症
・薬理学的：カフェイン
・毒性：ヒスタミン中毒
・その他特発性：亜硫酸塩

図1 食物アレルギーの定義
〔海老澤元宏，ほか（監修），日本小児アレルギー学会食物アレルギー委員会（作成）：食物アレルギー診療ガイドライン 2021，協和企画，2021〕

を含む小麦粉を食べてダニによる症状が現れた場合（oral mite anaphylaxis），さらにアニサキスアレルギーなどは，誘発因子が食物ではないので食物アレルギーとは考えない[1]．

3．免疫学的機序

抗原特異的な免疫学的機序は，IgE 依存性反応と非 IgE 依存性反応に大別されることは前述したとおりである．IgE 依存性反応の多くは抗原曝露から何らかの症状発症まで 2 時間以内であり，一般的に即時型といわれる．ただし IgE 依存性反応であっても 2 時間以降に症状が誘発されることがあり，この反応を遅発型反応とよぶ．

一方で非 IgE 依存性反応は細胞性免疫（抗原特異的 T 細胞など）が関与し，アレルゲン曝露から症状出現まで一般的に時間がかかる．発症までの時間はアレルゲン曝露後数時間～数日まで，実にさまざまであり，遅延型反応とよぶ．

近年この遅延型もしくは遅発型反応が，抗原特異的 IgG の検出によって診断できると宣伝され，社会問題化している．これまでの研究で，これら反応における抗原特異的 IgG 抗体の診断的有用性は否定されている．日本小児アレルギー学会は「食物抗原特異的 IgG 抗体検査を食物アレルギーの原因食品の診断法としては推奨しない」ことを見解として発表している．いまだ IgG 検査の結果を握りしめて外来受診してくる患者が途切れることがないが，不要な食物除去の指導が患児らと保護者の生活の質を下げることで苦しめ，社会的な影響を及ぼしていることを，診断する医師は肝に銘じなければならない．

2 病型分類

食物アレルギーの病型分類は，免疫学的機序により大別される．すなわち IgE 依存性反応か，非 IgE 依存性反応かである．

1．IgE 依存性反応の病型分類（表 1）[1,2]

1）即時型

最も頻度の高い病型である．即時型の名称の所以は，原因食物に曝露されて速やかに症状が現れるからであり，多くは 15 分以内に何らかの症状を呈し始める．発症には抗原特異的 IgE が関与し，アナフィラキシー症状の発症リスクが高い．乳児期から幼児早期が好発年齢であるが，学童から成人期にかけての発症もまれではない．原因食物の詳細は，疫学の項を参考にされた

表1 食物アレルギーの臨床病型 IgE依存性

臨床型	発症年齢	頻度の高い食物	耐性獲得（寛解）	アナフィラキシーショックの可能性	食物アレルギーの機序
食物アレルギーの関与する乳児アトピー性皮膚炎	乳児期	鶏卵，牛乳，小麦など	多くは寛解	（+）	主にIgE依存性
即時型症状（蕁麻疹，アナフィラキシーなど）	乳児期～成人期	乳児～幼児：鶏卵，牛乳，小麦，ピーナッツ，木の実類，魚卵など 学童～成人：甲殻類，魚類，小麦，果物類，木の実類など	鶏卵，牛乳，小麦などは寛解しやすい その他は寛解しにくい	（++）	IgE依存性
食物依存性運動誘発アナフィラキシー（FDEIA）	学童期～成人期	小麦，エビ，果物など	寛解しにくい	（+++）	IgE依存性
口腔アレルギー症候群（OAS）	幼児期～成人期	果物・野菜・大豆など	寛解しにくい	（±）	IgE依存性

FDEIA：food-dependent exercise-induced anaphylaxis
OAS：oral allergy syndrome
〔日本医療研究開発機構（AMED）免疫アレルギー疾患実用化研究事業 重症食物アレルギー患者への管理および治療の安全性向上に関する研究：食物アレルギーの診療の手引き2020（研究開発代表者：海老澤元宏）．2021より一部改変〕

い．

主要原因食物である鶏卵，牛乳，小麦と大豆は一般的に3歳までに5割，6歳までに8割が食べられるようになる（耐性獲得）と考えられている．また前記食物以外は耐性を獲得しにくいと考えられているが，十分なエビデンスに基づくものではないので，診断すなわち生涯除去と確定することはない．

2）口腔アレルギー症候群

そもそも口腔アレルギー症候群（oral allergy syndrome：OAS）は“アレルギー症状が口腔咽頭から始まり，その後全身に波及し，まれにアナフィラキシーまで進展する現象”と当初提唱されたことに始まり，この定義は原因食物を特定していない．その後“花粉症患者が果物や野菜の摂取直後に口腔内に限局した痒みなどの症状をきたし，まれに全身症状に至る現象”の報告が続いたため，現在OASの定義に混乱が生じている．実際負荷試験で摂取直後に口腔内違和感を訴える患者は少なくなく，負荷食物は果物や野菜に限らない．これらの混乱を整理するうえで，一般臨床において遭遇することが多い“花粉症患者にみられるOAS”を花粉-食物アレルギー症候群（pollen-food allergy syndrome：PFAS）とよぶ．

PFASの原因食物の多くは，花粉症に関連した果物類である．症状は，原因食物を食べた直後から，口腔内違和感（舌が腫れた感じ，硬口蓋のひりひり感など），口唇周囲の症状（紅斑，膨疹，瘙痒感など），時に喉頭症状を呈することもある．全身症状を呈することは5%程度と少なく，管理上重要な情報である．これは抗原が消化酵素や加熱に不安定であることに起因する．IgE依存性反応であり，血液検査よりも皮膚テスト，特に食物そのものを利用したPrick to Prickテストが診断に有用である．耐性獲得は困難であると考えられ，むしろ抗原の交差性のため加齢に伴い症状が誘発される食物が増えていく傾向がある．

3）食物依存性運動誘発アナフィラキシー

食物依存性運動誘発アナフィラキシー（food dependent exercise induced anaphylaxis：FDEIA）は原因食物を摂取しただけでは症状は誘発されないものの，摂取してから2～4時間以内に運動することで症状が誘発される．もちろん運動負荷だけでは症状は誘発されることはない．原因食物の摂取量や運動量が増加する，中高生から若年成人に発症のピークがある．原因食物は小麦，甲殻類が多いが，近年は果物の報告が増加している．症状は疾患名にあるように，アナフィラキシー症状を誘発するリスクがある．診断は食物経口負荷試験に運動を組み合わせて，症状の再現性を確認する．しかし，必ずしも再現性の高い検査ではないため，診断は難しい．IgE依存性反応と考えられており，耐性獲得率は高くないと考えられているが，エビデンスは少ない．診断されても，運動する前に原因食物を食べないか，食べたら一定時間は運動をしなければ，日常的な原因食物除去の必要はないことは，指導上重要である．

本症は運動以外のさまざまな誘因で症状が誘発されることがあるため，最近はaugmentation factor-triggered food allergyと呼称されることがあり，今後疾患名や定義そのものが見直されていく可能性がある．

4）食物アレルギーの関与する乳児アトピー性皮膚炎

本症の多くは生後まもなく顔面から始まる皮疹が徐々に体幹へ拡大傾向となり，皮疹のコントロールがつかなくなっていく．最重症であると，皮膚から炎症性に滲出液が大量に漏出することで，タンパク漏出に伴う頑固な胃腸症状や体重増加不良などさまざまな症状をきたし，中には死亡例の報告もある．こうした患者は生後数か月の時点ですでに非特異的IgEおよび抗原特異的IgE値が軒並み高く，食物アレルギーの関与を強く疑わせる．従来は発症が離乳食前なので，感作および発症は経母乳であろうと考えられてきた．しかし昨今は食物感作が経皮的であることが示唆されている．またそもそも皮疹が先なのか食物抗原感作が先なのかは議論の分かれるところである．原因食物は即時型と大きな違いはなく，鶏卵，牛乳，小麦が多い．本来診断は後述するように手間がかかるため，皮疹のある乳児に血液検査や皮膚テストを実施し，感作だけをみて除去診断される傾向があるが，感作と診断は別物であるという知識は重要である．

診断は，まず皮疹の改善を目指す．既存の湿疹に対しては適切なスキンケアとステロイド外用療法を施す．また原因検索のために，問診，食物日誌，検査結果から被疑食物を抽出し1～2週間除去を実施する（除去試験）．症状の改善を確認した場合，単にステロイド外用療法で皮疹が改善した可能性があるので，続いて被疑食物の摂取を少量から再開させ，皮膚症状の再増悪をみて診断を確定する．摂取を再開しても皮疹が増悪しない症例も少なくなく，この場合は皮疹の管理が単に悪かっただけで，食物は増悪因子ではなかったと考える．診断まで手間がかかるが，診断が確定すれば原因食物の除去が必要となり，児と保護者の生活の質は著しく悪化するため，診断の手順と時間を惜しんではならない．もし児が離乳食前であれば，授乳婦を対象に除去試験，負荷試験を実施する．かつて本病型の患者がアレルギー外来を大挙受診していたが，最近は生後すぐからの皮膚の保湿や早期治療介入が普及したのか，本病型は少なくなってきた印象がある．であるからこそ，時に本病型疑いの患児が受診した時に，正しく診断できるように診断ステップを確認しておく必要がある．

2．非IgE依存性反応の病型分類（表2）[1,2]

1）新生児・乳児食物蛋白誘発胃腸症

従来新生児・乳児消化管アレルギーと呼称されていたものであり，同義である．またメカニズムからnon-IgE-mediated gastrointestinal food allergies，non-IgE-GIFAsとも表記され，同義である．

その多くは新生児期から乳児早期に，食物抗原の摂取により消化器症状を主体に発症する．

表2 食物アレルギーの臨床病型 非 IgE 依存性

臨床型			発症年齢	主な症状	診断	頻度の高い食物	耐性獲得・寛解
新生児・乳児食物蛋白誘発胃腸症 (non-IgE-GIFAs)	FPIES	非固形	新生児期 乳児期	嘔吐・下痢，時に血便	負荷試験	牛乳	多くは耐性獲得
		固形物	乳児期後半	嘔吐	負荷試験	大豆，コメ，鶏卵，小麦など	多くは耐性獲得
	FPIAP		新生児期 乳児期	血便	除去(負荷)試験	牛乳	多くは耐性獲得
	FPE		新生児期 乳児期	体重増加不良・嘔吐	除去試験・病理	牛乳	多くは耐性獲得

non-IgE-GIFAs：non-IgE-mediated gastrointestinal food allergies, FPIES：food-protein induced enterocolitis syndrome, FPIAP：food-protein induced allergic proctocolitis, FPE：food-protein induced enteropathy

〔日本医療研究開発機構（AMED）免疫アレルギー疾患実用化研究事業 重症食物アレルギー患者への管理および治療の安全性向上に関する研究：食物アレルギーの診療の手引き 2020（研究開発代表者：海老澤元宏）．2021 より一部改変〕

症状はほかにも，体重増加不良や便秘，発熱などさまざまであり，先天的な消化器疾患から感染症，内分泌疾患，代謝疾患など幅広い鑑別が必要である．これまでその原因抗原のほとんどは牛乳であり，一部大豆や米などで発症する例があったが，最近わが国では卵黄を抗原とする症例が急増している．遅発型の反応であり，非 IgE 依存性，抗原特異的 T 細胞が発症機序に関与していると考えられているが，十分な病態解明は進んでいない．このため疾患概念も定まっておらず，混乱をきたしている．わが国でも欧米で提唱されてきた FPIES（food-protein induced enterocolitis syndrome），FPIAP（food-protein induced allergic proctocolitis），FPE（food protein-induced enteropathy）の分類が定着してきた．診断において ALST（allergen specific lymphocyte stimulation test）が汎用されるが，あくまで補助的位置づけであり，確定診断には食物負荷試験が標準である．最近 TARC（thymus and activation-regulated chemokine）が本症の診断マーカーとしての有用性が指摘されている．これ以外に血中好酸球，便中好酸球，便中 EDN（eosinophil-derived neurotoxin）などの診断マーカーが報告されているが，いずれも診断に決定的ではない．

2）好酸球性消化管疾患

好酸球性消化管疾患（eosinophilic gastrointestinal disorders：EGIDs）は消化管局所へ好酸球が異常集積することで生じる炎症性消化管疾患の総称であり，その病態には IgE 依存性・非 IgE 依存性アレルギーが混在した混合性に分類される．病変部位により，好酸球性食道炎，好酸球性胃炎，好酸球性胃腸炎，好酸球性大腸炎に分類される．診断定義を満たせば，新生児・乳児食物蛋白誘発胃腸症の中に，病理学的規準をもって EGIDs と診断される例がある．一方で，本症は必ずしも食物が関与していない症例も存在する．

3 鑑別診断

図 1 で示した食物による有害反応に含まれる疾患が鑑別にあがる．まずは食物曝露と症状の因果関係をよく吟味し整合性を確認し，そのうえで症状の再現性や客観的症状をもって診断を進めることを常に意識する必要がある．個々に鑑別のポイントを示していく．

毒性物質による反応のうち，植物性自然毒は 90% がキノコによるものである．また動物性自然毒として，フグのテトロドトキシンが有名であるが，日常的には貝毒のほうが鑑別としては注意が必要である．またカビによる自然毒もある．カビの代謝産物のうち毒性があるものをマイコトキシンとされ，このうち穀類やナッツ類に発生するアフラトキシンがよく知られる．食中毒は感染型と毒素型に分類される．感染型は潜伏期間があり，摂取から発症までに時間がかかるため食物アレルギーとの鑑別は容易である．しかし腸炎ビブリオ菌の潜伏期間は12時間程度であり，かつ一両日で症状が改善するため，遅延型や遅発型との鑑別に注意を要する．なお，腸炎ビブリオ菌は加熱をすれば容易に死滅する．一方で毒素型は発症までの時間が早い．セレウス菌は30分～6時間，黄色ブドウ球菌は2～4時間で発症する．いずれも消化器症状が主体であり，必ずしも発熱せず，症状の回復も早いため，ほかの臓器症状を伴わず嘔吐，下痢，腹痛が主体の場合は鑑別に注意を要する．セレウス菌も黄色ブドウ球菌も毒素は耐熱性があり，ブドウ球菌のエンテロトキシンは100℃30分の加熱でも失活しない．

非毒性物質による反応で，免疫学的機序を介さないものを食物不耐症とする．食物不耐症はさらに酵素欠損もしくは活性低下，薬理活性物質，ヒスタミン，サリチル酸，添加物などによるものに大別される．酵素欠損もしくは活性低下としては，乳糖不耐症がよく知られている．これは乳糖分解酵素（lactase）の先天的もしくは二次的欠損により消化器症状が誘発される．先天性代謝障害の中にも，アミノ酸代謝障害など食物に密接に関連する疾患がある．薬理活性物質としてはコーヒーや紅茶，緑茶，チョコレートなどに含まれるカフェインや，チーズに含まれるアミン類などが種々の症状を誘発しうる．またヒスタミンやサリチル酸食品添加物（亜硫酸，亜硝酸，グルタミン酸，タートラジンなど）にも，これらに類似した作用を有するものがある．生理活性物質による反応（食物不耐症）の鑑別は重要であり，かつ困難である．

4　疫学

1．食物アレルギーの有症率

東京都福祉保健局（2019）の3歳児2,727名の保護者を対象とした横断的調査では，医師に診断された食物アレルギーの累積有症率は14.9％であった[3]．また過去1年間に食物アレルギー症状があったのは8.2％であった．自己申告による判断なので，高めな割合となるが，経年的に増加傾向が続いている．2018年に（小中高等学校）18,865名を対象とした児童生徒の健康状態サーベイランス（日本学校保健会）では，自己申告による医師の診断がある食物アレルギーは全体で3.2％であり，経年的な変化はほとんど認めない[4]．このように有症率は乳幼児期をピークに加齢とともに漸減し，学童期以降は大きな変動なく3％程度で推移する．

なお，食物アレルギーの疫学調査は，その診断根拠によって大きく結果が異なるので，結果の解釈には注意が必要である．一般的に感作の有無，自己申告，食物負荷試験結果に基づく診断の順で有症率は高くなる傾向がある．

2．即時型食物アレルギーの実態と自然歴

わが国の即時型食物アレルギー疫学調査は，食品表示法の妥当性の検証のために平成8年から継続的に，調査対象を“食物を摂取後何らかの症状が60分以内に出現し，かつ医療機関を受診したもの”として行われている．

1）年齢分布（図2）[5]

0歳の発症が最も多く31.5％を占める．以降急激に漸減し，2歳以下でおよそ60％，6歳以下でおよそ80％が集積する．即時型食物アレルギーは小児の疾患といって過言ではない．しかし18歳以上の成人例も約5％を占め，小児期の即時型とは原因食物，感作経路等異なり，昨今注目されている．

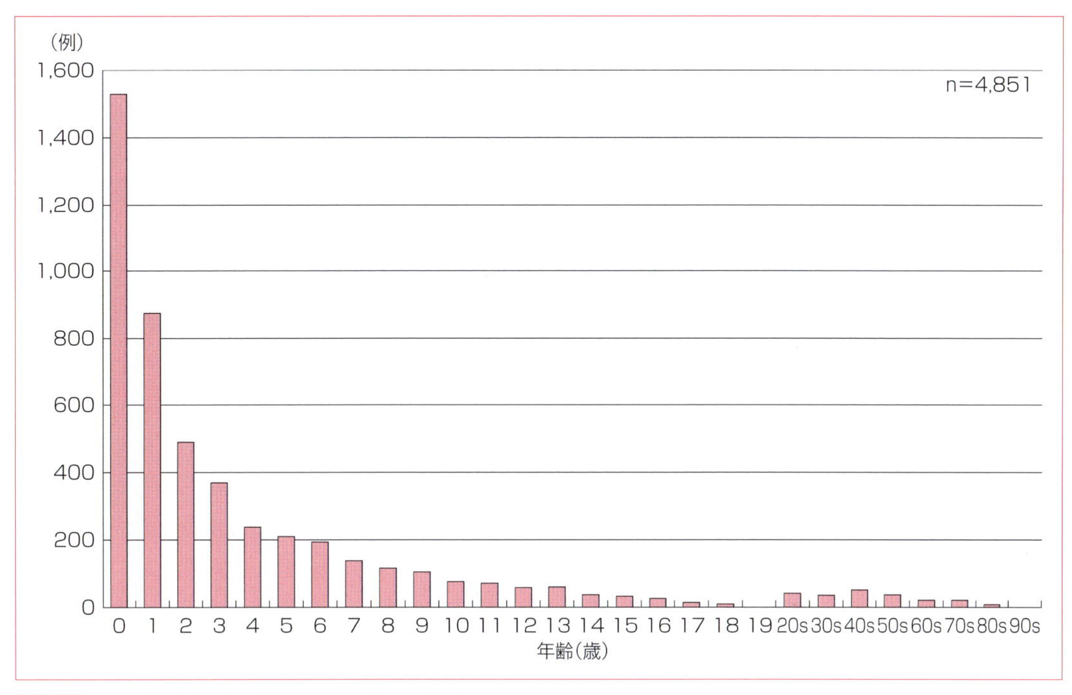

図2 年齢別即時的食物アレルギー患者数

20歳以降は10歳区切りでまとめて集計しているので注意を要する

〔今井孝成，ほか：消費者庁「食物アレルギーに関連する食品表示に関する調査研究事業」平成29（2017）年 即時型食物アレルギー全国モニタリング調査結果報告．アレルギー **69**：701-705，2020〕

表3 年齢別原因食品 n=2,764

	0歳 (1,356)	1，2歳 (676)	3~6歳 (369)	7~17歳 (246)	≧18歳 (117)
1	鶏卵 55.6%	鶏卵 34.5%	木の実類 32.5%	果物類 21.5%	甲殻類 17.1%
2	牛乳 27.3%	魚卵類 14.5%	魚卵類 14.9%	甲殻類 15.9%	小麦 16.2%
3	小麦 12.2%	木の実類 13.8%	落花生 12.7%	木の実類 14.6%	魚類 14.5%
4		牛乳 8.7%	果物類 9.8%	小麦 8.9%	果物類 12.8%
5		果物類 6.7%	鶏卵 6.0%	鶏卵 5.3%	大豆 9.4%

各年齢群ごとに5%以上を占めるものを上位5位表記

〔今井孝成，ほか：消費者庁「食物アレルギーに関連する食品表示に関する調査研究事業」平成29（2017）年 即時型食物アレルギー全国モニタリング調査結果報告．アレルギー **69**：701-705，2020〕

2）原因食物（表3）[5]

わが国における食物アレルギー3大原因食物は鶏卵，牛乳，小麦である．3大原因食物で原因食物全体の約2/3を占め，上位10原因食物で約90%を占める．すべての食物は食物抗原になりうると考えられるが，この疫学情報は主要10抗原でわが国の食物アレルギーのほとんどを説明することができることを意味する．このため，いままで聞いたり経験したことがない被疑抗原を訴えてきた場合，その食物が原因である可能性は高くないことを念頭において鑑別診断を進めていくとよい．

さらに原因食物は年齢別特徴を有する．0歳こそ鶏卵，牛乳，小麦で大勢を占めるが，1，2歳群では魚卵が2位，木の実類が3位に登場する．3～6歳群になると約1/3は木の実類が新規発症原因として占めるようになり，落花生，果物類が増加してくる．特に最近幼児期のクルミアレルギーの増加が著しい．学童期に入るとPFASによると考えられる果物類が1/5を占め，甲殻類アレルギーが増加する．

このように新規原因食物は世代によって全く異なる特徴を有し，その背景には食物そのものの抗原性の高さ以外に，摂取し始める時期や食物以外の交差抗原性，職業的感作経路の増加などが関係している．

3）自然歴

食物アレルギーの自然歴は原因食物によって大きく異なる．一般的に主要原因食である鶏卵，牛乳，小麦，大豆の自然耐性化率は高く，それ以外の原因食物の自然耐性化率は低いと考えられている．また耐性化しやすい食物は，3歳で50%，6歳で80%が耐性獲得するといわれているが，実は食物アレルギーの自然歴に関する報告は少なく，必ずしもエビデンスレベルが高いわけではない．たとえば鶏卵アレルギーでは，加熱鶏卵は1歳の時点で80%，非加熱卵も2歳で47%と高い耐性化率を報告するものもあれば[6)]，4歳で4%，6歳でも12%とする報告もある[7)]．ちなみにわが国では，136名を対象に耐性化率が3歳で30.9%と報告されている[8)]．

さらに最近は必要最小限の除去という診療方針が浸透してきており，食物アレルギーの診断が下っても早期から完全除去を避け，少量でも積極的に摂取させ始めることが多くなってきた．この取り組みは従来よりも耐性獲得の時期を前倒しに誘導する可能性があり，今後の自然歴に影響を与えると考えられる．

文献

1）海老澤元宏，ほか（監修），日本小児アレルギー学会食物アレルギー委員会（制作）：食物アレルギー診療ガイドライン2021．協和企画，2021
2）日本医療研究開発機構（AMED）免疫アレルギー疾患実用化研究事業 重症食物アレルギー患者への管理および治療の安全性向上に関する研究：食物アレルギーの診療の手引き2020（研究開発代表者：海老澤元宏）．2021
3）アレルギー疾患に関する3歳児全都調査報告書（令和元年度）．東京都健康安全研究センター，2020
4）児童生徒の健康状態サーベイランス事業報告書（平成30年度・令和元年度）．日本学校保健会，2020
5）今井孝成，ほか：消費者庁「食物アレルギーに関連する食品表示に関する調査研究事業」平成29（2017）年即時型食物アレルギー全国モニタリング調査結果報告．アレルギー **69**：701-705，2020
6）Peters RL, et al.：The natural history and clinical predictors of egg allergy in the first 2 years of life：A prospective, population-based cohort study. *J Allergy Clin Immunol* **133**：485-491.e6，2014
7）Savage JH, et al.：The natural history of egg allergy. *J Allergy Clin Immunol*：**120**：1413-1417，2007
8）池松かおり，ほか：乳児期発症食物アレルギーに関する検討（第2報）：卵・牛乳・小麦・大豆アレルギーの3歳までの経年的変化．アレルギー **55**：533-541，2006

D 食物アレルギーの免疫学

善本知広
（はくほう会セントラル病院 内科）

1 IgEによる即時型アレルギーの機序

アレルギーとは，広義には抗原が抗体あるいは感作されたT細胞と必要以上に反応した結果生じる，生体にとって有害な過敏反応である．この場合，抗原は外来または自己の抗原であってもよく，自己抗原に対する過敏反応が自己免疫疾患であり，アレルギー分類に示すⅡ型，Ⅲ型，Ⅳ型アレルギーに含まれる．一方，狭義には，アレルギーとはIgEが関与した全身性または局所性の急激に起こる即時型過敏反応であり，アレルギー分類に示すⅠ型アレルギーあるいはアナフィラキシー反応を指す．この反応を惹起する抗原をアレルゲンとよび，代表的な疾患として，喘息，アレルギー性鼻炎，アトピー性皮膚炎や食物アレルギーなどがある．

IgEによる即時型アレルギーの発生機序を図1に示す．①アレルギー素因（アトピー）のヒトでは，抗原（アレルゲン）に感作されるとTh2細胞が誘導される．②Th2細胞由来のIL-4と細胞表面抗原CD40リガンドはB細胞を刺激し，アレルゲン特異的なIgE産生を誘導する．また，Th2細胞はIL-5とIL-13を産生し，好酸球の増多と炎症部位への集積を起こす．③IgEは好塩基球やマスト細胞の表面にある高親和性IgE受容体（FcεRⅠ）に結合する．次に，④アレルゲンに再曝露されると好塩基球やマスト細胞上のIgEがアレルゲンで架橋される．⑤IgE分子の架橋によってFcεRⅠ自体も架橋され，好塩基球やマスト細胞は活性化される．⑥活性化された好塩基球やマスト細胞は種々の化学伝達物質（ヒスタミンやロイコトリエンなど）とサイトカイン（IL-4，IL-13など）を放出し，さまざまな組織傷害（アレルギー性炎症），たとえば，気道収縮，血管透過性亢進，粘液分泌亢進，炎症反応などを引き起こす．

2 免疫寛容（トレランス）の機序

免疫系は自己と非自己を識別する．病原体などの非自己に対してはB細胞とT細胞は獲得免疫系の司令塔として免疫応答を誘導する結果，これを排除する．一方，B細胞とT細胞はその分化過程で自己の正常な組織は攻撃しないという寛容状態になり，自己抗原に対して応答しないように制御されている．さらに，非自己であっても食物として取り込んだ抗原や腸内細菌叢など有益なものに対して，腸管免疫によって寛容や不応答が積極的に誘導される．このように，B細胞あるいはT細胞が特定の抗原に対して反応性を失っていることを免疫寛容（トレランス）という．これによって免疫系は生体の恒常性を維持する．しかし，何らかの原因によりこの機構に破綻が生じ，生体にとって不都合な応答が起こる場合がある．自己の成分（自己抗原）に対する免疫寛容が破綻し，免疫系が自己を攻撃するようになったものが自己免疫反応であり，これによって発症する疾患が自己免疫疾患である．また，食物抗原に対する免疫寛容の破綻に

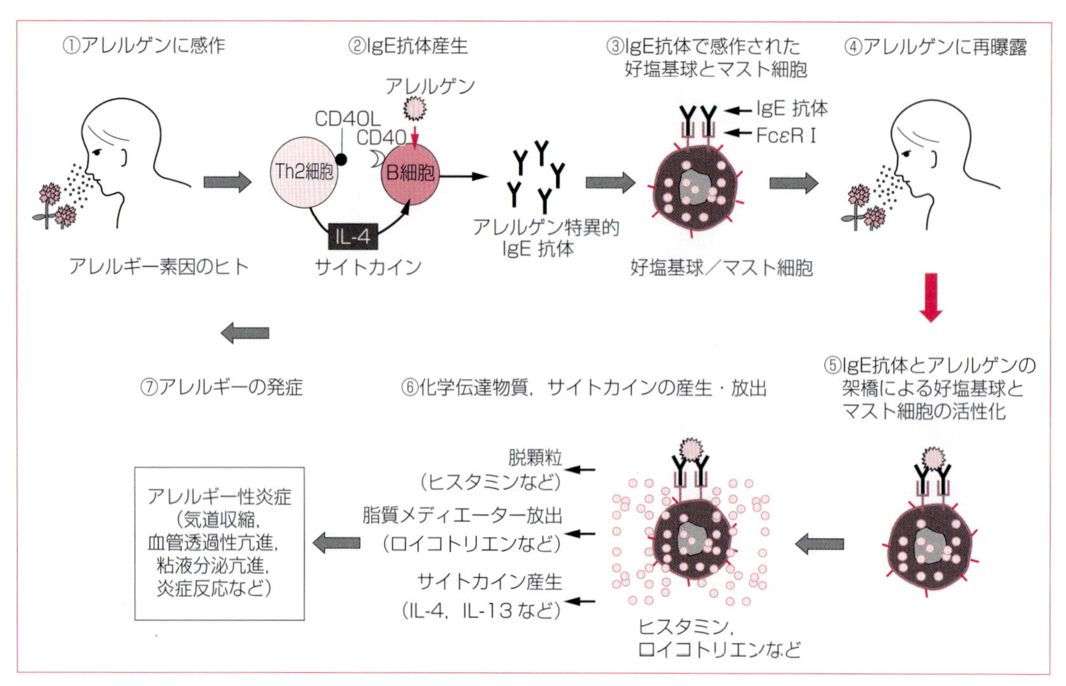

図1　IgE による即時型アレルギーの機序

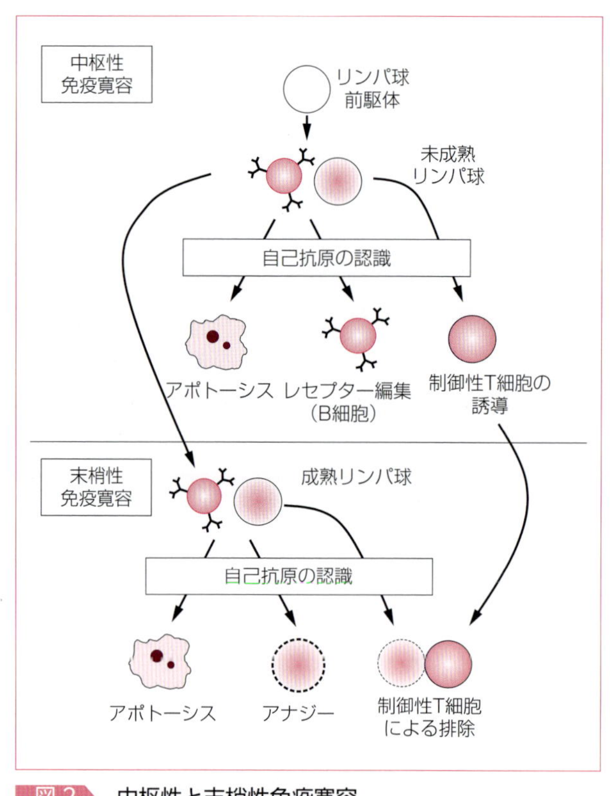

図2　中枢性と末梢性免疫寛容

よって起こる生体の過剰反応として食物アレルギーがある．

自己抗原に対する免疫寛容は，中枢性と末梢性とに分けられる（図 2）．中枢性免疫寛容では，中枢リンパ組織（胸腺，骨髄）において自己抗原特異的な未成熟リンパ球は自己抗原を認識すると，アポトーシスによる除去と，B 細胞の場合はリンパ球の抗原特異性の変化（レセプター編集）が誘導される．しかし，もし一部の自己抗原反応性リンパ球が末梢組織に移行し自己抗原と遭遇すると，リンパ球は機能的な不応答（アナジー）状態となるか，アポトーシス（クローンの排除），または制御性 T 細胞の作用によって排除される．これが末梢性免疫寛容である[1)]．

自己抗原だけでなく，経口摂取した自己にとって有益な食物抗原に対して過剰な免疫反応を起こさない現象を経口免疫寛容という．その機序はいまだ不明な点が多いが，以下①～③に示す末梢性免疫寛容が誘導されると考えられている．①不応答（アナジー）：T 細胞が抗原提示細胞に効率よく応答するためには，抗原刺激以外の補助刺激分子（T 細胞上の CD28 と抗原提示細胞上の CD80/CD86 など）による共刺激が必要である．共刺激のない状態で T 細胞が抗原刺激を受けると，その抗原に対して不応答（アナジー）になる．②クローンの排除：経口摂取した抗原が大容量の場合，誘導された経口抗原特異的な末梢 T 細胞クローンはアポトーシスによって排除される．③制御性 T 細胞：経口摂取した食物に対して，免疫抑制作用を持つ抗原特異的制御性 T 細胞が腸管のパイエル板に誘導され，過剰な免疫反応を起こさないように調節する（次項「腸管免疫」参照）．

3 腸管免疫

消化管，呼吸器，泌尿生殖器，皮膚などの粘膜における免疫応答を粘膜免疫という．これらの臓器はいずれも外界に接しており，常に微生物の侵入に曝されている．しかし，とくに消化管においては，経口摂取した有益な食物抗原や常在細菌叢（腸管には少なくとも 1,000 種類以上の細菌が生息し，その大半が常在細菌叢で無害）に対して腸管粘膜は無用な免疫反応を起こさないように調節されている．また，リンパ器官（脾臓，リンパ節，骨髄）以外の臓器では，腸管に最も多くのリンパ球が存在する[1)]．

以下，腸管免疫を自然免疫応答と獲得免疫応答に区分して概説する．

1．自然免疫応答

腸管免疫における自然免疫として，以下の 5 つが重要な役割を担っている[1)]．

1）腸管特異的な液性因子

腸管上皮細胞から産生されるさまざまな液性因子（タンパク質）の作用で，病原微生物の侵入を阻止する．代表的な液性因子として，ムチン，α-ディフェンシン，C 型レクチンがある（表 1）．

2）パターン認識受容体

病原性細菌は構成成分として，リポ多糖（lipopolysaccharide：LPS，グラム陰性菌細胞壁外膜の構成成分），CpG DNA（細菌由来の DNA），フラジェリンタンパク質（鞭毛の構成成分）などの病原体関連分子パターン（pathogen-associated molecular pattern：PAMPS）を発現する．腸管に侵入した病原性細菌の PAMPS によって，腸管上皮細胞は細胞上の Toll 様受容体（Toll-like receptor：TLR），または細胞内の NOD 様受容体（NOD-like receptor：NLR）などのパターン認識受容体が刺激され，活性化する．その結果，以下のような作用で生体防御機能を発揮する．

①腸管上皮細胞のタイトジャンクション（隣り合う上皮細胞を強く結合する膜タンパク質）を強化する．

表1 腸管特異的な液性因子

名称	産生細胞	機能
ムチン	杯細胞	腸管上皮細胞の接着分子に結合し，30～500 nmの層を形成し，さまざまな刺激によって産生量や性状を変え，病原微生物の侵入を阻止するタンパク質
α-ディフェンシン	パネート細胞**	病原微生物の細胞膜リン脂質を傷害するタンパク質
C型レクチン*	小腸上皮細胞	グラム陽性菌の細胞壁にあるペプチドグリカンに結合して，細菌感染を阻止する抗菌作用を持つタンパク質

*regenerating islet-derived protein Ⅲγ（REGⅢγ）
**小腸絨毛の陰窩底（crypt）に局在する細胞

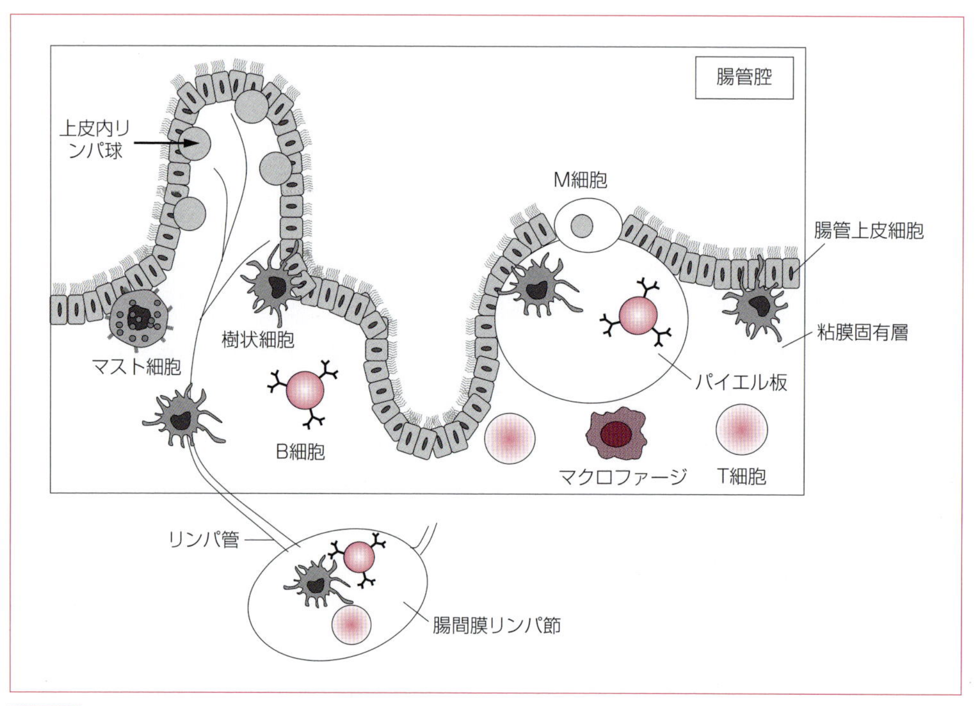

図3 腸管関連リンパ組織の構造

②腸管上皮細胞の運動性と増殖能を亢進する．

3）上皮細胞間リンパ球

粘膜上皮内（図3）には，特殊な上皮細胞間リンパ球（intraepithelial lymphocytes：IEL）が存在する．その特徴は，ヒトでは約80％が$CD8^+$T細胞で，ほかのリンパ器官に比較してT細胞受容体（抗原受容体）は$\gamma\delta$鎖発現細胞が10～40％と多い．その結果，通常のT細胞（$\alpha\beta$鎖を発現する$CD4^+$または$CD8^+$T細胞）と異なり抗原受容体の多様性がきわめて低く，NK細胞のように抗原受容体からの刺激を介さずに感染細胞を殺傷し，初期防御（自然免疫）作用を持つ．また，抗原受容体の多様性が低いため，食物抗原や常在細菌叢に対してむやみに反応しない．

4）樹状細胞，マクロファージ

腸管上皮細胞下の粘膜固有層（図3）に存在する樹状細胞とマクロファージは，以下のよう

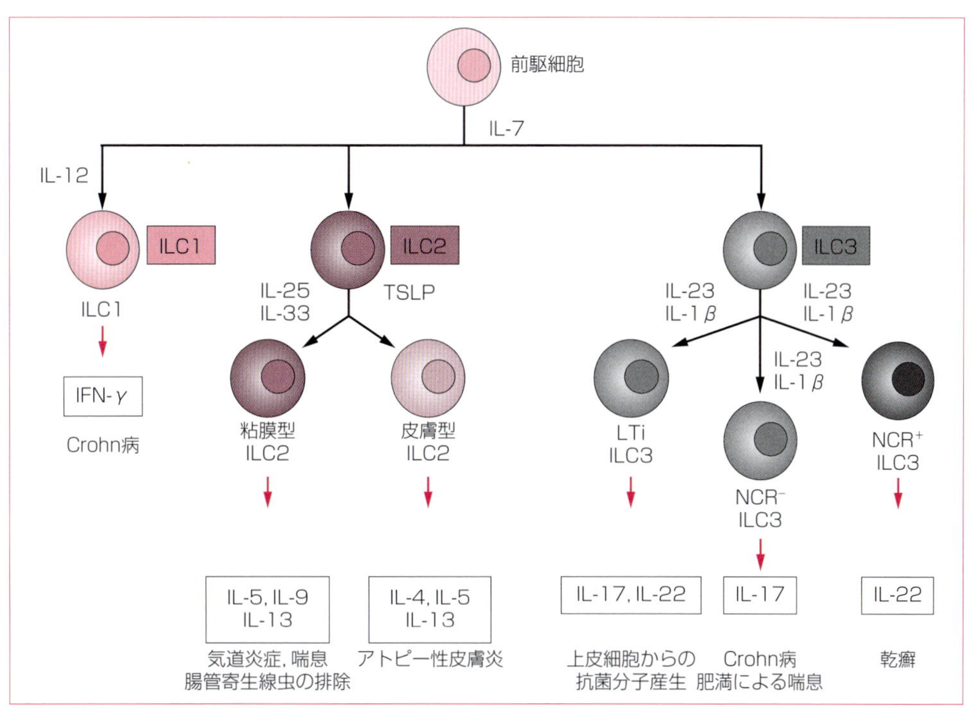

図4 自然リンパ球の分化とその機能

なほかのリンパ組織に存在するそれぞれの細胞とは異なる作用を持ち，腸管免疫の恒常性を維持する．

①マクロファージは病原微生物を貪食し，抗炎症性サイトカイン（IL-10）を産生する．

②細胞表面のTLR4発現は低く，常在細菌叢に過剰に反応しないように調節されている．

5）自然リンパ球（innate lymphoid cell：ILC）

近年，既存のT細胞やB細胞，顆粒球などに発現している特徴的な細胞表面抗原がすべて陰性の，新しいリンパ球が相次いで発見された．これらの細胞群は骨髄由来のリンパ球前駆細胞から分化誘導され，3つのグループに分類された（図4）[2]．このうち，ILC2とILC3は腸管免疫に特異的な以下の作用を有する[1]．

a．グループ2自然リンパ球（ILC2）

腸管寄生線虫感染によって腸管上皮細胞から産生されるIL-25またはIL-33の刺激を受けると，ILC2はTh2細胞のように大量のIL-5とIL-13を産生する．IL-5とIL-13はそれぞれ，腸管粘膜への好酸球誘導や杯細胞からのムチン産生を亢進する結果，腸管から線虫の排虫を促進する．

b．グループ3自然リンパ球（ILC3）

Th17細胞と同様にIL-17とIL-22を産生する．IL-17/IL-22は以下のような作用で腸管粘膜の生体防御機構を強化する．

①小腸上皮細胞から抗菌ペプチドであるC型レクチン（REGⅢγ）を産生増強する．

②腸管上皮細胞のタイトジャンクションを強化する．

③粘膜固有層で産生されたIgAが上皮細胞を通過して管腔内に分泌されるのを増強する．

2. 獲得免疫応答

腸管特有のリンパ組織を腸管関連リンパ組織（gut-associated lymphoid tissue：GALT）といい，

図3に示す粘膜固有層（リンパ球や樹状細胞/マクロファージが豊富に存在），パイエル板（小腸粘膜に存在する2次リンパ濾胞），M細胞（パイエル板の天蓋部分に存在するドーム状構造の特殊な細胞で，抗原を取り込み粘膜固有層に運搬する）と，腸間膜リンパ節（腸間膜に100〜1,500個存在）の4つの装置から構成される[1]．

腸管粘膜における獲得免疫の特徴として，以下の3つがあげられる．

①管腔表面に分泌されるIgAによって病原微生物の侵入を阻止する（B細胞免疫）．

②Th2細胞およびTh17細胞が産生するサイトカインは生体防御機能を発揮する（T細胞免疫）．

③制御性T細胞は食物抗原や常在細菌叢に対して無用な免疫反応を起こさないように調節している．

以下，それぞれについて概説する．

1）B細胞免疫

GALTに存在する形質細胞の約80%はIgA産生細胞である．その結果，腸管粘膜で産生される主な免疫グロブリンはIgAで，体重70 kgの成人で1日約2 gのIgAが産生・分泌される．これは全抗体産生量の約60%に相当する[1]．分泌型IgAは二量体を形成し，病原微生物の接着阻害作用や病原微生物由来の毒素中和作用を示す．また，IgAは腸内細菌の過剰な増殖を抑制する．

2）T細胞免疫

M細胞を介して粘膜固有層に取り込まれた抗原は樹状細胞によって，パイエル板または腸間膜リンパ節で，MHC class Ⅱを介してT細胞に抗原提示される．その結果，T細胞は活性化されエフェクターT細胞（Th1，Th2，Th17細胞など）に分化する．このうち，腸管特異的なTh2細胞とTh17細胞は，以下のような機序で誘導され，腸管免疫に特徴的な生体防御機能を発揮する．

a．Th2細胞

腸管寄生線虫が感染するとTh2細胞が誘導される．ナイーブT細胞は樹状細胞による線虫抗原情報とIL-4刺激によってTh2細胞に分化する．このTh2細胞分化に必須のIL-4（Th2細胞から産生されるIL-4と区別してearly IL-4とよばれる）の産生細胞として，いまだ不明な点が多いが好塩基球がその1つと考えられる．さらに，筆者らの研究によって，好塩基球は抗原提示細胞とearly IL-4産生細胞の2役を演じて，抗原特異的にTh2細胞を誘導することが明らかになった[3]．線虫抗原特異的なTh2細胞が産生するIL-5とIL-13はそれぞれ，腸管粘膜への好酸球誘導や杯細胞からのムチン産生を亢進する結果，腸管から線虫の排虫を促進する．

b．Th17細胞

マウスを用いた研究から，正常マウスでも小腸の粘膜固有層にはIL-17産生細胞が多く存在することが明らかになった．Th17細胞の誘導機構として，腸内細菌の一種であるセグメント細菌（segmented filamentous bacteria）の関与が報告されている[4]．セグメント細菌は，分節のある繊維状の菌で，さまざまな動物の腸管上皮細胞に恒常的に生息するが，ヒトでの存在はいまだはっきりしていない．セグメント細菌のおもな機能として，Th17細胞の分化誘導以外に，上皮細胞間リンパ球（IEL）の増殖，パイエル板の発達，およびIgA産生細胞の増加があげられる[4]．Th17細胞は先述のILC3と同様，IL-17とIL-22を産生し，上皮細胞からムチン，α-ディフェンシンやC型レクチン（REGⅢγ）の産生を誘導することにより，病原性細菌である*Citrobacter rodentium*による上皮細胞破壊を防御する[1]．

3）制御性 T 細胞

小腸の粘膜固有層には，ほかのリンパ組織に比較して約 2 倍の Foxp3$^+$制御性 T 細胞（regulatory T cell：Treg）が存在する Foxp3 は制御性 T 細胞の分化・機能発現の維持すべてにおいて必須の役割を担う転写因子である．腸管粘膜における制御性 T 細胞の誘導には，CD103$^+$樹状細胞と粘膜局所で産生されるレチノイン酸および TGF-β（ともに Foxp3 発現増強作用を有する）が必要である[1]．その生理作用として，制御性 T 細胞由来の IL-10 による免疫抑制作用は，腸管の恒常性維持に重要である．特に，制御性 T 細胞によって食物抗原や常在細菌叢に対して無用な免疫反応を起こさないように調節されている．このような，経口摂取した食物に対して過剰な免疫反応を起こさない現象を経口免疫寛容という（p.31「免疫寛容（トレランス）の機序」参照）．

4 感作経路（経口，経皮など）とその機序

本項の最初に述べたように，アレルギー素因（アトピー）のあるヒトが，アレルゲンに曝露されて Th2 免疫応答が誘導され，アレルギー発症の準備状態になることを感作という．食物アレルギーの場合，感作経路として経口感作（食物を食べることによる感作），経皮感作（皮膚に付着した食物による感作）と経胎盤感作（妊娠中に母親が摂取した食物抗原が胎盤を介して子どもに感作）が考えられる．以下，それぞれの感作経路における誘導機序について概説する．

1．経口感作

食物アレルギーは乳幼児期に多いことから，発症の要因は消化機能の未熟などが考えられていた．そのため以前は母乳や食事を介してアレルゲンに感作されると考えられ，欧米では婦人は授乳中の卵やピーナッツなどの摂取を制限し，乳幼児には乳製品，卵白やピーナッツなどを与えるべきではないと考えられていた[5]．しかし，その後の疫学研究から，特定の食物摂取を制限しても子どもの食物アレルギーは減少するどころか，むしろ増加していることが判明し，この考え方は完全に否定された[6]．さらに，小児食物アレルギーの治療法として，アレルギー専門医の管理のもとで原因食物を少量から少しずつ摂取する経口免疫療法が行われている．そのため，乳幼児期の食物アレルギーへの感作経路としては，経口感作より，次項で述べる経皮感作が重要と考えられる．

一方，成人になって発症する食物アレルギーには経口感作と経皮感作の 2 つの感作経路が考えられる．アレルギー素因（アトピー）のあるヒトが甲殻類（エビ，カニ）や小麦を摂取すると，食物アレルゲンは腸管上皮細胞や M 細胞を介して粘膜固有層の樹状細胞に取り込まれる．次に，樹状細胞はパイエル板や腸間膜リンパ節に移行し，アレルゲンの情報を MHC class Ⅱを介して T 細胞に抗原提示する．このとき，パイエル板に存在する樹状細胞は M 細胞によって取り込まれた食物抗原や常在細菌叢と病原微生物とを識別し，相反する免疫応答を誘導する．病原微生物を取り込んだ樹状細胞は IFN-γ 産生 Th1 細胞を誘導し，これを排除する．一方，食物抗原を取り込んだ樹状細胞は IgA 産生促進やアレルギーを誘導する Th2 細胞，あるいは経口免疫寛容を誘導する制御性 T 細胞を誘導する（p.33「腸管免疫」参照）．しかし，食物アレルギー患者において，いかなる機序で食物アレルゲン特異的な Th2 細胞が誘導され，逆にいかなる機序で制御性 T 細胞による免疫寛容が破綻しているかについては不明な点が多い．

2．経皮感作

乳幼児期の食物アレルゲンに対する感作経路として，皮膚が非常に重要である．2008 年，「経

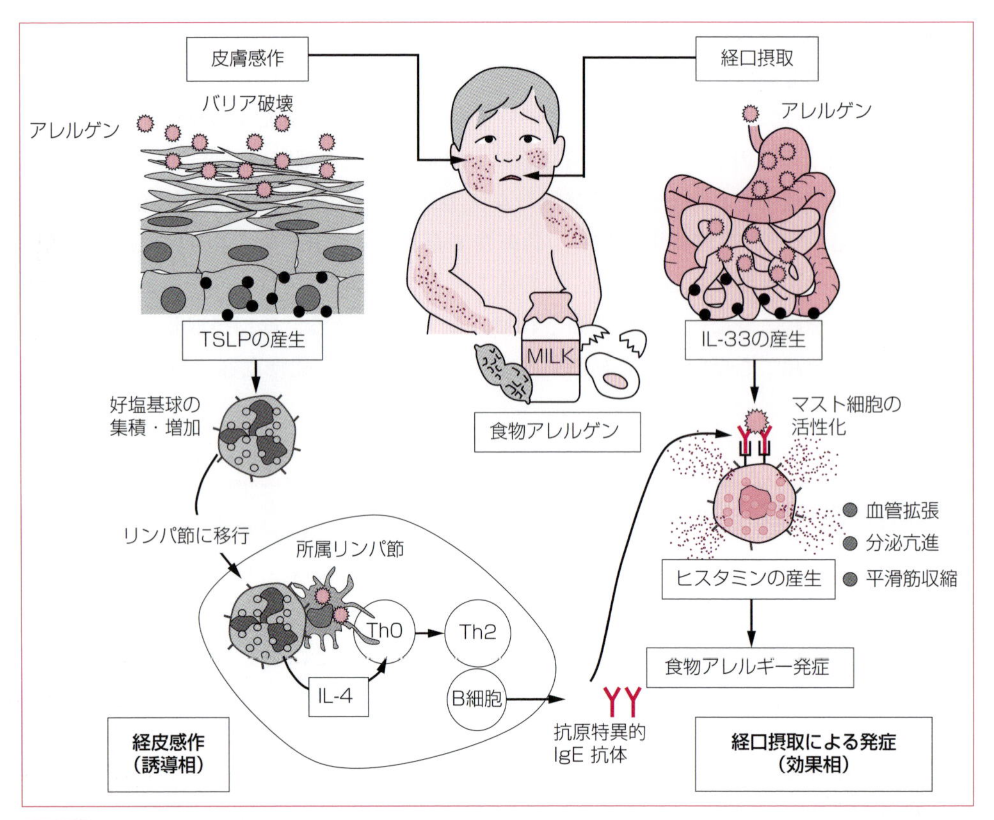

図5 経皮感作食物アレルギーの発症機序

皮的に食物アレルゲンに曝露されると感作が成立し，適切な量とタイミングで経口摂取された食物は，むしろ免疫寛容を誘導する」という二重抗原曝露仮説がイギリスのLackによって提唱された[7]．イギリスでは新生児の入浴後に皮膚にオイルを塗る習慣があるが，ピーナッツオイルを配合したスキンケア製品を使用すると乳児期のピーナッツアレルギーの発症が約8倍増加すると報告された[8]．また，乳児湿疹やアトピー性皮膚炎に伴う皮膚のバリア傷害もアレルゲンの感作を促進することが知られている[9]．2015年，Lackらは640名の重症アトピー性皮膚炎または鶏卵アレルギーの乳幼児を対象とした5年間にわたる大規模なピーナッツアレルギーの有病率調査結果を発表した[10]．それによると，毎週少なくとも6gのピーナッツを摂取した子どもは全く摂取しなかった子どもと比較してピーナッツアレルギーの発症率は約1/7と低く，ピーナッツアレルゲンに対する免疫寛容を獲得しやすいことが明らかとなった．さらに，ピーナッツアレルゲンが家屋内で検出されることも報告された．以上の結果から，二重抗原曝露仮説は科学的に正しいことが証明された．

成人型の食物アレルギーの感作経路としても，皮膚が重要である．わが国で発生した，小麦加水分解物含有石鹸による小麦アレルギーのように，石鹸や化粧品に含まれる食物アレルゲンが界面活性剤などの作用で脆弱になった皮膚バリアを介して感作すると考えられる．

このように，経皮的なアレルゲンの曝露が感作と，それに続く食物アレルギー発症の引き金であるというのが最近の考え方である．しかし，経皮感作食物アレルギーの発症機序はいまだ不明な点が多く，根本的な発症予防法は確立していない．筆者らは，乳幼児の食物アレルギーの特徴とよく似た「経皮感作食物アレルギーモデルマウス」を作製し，食物アレルギーの感作

（誘導相）と発症（効果相）に関与する分子と細胞を明らかにした[11]（図5）．詳細については，後述の「最新研究」で紹介する．

3．経胎盤感作

1996年，Hourihaneらによってピーナッツアレルギーの家系に生まれてくる子どもがピーナッツアレルギーになる要因は，父親ではなく母親の影響が強いことが報告された[12]．その後も，母親のピーナッツアレルギーは子どものアレルギー有病率増加へのリスク因子であることが報告された．その結果，妊娠中に摂取するアレルゲンは子宮や胎盤を介して生まれてくる子どもに影響し，子どものアレルギー発症率を増加させると考えられた[13]．しかし，子宮や胎盤を介して子どもはアレルゲンに感作されるのか，あるいは母親の遺伝的要因が子どものアレルギー有病率に影響するのかについては不明な点が多い．2000年，アメリカ小児科学会は「妊娠中のピーナッツ摂取を過度に制限する必要はない」との指針をいち早く発表した[14]．その後も，妊娠中のアレルゲン摂取の制限は子どものアレルギー有病率に影響しないとの報告が相次ぎ，この指針を支持している．さらに2014年，その機序は不明であるが，妊娠初期に子どものアレルゲンとなる食物（ピーナッツ，ミルクや小麦）を摂取するほうがピーナッツアレルギーや喘息の発症を抑制することがBunyavanichらによって報告された[15]．この結果，子宮や胎盤を介したアレルゲンへの感作によって子どものアレルギー有病率は増加するという考えは否定された．

5 最新研究

免疫学からみた食物アレルギーの最新研究を以下に紹介する．

1．経皮感作食物アレルギーとTSLP/好塩基球（図5）

筆者らは，乳幼児の食物アレルギーの特徴とよく似た「経皮感作食物アレルギーモデルマウス」を以下のような方法で作製し，その発症に関与するサイトカインと細胞を明らかにした．

1）モデルマウスの作製

正常マウスの皮膚に界面活性剤（sodium dodecyl sulfate：SDS）を塗布し，皮膚バリアを脆弱にした後，そこに卵白アルブミン（ovalbumin：OVA）を週3回，2週間塗布すると，塗布後14日目から血清中にOVA特異的IgEが著明に増加する．同時に所属リンパ節にTh2細胞が誘導される．さらに，塗布後21日目にOVAをマウスに経口投与すると，投与直後数分以内に直腸温低下を伴ったアナフィラキシー症状を発症する．一方，あらかじめOVAを経口投与したマウスでは，皮膚にOVAを塗布してもIgEの上昇も，OVAの経口投与によるアナフィラキシー症状も全く発症しない．すなわち，経口免疫寛容が誘導された．実際，このマウスの所属リンパ節にはFoxp3陽性の制御性T細胞が増加していた[11]．

本研究から，「経皮的に食物アレルゲンに曝露されると感作が成立し，経口摂取された食物はむしろ免疫寛容を誘導する」という二重抗原曝露仮説が動物モデルで証明された．

2）経皮感作の機序（TSLP/好塩基球）

これまでの研究から，皮膚を介した抗原特異的Th2免疫応答の誘導に，皮膚上皮細胞から産生されるサイトカインの1つであるTSLPと好塩基球が重要な役割を果たしていることが知られている[16]．そこで，筆者らはTSLPと好塩基球に着目し，次のような経皮感作（誘導相）の機序を明らかにした．

①SDSで脆弱した皮膚にOVAを塗布すると，塗布後11日目をピークに経時的に皮膚と所属

リンパ節に好塩基球が集積・増加し，②所属リンパ節にIL-4産生のTh2細胞が増加する．一方，③あらかじめ好塩基球に対して特異的な抗体を投与して好塩基球を除去したマウスでは，Th2細胞も血清IgEの上昇も全く認められない．さらに，④TSLP受容体欠損マウスの皮膚にOVAを塗布すると，好塩基球の集積・増加，Th2細胞の誘導，血清IgEの上昇はいずれも全く認められなかった[11]．

以上の結果から，アレルゲンに曝露した皮膚上皮細胞から産生されるTSLPによって好塩基球は皮膚局所に集積・活性化し，所属リンパ節に移行した好塩基球はIL-4産生抗原提示細胞として，T細胞をTh2細胞に誘導する[3]結果，アレルゲンへの感作が成立すると推測された．実際，OVAを塗布した皮膚からTSLPが産生されること，リンパ節に移行した好塩基球はIL-4を産生することが確認されている[11]．

3）食物アレルギー発症の機序（IL-33）

次に，OVA感作マウスにOVAを経口投与して起こるアナフィラキシー症状の発症機序を検討した．その結果，食物アレルギーの発症に腸管から産生されるIL-33が必須の因子であることが明らかになった．

IL-33欠損マウスの皮膚にOVAを塗布すると，好塩基球の集積・増加，Th2細胞の誘導，血清IgEの上昇はいずれも正常マウスと同様に認められる．すなわち，IL-33は食物アレルギーの感作（誘導相）には関与しない．一方，OVAに経皮感作されたIL-33欠損マウスにOVAを経口投与しても，直腸温低下を伴ったアナフィラキシー症状は全く発症しない．さらに，OVAに経皮感作された正常マウスでもOVA経口投与の直前にIL-33阻害抗体を投与すると，アナフィラキシー症状の発症を完全に抑制することができた[11]．

IL-33はTSLPと同様，上皮細胞から産生されるサイトカインであり，Th2細胞，好塩基球/マスト細胞や自然リンパ球（ILC2）に作用して大量のTh2サイトカイン産生を誘導する．また，IL-33はアレルゲンとIgEで活性化されたマスト細胞に作用してヒスタミン産生を増強する．その結果，IL-33はさまざまなアレルギー疾患（喘息，アレルギー性結膜炎・鼻炎，肺好酸球性増多症とアトピー性皮膚炎）の発症に関与する[17]．経皮感作食物アレルギーモデルマウスでは，OVAを塗布した皮膚からIL-33が産生されること，OVA経口投与後のマウス腸管内にIL-33が産生されることが確認されている[11]．

2．腸内細菌叢と食物アレルギー

微生物群（マイクロバイオーム）は人体のほぼあらゆる部分に生存し，皮膚表面上，消化管内，鼻腔内に存在する．一部の細菌は疾患を引き起こすこともあるが，ほとんどの場合，微生物群は宿主であるヒトと共生し，ヒトの生存に不可欠な機能を提供する．しかし近年，皮膚，腸などのバリア器官組織におけるヒト常在細菌叢の生育の偏りと疾患（アトピー性皮膚炎やCrohn病など）との関連が相次いで明らかにされた．Naglerらのグループは，コレラ毒素をアジュバントとしてピーナッツアレルゲンを感作したマウスにピーナッツアレルゲンを経口投与して誘導する食物アレルギーモデルマウスを用いて，腸内細菌叢の食物アレルギー発症に及ぼす影響を明らかにした[18]．SPFで飼育の正常マウスに比較して，抗菌薬を投与したマウスまたは無菌マウスはピーナッツアレルゲン特異的血清IgE値の著明な上昇と，ピーナッツアレルゲンの経口投与による直腸温低下を伴った激しいアナフィラキシー症状を示した．抗菌薬投与マウスまたは無菌マウスではともに腸内常在細菌叢の*Clostridium*属細菌が減少していること，さらに無菌マウスにクロストリジウム属細菌を腸内に移入すると，血清IgE値とアナフィラキシー症状が著しく改善することが示された．*Clostridium*属細菌は大腸内の制御性T細胞を顕著

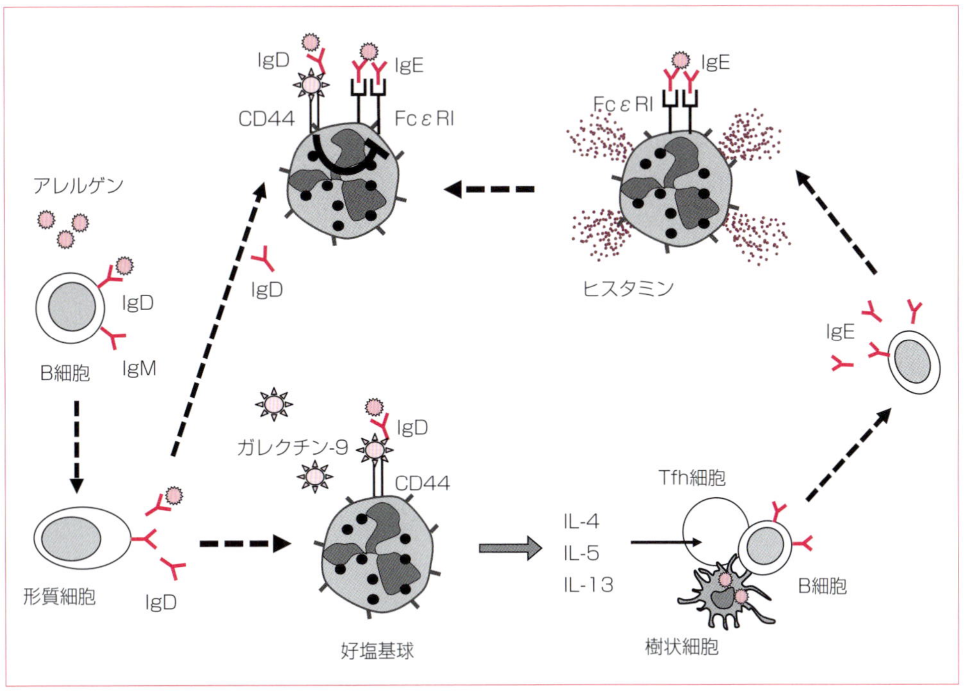

図6 IgD と好塩基球によるアレルギー監視機構

〔Shan M, et al.：Secreted IgD Amplifies Humoral T Helper 2 Responses by Binding Basophils via Galectin-9 and CD44. *Immunity* **49**：709-724, 2018 より一部改変〕

に増加させることが報告されている[19]．一方，Nagler らは *Clostridium* 属細菌を移入した無菌マウスの大腸粘膜固有層には IL-22 産生グループ 3 自然リンパ球（ILC3）が著明に増加することを明らかにした[18]．IL-22 産生 ILC3 は，「腸管免疫」の項で述べた通り，C 型レクチン（REG Ⅲγ）産生増強や腸管上皮細胞のタイトジャンクション強化など，粘膜免疫にきわめて重要な防御作用を有する．実際，無菌マウスを用いた食物アレルギーモデルではピーナッツアレルゲンを経口投与すると，腸管上皮細胞を通過して血中に移行したピーナッツアレルゲン（Ara h 6）が投与後 15 分で検出されるのに対し，*Clostridium* 属細菌を腸内に移入した無菌マウスでは腸管粘膜バリアが強化され，血中に Ara h 6 はほとんど検出されなかった．*Clostridium* 属細菌を移入するかわりに，無菌マウスに IL-22 を投与しても血中 Ara h 6 は検出されないことから，*Clostridium* 属細菌は制御性 T 細胞ではなく IL-22 産生 ILC3 を増加する結果，食物アレルギーの発症を抑制することが明らかになった．今後，プロバイオティクスとしての *Clostridium* 属細菌は食物アレルギーの予防と改善に重要と考えられる．

3. IgD と好塩基球による食物アレルギーの調節（図 6）

成熟 B 細胞は細胞表面に B 細胞抗原受容体（BCR）として IgM と IgD を発現する．1965 年に発見された IgD は過去 50 年以上にわたって謎めいた抗体として，その機能は不明な点が多い．しかし最近の研究から，IgD は魚の鰓や哺乳類の鼻咽頭腔などに進化的に保存され，抗原侵入の粘膜における免疫監視として中心的な役割を果たしていることが示された．すなわち，IgD は大気中のアレルゲンや食物抗原に曝露される気道・消化管粘膜の恒常性を維持する免疫監視機構として作用し，このプロセスの破綻は粘膜の恒常性を破壊することにより，アレルギー疾患などを引き起こす可能性が考えられた．抗原刺激を受けたヒト形質細胞は Cμ から Cδ へのクラススイッチを受けたあと，鼻咽頭リンパ組織で IgD を分泌する．2009 年 Cerutti らのグループは，分泌されたヒトIgDは未知のIgD受容体を介して好塩基球に結合し，再び抗原刺激を受けるとIgDを介して塩基球は活性化し，IL-4を産生することを報告した[20]．IgEと抗原で架橋された好塩基球はTh2サイトカインや化学伝達物質を遊離して，アレルギー疾患を発症する．しかし，IgDと抗原刺激を受けてIL-4を産生する好塩基球のアレルギー疾患に対する役割と，IgDの免疫監視機構としての意義については全く不明であった．

2018年，先のCeruttiらのグループはIgDと好塩基球を介したアレルギー疾患における新たな免疫監視機構を明らかにした[21]．図6に示すように，B細胞は食物アレルゲンに曝露されるとIgD分泌型形質細胞となる．分泌されたIgDは，細胞表面上のCD44（免疫調節プロテオグリカン）にガレクチン-9（ガラクトース結合レクチン）を介して好塩基球に結合する．好塩基球に結合したIgDが再び食物アレルゲンの刺激を受けると，好塩基球はTh2サイトカイン産生を増加し，胚中心に存在するT細胞をIL-4産生濾胞ヘルパーT細胞（Tfh）へ誘導する．その結果，TfhはB細胞を刺激してアレルゲン特異的IgE/IgG_4産生を誘導する．細胞表面上のFcεRに結合したIgEとアレルゲンの架橋によって刺激された好塩基球は脱顆粒によってヒスタミンなどを遊離する．逆に，好塩基球に結合したIgDはIgEによる好塩基球の脱顆粒を減弱させることが明らかになった．実際，*in vitro*でヒト好塩基球をIgE＋抗IgE抗体で刺激して細胞外に遊離するヒスタミンは，同時にIgD＋抗IgD抗体で好塩基球を刺激すると著明に抑制される．すなわち，食物アレルゲンによって誘導されたIgDは，好塩基球に結合してアレルギー反応を増強すると同時に，IgEで誘導される好塩基球の脱顆粒を阻害することでアレルギー反応を調節する「免疫監視機構」として作用することが示唆された．

実際，アレルギー患者を対象にアレルゲン特異的血清IgD値が検討され，次のような結果が報告された[21]．①蜂毒抗原ホスホリパーゼA2（PLA2）に耐性の養蜂家では，健常人と比較してPLA2特異的IgEと同時にPLA2特異的血清IgDが増加した．②経口免疫療法で治療された卵アレルギーの子どもは，プラセボ対照群と比較して卵白アルブミン（OVA）特異的IgDが増加した．特に，経口免疫療法で脱感作された子どもでOVA特異的IgDは著明に増加したが，脱感作されなかった子どもではIgDは増加しなかった．この結果から，OVA特異的IgDはIgEで誘導される好塩基球の脱顆粒を阻害したことが示唆された．

人乳中のオリゴ糖に似たプレバイオティクス（①消化管上部で分解・吸収されない，②大腸に共生する有益な細菌の選択的な栄養源となり，それらの増殖を促進する，③大腸の腸内フローラ構成を健康的なバランスに改善し維持する，④人の健康の増進維持に役立つなどの条件を満たす食品成分）である短鎖ガラクトオリゴ糖と長鎖フラクトオリゴ糖（scGOS/lcFOS），およびビフィズス菌M-16Vによる抗アレルギー作用が知られている．アトピー性皮膚炎の乳児90人にオリゴ糖（scGOS/lcFOS）とビフィズス菌M-16Vの組み合わせで投与すると，腸上皮細胞のガレクチン-9発現と血清ガレクチン-9レベルは増加し，急性アレルギー性皮膚反応およびマスト細胞の脱顆粒は減少することが報告されている[22]．ガレクチン-9はマスト細胞の脱顆粒抑制や，Th1細胞/制御性T細胞の誘導など抗アレルギー作用を有し，喘息モデルマウスにガレクチン-9を投与すると気道過敏性が抑制される報告もある．今回新たに発見されたガレクチン-9を介したIgDの好塩基球への結合は，「アレルギー反応を増強すると同時にIgEで誘導される好塩基球の脱顆粒を阻害する」という知見から，ガレクチン-9の投与を含むIgD-好塩基球を標的とした治療は，食物アレルギー予防への革新的なアプローチとなる可能性がある．

文献

1） Specialized immunity at epithelial barriers and in immune privileged tissue. *In* Abbas AB, et al. eds.：*Cellular and Molecular Immunology*, 9th ed. Amsterdam, Elsevier, 299–324, 2018
2） Spits H, Artis D, et al.：Innate lymphoid cells—a proposal for uniform nomenclature. *Nat Rev Immunol* **13**：145–149, 2013
3） Yoshimoto T, et al.：Basophils contribute to T_H2–IgE responses *in vivo* via IL–4 production and presentation of peptide–MHC class Ⅱ complexes to $CD4^+$ T cells. *Nat Immunol* **10**：706–712, 2009
4） Ivanov II, et al.：Induction of intestinal Th17 cells by segmented filamentous bacteria. *Cell* **139**：485–498, 2009
5） American Academy of Pediatrics. Committee on Nutrition：Hypoallergenic infant formulas. *Pediatrics* **106**：346–349, 2000
6） Greer FR, et al.：Effects of early nutritional interventions on the development of atopic disease in infants and children：the role of maternal dietary restriction, breastfeeding, timing of introduction of complementary foods, and hydrolyzed formulas. *Pediatrics* **121**：183–191, 2008
7） Lack G：Epidemiologic risks for food allergy. *J Allergy Clin Immunol* **121**：1331–1336, 2008
8） Du Toit G, et al.：Early consumption of peanuts in infancy is associated with a low prevalence of peanut allergy. *J Allergy Clin Immunol* **122**：984–991, 2008
9） Flohr C, et al.：Atopic dermatitis and disease severity are the main risk factors for food sensitization in exclusively breastfed infants. *J Invest Dermatol* **134**：345–350, 2014
10） Du Toit G, et al.：LEAP Study Team：Randomized trial of peanut consumption in infants at risk for peanut allergy. *N Engl J Med* **372**：803–813, 2015
11） Muto T, et al.：The role of basophils and proallergic cytokines, TSLP and IL–33, in cutaneously sensitized food allergy. *Int Immunol* **26**：539–549, 2014
12） Hourihane JO, et al.：Peanut allergy in relation to heredity, maternal diet, and other atopic diseases：results of a questionnaire survey, skin prick testing, and food challenges. *BMJ* **313**：518–521, 1996
13） Devereux G：The increase in the prevalence of asthma and allergy：food for thought. *Nat Rev Immunol* **6**：869–874, 2006
14） American Academy of Pediatrics, Committee on Nutrition：Hypoallergenic infant formulas. *Pediatrics* **106**：346–349, 2000
15） Bunyavanich S, et al.：Peanut, milk, and wheat intake during pregnancy is associated with reduced allergy and asthma in children. *J Allergy Clin Immunol* **133**：1373–1382, 2014
16） Otsuka A, et al.：Basophils are required for the induction of Th2 immunity to haptens and peptide antigens. *Nat Commun* **4**：1739–1747, 2013
17） Matsushita K, Yoshimoto T：Interleukin–33：A multifunctional alarmin that promotes both health and disease. *In*：Yoshimoto T, et al. eds. *Cytokine Frontiers*：*Regulation of Immune Responses in Health and Disease*. New York, Springer, 267–299, 2014
18） Stefka AT, et al.：Commensal bacteria protect against food allergen sensitization. *Proc Natl Acad Sci U S A* **111**：13145–13150, 2014
19） Atarashi K, et al.：Induction of colonic regulatory T cells by indigenous Clostridium species. *Science* **331**：337–341, 2011
20） Chen K, et al.：Immunoglobulin D enhances immune surveillance by activating antimicrobial, proinflammatory and B cell–stimulating programs in basophils. *Nat Immunol* **10**：889–898, 2009
21） Shan M, et al.：Secreted IgD Amplifies Humoral T Helper 2 Responses by Binding Basophils via Galectin–9 and CD44. *Immunity* **49**：709–724, 2018
22） de Kivit S, et al.：Galectin–9 induced by dietary synbiotics is involved in suppression of allergic symptoms in mice and humans. *Allergy* **67**：343–352, 2012

E 食物アレルギーと遺伝

廣田朝光・玉利真由美
（東京慈恵会医科大学 総合医科学研究センター 分子遺伝学研究部）

1 疾患の遺伝的解析

食物アレルギーを含めたアレルギー免疫疾患に限らず，多くの common disease（ありふれた疾患）病態解析の遺伝的解析手法として，ゲノムワイド関連解析（genome-wide association study：GWAS）が近年幅広く用いられてきた．また，最適医療の提供を目指す Precision Medicine においても GWAS 等のゲノム情報はその基盤となっている．近年，GWAS では，サンプルサイズの増大もさることながら，関連領域の遺伝的バリアント（以下，単にバリアント）の機能に関するさまざまな解析手法の進展も著しく，同定されたバリアントと疾患の病態機構とのかかわりの解明におおいに貢献している．

2 バリアントとは

バリアントとは，ゲノム配列の多様性である．GWAS では頻度が数％以上あるバリアントを主に対象としてきたことから，遺伝子多型（polymorphism）ともよばれてきた．バリアントには，SNV（single nucleotide variant），挿入/欠失，タンデムリピート，CNV（copy number variant）などさまざまな種類が存在する（図 1）．さまざまなバリアントの中で，SNV は最も高頻度にゲノム上に存在すること，他のバリアントと比べ実験的処理，統計的処理が比較的容易であることなどの理由から，GWAS の解析において SNV が主に用いられている．これらのバリアントが，ゲノム配列のさまざまな場所に存在することによって，遺伝子産物の量的形質や質的形質に影響を与え，体格，病気の易罹患性，薬剤に対する応答などに変化を生じさせることが広く知られている（図 2）．

3 GWAS

GWAS とは，全ゲノム（genome-wide）にわたるきわめて多数（数十万以上）のバリアントを用いて，症例対照関連解析（case-control association study）を行うことにより，疾患感受性や薬剤応答性などのさまざまな形質の関連領域を探索する手法である．その最大の特長は，ゲノム全体を包括的に解析することから，基礎的または臨床的な医学的知見からは予測が困難な関連領域や関連遺伝子の同定が期待できる点である．これまでの GWAS の知見から，人種に特異的な関連領域や疾患に特異的な関連領域が存在すること，複数の疾患や形質に共通する関連領域（多面的関連：pleiotropy）があること，関連する遺伝バリアントの多くは遺伝子発現量に影響して病態に関与すること，などが明らかとなっている．

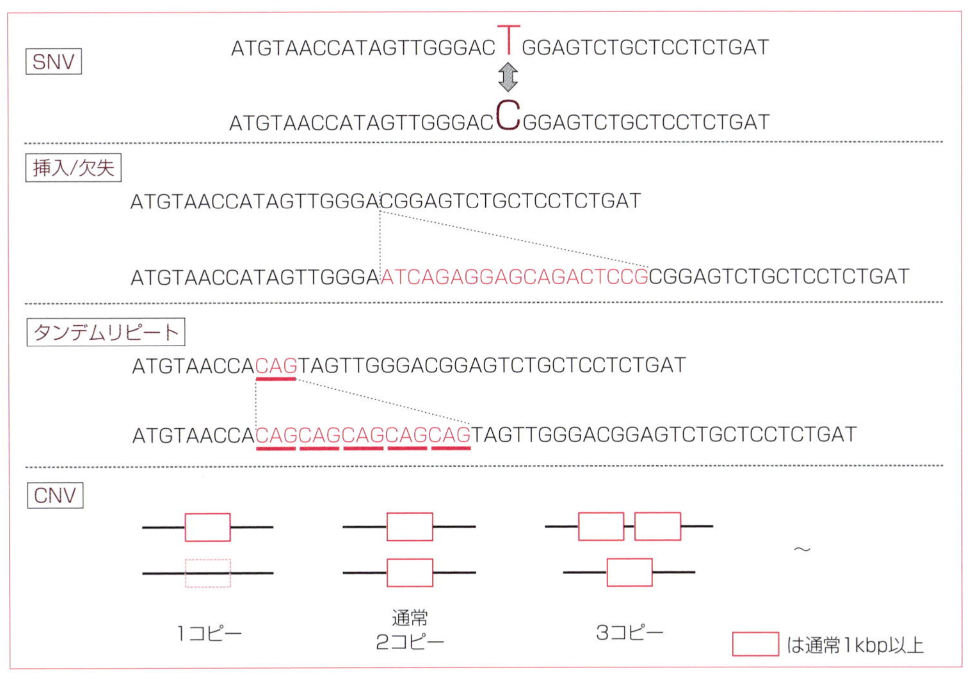

図1 代表的な遺伝的バリアント

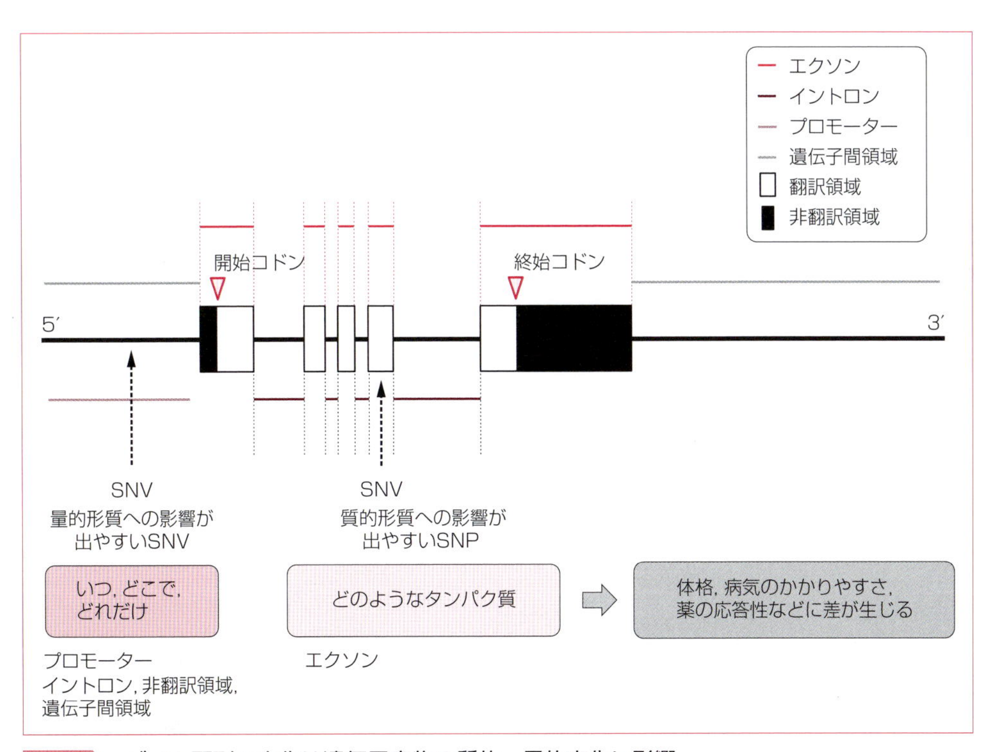

図2 ゲノム配列の変化は遺伝子産物の質的，量的変化に影響

近年，GWASで用いられるジェノタイピングアレイシステムは，ハイスループット化や低コスト化を実現するとともに，解析対象とする人種にあわせて搭載するバリアントの至適化を行い，より精度の高いGWASを可能としている．現在では，サーモフィッシャーサイエンティ

フィック社のジャポニカアレイ® NEO やイルミナ社の Infinium Japanese Screening Array® など，日本人を GWAS の解析対象としてカスタマイズされたアレイシステムが利用可能であり，それらを利用した解析の結果がおおいに期待される．

これまでの GWAS の報告は，Web サイト上の GWAS Catalog（https://www.ebi.ac.uk/gwas/）にデータベース化されており，さまざまなキーワード（疾患名，バリアント名，遺伝子名，遺伝子座，論文著者名など）による検索が可能である．

4 関連バリアントの解析手法

GWAS のサンプルサイズの大規模化が進むとともに，同定された関連バリアントに関するさまざまな解析手法の進展がみられている．以下に代表的な解析手法について紹介する．

1. eQTL

eQTL（expression quantitative trait locus）は遺伝子発現量に影響を与えるゲノム領域である．GWAS の結果と eQTL データベースを統合することにより，疾患関連遺伝子の探索に重要な手がかりを得られることがある．common disease の GWAS において，同定される関連バリアントは，アミノ酸の変化を伴うものは少なく，90% 以上が遺伝子のコーディング領域以外の部分に位置するとの報告もある．関連バリアントのリスクアレルが，どの組織や細胞において，また，どの遺伝子の発現量を増加または減少させるかの方向性を eQTL により知ることができ，関連バリアントの病態形成への影響を類推する上で重要な情報となる．

GEUVADIS Project や GTEx などの大規模な eQTL データベースが以前より公開されているが，近年，データベースのサンプルサイズや細胞の種類において，より一層の充実をみせている．最近，日本人の集団で，代表的な免疫疾患患者（関節リウマチ，全身性エリテマトーデス，Behçet 病など 10 疾患）と健常人の計 416 例の末梢血から 28 種類の免疫細胞を分取し，それぞれの免疫細胞における eQTL のデータベース（immune cell gene expression atlas from the University of Tokyo：ImmuNexUT）が，これまでにない規模と精密さで構築され，データ公開がされている[1]．

2. エピゲノムに関するデータベース

eQTL においては，連鎖不平衡にあるいくつかの関連バリアントが同定されるが，その中でどのバリアントが，遺伝子発現の調節に影響を与えるのかについて検討するには，エピゲノム情報が利用される．公共データベースである ROADMAP epigenomics PROJECT や ENCODE（Encyclopedia of DNA Elements）を活用して GWAS で同定された関連バリアントが，どのような細胞・組織系の遺伝子発現調節領域に集積するかを大規模に検討した Enrichment 解析が報告されている[2]．この報告では，17 の疾患，形質について，220 種の細胞・組織を 10 グループ（副腎・膵臓系，中枢神経系，心血管系，消化器系，免疫・増血系，結合組織・骨系，腎臓，肝臓，骨格筋系，その他）に分け，どのグループの遺伝子発現に関係する領域に関連バリアントが集積するかを検討している．その結果，統合失調症，双極性障害では中枢神経系，関節リウマチ，Crohn 病では免疫・造血系，身長では結合組織・骨系，空腹時血糖では副腎・膵臓系の細胞における遺伝子発現調節領域に関連バリアントが有意に集積することが示されている．

3. 遺伝的相関

2 つの疾患の遺伝的要因について，どの程度共有されているかを示す指標であり，GWAS においては，双方の疾患のバリアントの持つ関連の強さや向き（効果量）の相関を検討している．

2015年に，大規模な遺伝的相関の検討を行った報告が行われている[3]．この報告では，24の疾患や形質のGWASの結果について検討を行い，統合失調症はうつ病，双極性障害，拒食症と，身長は新生児頭囲，新生児身長，新生児体重と，BMIは小児肥満，空腹時血糖，2型糖尿病，冠動脈疾患と有意な正の遺伝的相関が認められている．一方で，血中HDLコレステロールはBMI，空腹時血糖，2型糖尿病，冠動脈疾患，血中トリグリセリドと有意な負の遺伝的相関を示している．

アレルギー疾患においても，いくつかの疾患（気管支喘息，アトピー性皮膚炎，関節リウマチ，Crohn病，潰瘍性大腸炎など）を用いて遺伝的相関を検討した報告がある[4]．アレルギー疾患（気管支喘息，アトピー性皮膚炎など）は，アレルギー疾患間において正の有意な遺伝的相関を示すが，関節リウマチ，Crohn病，潰瘍性大腸炎とは有意な相関は示さないことが報告されている．

4. ポリジェニック・リスク・スコア（PRS）

GWASの結果を用いた疾患のリスク予測は，これまで困難であったが，近年のGWASのサンプルサイズ，予測に使用するバリアント数の増加（解析に用いるバリアントの関連の強さの閾値を下げる）やリスクスコアの予測手法の改善などにより大きく前進している．

近年，個人の疾患感受性を評価するPRSに関する報告が，イギリスのバイオバンク（UK Biobank）のデータを用いて行われている[5]．この報告では，5つの疾患（冠動脈疾患，心房細動，2型糖尿病，炎症性腸疾患，乳がん）を対象とし，PRSを用いて集団中の発症ハイリスク群を予測している．その結果，冠動脈疾患の発症リスクを3倍以上持つハイリスク群が解析した集団全体の8%を占めることが報告されている．冠動脈疾患において，3倍以上の発症リスクとは，希少疾患である家族性高コレステロール血症のまれなバリアントを持つ場合と同等のリスクの強さである．また，全体の8%とは，家族性高コレステロール血症のまれなバリアントを持つヒトの割合の約20倍となる．今後，このようなリスク予測がどのように検証され，社会へ実装されていくか大変興味深い．

5 食物アレルギー関連の遺伝的要因

食物アレルギー関連の遺伝的要因について，ピーナッツアレルギーにおけるFilaggrin（FLG）の機能喪失バリアント，食物アレルギーのGWAS，好酸球性食道炎のGWASについて述べる（表1，2）．

1. Filaggrin（FLG）とピーナッツアレルギー

皮膚のバリア機能において重要な働きを担っていると考えられているFLGは，2006年に，FLGの機能喪失バリアントがアトピー性皮膚炎患者の約半数で認めらことが報告された．これをきっかけに，FLGの機能喪失バリアントとアトピー性皮膚炎との関連についての検証がさまざまな人種においてなされ，数多くの再現性が確認された報告がなされている．その後，アトピー性皮膚炎のみならず，気管支喘息やアレルギー体質などのGWASにおいても検証が行われ，有意な関連が報告されている．

FLGの機能喪失バリアントとピーナッツアレルギーの関連については，食物アレルギーのGWASが行われる以前よりいくつかの検証が報告されている．第一報[6]では，イギリス人，ドイツ人，アイルランド人からなる71名のピーナッツアレルギー患者群と1,000名の対照群を用いて，FLGの機能喪失バリアント（R501X，2282del4）に関して関連解析が行われ，疾患との

表1 食物アレルギー等において新規に報告されたゲノム領域

対象疾患	報告年	遺伝子座	遺伝子	著者	文献
食物アレルギー	2011	1q21.3	*FLG*	Brown, et al.	6*
	2015	6p21.3	*HLA-DR/DQ* 領域	Hong, et al.	10
	2017	1q21.3 5q31.1 11q13.5 18q21.33	*FLG-AS1* *IL4/KIF3A* *C11orf30/LRRC32* *SERPINB gene cluster*	Marenholz, et al.	11
小麦依存性運動誘発アナフィラキシー	2021	6p21.3	*HLA-DPB1*	Fukunaga, et al.	14
加水分解小麦による経皮感作小麦アレルギー	2019	6p21.3	*HLA-DQ* 領域	Noguchi, et al.	15

*は候補遺伝子アプローチによる解析．その他はすべてGWASによる解析

表2 好酸球性食道炎において新規に報告されたゲノム領域

報告年	遺伝子座	遺伝子	著者	文献
2010	5q22	*TSLP*	Rothenberg, et al.	16
2014	2p23 8p23 15q13	*CAPN14* *XKR6* *LOC283710/KLF13*	Kottyan, et al.	17
2014	2p23 11q13.5 12q13 19q13.11	*CAPN14* *C11orf30* *STAT6* *ANKRD27*	Sleiman, et al.	18
2021	2q12.1 5q31.1 6p22.3 8q22.1 10q21.1 11p15.4 11q13.4 13q12.13 15q22.2 15q23 18q12.2	*TMEM182* *RAD50* *SOX4* *MATN2* *PRKG1* *RHOG* *SHANK2* *GPR12* *RORA* *SMAD3* *GALNT1*	Chang, et al.	19
	層別化解析			
	男性特異的 3q22.1 7p13 女性特異的 7q22.3 9p24.1 10p11.21	 *CPNE4* *URGCP* *NAMPT* *JAK2* *CCNY*		

注）すべてGWASによる解析

有意な関連性（*P* value = 3.0×10^{-6}）が認められた．この結果を，独立の集団である390名のカナダ人ピーナッツアレルギー患者と891名の対照群を用いて，4つの機能喪失バリアント（R501X，2282del4，R2447X，S3247X）を用いて再現性の確認を行い，同様の関連（*P* value = 5.4×10^{-5}）が報告されている．食物アレルギー患者ではアトピー性皮膚炎の合併率が高く，統計的にその影響が大きいと考えられる．このため，この報告ではアトピー性皮膚炎合併の影響について統計学的に補正しても，ピーナッツアレルギーとFLGバリアントとの有意な関連は維

持されることが示されている．その後，カナダのグループから674名のピーナッツアレルギー患者群と1,162名の対照群を用いた報告で再現性が認められたことが報告されている[7]．さらに，ピーナッツに限らず，食物抗原全般に対してもFLGの機能喪失バリアントは，リスクとなることが報告されている[8,9]．

FLGの消化器系器官における発現量やその役割については不明な点が多く，FLGの食物アレルギーの病態への関与についてはさらなる検討が待たれる．しかしながら，皮膚におけるFLGの機能喪失によるバリア機能の減弱は，局所のみならず全身的なアレルギー炎症を惹起または増悪させることがマウスモデルで示されている．また，気管支喘息においてもFLGの機能喪失バリアントと発症との関連が数多く報告されていることから，抗原の経皮的感作が気管支喘息や食物アレルギーの発症にある一定の役割を果していることが推測される．

2. 食物アレルギーのGWAS

食物アレルギーのGWASの第一報は，2015年にアメリカのグループより報告されている[10]（表1）．食物アレルギー全体，さらに原因の食物抗原による層別化解析により，ピーナッツアレルギーにおいて，HLA Class Ⅱ領域のHLA-DQB1/DQA2にGWAS水準を満たす関連が報告されている．HLA Class Ⅱ遺伝子は外来性抗原の抗原提示にかかわることから，以前より食物アレルギーを含め種々のアレルギー疾患において非常に重要な候補遺伝子である．小規模な集団を用いた関連解析はいくつか報告されており，その重要性は認識されていた．近年になり，比較的大規模な集団を用いた食物アレルギーのGWASが相次いで報告されているが[11,12,13]，いずれの報告でもHLA Class Ⅱ領域に関連が認められている．

2017年にドイツのグループを中心に報告されたGWASでは，ケース群は数百サンプル程度と小規模なサンプルサイズながら，当時までの食物アレルギーのGWASとして最多の4か所の新規関連領域を報告している[11]（表1）．この理由として，筆者たちは食物負荷試験を伴う精度の高い診断をケース群の約8割で行っており，ケース群の表現型の不均一性（heterogeneity）が低減され，より検出力の高い関連解析が可能になったとことが一因として考えられる．

同定された新規関連領域のうち，18q21.3の関連領域は，その他アレルギー疾患においても関連の報告のない新規の食物アレルギー関連領域である．関連バリアントは，SERPINB（serpin peptidase inhibitors B）のgene clusterを形成している領域内に存在し，病態と関連する遺伝子の同定は容易ではないが，これらのSERPINBは，アポトーシスや炎症を調節する機能などを待つことに加え，食道粘膜に特異的な発現を示すものが多く，興味深い候補遺伝子群であることが示されている．

最近，食物アレルギーの中でも，表現型を小麦依存性運動誘発アナフィラキシー（wheat-dependent exercise-induced anaphylaxis：WDEIA）に絞り込んだ検証がわが国より報告されている[14]．近年のGWASとしては比較的小規模なGWAS（WDEIA患者群77名，対照群924名）ながら，GWAS水準を満たす関連を示すバリアントをHLA領域に認めた．これを独立の集団（WDEIA患者群91名，対照群435名）で検証し，それぞれの結果をメタ解析により統合したところ，最終的にHLA Class ⅡのHLA-DPB1*02：01：02アレルを保有することとWDEIAにオッズ比4.13を示すきわめて強い関連が認められた（$P = 1.06 \times 10^{-14}$）．これまでの多くの食物アレルギーの報告（エビ，モモ，牛乳，鶏卵，ピーナッツなど）がHLA-DQ領域と関連を示すのと異なり，WDEIAのGWASでは，HLA-DQ領域では有意な関連を示さず，HLA-DP領域において強い関連を示すことが大変興味深い．これには，症状の発生に小麦抗原の摂取のみではなく二次的要因（運動，NSAIDsの服用など）が加わることや，通常の小麦アレルギーと異なりω-5グリアジンが主要抗原であることなどの特異性が関与している可能性が考えられる．今後，より大規模なGWASが行われ，その他の同定される関連バリアントを組み合わせることによって，WDEIAの発症を予測するバイオマーカーとしての可能性が大きく期待できる．

2010年頃より，（旧）茶のしずく石鹸の使用による小麦アレルギーの発症が，わが国で大きな社会問題となった．使用者のうち発症する人の割合が0.1%を下回ることから，何らかの遺伝的要因の関与が強く示唆されていた．筆者らは日本全国より患者を集め，加水分解小麦による経皮感作小麦アレルギーのGWASを実施し，その結果が近年報告されている[15]．患者群452名，対照群2,700名を用いて，GWASを行い，HLA領域にGWAS水準を満たす強い関連を認め，これを独立の集団（患者群45名，対照群544名）にて再現性の検証を行い，両者の結果をメタ解析により統合したところHLA-DQ領域のrs9271588にて$P = 1.11 \times 10^{-26}$，オッズ比＝2.30の関連を認めた．最も強い関連を示したrs9271588と絶対連鎖不平衡（$r^2 = 1.0$）にあるHLA-DQα1の34番目のアミノ酸がHLA-DQ分子の結合溝の底部の超可変領域に位置すること，HLA-DQ分子の結合溝の性質の決定に深くかかわるポケット4にGWAS水準の関連を満たすアミノ酸の変異が2か所あることなどから，加水分解小麦による経皮感作小麦アレルギーの病態形成にHLA-DQ分子の抗原への結合能の変化が影響することが推察される．

3. 好酸球性食道炎のGWAS

好酸球性食道炎（eosinophilic esophagitis：EoE）の症例では食物抗原に感作されている頻度が高く，また一般集団よりも食物誘発アナフィラキシーの既往の頻度が高いこと，食物抗原の除去食により症状が軽減することなどから，食物アレルギーの関連疾患と考えられている．家族集積性も非常に強く，λs[*1]＝～80とその他のアレルギー疾患と比べきわめて高い値をとることが報告されている．このため，EoEでは比較的早期よりGWASの報告がなされている（表2）．

2010年にGWASを用いてEoEの疾患関連領域がアメリカの研究グループにより同定された[16]．一次集団を用いてGWASを行い，その結果について，二次集団を用いて再現性の確認を行っている．その結果，5q22に存在するrs3806932において，GWAS水準を満たす関連が認められた．rs3806932を含むLD blockの中にはTSLPとWDR36の2つの遺伝子が近接して存在している．筆者らは，食道の生検組織を用いて遺伝子発現量解析を行い，TSLPの発現量はのEoE群で有意に高いこと，TSLPの発現量とrs3806932（A/G）のGenotypeとの間に有意な相関関係（リスクアレル：A，TSLPの発現量：AA＞AG＞GG）を示し，TSLPのEoEの病態への関与を示唆している．TSLPはIL-7 familyに属するサイトカインであり，上皮細胞から分泌され樹状細胞や単球を介したアレルギー炎症の最も重要なイニシエーターの1つとして広く知られている．この報告では，TSLPの遺伝子機能の亢進がEoEの病態機構に関与していることが強く示唆されている．

同グループは，2014年にサンプルサイズを大きくし，再度GWASを行い，既報のTSLP領域での再現性を示すとともに，新たに3領域（CAPN14，XKR6，LOC283710/KLF13）をEoEの関連領域として報告している[17]．この報告では，最も関連の強いCAPN14（calpain 14）遺伝子について機能的な解析を行い，CAPN14は130のさまざまな組織や免疫細胞の分画の中で，食道において最も発現が高いこと，食道の上皮細胞の気相液相境界面培養において，IL13により

[*1] λs（ラムダ　エス）：疾患の家族集積性を表す指標．兄弟姉妹である疾患を共有する頻度を一般集団での疾患の頻度で割った値．遺伝的要因の強い疾患はこの値が大きくなり（例：膿疱性乾癬：～500，1型糖尿病：～15），遺伝的要因のない疾患は理論上「1」となる．さまざまなアレルギー疾患での報告があるが，λs＞5のものはまれである．

CAPN14が強く誘導されることなどを示し，EoEの病態への関与を示唆している．

また，別のアメリカのグループからもGWASの報告があり，既報のTSLP領域と，4か所の新規関連領域（CAPN14，c11orf30，STAT6，ANKRD27）を報告している[18]．TSLPとCAPN14が両グループで，共通して報告されていることが大変興味深い．最近，同グループは，アメリカの4つのEoEのコホートを用いてGWASによるメタ解析を行っている[19]．EoEのGWASとしては，これまで最大規模（EoE群1,930名，対照群13,634名）の報告であり，11か所の新規関連領域を報告している．また，EoEの罹患には性差がかかわることが知られているが（男：女＝3：1），この報告では，性別で層別化したGWASの解析も行い，性別に特異的な5か所の新規関連領域も同定している．

文献

1）Ota M, et al.：Dynamic landscape of immune cell-specific gene regulation in immune-mediated diseases. *Cell* **184**：3006-3021, 2021
2）Finucane HK, et al.：Partitioning heritability by functional annotation using genome-wide association summary statistics. *Nat Genet* **47**：1228-1235, 2015
3）Bulik-Sullivan B, et al.：An atlas of genetic correlations across human diseases and traits. *Nat Genet* **47**：1236-1241, 2015
4）Zhu Z, et al.：A genome-wide cross-trait analysis from UK Biobank highlights the shared genetic architecture of asthma and allergic diseases. *Nat Genet* **50**：857-864, 2018
5）Khera AV, et al.：Genome-wide polygenic scores for common diseases identify individuals with risk equivalent to monogenic mutations. *Nat Genet* **50**：1219-1224, 2018
6）Brown SJ, et al.：Loss-of-function variants in the filaggrin gene are a significant risk factor for peanut allergy. *J Allergy Clin Immunol* **127**：661-667, 2011
7）Asai Y, et al.：Filaggrin gene mutation associations with peanut allergy persist despite variations in peanut allergy diagnostic criteria or asthma status. *J Allergy Clin Immunol* **132**：239-242, 2013
8）Venkataraman D, et al.：Filaggrin loss-of-function mutations are associated with food allergy in childhood and adolescence. *J Allergy Clin Immunol* **134**：876-882, 2014
9）van Ginkel CD, et al.：Loss-of-function variants of the filaggrin gene are associated with clinical reactivity to foods. *Allergy* **70**：461-464, 2015
10）Hong X, et al.：Genome-wide association study identifies peanut allergy-specific loci and evidence of epigenetic mediation in US children. *Nat Commun* **6**：6304, 2015
11）Marenholz I, et al.：Genome-wide association study identifies the SERPINB gene cluster as a susceptibility locus for food allergy. *Nat Commun* **8**：1056, 2017
12）Asai Y, et al.：A Canadian genome-wide association study and meta-analysis confirm HLA as a risk factor for peanut allergy independent of asthma. *J Allergy Clin Immunol* **141**：1513-1516, 2018
13）Khor SS, et al.：Genome-wide association study of self-reported food reactions in Japanese identifies shrimp and peach specific loci in the HLA-DR/DQ gene region. *Sci Rep* **8**：1069, 2018
14）Fukunaga K, et al.：Genome-wide association study reveals an association between the HLA-DPB1*02：01：02 allele and wheat-dependent exercise-induced anaphylaxis. *Am J Hum Genet* **108**：1540-1548, 2021
15）Noguchi E, et al.：HLA-DQ and RBFOX1 as susceptibility genes for an outbreak of hydrolyzed wheat allergy. *J Allergy Clin Immunol* **144**：1354-1363, 2019
16）Rothenberg ME, et al.：Common variants at 5q22 associate with pediatric eosinophilic esophagitis. *Nat Genet* **42**：289-291, 2010
17）Kottyan LC, et al.：Genome-wide association analysis of eosinophilic esophagitis provides insight into the tissue specificity of this allergic disease. *Nat Genet* **46**：895-900, 2014
18）Sleiman PM, et al.：GWAS identifies four novel eosinophilic esophagitis loci. *Nat Commun* **5**：5593, 2014
19）Chang X, et al.：A genome-wide association meta-analysis identifies new eosinophilic esophagitis loci. *J Allergy Clin Immunol* **149**：988-998, 2022

F 食物アレルギーと環境因子

中野泰至
(千葉大学医学部附属病院 小児科)
井上祐三朗
(千葉大学大学院医学研究院 総合医科学)

1 Gene-environmental interaction とエピジェネティクス

アレルギー疾患の有病率は急速に増加しており，それを遺伝因子のみで説明することは困難である．異なる環境のもとでは，同じ遺伝背景を持つ集団でもアレルギー疾患の有病率が異なっており[1]，アレルギー疾患の発症には遺伝因子のみならず環境因子が重要であることが示唆される．

エピジェネティクスは，DNA 塩基配列の変化を伴わない，細胞分裂後も継承される，遺伝子発現あるいは細胞表現系の変化，あるいはそれらを研究する学問領域が本来の意味である．また，さらに近年では，ヒストン修飾によるクロマチンリモデリングや non-coding RNA による遺伝子発現制御機構にも，広範囲に使用される．近年，興味深いことに，環境因子は単独でアレルギー疾患の発症に寄与するだけでなく，エピジェネティックな遺伝子発現制御に影響することが明らかとなってきた（図 1）．このような gene-environmental interaction は，環境因子の新たな作用メカニズムであると考えられ，その解析により新たな病態マーカーや治療ターゲットが明らかになることが期待されている．

2 食物アレルギーの発症にかかわる環境因子・エピジェネティクス

過去の観察研究により，食物アレルギーの発症に関連するさまざまな環境因子が明らかと

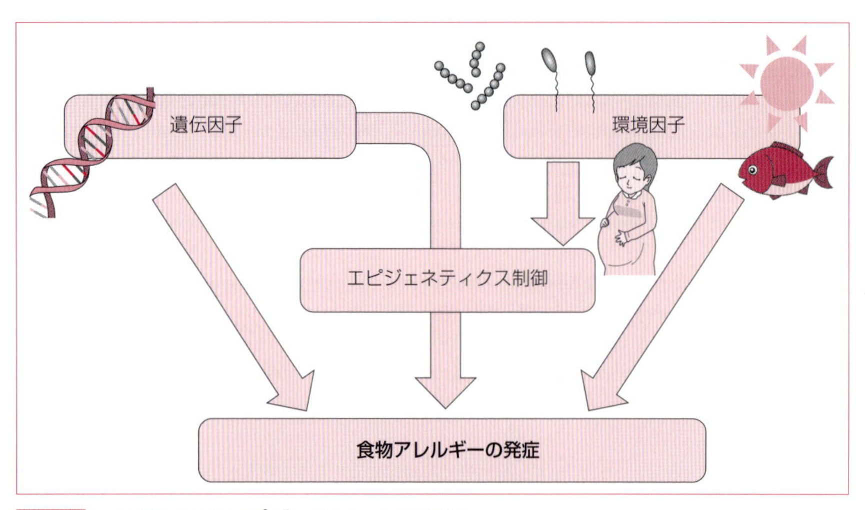

図 1 環境因子とエピジェネティクス制御

なっている．しかしながら，これらの環境因子が本当に発症にかかわっているかを証明するためには，さらにそれぞれの環境因子への介入研究が必要となる．

1. 母体のアトピー素因

母親のアトピー素因は，父親のアトピー素因よりも，児の食物アレルギーの発症に関連している[2,3]．その理由の1つとしては，妊娠中の母体が，胎児にとっての環境因子として作用している可能性が考えられる．

動物実験においては，ピーナッツアレルギーを発症させた母マウスからの仔マウスは，Naïveな母マウスからの仔マウスと比較して，新生児期にすでにIL-4遺伝子のプロモーター領域の低メチル化を認め，ピーナッツ曝露による感作の程度および即時型症状の誘発が有意に強かった[4]．すなわち，アレルギーを持つ母体という「環境」による児のエピジェネティックな変化が，食物アレルギーの発症に関与することが示唆される．

2. 胎児期の食物アレルゲンへの曝露

妊娠中の母親が摂取した食物アレルゲンは胎児へと移行する．高感度アレルゲンマイクロアレイによる検討では，約70%の臍帯血でオボムコイド特異的IgEが確認されており[5]，すでに胎児期に食物アレルゲンに対する感作が成立しうることが示唆される．

過去の疫学研究では，Sischererらがアメリカの牛乳または鶏卵に感作されている児において，母の妊娠中のピーナッツの高頻度の摂取が，児のピーナッツへの感作の増加と有意に関連していることを報告している[6]．また，Hsuらはアメリカの一般集団において，妊娠中のナッツ類やゴマの摂取が，児の感作の増加と有意に関連していることを見出している[7]．一方，複数のアメリカの出生コホート研究においては，妊娠中のピーナッツ摂取はピーナッツアレルギーの減少と有意に関連していることが報告されている[8,9]．

このように，妊娠中の母親の食事内容と，児の食物アレルゲン感作や食物アレルギー発症の関連については，一定の見解は得られておらず，胎児期の食物アレルゲンへの曝露の影響はいまだ明らかではない．

3. 食物アレルゲンの経口曝露

母乳中には母親が摂取した食物アレルゲンが検出されることから，母乳を介した食物アレルゲンへの曝露は，環境因子の1つとみなすことができる．しかしながら，授乳中の母親の食物除去による食物アレルギーの予防効果は明らかではなく，各国のガイドラインでは推奨されていない．

実際に，ピーナッツを摂取したヒトの母乳を用いたマウス実験では，ヒト母乳中にはIgE結合性を持つピーナッツアレルゲンが検出されるが，その摂取により実験的ピーナッツアレルギーはむしろ抑制されていた[10]．すなわち，ピーナッツアレルギーにおいては，母乳を介したアレルゲン曝露は，発症を予防する効果があることが示唆される．

同様に，離乳期の食物アレルゲンの摂取が食物アレルギーの発症に抑制的に働く可能性が，疫学研究および最近の介入研究で示されている．Du Toitらは，イスラエルに居住するユダヤ人は，イギリスに居住するユダヤ人と比較して，ピーナッツアレルギーの有症率が低いことを明らかにした[1]．この違いには，乳児期のピーナッツ摂取量がかかわっており，イスラエルでは乳児期からピーナッツを含む食品を摂取する習慣があるのに対して，イギリスでは摂取を避けていることがその要因であった．

さらに同グループは，乳児期のピーナッツ摂取が，ピーナッツアレルギーの発症に与える影響を検討するために，ランダム化比較試験（LEAP study）を行っている[11]．彼らは，ピーナッツアレルギーの発症リスクが高い生後4～11か月の乳児を無作為に2群に割りつけ，5歳までのピーナッツ摂取あるいは回避を行った．5歳時のピーナッツアレルギーの有病率は，摂取回避群が13.7%であったのに対して，摂取群では1.9%と有意に低く，摂取群ではピーナッツ特異的IgEの低値とIgG_4の高値を認めた．これらの結果からは，乳児期のピーナッツ摂取が免疫寛容を誘導し，ピーナッツアレルギーの発症予防となることが示唆された．

一方，中等症から重症の湿疹がある生後4か月の乳児を対象とした鶏卵パウダー摂取による介入試験では，それまで鶏卵は未摂取にもかかわらず約1/3の児がすでに鶏卵に感作され，アレルギー症状を呈したことから，ハイリスク児の乳児期の鶏卵摂取には危険を伴う場合があることが示唆される[12)]．

環境や食物の違いによって，感作の時期や機序が異なる可能性があり，必ずしもすべての食物において，乳児期早期の摂取がアレルギー予防となるわけではないことには，留意する必要がある．

4．食物アレルゲンの経皮曝露

ピーナッツオイルを含むスキンケアは，ピーナッツアレルギー発症のリスク因子であることから[13)]，食物アレルゲンの経皮曝露は食物アレルギーの発症にかかわる重要な環境因子と考えられている．室内の埃にはさまざまな食物アレルゲンが含まれており，特に湿疹のある児やFilaggrin（FLG）機能喪失バリアントのある児においては，環境中のアレルゲン量が，食物アレルギーの発症に，強く関連していることが報告されている[14,15)]．

経皮感作の成立には，湿疹部位における表皮バリアの障害が重要と考えられている．しかしながら，生後早期からの保湿薬による介入試験では，アトピー性皮膚炎の発症は抑制されたものの，卵白感作は抑制されなかった[16)]．また，保湿薬による介入試験のメタ解析においても食物アレルギーおよび食物アレルゲン感作との関連は明らかでない[17)]．食物アレルゲンの経皮曝露に対する対策や介入については，さらなる検討が必要である．

5．マイクロバイオーム（microbiome）：「衛生仮説」の新たな考え方

「衛生仮説」は先進国におけるアレルギー疾患の増加を説明する仮説の1つであり[18)]，小児期における感染症の罹患や農場のような環境における微生物への曝露の減少[19)]が，アレルギー疾患の増加と関連しているという疫学研究に基づいている．

かつては，衛生仮説を説明するメカニズムとして，胎児期はTh2環境にあるため，出生後にリポ多糖（lipopolysaccharide：LPS）などの微生物の構成成分に曝露されないと，Th1/Th2バランスがTh2側に偏倚したままとなり，アレルギー疾患が発症しやすくなると説明されていた[20)]．しかしながら，近年増加しているのはアレルギー疾患だけでなく，臓器特異的自己免疫疾患などのTh1疾患も増加していることから[21)]，Th1とTh2の双方の獲得免疫応答に対する調節障害が[22)]，「衛生仮説」のメカニズムであると考えられてきている．

microbiomeとは人体に常在する微生物叢であり，主には腸内細菌叢のことを指す．近年，microbiomeはヒトの免疫機構に深くかかわっており，microbiomeの乱れ（dysbiosis）がさまざまな疾患の発症にかかわる可能性がある．従来の「衛生仮説」においてアレルギーの発症にかかわるとされた衛生環境の変化・少子化などの社会構造の変化・母乳栄養の減少・抗菌薬の幅広い使用などの環境の変化も，dysbiosisの原因となり，免疫調節異常をもたらすことで，アレルギー疾患が増加していると考えられてきている[23)]．

実際に，食物アレルギー児と健常児では，腸内細菌叢の違いを認めている[24)]．また，動物実験においては，腸内細菌叢は経口免疫寛容の確立に重要であり，健康な乳児の腸内細菌を移植

した無菌マウスでは，移植しなかったマウスと比較して有意に牛乳への感作が抑制されており[25]，食物アレルギーの発症における腸内細菌叢の重要性が示唆されている．

近年，腸内細菌が産生する代謝物の，アレルギーを含めた免疫疾患の病態への関与が注目されている．酪酸を代表とする短鎖脂肪酸は食物繊維などの基質を微生物が発酵させることにより産生される．短鎖脂肪酸はヒストン脱アセチル化酵素（HDAC）を阻害することでヒストンのアセチル化にかかわっており，エピジェネティックな遺伝子発現制御にも関与することが知られている．ヨーロッパの出生コホート研究（PASTURE study）では，1歳の糞便中の酪酸およびプロピオン酸値がきわめて高い群ではそれ以下の群に比べて有意に6歳での吸入アレルゲンおよび食物アレルゲンの感作率が低いことを報告している[26]．また，食物アレルギーマウスにおいては酪酸の経口投与により，アレルギー反応の抑制と血清特異的IgE濃度が低下することが報告されている．このように，酪酸などの短鎖脂肪酸の摂取や酪酸産生にかかわる腸内細菌の保有は，食物アレルギーの発症に抑制的にかかわることが示唆されている[27]．

6. 日照時間とビタミンD

世界のさまざまな地域において，日照時間の短さと食物アレルギーの関連が報告されており[28,29]，その原因はビタミンDの不足によるものと考えられている．ビタミンDは，制御性樹状細胞[30]・Foxp3^{+}制御性T細胞[31]・制御性B細胞[32]などの誘導にかかわっており，ビタミンDが不足している乳児では，ピーナッツアレルギーや鶏卵アレルギーが有意に多いことが報告されている[33]．

新生児を対象としたビタミンD摂取介入により，食物アレルギーの発症予防効果が期待されるが，オーストラリアにおける介入研究では，残念ながら発症予防効果を認めなかった[34]．そこで，現在われわれは，食文化や環境の異なるわが国における，ビタミンDの食物アレルギー発症予防効果を検証するために，二重盲検ランダム化比較試験vitamin D mediated Prevention of Allergic march in Chiba（D-PAC）研究（UMIN000034864）を行っている．

7. ω-3脂肪酸の摂取

必須脂肪酸である多価不飽和脂肪酸には，ω-3脂肪酸とω-6脂肪酸があるが，ω-6脂肪酸はTh2サイトカイン産生を促進する[35] PGE_2合成を誘導するのに対して，ω-3脂肪酸はPGE_2合成を抑制するため，アレルギー疾患の発症には異なる作用を持つと考えられている．ω-3脂肪酸は魚に多く含まれており，北欧における出生コホート研究では，乳児期の魚の摂取は食物アレルギー発症リスクの低下と関連することが報告されている．

文献

1）Du Toit G, et al.：Early consumption of peanuts in infancy is associated with a low prevalence of peanut allergy. *J Allergy Clin Immunol* **122**：984-991, 2008

2）Koplin JJ, et al.：The impact of family history of allergy on risk of food allergy：a population-based study of infants. *Int J Environ Res Public Health* **10**：5364-5377, 2013

3）Hourihane JO, et al.：Peanut allergy in relation to heredity, maternal diet, and other atopic diseases：results of a questionnaire survey, skin prick testing, and food challenges. *BMJ* **313**：518-521, 1996

4）Song Y, et al.：Maternal allergy increases susceptibility to offspring allergy in association with TH2-biased epigenetic alterations in a mouse model of peanut allergy. *J Allergy Clin Immunol* **134**：1339-1345, 2014

5）Kamemura N, et al.：Intrauterine sensitization of allergen-specific IgE analyzed by a highly sensitive new allergen microarray. *J Allergy Clin Immunol* **130**：113-121, 2012

6）Sicherer SH, et al.：Maternal consumption of peanut during pregnancy is associated with peanut sensitization in atopic infants. *J Allergy Clin Immunol* **126**：1191-1197, 2010

7）Hsu JT, et al.：Prenatal food allergen exposures and odds of childhood peanut, tree nut, or sesame seed sensitization.

Ann Allergy Asthma Immunol **111**：391-396, 2013
8）Bunyavanich S, et al.：Peanut, milk, and wheat intake during pregnancy is associated with reduced allergy and asthma in children. *J Allergy Clin Immunol* **133**：1373-1382, 2014
9）Frazier AL, et al.：Prospective study of peripregnancy consumption of peanuts or tree nuts by mothers and the risk of peanut or tree nut allergy in their offspring. *JAMA Pediatr* **168**：156-162, 2014
10）Bernard H, et al.：Peanut allergens are rapidly transferred in human breast milk and can prevent sensitization in mice. *Allergy* **69**：888-897, 2014
11）Du Toit G, et al.：Randomized trial of peanut consumption in infants at risk for peanut allergy. *N Engl J Med* **372**：803-813, 2015
12）Palmer DJ, et al.：Early regular egg exposure in infants with eczema：A randomized controlled trial. *J Allergy Clin Immunol* **132**：387-392, 2013
13）Lack G, et al.：Factors associated with the development of peanut allergy in childhood. *N Engl J Med* **348**：977-985, 2003
14）Fox AT, et al.：Household peanut consumption as a risk factor for the development of peanut allergy. *J Allergy Clin Immunol* **123**：417-423, 2009
15）Brough HA, et al.：Atopic dermatitis increases the effect of exposure to peanut antigen in dust on peanut sensitization and likely peanut allergy. *J Allergy Clin Immunol* **135**：164-170, 2015
16）Horimukai K, et al.：Application of moisturizer to neonates prevents development of atopic dermatitis. *J Allergy Clin Immunol* **134**：824-830, 2014
17）Kelleher MM, et al.：Skin care interventions in infants for preventing eczema and food allergy. *Cochrane Database Syst Rev* **2**：CD013534, 2021
18）Strachan DP：Hay fever, hygiene, and household size. *BMJ* **299**：1259-1260, 1989
19）Ege MJ, et al.：Exposure to environmental microorganisms and childhood asthma. *N Engl J Med* **364**：701-709, 2011
20）Prescott SL, et al.：Development of allergen-specific T-cell memory in atopic and normal children. *Lancet* **353**：196-200, 1999
21）Bach JF：The effect of infections on susceptibility to autoimmune and allergic diseases. *N Engl J Med* **347**：911-920, 2002
22）Wills-Karp M, et al.：The germless theory of allergic disease：revisiting the hygiene hypothesis. *Nat Rev Immunol* **1**：69-75, 2001
23）Inoue Y, et al.：Microbiome/microbiota and allergies. *Semin Immunopathol* **37**：57-64, 2015
24）Ling Z, et al.：Altered fecal microbiota composition associated with food allergy in infants. *Appl Environ Microbiol* **80**：2546-2554, 2014
25）Rodriguez B, et al.：Infant gut microbiota is protective against cow's milk allergy in mice despite immature ileal T-cell response. *FEMS Microbiol Ecol* **79**：192-202, 2012
26）Roduit C, et al.：High levels of butyrate and propionate in early life are associated with protection against atopy. *Allergy* **74**：799-809, 2019
27）Paparo L, et al.：Butyrate as a bioactive human milk protective component against food allergy. *Allergy* **76**：1398-1415, 2021
28）Matsui T, et al.：Sun exposure inversely related to food sensitization during infancy. *Pediatr Allergy Immunol* **26**：628-633, 2015
29）Mullins RJ, et al.：Regional variation in epinephrine autoinjector prescriptions in Australia：more evidence for the vitamin D-anaphylaxis hypothesis. *Ann Allergy Asthma Immunol* **103**：488-495, 2009
30）Széles L, et al.：1,25-dihydroxyvitamin D3 is an autonomous regulator of the transcriptional changes leading to a tolerogenic dendritic cell phenotype. *J Immunol* **182**：2074-2083, 2009
31）Dimeloe S, et al.：Regulatory T cells, inflammation and the allergic response-The role of glucocorticoids and Vitamin D. *J Steroid Biochem Mol Biol* **120**：86-95, 2010
32）Heine G, et al.：1,25-dihydroxyvitamin D(3)promotes IL-10 production in human B cells. *Eur J Immunol* **38**：2210-2218, 2008
33）Allen KJ, et al.：Vitamin D insufficiency is associated with challenge-proven food allergy in infants. *J Allergy Clin Immunol* **131**：1109-1116, 2013
34）Rueter K, et al.：In "High-Risk" Infants with Sufficient Vitamin D Status at Birth, Infant Vitamin D Supplementation Had No Effect on Allergy Outcomes：A Randomized Controlled Trial. *Nutrients* **12**：1747, 2020
35）Snijdewint FG, et al.：Prostaglandin E2 differentially modulates cytokine secretion profiles of human T helper lymphocytes. *J Immunol* **150**：5321-5329, 1993

感作の成立と予防対策

福家辰樹
(国立成育医療研究センター アレルギーセンター 総合アレルギー科)

1 乳児期の湿疹とアレルギー感作

1. 感作の時期と経路

いつ，どこで食物アレルゲンに感作されたのか？　その問いに対する明確な答えはいまだ存在せず，また答えが 1 つとも限らないだろう．かつては食物アレルギーの予防戦略として，妊娠中や乳児期における経口的な曝露を避けることにより発症を予防しようとする試みに焦点が当てられる時代があった．2000 年代には胎児期に胎盤を通じて食物や吸入アレルゲンが伝わることが報告され[1)]，胎内での感作成立を検討することは重要な課題の 1 つであった．臍帯血中の総 IgE 値測定が児のアレルギー発症予知の指標になるかについても以前から多くの検討がなされている[2)]が，誘導される IgE 抗体は低親和性であり，大規模コホート[3)]において，その後に食物アレルギーを発症した児においても臍帯血中の食物アレルゲン特異的 IgE は検出されるとは限らず，ハイリスク児を選別することは困難であると考えられている．

一方で 2003 年，Lack ら[4)]による出生コホート研究において，ピーナッツアレルギーと湿疹が正相関し，特に皮膚炎が重症であることやピーナッツオイルを含むスキンケアを行うことがそのリスクであると報告され，これらの観察研究から経皮的な感作ルートの存在が示唆された．さらに 2008 年には Du Toit ら[5)]により，乳児期にピーナッツを摂取することが少ないイギリスでは，8 割以上が乳児期から摂取するイスラエルと比較し，ピーナッツアレルギーの発症率が約 10 倍高いことが報告され，“Dual-allergen exposure hypothesis” の概念が発表された[6)]．これら仮説の登場と同じくして，フィラグリン遺伝子（以下 *FLG*）変異を代表とするバリア機能が破壊された皮膚からの経皮的な感作が注目される時代が到来した．Brown らは症例対照研究[7)]から，*FLG* 変異を有する場合，負荷試験で診断されるピーナッツアレルギーの発症率はオッズ比 5.3 で有意に増加すると報告している．

2. 経“湿疹”感作の概念

食物アレルギーとは直接関連はないものの，高温多湿な石垣島のコホート研究からの解析では，アトピー性皮膚炎群と非アトピー性皮膚炎群で *FLG* 変異に差は認めず，必ずしも *FLG* 変異がアトピー性皮膚炎になりやすいわけではないことが報告されている[8)]．*FLG* 変異だけでアレルギー疾患が発症するわけではなく，その発症には環境要因や免疫学的な素因が複雑に絡み合っていると考えられる．

その説明例として，*FLG* 変異マウスの検討において，特異的な状況下でない場合は Th2 炎症が生じず[9)]，Th2 に傾かせる要因としてプロテアーゼ，アラーミン/DAMPs つまり IL-33 などや，thymic stromal lymphopoietin（TSLP）などの存在が報告されている（表 1）[10)]．

また，食物アレルゲンへの感作が成立するためには，環境中にそのアレルゲンが存在するこ

表1 経湿疹感作を促進する因子

経湿疹感作を促進する因子
皮膚バリアダメージ
搔破
プロテアーゼ抗原
皮膚 pH 上昇
アラーミン，DAMPs（damage-associated molecular patterns）
eosinophil-derived neurotoxin（EDN）
IL-33
ヒスタミン
菌体関連アジュバント
黄色ブドウ球菌スーパー抗原
ケラチノサイト由来サイトカイン
thymic stromal lymphopoietin（TSLP）
抗原提示細胞のフェノタイプ
IgE-bearing Langerhans cell（LC）

〔Matsumoto K, et al.：Epicutaneous immunity and onset of allergic diseases-per-“eczema” tous sensitization drives the allergy march. *Allegol Int* **62**：291-296, 2013 を元に作成〕

とも重要である．テーブルやベッド，手，埃などの環境中にはわずかな食物アレルゲンが存在し[11]，家庭内においてピーナッツ消費量は埃中のピーナッツ抗原量と相関することや[12]，埃中のピーナッツ抗原量と乳児のピーナッツ感作が相関し[13]，さらに皮膚 T 細胞とピーナッツ抗原の反応はピーナッツアレルギーや耐性に関与すること[14]，家庭環境中の食物アレルゲン量と食物アレルギー発症の関連性などが証明されている[15]．これら皮膚の表層にある食物アレルゲンは，湿疹により弱った皮膚バリアを通過し，Langerhans 細胞の突起が延長することで機能的にインタクトな tight-junction を通過して捉えられ，さらに機械的な皮膚損傷やアレルゲンに含まれるプロテアーゼが protease-activated receptor（PAR)-2 に作用し[16]，表皮角化細胞から誘導される TSLP や IL-33 の発現によって，曝露されたアレルゲンに対する Th2 タイプの免疫反応の誘導が，B 細胞からの IgE 産生へとつながることが考えられている[17,18]．

大規模コホート研究[19]において 3 か月乳児における湿疹の重症度が食物への感作のリスクを増大させることが報告され，皮膚炎を有することが経皮的な感作のリスクであることが示唆された．つまり皮膚バリア機能破綻だけではなく，アトピー性皮膚炎の存在（つまり皮膚の Th2 タイプの炎症巣）が，食物アレルギーにおける感作リスクを顕著に増加させると考えられている[20]．

また，経消化管感作や経気道感作について，ヒトでの検討は少ないものの，動物モデルにおいての検討がなされており[21,22]，アレルギー性の消化管あるいは気道上皮における炎症は，新たな感作のリスク因子であることが示唆されている．

3．乳児への外用療法は予防対策となり得るのか

以上のように，食物アレルギーのリスクとして食物の経皮的曝露に焦点が当てられる中，乳児期早期からの保湿剤塗布による食物アレルギーの発症予防効果に期待がなされ，世界各国で大規模ランダム化比較試験が実施された．わが国の Yonezawa らの報告では，生後 3 か月までの保湿剤の使用で 2 歳までの食物アレルギーの発症予防効果は認められず[23]，Dissanayake らによる生後 6 か月までのスキンケアとシンバイオティクスを組み合わせた報告では，非介入群と比較して，スキンケア介入のみの群でもスキンケアとシンバイオティクスを組み合わせた群でも有意な予防効果は認められなかった[24]．また，イギリスにおいて 1,394 名のハイリスク児を

対象に新生児期から保湿剤塗布を行ったBEEPスタディでも，2歳までの鶏卵・牛乳・ピーナッツアレルギーの予防効果は認められず[25]，コクランレビューにおいて乳児期での保湿剤塗布による食物アレルギーの発症予防効果は認められないとしている[26]．

さらには，アトピー性皮膚炎に対する積極的な治療と寛解維持を目指したスキンケアにより，アレルゲン感作や後のアレルギーマーチを減ずる可能性に関心が向けられている．現在のところ明確なエビデンスは示されていないが，後方視的研究において乳児期発症アトピー性皮膚炎で発症から4か月以内にプロアクティブ療法を開始した群では，2歳時の食物アレルギー有病率は有意に低かったことが示されている[27]．

2 予防的な食事制限

1．妊娠中や授乳中の母親の食事制限

食物アレルギーの発症予防のために，妊娠中や授乳中に母親が食物除去を行うことは推奨されない[28]．たとえば妊娠中や授乳中のピーナッツ消費量の多さは幼児期におけるピーナッツアレルギーの発症に影響を及ぼさないとするコホート研究[29]や，最近のコクランレビュー[30]によりその発症予防効果が明確に否定されている．さらに食事制限を行うことで母体と児に対して有害な栄養障害をきたすおそれがある[30]ことからも，妊娠中や授乳中の母親に対する食物除去の安易な指導は行うべきではない．

2．母乳栄養による食物アレルギー予防の是非

母乳は乳児の栄養として最適かつ有益であることは疑う余地もない．ただし現時点で完全母乳栄養に関して，「アレルギーの発症予防を目的に」という観点では統一した見解は得られていない[31,32]．母乳栄養がアレルギー疾患の発症に保護的に働くという意見がなされる一方で，近年では，たとえばアメリカのハイリスク出生コホート研究において母乳栄養を継続している児で有意にアレルギー疾患が多いとの報告[33]がある．母乳自体にまつわる背景，たとえば食事内容や環境にかかわる時代背景の変化も含め，いまだ知られざる要因が潜んでいる可能性が考えられる．

一方，調製粉乳の哺乳の影響については，オーストラリアの大規模出生コホート研究[34]において，生後3か月までの普通ミルクの摂取により，牛乳への感作は0.44倍に，牛乳アレルギーの診断は0.31倍に減少させることが示された．なおこの中で消化管アレルギーの出現率は早期の普通ミルク導入と関連が認められないことも報告された．部分加水分解乳や完全加水分解乳については，Boyleらによるメタ解析により，普通ミルクと比較して食物アレルギーの発症に関して関連はないという結果が示された[35]．

加えて2020年にSakiharaらは491人の乳児に対するランダム化比較試験を実施し，生後1～2か月の間に10 mL以上の普通調製粉乳を毎日摂取することにより牛乳アレルギーの発症を0.12倍へ減ずる予防効果を示した[36]．一方でUrashimaらによる312人の新生児に対するランダム化比較試験では，生後3日間に普通調製粉乳を哺乳した群と比較し，母乳（＋アミノ酸乳）のみであった児では2歳時点における感作のリスクが0.52であったと報告された[37]．以上より普通調製粉乳を利用するのであれば，生後数か月の時期において継続的に補食することが，牛乳アレルギーの発症リスクを低減することが示唆されている．

母乳栄養とその後の健康への影響としては，アレルギー疾患以外にも小児期の宿主防御や精神発達への寄与，肥満や糖尿病，炎症性疾患，自己免疫疾患，悪性腫瘍への防御的影響などさ

まざまな研究が報告されており，その有益性を考慮し総合的に判断されるべきであろう．

3 離乳食の開始時期

離乳食の開始については，その時代や地域において最も望ましいとする知見に基づき，推奨時期が変更される歴史をたどり現在に至っている．たとえば1995年の「改訂・離乳の基本」[38]には，卵黄は生後5～6か月頃に2/3個以下から開始し，7～8か月より全卵1/2個と記載されていたが，2005年の調査で鶏卵の開始を7か月以後としている乳児が90%以上にのぼる実態が報告され，2007年の「授乳・離乳の支援ガイド」[39]では生後7～8か月頃から卵黄を開始，と記されている．その後"Dual-allergen exposure hypothesis"[6]が発表されるに至るが，離乳食において特定の食物の開始を遅らせないことが発症予防に効果があることを積極的に証明する臨床研究に乏しかったため，多くの国内外のガイドラインで「遅らせることは推奨しない」程度の立場で記載せざるを得ない時代が続いた．

その後2015年，LEAPスタディ[40]でのハイリスク乳児（アトピー性皮膚炎や鶏卵アレルギーがあり，ピーナッツアレルギーの発症リスクが高い乳児）を対象とした，生後4～10か月からのピーナッツ摂取群と，除去群のいずれがピーナッツアレルギー発症予防に有効かを検討したランダム化比較試験において，5歳における発症率は摂取群で有意に減少し，さらに効果は5歳から1年間完全除去の期間を経た後も継続する（LEAP-Onスタディ）[41]ことが報告された．この報告により「ピーナッツアレルギーの発症リスクが高い国では，乳児の離乳時期においては"遅く"ではなく，むしろなるべく"早く"ピーナッツの摂取を開始するほうが有益である」との国際的なコンセンサスステートメントが発表されている[42]．

鶏卵においても早期摂取による発症予防を検証するいくつかのランダム化比較試験が報告され，わが国で実施されたアトピー性皮膚炎乳児を対象としたランダム化比較試験（PETITスタディ）[43]では，12か月まで鶏卵を完全除去した群では37.7%に鶏卵アレルギーを発症した一方で，生後6か月から微量（50 mg）の加熱全卵粉末を開始し，生後9か月から少量（250 mg）の加熱全卵粉末を毎日摂取した介入群では，1歳における鶏卵アレルギーの発症率は8.3%と，有意に減少させることを示した．

2016年のシステマティック・レビュー[44]では，「鶏卵の離乳期早期（4～6か月）からの摂取は鶏卵アレルギーの発症リスクを低下させる」という結論を得ており，このような経緯を経て，2019年に改訂された厚生労働省「授乳・離乳の支援ガイド」[45]には，1995年「改訂・離乳の基本」と同じく，離乳を開始する5～6か月（離乳初期）の段階から，固ゆでした卵黄の記載が含まれるに至っており，離乳食の開始時期は，5～6か月頃を適当とし，これより早めたり遅らせたりすることは推奨されていない．

なお，すでに食物アレルギーを発症している可能性がある乳児に対して原因食物を安易に摂取させることは危険な行為であるため，自宅摂取を指示する際には原因食物の経口負荷試験を含めた慎重な評価を考慮すべきである．

文献

1）Vance GH, et al.：Exposure of the fetus and infant to hens' egg ovalbumin via the placenta and breast milk in relation to maternal intake of dietary egg. *Clin Exp Allergy* **35**：1318-1326, 2005

2）Edenharter G, et al.：Cord blood-IgE as risk factor and predictor for atopic diseases. *Clin Exp Allergy* **28**：671-678,

1998
3) Arshad SH, et al.：Early life risk factors for current wheeze, asthma, and bronchial hyperresponsiveness at 10 years of age. *Chest* **127**：502-508, 2005
4) Lack G, et al.：Factors associated with the development of peanut allergy in childhood. *N Engl J Med* **348**：977-985, 2003
5) Du Toit G, et al.：Early consumption of peanuts in infancy is associated with a low prevalence of peanut allergy. *J Allergy Clin Immunol* **122**：984-991, 2008
6) Lack G：Epidemiologic risks for food allergy. *J Allergy Clin Immunol* **121**：1331-1336, 2008
7) Brown SJ, et al.：Loss-of-function variants in the filaggrin gene are a significant risk factor for peanut allergy. *J Allergy Clin Immunol* **127**：661-667, 2011
8) Sasaki T, et al.：Filaggrin loss-of-function mutations are not a predisposing factor for atopic dermatitis in an Ishigaki Island under subtropical climate. *J Dermatol Sci* **76**：10-15, 2014
9) Oyoshi MK, et al.：Mechanical injury polarizes skin dendritic cells to elicit a T（H）2 response by inducing cutaneous thymic stromal lymphopoietin expression. *J Allergy Clin Immunol* **126**：976-984, 2010
10) Matsumoto K, et al.：Epicutaneous immunity and onset of allergic diseases-per-"eczema"tous sensitization drives the allergy march. *Allegol Int* **62**：291-296, 2013
11) Perry TT, et al.：Distribution of peanut allergen in the environment. *J Allergy Clin Immunol* **113**：973-976, 2004
12) Brough HA, et al.：Distribution of peanut protein in the home environment. *J Allergy Clin Immunol* **132**：623-629, 2013
13) Fox AT, et al.：Household peanut consumption as a risk factor for the development of peanut allergy. *J Allergy Clin Immunol* **123**：417-423, 2009
14) Chan SM, et al.：Cutaneous lymphocyte antigen and $\alpha 4\beta 7$ T-lymphocyte responses are associated with peanut allergy and tolerance in children. *Allergy* **67**：336-342, 2012
15) Brough HA, et al.：Atopic dermatitis increases the effect of exposure to peanut antigen in dust on peanut sensitization and likely peanut allergy. *J Allergy Clin Immunol* **135**：164-170, 2015
16) Dubrac S, et al.：Atopic dermatitis：the role of Langerhans cells in disease pathogenesis. *Immunol Cell Biol* **88**：400-409, 2010
17) Nakajima S, et al.：Langerhans cells are critical in epicutaneous sensitization with protein antigen via thymic stromal lymphopoietin receptor signaling. *J Allergy Clin Immunol* **129**：1048-1055, 2012
18) Tamagawa-Mineoka R, et al.：Increased serum levels of interleukin 33 in patients with atopic dermatitis. *J Am Acad Dermatol* **70**：882-888, 2014
19) Flohr C, et al.：Atopic dermatitis and disease severity are the main risk factors for food sensitization in exclusively breastfed infants. *J Invest Dermatol* **134**：345-350, 2014
20) Kumar R, et al.：Early life eczema, food introduction, and risk of food allergy in children. *Pediatr Allergy Immunol Pulmonol* **23**：175-182, 2010
21) Rodriguez B, et al.：Germ-free status and altered caecal subdominant microbiota are associated with a high susceptibility to cow's milk allergy in mice. *FEMS Microbiol Ecol* **76**：133-144, 2011
22) Kulis MD, et al.：The airway as a route of sensitization to peanut：An update to the dual allergen exposure hypothesis. *J Allergy Clin Immunol* **148**：689-693, 2021
23) Yonezawa K, et al.：Short-term skin problems in infants aged 0-3 months affect food allergies or atopic dermatitis until 2 years of age, among infants of the general population. *Allergy Asthma Clin Immunol* **15**：74, 2019
24) Dissanayake E, et al.：Skin Care and Synbiotics for Prevention of Atopic Dermatitis or Food Allergy in Newborn Infants：A 2×2 Factorial, Randomized, Non-Treatment Controlled Trial. *Int Arch Allergy Immunol* **180**：202-211, 2019
25) Chalmers JR, et al.：Daily emollient during infancy for prevention of eczema：the BEEP randomised controlled trial. *Lancet* **395**：962-972, 2020
26) Kelleher MM, et al.：Skin care interventions in infants for preventing eczema and food allergy. *Cochrane Database Syst Rev* **2**：CD013534, 2021
27) Miyaji Y, et al.：Earlier aggressive treatment to shorten the duration of eczema in infants resulted in fewer food allergies at 2 years of age. *J Allergy Clin Immunol Pract* **8**：1721-1724. e6, 2020
28) 海老澤元宏，ほか（監修），日本小児アレルギー学会食物アレルギー委員会（作成）：食物アレルギー診療ガイドライン 2021．協和企画，2021
29) Hourihane JO, et al.：The impact of government advice to pregnant mothers regarding peanut avoidance on the prevalence of peanut allergy in United Kingdom children at school entry. *J Allergy Clin Immunol* **11**：1197-1202, 2007
30) Kramer MS, et al.：Maternal dietary antigen avoidance during pregnancy or lactation, or both, for preventing or treating atopic disease in the child. *Evid Based Child Health* **9**：447-483, 2014

31）Greer FR, et al.：The Effects of Early Nutritional Interventions on the Development of Atopic Disease in Infants and Children：The Role of Maternal Dietary Restriction, Breastfeeding, Hydrolyzed Formulas, and Timing of Introduction of Allergenic Complementary Foods. *Pediatrics* **143**：e20190281, 2019
32）de Silva D, et al.：Preventing food allergy in infancy and childhood：Systematic review of randomised controlled trials. *Pediatr Allergy Immunol* **31**：813-826, 2020
33）McGowan EC, et al.：Influence of early-life exposures on food sensitization and food allergy in an inner-city birth cohort. *J Allergy Clin Immunol* **135**：171-178, 2015
34）Peters RL, et al.：Early Exposure to Cow's Milk Protein Is Associated with a Reduced Risk of Cow's Milk Allergic Outcomes. *J Allergy Clin Immunol Pract* **7**：462-470. e1, 2019
35）Boyle RJ, et al.：Hydrolysed formula and risk of allergic or autoimmune disease：systematic review and meta-analysis. *BMJ* **352**：i974, 2016
36）Sakihara T, et al.：Randomized trial of early infant formula introduction to prevent cow's milk allergy. *J Allergy Clin Immunol* **147**：224-232. e8, 2021
37）Urashima M, et al.：Primary Prevention of Cow's Milk Sensitization and Food Allergy by Avoiding Supplementation With Cow's Milk Formula at Birth：A Randomized Clinical Trial. *JAMA Pediatr* **173**：1137-1145, 2019
38）厚生労働省：改定 離乳の基本．厚生労働省，1995
39）厚生労働省：授乳・離乳の支援ガイド．厚生労働省，2007
40）Du Toit G, et al.：Randomized trial of peanut consumption in infants at risk for peanut allergy. *N Engl J Med* **372**：803-813, 2015
41）Du Toit G, et al.：Effect of Avoidance on Peanut Allergy after Early Peanut Consumption. *N Engl J Med* **374**：1435-1443, 2016
42）Fleischer DM, et al.：Consensus communication on early peanut introduction and the prevention of peanut allergy in high-risk infants. *J Allergy Clin Immunol* **136**：258-261, 2015
43）Natsume O, et al.：Two-step egg introduction for prevention of egg allergy in high-risk infants with eczema（PETIT）：a randomised, double-blind, placebo-controlled trial. *Lancet* **389**：276-286, 2017
44）Ierodiakonou D, et al.：Timing of Allergenic Food Introduction to the Infant Diet and Risk of Allergic or Autoimmune Disease：A Systematic Review and Meta-analysis. *JAMA* **316**：1181-1192, 2016
45）厚生労働省：授乳・離乳の支援ガイド（2019年改定版）．厚生労働省，2019

H 食物アレルギーの診断

漢人直之
（かんどこどものアレルギークリニック）

1 問診

食物アレルギーの診断は，食物経口負荷試験（oral food challenge：OFC）を含めて症状出現時の様子を直接観察することが最も望ましいことはいうまでもない．しかし，多くの場合は本人や保護者の記憶をもとに病歴を確認することになる．

FA 管理の原則は，「正しい診断に基づいた必要最小限の原因食物の除去」である[1]．問診の目的は，まさにこの原則が実践されているかどうかを評価することにある．すなわち，問診により原因抗原の推定，食物アレルギー発症に関与する因子の推定，不要な食物除去の有無の確認，安全摂取可能量の推定を行う．系統的に正確な問診ができなければ，有効な検査計画や正確な解釈をすることもかなわないため，問診が食物アレルギー診断の中核を担うといっても過言ではない．

短い診療時間の中で，いかに効率よく必要な情報を聞き出すか，各自の診療スタイルに合わせた工夫が必要である．また，本人や保護者からの訴えを受動的に聞いているのみでは有用な情報を得られないため，必要な情報を積極的に聞き出す姿勢が重要となる．

1．摂取歴

1）初診時

各食物について詳細に摂取歴を確認する．不安などから不必要に多品目の食物を除去している場合もあるため，特に小児では年齢に応じた食物を摂取できているかどうか問診する．各食物の現在の摂取状況を確認する場合は，摂取していない，部分的に摂取可能，量・調理法・加工法を気にしないで摂取可能，の 3 つに分類するとよい．摂取していない場合と部分的な摂取にとどまる場合については，その理由(除去の意識はなく単純に未摂取，自己判断により除去，医師指導により除去など）についても確認する（図 1）．また，部分的摂取の場合は，どのような食品をどの程度の量摂取可能かについても確認する必要がある．自己判断による除去が多い場合は，保護者の不安が強いことが多いため，その後の指導の参考にする．

図 1 のような問診票を診察前に記入させて，除去されている食物についての詳細を確認すると効率よく情報を整理することが可能であり，診察時間の短縮につながる．

2）再診時

乳幼児では新たに摂取可能と確認される食品が多いため，除去を指示している食物以外の摂取が進んでいるかどうかを積極的に繰り返し問診する．「ヨーグルトを食べましたか？」，「ハンバーグやお好み焼きのつなぎとして卵を利用していますか？　お子さんが食べた卵の量はどのくらいになりますか？」などと具体的に尋ねることで初めて摂取可否が明らかとなることも多いため，問診の方法を工夫する．

食物	摂取していない			部分的に摂取している			量や調理法・加工法を気にしないで摂取している
	単に未摂取	自己判断で除去している	医師などの指導で除去している	単に未摂取な食品がある	自己判断で除去している食品がある	医師などの指導で除去している食品がある	
卵		○					
牛乳					○		
小麦			○				
大豆							○
魚							○
ゴマ		○					
エビ		○					
ピーナッツ	○						

図1　摂取状況についての問診票
（筆者作成）

また，除去を指示している食物の誤食がなかったかを必ず確認する．誤食による症状誘発を認めた場合にアレルゲン食物の管理について再指導することは当然であるが，誤食しても症状が誘発されなかった場合でも，今後の摂取・検査計画を立案するうえで非常に重要となる[2]．摂取状況の変化があった場合は，初診時に記入した摂取状況問診票（図1）を更新し，食物摂取が進んでいることを確認・整理するのもよい．

2．症状誘発歴

確認すべき内容は基本的に初診と再診で違いはないが，初診時にはその時点までのすべての症状誘発歴について確認し，再診時には新たな症状誘発歴について積極的に聞き出す必要がある．

1）いつ？

各症状誘発エピソードについて発症時期を確認する．同一抗原で複数回の誘発歴がある場合は，初回誘発歴，最も重篤な症状を経験した時期，最後に症状を経験した時期を把握する．最後の症状誘発から数年以上経過している場合は，耐性獲得が進んでいる可能性を考慮する[1]．

2）どんな食品を摂取したときに？

症状誘発時に摂取した食品について，食物，調理法，加工法，摂取量などを確認する．訴えのある食品のみでなく，同時に摂取した他の食品についても確認し，アレルギー症状への関与の可能性について検討する．

3）どんな状況で？

摂取後の運動や入浴の有無，体調不良や疲労の有無など抗原摂取前後で症状誘発に影響を与える可能性のある状況がなかったか確認する必要がある．さらに成人では，飲酒の有無や非ステロイド性抗炎症薬等の服薬状況なども確認する．また，果物・野菜アレルギーに関連しやすい花粉症の有無のほか，職業性の食物抗原曝露の有無，化粧品使用時のアレルギー症状の既往などについても確認する．

4）症状の特徴は？

出現した症状（範囲，程度），原因食物摂取から発症までの時間，症状の持続時間などについて確認する．

非即時型アレルギーが疑われる場合は，食物と症状の関連を判断することが難しいため，食物日誌を利用して症状と食物摂取の因果関係を判断するのが望ましい．

5）再現性は？

被疑食物を含む食品によって症状の再現性が確認されれば，OFC を実施しないで診断を確定できる場合がある．反対に，被疑食物を摂取しても症状の再現性が認められない場合は，確定診断目的の OFC を実施する必要がある．

2 臨床検査

免疫学的な臨床検査については，その有用性を示す多数の報告があるが，対象集団，検査方法，判定方法などにより結果の解釈が大きく異なる場合があるため注意を要する．症状誘発を経験した食物に関して検査結果を解釈することについては問題ないことが多いが，未摂取食物や原因抗原のスクリーニング検査を目的として実施された検査結果の解釈については，さまざまな状況を勘案して慎重に判断しなければならない．

1．血中抗原特異的 IgE 抗体検査

1）測定法

血中抗原特異的 IgE 抗体（sIgE）検査は，複数の検査システムの利用が可能であるが，主な測定原理はほぼ共通している．まず，抗原に患者血清を反応させ，sIgE を抗原に結合させる．ここに酵素標識した抗ヒト IgE 抗体を反応させ，発光する酵素基質を加えてその発光強度を測定する（図 2）．

臨床現場で最も利用されている ImmunoCAP® では，スポンジ状の多孔質に固相化された抗原に患者血清を反応させるのに対し，アラスタット 3gAllergy® では，液相でビオチン化抗原と患者血清を反応させる点が異なっている．オリトン IgE® は，固相に多孔性ガラスフィルターを用いている．

その他，同時多項目測定が可能でスクリーニング検査として用いられるマストイムノシステムズV ® や View アレルギー 39® やドロップスクリーン A-1®，測定項目数は限られるもののイムノクロマト法により微量の検体で短時間での半定量測定が可能なイムファストチェック J2® やスポットケム® なども利用可能である．しかし，使用される抗原，データの定量性，クラス表記法が異なることに注意が必要であり，「食物アレルギー診療ガイドライン 2021（以下，ガイドライン 2021）」では診断や臨床経過の評価にこれらの方法の検査を用いることは推奨され

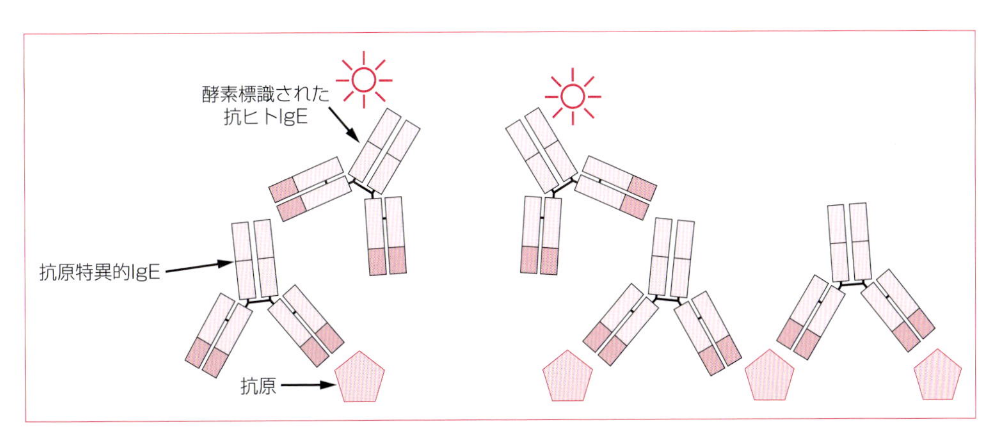

図2 抗原特異的 IgE の測定原理
（筆者作成）

ていない[2)]．

アレルゲンコンポーネントに対するsIgE測定は，現在鶏卵のオボムコイド，牛乳のカゼイン，α-ラクトアルブミン，β-ラクトグロブリン，小麦のω-5グリアジン，ピーナッツのAra h 2，くるみのJug r 1，カシューナッツのAna o 3，大豆由来のGly m 4，ラテックスのHev b 6.02が保険適用を取得しており利用可能である．アレルゲンコンポーネントsIgEの測定は，正確な食物アレルギー診断や交差抗原性の推定に有用である．

2）結果の評価

詳細は他項に譲るが，sIgEの感度・特異度は各アレルゲン食物により大きく異なっている．また，異なる測定法で得られた結果を単純に比較することはできないため注意しなければならない[3)]．

プロバビリティカーブは，sIgEと食物負荷試験陽性率の関連を示し有用である[1,2)]．しかし，カーブ作成に用いた対象集団の症状誘発既往者率や重症度，OFC方法，年齢などが異なる場合，同じ食物であっても算出される確率が大きく異なる可能性があることに十分留意する必要がある．また，すべての食物でプロバビリティカーブが得られているわけではない．

プロバビリティカーブから得られる確率はOFCが陽性となる確率であり，症状誘発閾値量や誘発症状の重症度を示すものではない．たとえば，漸増法によるOFCにおいて，漸増した最後の負荷量を摂取後に軽微な誘発症状を認めた場合は，OFC結果として陽性と判定されるが，摂取量を減じて安全に摂取できる可能性は十分にあると考えられる．したがって，プロバビリティカーブから陽性確率が高いと考えられる場合であっても，必ずしもOFCの実施が不可能というわけではなく，OFC実施を検討する余地は残されている．

2．皮膚プリックテスト

皮膚プリックテスト（skin prick test：SPT）は，皮下sIgEの存在の有無を判定することが可能であり，即時型食物アレルギーの原因診断の皮膚テストとして推奨されている[2)]．皮内テストは，アナフィラキシーを惹起する可能性があり，偽陽性も少なくないため推奨されない．

1）方　法

皮膚消毒後に抗原液を滴下し，SPT用の針を用いて皮膚表面を軽く穿刺する．15分後，出現した膨疹と紅斑の最大直径とそれに直交する直径を計測し，その平均値を算出して判定を行う．SPTを行う際には，ヒスタミンH_1受容体拮抗薬や化学伝達物質遊離抑制薬の内服は3日間以上中止する．

検査用の抗原としては，市販の抗原液を用いるか，抗原液のないアレルゲンの場合は新鮮な食品そのもののエキスを用いたprick-to-prick testを行う．ただし，prick-to-prick testの場合は，抗原濃度や刺激性に留意し，非特異的反応の有無を判断するために健常コントロールをおくことも考慮する．

標準的なプリック針として，現在はバイファケイテッドニードル®（Bifurcated needle®, Allergy Laboratories of Ohio, Inc. 輸入販売元：東京エム・アイ商会）およびSmartPractice®プリックランセット（製造：SmartPractice® Prick Lancets, J. N. Eberle Federnfabrik GmbH. 製造販売：株式会社スマートプラクティスジャパン）が使用可能である．陰性コントロールとして対照液または生理食塩水を，陽性コントロールとしてアレルゲンスクラッチエキス陽性対照液「トリイ」ヒスタミン二塩酸塩を用いる．

2）判　定

膨疹径が陰性コントロールより3 mm以上大きい場合，あるいは陽性コントロールの膨疹径の 1/2 以上である場合に陽性と判定する.

3) 結果の評価

陽性の場合，sIgE の存在が示されたことになるが，陽性の食物すべてが食物アレルギー症状を引き起こすとは限らない.

SPT は血中 sIgE 検査よりも感度の高い検査であり，SPT 陰性であれば即時型食物アレルギーを呈さない可能性が高いと考えてよい．ただし，乳児では SPT 陰性でも誘発症状を呈することがあるため注意が必要である[4].

3. 好塩基球活性化試験

好塩基球活性化試験（basophil activation test：BAT）は，IgE 依存性の末梢血好塩基球活性化を定量する検査である．保険適用はない.

1) 測定方法

患者の末梢血好塩基球を抗原で刺激し，CD203c や CD63 などの表面マーカーの変化をフローサイトメトリーで解析して，活性化された好塩基球の割合を算出する.

2) 判定と結果の評価

即時型食物アレルギーの耐性獲得診断に有用であると報告されている食物がある[5]一方，測定実績の乏しい抗原の場合は基準値が定まっておらず，診断精度が一定しないため注意が必要である.

4. アレルゲン特異的リンパ球刺激試験

アレルゲン特異的リンパ球刺激試験（allergen-specific lymphocyte stimulation test：ALST）は，細胞性免疫によるアレルギー疾患の診断に利用されるリンパ球刺激試験である．新生児・乳児食物蛋白誘発胃腸症の補助診断として用いられることが多いが，ALST が陽性で抗原特異的リンパ球の存在が確認された場合でも，それだけで診断の根拠とはならないことに留意する必要がある[2]．保険適用はない.

5. 抗原特異的 IgG（IgG_4）抗体検査

抗原特異的 IgG（IgG_4）抗体の病的意義はいまだ明らかになっておらず，健常者や経口免疫療法後の患者においても検出されることがある.

抗原特異的 IgG（IgG_4）抗体の陽性をもって「遅延型食物アレルギー」と診断が行われている場合があるが，医学的根拠に乏しく不要な食物除去につながるおそれもあるため日本アレルギー学会から注意喚起が出されている[6].

3 食物経口負荷試験

OFC は，実際に抗原を摂取して症状の有無を確認する検査である．FA の最も確実な診断法であり，その実施方法や評価方法に精通する必要がある.

OFC を実施する場合，合併するアレルギー疾患の症状がしっかりコントロールされていることが前提となる.

1. 実施目的（表 1）[7]

1) 食物アレルギー確定診断・原因抗原の同定

主に初期診断の確定目的で行われる OFC である．臨床的には，感作が証明されていて未摂取である食物の摂取可否確認目的のケースが最も多い．その他，アレルギー症状出現時の状況や sIgE などの検査結果から，即時型食物アレルギーに関与した疑いのある食物が複数存在する場

表1 OFCの実施目的

1．食物アレルギーの確定診断（原因アレルゲンの同定）
①食物アレルギーの関与を疑うアトピー性皮膚炎の病型で除去試験により原因と疑われた食物の診断
②即時型反応を起こした原因として疑われる食物の診断
③感作されているが未摂取の食物の診断
2．安全摂取可能量の決定および耐性獲得の確認
①安全摂取量の決定（少量〜中等量）
②耐性獲得の確認（日常摂取量）

〔厚生労働科学研究費補助金（免疫・アレルギー疾患政策研究事業）食物経口負荷試験の標準的施行方法の確立：厚生労働科学研究班による食物経口負荷試験の手引き2020（研究代表者：海老澤元宏）．2021〕

合の確定診断目的で実施されるケース，食物アレルギーの関与が疑われるアトピー性皮膚炎や慢性蕁麻疹の原因同定目的で食物除去試験に引き続き実施されるケースがある．

2）安全摂取可能量の決定および耐性獲得の確認

診断が確定している食物アレルギーについて，安全に摂取可能な量を確認する目的で実施されるOFCである．耐性獲得確認を目的とする場合は，総負荷量を日常摂取量に設定してOFCを実施する．総負荷量が多いと症状が誘発される可能性が高い食物の安全摂取可能量を確認する目的の場合は，総負荷量を少量から中等量に設定してOFCを実施する．

耐性獲得レベルの確認とリスク評価の2つの目的で行われるOFCは，いずれも摂取可能な範囲を確認するという点で本質的な違いはない．摂取可能な安全量を判定する意図が強い場合は耐性獲得レベルの確認目的，症状が誘発されることが予測され，その重症度や閾値量などを評価する意図が強い場合はリスク評価目的といえるであろう．

2．適　用

OFCの適応を決定するうえで最も重要なことは，安全性の確保である．ガイドライン2021があげる重篤な症状を誘発しやすい要因を表2[7]に示すが，これらのリスクを有する場合や，未摂取で誘発症状の重症度を予測することが困難な場合は，専門施設でOFCを実施するなど安全対策を十分に行う必要がある[2]．

以下に，OFCの適応決定に考慮すべき事項を述べるが，これらの事項とOFCの実施目的をふまえ，個々の例において総合的にOFC実施の是非を検討する．

1）症状誘発歴

明らかな即時型食物アレルギーと考えられる症状誘発歴を有する場合は，OFCでも症状が誘発される可能性があるためOFC実施可否を慎重に検討する．アナフィラキシーまたはアナフィラキシーショックの既往がある場合は専門施設でのOFC実施が望ましく，1年以内に強い誘発症状を認めている場合は，原則的にOFCの実施を避けるべきである[1]．

血液検査や皮膚プリックテストの結果などを根拠に未摂取である食物のOFCは，症状誘発閾値量や誘発症状の重症度を予測することが困難であるため，重篤な症状が誘発される可能性を念頭に，安全体制を確保してOFCを実施する．

2）対象食物

ピーナッツ，木の実類，ゴマ，ソバなどは耐性を獲得しにくいと考えられ，OFCを考慮する場合は完全除去を回避するための安全摂取可能量を決定する目的でのOFCが実施可能かどうかを検討する．そのほかの食物の場合は，最終の症状誘発から1年程度は間隔をあけてOFCを実施することが望ましい[1,2]．

米，野菜，大豆，芋類，肉類などは乳児でも比較的安全に実施できる．

表2 重篤な症状を誘発しやすい要因

1. 食物摂取に関連した病歴
①アナフィラキシー，アナフィラキシーショック，呼吸器症状などの重篤な症状の既往 ②重篤な誘発症状を経験してからの期間が短い ③微量での誘発症状の既往
2. 食物の種類
牛乳，小麦，ピーナッツ，クルミ，カシューナッツ，ソバなどの食物
3. 免疫学的検査
①特異的 IgE 抗体価高値 ②皮膚プリックテスト強陽性
4. 基礎疾患，合併症
①喘息 ②喘息，アレルギー性鼻炎，アトピー性皮膚炎の増悪時 ③心疾患，呼吸器疾患，精神疾患などの基礎疾患

〔厚生労働科学研究費補助金（免疫・アレルギー疾患政策研究事業）食物経口負荷試験の標準的施行方法の確立：厚生労働科学研究班による食物経口負荷試験の手引き 2020（研究代表者：海老澤元宏）．2021〕

3）現在の摂取状況

OFC の対象となる食物についての摂取状況や誤食歴は重要な情報である．比較的多い量の抗原を加工食品で摂取している，誤食で摂取した際に症状を認めなかったなどの場合は，OFC の開始量や総負荷量を決定するにあたり参考になる．また，完全除去の場合は，少量でも抗原を含む食品を日常的に摂取している場合と比較して，OFC における重症度の高い症状誘発リスクが増すという報告がある[8]．

4）合併症

アレルギー合併症を有している場合，その疾患コントロールが不良であれば治療のために服薬する必要性を生じることがある．このような場合，アレルギー合併症の治療を優先して OFC の実施時期を変更せざるを得なくなる，OFC 前の服薬中止によりアレルギー合併症の状態が不安定となり OFC を延期せざるを得なくなる，服薬を継続して OFC を実施しなければならず OFC の結果判定に影響が出る，などの可能性がある．したがって，OFC を計画するにあたり，アレルギー合併症の存在，そのコントロール状態，増悪しやすい時期などについて，主治医はよく理解しておかなければならない．

気管支喘息は，そのコントロール状態にかかわらず重篤な呼吸器症状やアナフィラキシーを誘発するリスクを高める．アトピー性皮膚炎で皮膚の状態が悪い場合は，OFC による皮膚症状の判定が困難になる可能性があるため，できる限り良好な皮膚状態で OFC を実施することが望ましい．

5）社会的背景

入園・入学の予定がある場合は，集団生活や給食提供によって家庭での生活とは異なった誤食リスクが発生することが予想される．安全に集団生活を送るためには食物アレルギーの正確な状態評価とそれに応じた安全管理が必要であるため，入園・入学前に OFC を計画する場合も多い．このような場合，リスク評価目的の OFC を行うこともあるため，OFC に際しての安全管理や症状誘発リスクの説明には十分な配慮が必要である．

6）免疫学的検査

FA の評価として OFC に勝る検査はないため，免疫学的検査はあくまで補助診断として利用される．ただし，sIgE が報告されている 95% 陽性的中率のカットオフ値を上回る場合や[9]，アレルゲンコンポーネント sIgE を利用して症状誘発の可能性が高いと判断される場合は OFC を回避してもよい[10,11]．また，SPT 陰性の場合に OFC で症状が誘発されることはまれであるため，積極的に OFC を計画する．

なお，各検査法の特徴や評価については前述したとおりであり，各抗原における解釈については他項を参照されたい．

3．実施方法

1）実施施設

安全に OFC を実施するには，その OFC の目的やリスク，OFC に精通した医師の人数，救急時の対応状況などを考慮して自施設で対応可能かを判断する必要がある．ガイドライン 2021 では OFC 実施施設を①一般の医療機関，②日常的に実施している医療機関，③専門の医療機関に分類したうえで，アナフィラキシー既往の有無，負荷食物，特異的 IgE 抗体価を考慮して実施施設を選択することを勧めている[2]．外来や診療所での実施も可能であるが，重篤な症状が出現した場合に直ちに入院治療が可能な施設に搬送できるように，あらかじめ連携体制を構築しておかなければならない．

OFC 実施施設に必要な人員，医療機器，医薬品，その他の物品などについては，ガイドライン 2021 を参照されたい[2]．

2）負荷試験前に中止する薬剤と期間

OFC 結果に影響を与える可能性のある薬剤は，原則的に服薬を中止する（表 3）[7]．

3）方　法

オープン法とブラインド法があり，一般的に日本では日常に利用している食品を用いて負荷が可能なオープン法で実施されることが多い．誘発症状が主観的な症状のみである場合や，年長児で心因反応が関与していると疑われる場合はブラインド法の適用を考慮する．

ブラインド法には，被検者のみ負荷食品がわからないように実施するシングルブラインド法と，検者・被検者の両者とも負荷食品がわからないように実施するダブルブラインド法がある．研究目的としてはダブルブラインド法での実施が理想的であるが，煩雑で時間・手間を必要とするため，日常診療としてはオープン法での実施を基本としてよい．

ブラインド法では，負荷食品をマスキングする媒体（ジュース，ピューレなど，他の食品が用いられることが多い）に混ぜて負荷を行う．また，日を変えてプラセボによる負荷試験を実施する必要がある．

4）負荷食品

ガイドライン 2021 に掲載されている代表的な負荷食品と加工品を用いたオプションを表 4 に示す[2]．負荷試験結果の解釈やその後の栄養食事指導の行いやすさを考え，実施施設ごとに

表3　負荷試験前に中止する薬剤と期間

薬剤名	中止する時間
ヒスタミン H_1 受容体拮抗薬	72 時間
ロイコトリエン受容体拮抗薬	24 時間
β_2 刺激薬	12 時間
Th2 サイトカイン阻害薬	12 時間
テオフィリン徐放製剤	48 時間
経口ステロイド薬	7～14 日

〔厚生労働科学研究費補助金（免疫・アレルギー疾患政策研究事業）食物経口負荷試験の標準的施行方法の確立：厚生労働科学研究班による食物経口負荷試験の手引き 2020（研究代表者：海老澤元宏）．2021 より一部改変〕

表4 代表的な負荷食品とオプション

食品	負荷食品	オプション（加工食品）
鶏卵	固ゆで全卵 または 卵白 卵焼き，炒り卵	卵入りのクッキー カステラ，卵ボーロ
牛乳	牛乳 ヨーグルト	ペプチドミルク，焼き菓子類 パン類，乳酸菌飲料
小麦	うどん，食パン	クッキー
大豆	豆腐，煮豆，豆乳	
魚	煮魚，焼き魚	缶詰（ツナ缶，サバ缶）
ピーナッツ・木の実類	粉末，ピーナッツバター	

〔海老澤元宏，ほか（監修），日本小児アレルギー学会食物アレルギー委員会（作成）：食物アレルギー診療ガイドライン 2021．協和企画，2021 を元に作成〕

表5 総負荷量の例

摂取量	鶏卵	牛乳	小麦	ピーナッツ・クルミ・カシューナッツ・アーモンド
少量 (low dose)	加熱全卵 1/32～1/25 個相当 加熱卵白 1～1.5 g	1～3 mL 相当	うどん 1～3 g	0.1～0.5 g
中等量 (medium dose)	加熱全卵 1/8～1/2 個相当 加熱卵白 4～18 g	10～50 mL 相当	うどん 10～50 g	1～5 g
日常摂取量 (full dose)	加熱全卵 30～50 g (2/3～1 個) 加熱卵白 25～35 g	100～200 mL	うどん 100～200 g 6 枚切り食パン 1/2～1 枚	10 g

〔厚生労働科学研究費補助金（免疫・アレルギー疾患政策研究事業）食物経口負荷試験の標準的施行方法の確立：厚生労働科学研究班による食物経口負荷試験の手引き 2020（研究代表者：海老澤元宏）．2021 より一部改変〕

各抗原の OFC に利用する基本食品を決めておくとよい．

5）負荷プロトコール

1 回の OFC で摂取する総量を総負荷量という．総負荷量としては，少量（low dose），中等量（medium dose），日常摂取量（full dose）の 3 段階に分けて考えるとよい．少量（low dose）は混入による誤食等を想定した量，日常摂取量（full dose）は年齢に応じた当該食物抗原の 1 回の食事量が目安となる．OFC の実施目的，症状誘発歴，負荷食物の現在の摂取状況，特異的 IgE 抗体価の推移，自施設の実施体制を考慮して総負荷量を決定する．ガイドライン 2021 で紹介されている総負荷量の例を表 5 に示す[7]．中等量をさらに段階的に分けて総負荷量を設定し，より少ない総負荷量の OFC から順に実施することも可能である．

負荷食品の摂取回数には，単回法，2～3 回の複数回分割法がある（図 3）[7]．単回法は，1 度のみの摂取であるため安全摂取可能量の判断が容易であり，OFC に要する時間が短く済むメリットがある．反対に，安全に実施しようとするほど総負荷量が少なくなり，原因食物に対して多数回の OFC が必要となりやすい．複数回分割法では，摂取間隔を長くとったほうが安全に施行できる可能性が高いことから，摂取間隔を 30 分以上とし，特に症状出現が遅いことの多い鶏卵では摂取間隔を 1 時間以上とすることが推奨されている．

一般的に即時型反応は摂取後 2 時間以内に出現することがほとんどであるため，OFC では最終摂取から 2 時間以上観察することを原則とする．過去に摂取後 2 時間を超えてから症状が認められた例では，より長時間観察する必要がある．

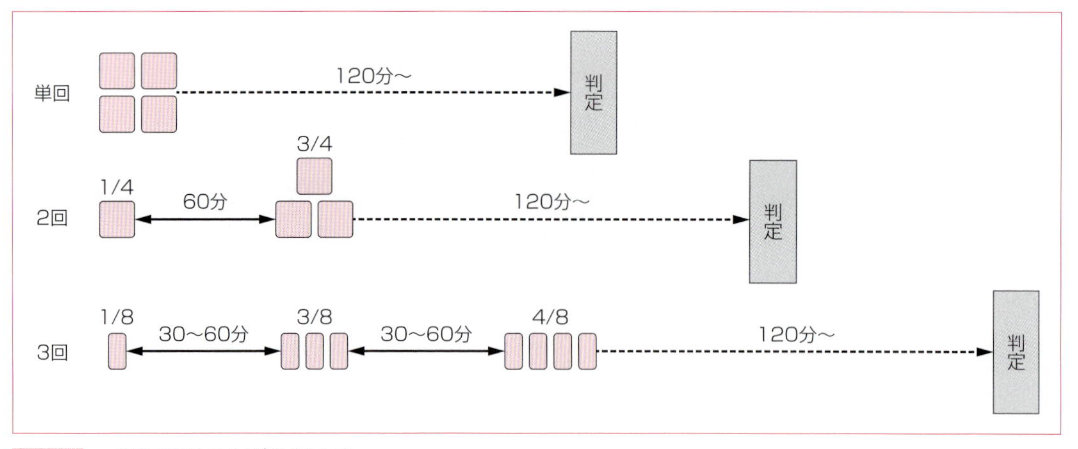

図3 摂取間隔および分割方法
〔厚生労働科学研究費補助金（免疫・アレルギー疾患政策研究事業）食物経口負荷試験の標準的施行方法の確立：厚生労働科学研究班による食物経口負荷試験の手引き 2020（研究代表者：海老澤元宏）．2021〕

4．症状誘発時の対応

OFC 時に即時型反応が誘発された場合は，第Ⅳ部-A「アナフィラキシー」を参考に各臓器の症状に対して治療を行う．アナフィラキシーを呈した場合や摂取抗原がピーナッツ・木の実類の場合は二相性反応のリスクが高いと考えられるため十分な経過観察が必要であり，入院設備を有さない施設では入院可能な医療機関への搬送を考慮する．

5．結果の判定と栄養食事指導

1）誘発症状の重症度評価

ガイドライン 2021 では，即時型症状の重症度を 3 段階のグレードに分類し，最も強い誘発症状によって当該 OFC の症状グレードが判断される[2]．

日野らが報告したアナフィラキシースコアリングあいち（Anaphylaxis Scoring Aichi：ASCA）は，上記の重症度を考慮しつつ誘発症状を定量化できるスコアリングシステムである（図4）[12]．誘発症状の重症度を総合スコアとして数値で表すことができるため客観的に評価しやすく，グレード分類では表現されにくい複数臓器に症状が生じた場合の臨床的な重症感を表現しやすい．

2）判　定

即時型食物アレルギーでは，OFC での最終摂取後数時間以内に症状が誘発された場合に陽性と判定する．アトピー性皮膚炎などの非即時型の病歴がある場合は，翌日まで症状を観察して判定を行う．

誘発症状がグレード 1 に相当する軽微な症状のみの場合や主観的症状のみの場合は，判定を保留して再度の OFC 実施，自宅での摂取反復などで確認する必要がある．

3）栄養食事指導

漸増法での OFC 判定が陰性であった場合は，総負荷量の 1/2 あるいは最終負荷量を超えない量を目安として当該食物の摂取を開始する．OFC 陰性であっても，翌日以降に総負荷量を一度に摂取した場合には症状が誘発されることがあるため[13]，開始量に注意する必要がある．同じ抗原を含む食品であっても，OFC で用いた食品と調理法や加工法が異なる場合は，少量から摂取を開始するほうが安全である．

OFC が陽性であった場合は，OFC 実施前と同様の食物除去を原則とするが，OFC 結果から

アナフィラキシー スコアリング あいち：Anaphylaxis Scoring Aichi（ASCA） ID（　　） 氏名（　　） 負荷食品（　　）
平成　年　月　日（入院　日目） 最終摂取時刻 ＿：＿（最終負荷量＿＿ 総負荷量＿＿） 総合スコア（　　点）
症状観察時刻（ ）＿：＿ （ ）＿：＿ （ ）＿：＿ （ ）＿：＿ ［時刻毎に記号（○△×）やペンの色（○○○）を変えて記録する］

グレード/スコア	0点	①1点	①′5点	②10点	②′20点	③40点	④60点
呼吸器（主観的症状）	なし	鼻のむずむず感	喉頭の違和感	つまった感じ 息苦しさ	発声しにくい 呼吸困難感	声が出ない 息ができない	
（客観的症状）	なし	くしゃみ	軽度で一過性の咳 鼻水	断続する咳 ごく軽度の喘鳴	時に咳込み 明らかな喘鳴 嗄声	絶え間ない咳込み 著明な喘鳴，努力呼吸 吸気時喘鳴，陥没呼吸	呼吸音減弱 陥没呼吸著明 チアノーゼ
酸素飽和度の目安				SpO_2 98%以上	SpO_2 97%～95%	SpO_2 94%～91%	SpO_2 90%以下
皮膚粘膜（主観的症状）	なし	口周囲のかゆみ 軽い違和感，ほてり	局所の軽度のかゆみ	全身のかゆみ	掻きむしらずにいられない		
（客観的症状）面積	なし	<口周囲に限局>	眼球結膜の浮腫・充血 <局所的>	<複数範囲に及ぶ>	<急速に拡大，または全身に及ぶ>		
所見		膨疹，紅斑，腫脹，水疱	膨疹，紅斑，腫脹，血管性浮腫	膨疹，紅斑，腫脹，血管性浮腫	膨疹，紅斑，腫脹，血管性浮腫		
消化器（主観的症状）	なし	口腔・咽頭のかゆみ，辛味，イガイガ感	軽度の嘔気，腹痛（FS1）	嘔気，腹痛（FS2）	強い腹痛（FS3）	耐えられない腹痛（FS4）	
（客観的症状）	なし		腸蠕動亢進	下痢，嘔吐	繰り返す嘔吐	嘔吐の反復による脱水傾向	
神経	なし	摂食拒否 軽度の高揚	活気の抵下 不機嫌，苛立ち	眠気，すぐ横になりたがる 軽度の興奮	明らかに異常な睡眠 興奮・泣きわめく	傾眠 不穏で手がつけられない	意識障害
循環器	なし					顔面蒼白，頻脈，四肢冷感 異常な発汗，軽度血圧低下	徐脈 中等度以上血圧低下
血圧の目安						1歳未満：<70 mmHg 1～10歳：<70＋(2×年齢) mmHg 11～17歳：<90 mmHg	1歳未満：<50 mmHg 1～10歳：<60 mmHg 10歳以上：<70 mmHg

図4 アナフィラキシースコアリングあいち（ASCA）
〔日野明日香，ほか：食物経口負荷試験における新たなスコアリングシート"Anaphylaxis Scoring Aichi（ASCA）"の提案と検討．アレルギー **62**：968-979，2013〕

	ASCA総合スコア	0点	1～9点	10～19点	20～29点	30点～以上
最終負荷量	20 g	20 g	10 g	5 g	2 g	
	10 g	10 g	5 g	2 g		
	5 g	5 g	2 g	除去継続または免疫療法を考慮		
	2 g未満	増量負荷※				

※負荷量が少ないため，増量した再負荷試験を行って判断します

図5 負荷試験結果と摂取開始量
〔伊藤浩明（監修），あいち小児保健医療総合センターアレルギー科（作成）：おいしく治す　食物アレルギー攻略法（改訂第2版）．アレルギー支援ネットワーク，2018〕

一定の基準で安全摂取可能量を決定して，抗原食品の摂取を開始できる場合もある．小林らは，鶏卵，牛乳，小麦の漸増法OFCの比較的軽症と考えられる陽性者に対して定量的に抗原摂取を開始し，その安全性を報告している[14]．あいち小児保健医療総合センターアレルギー科では，この報告をもとに漸増法OFC結果に基づいた抗原食品摂取開始の判断を行っている（図5）[15]．たとえば，予定負荷量1-2-5-10 gの漸増法によるゆで卵白OFCを実施し，最終10 gまで摂取

した後にASCA総合スコア15点の症状を認めた場合，ゆで卵白2gの摂取開始が可能と判断できる．このようにOFC陽性者であっても摂取可能な範囲を決定できれば，食物アレルギー管理の基本である「必要最小限の食物除去」を具体的に実践できることにつながり非常に有用である．

文献

1）日本医療研究開発機構（AMED） 免疫アレルギー疾患実用化研究事業 重症食物アレルギー患者への管理および治療の安全性向上に関する研究：食物アレルギーの診療の手引き2020（研究開発代表者：海老澤元宏）．2021

2）海老澤元宏，ほか（監修），日本小児アレルギー学会食物アレルギー委員会（作成）：食物アレルギー診療ガイドライン2021．協和企画，2021

3）長尾みづほ，ほか：アラスタット3gAllergyとイムノキャップ®によるアレルゲン特異的IgE抗体測定値の比較：反復喘鳴を呈した乳幼児における検討．日本小児アレルギー学会誌 **27**：170-178，2013

4）緒方美佳，ほか：乳児アトピー性皮膚炎におけるBifurcated needleを用いた皮膚プリックテストの食物アレルギーの診断における有用性（第1報）．アレルギー **57**：843-852，2008

5）Sato S, et al.：Basophil activation marker CD203c is useful in the diagnosis of hen's egg and cow's milk allergies in children. *Int Arch Allergy Immunol* **152**（Suppl. 1）：54-61, 2010

6）日本アレルギー学会：血中食物抗原特異的IgG抗体検査（IgG4などのサブクラス抗体を含む）に関する注意喚起．令和元年12月13日（更新）

7）厚生労働科学研究費補助金（免疫・アレルギー疾患政策研究事業）食物経口負荷試験の標準的施行方法の確立：厚生労働科学研究班による食物経口負荷試験の手引き2020（研究代表者：海老澤元宏）．2021

8）Sugiura S, et al.：Development of a prediction model of severe reaction in boiled egg challenges. *Allergol Int* **65**：293-299, 2016

9）Komata T, et al.：The predictive relationship of food-specific serum IgE concentrations to challenge outcomes for egg and milk varies by patient age. *J Allergy Clin Immunol* **119**：1272-1274, 2007

10）Ando H, et al.：Utility of ovomucoid-specific IgE concentrations in predicting symptomatic egg allergy. *J Allergy Clin Immunol* **122**：583-588, 2008

11）海老澤元宏，ほか：ピーナッツアレルギー診断におけるAra h 2特異的IgE抗体測定の意義．日本小児アレルギー学会誌 **27**：621-628，2013

12）日野明日香，ほか：食物経口負荷試験における新たなスコアリングシート"Anaphylaxis Scoring Aichi（ASCA）"の提案と検討．アレルギー **62**：968-979，2013

13）Niggemann B, et al.：Accurate oral food challenge requires a cumulative dose on a subsequent day. *J Allergy Clin Immunol* **130**：261-263, 2012

14）小林貴江，ほか：食物経口負荷試験の結果に基づくアレルゲン食品摂取指導（第1報）．日本小児アレルギー学会誌 **27**：179-187，2013

15）伊藤浩明（監修），あいち小児保健医療総合センターアレルギー科（作成）：おいしく治す 食物アレルギー攻略法（改訂第2版）．アレルギー支援ネットワーク，2018

Ⅱ

食物アレルゲン

A　アレルゲンの構造と機能

B　鶏卵・魚卵・鶏肉

C　牛乳・牛肉

D　小麦・ソバ・穀物

E　種子（ピーナッツ・大豆・木の実類・ゴマ）

F　魚類・甲殻類・軟体類

G　果物・野菜

食物アレルゲンの食品学，分子生物学について解説する．

A アレルゲンの構造と機能

伊藤浩明
（あいち小児保健医療総合センター）

1 アレルゲンとは

食物アレルゲンの多くは，食物に含まれるタンパク質である．食物中の炭水化物，脂質，ビタミン・ミネラルなどは，生体にとって異物性がないために，免疫学的反応の対象とはなりにくい．

食物には数十種類のタンパク質が含まれるが，その中で特にIgE抗体が結合するタンパク質をアレルゲンコンポーネントという[1]．その食物にアレルギーを持つ患者の過半数が認識するアレルゲンコンポーネントを，主要アレルゲンという．

ある食物のアレルゲンを理解するには，それぞれのアレルゲンコンポーネントに関する分子レベルの知識が求められる．

2 タンパク質の基本構造

タンパク質は，約20種類のアミノ酸（表1）がアミド結合（ペプチド結合）によって1本の鎖状につながってできている（一次構造）[※1]．タンパク質の基本構造はα-ヘリックスとβ-シート（二次構造）の組み合わせでできており，それがループ領域で連結している．α-ヘリックスのほとんどは右巻きで，1ターンごとに3.6個のアミノ酸残基を含み，多くはタンパク質表面に露出している．ループ領域は分子の表面にあり，アミノ酸残基の挿入や欠失が起こりやすく，コア領域よりも配列が変化しやすい．

数個の二次構造が特定の幾何学的配置を持つ構造をモチーフといい，数個のモチーフが集まって密な球状構造を形成するものをドメインという（三次構造）．一般的に，タンパク質の中心は疎水性で，表面は親水性を示す．

1本の鎖だけで形成されるタンパク質は単量体タンパク質である．数本の鎖が会合して特異的な多量体分子を形成する（四次構造）こともあり，それぞれの鎖をサブユニットという（図1）[2]．

タンパク質の三次構造および四次構造は，アミノ酸配列内のシステイン残基同士が結合するジスルフィド結合（S-S結合）によって強化される．ジスルフィド結合は，分子間の結合にも関与して，小麦グルテンのような高分子ポリマーを形成する．

※1 数個のアミノ酸が結合したものをペプチドという．アミノ酸の数により，ジペプチド（2個），トリペプチド（3個），テトラペプチド（4個）などという．

表1 アミノ酸の種類と表記

アミノ酸	3文字記号	1文字記号	アミノ酸	3文字記号	1文字記号
疎水性アミノ酸 アラニン	Ala	A	**極性アミノ酸** アスパラギン	Asn	N
イソロイシン	Ile	I	システイン	Cys	C
ロイシン	Leu	L	グルタミン	Gln	Q
メチオニン	Met	M	ヒスチジン	His	H
フェニルアラニン	Phe	F	セリン	Ser	S
プロリン	Pro	P	トレオニン	Thr	T
バリン	Val	V	トリプトファン	Trp	W
荷電アミノ酸			チロシン	Tyr	Y
アルギニン	Arg	R	グリシン	Gly	G
アスパラギン酸	Asp	D	アスパラギンまたはアスパラギン酸	Asx	B
グルタミン酸	Glu	E			
リシン	Lys	K	グルタミンまたはグルタミン酸	Glx	Z

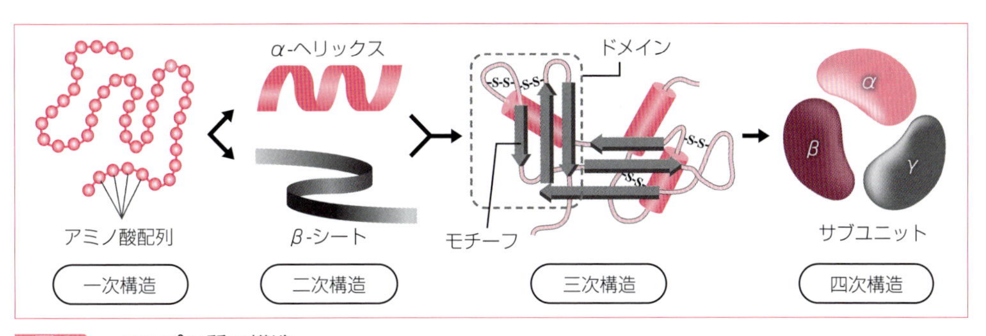

図1 タンパク質の構造

3 エピトープ

タンパク質の中で，特異的IgE抗体が結合する部位をエピトープという．エピトープには，連続するアミノ酸配列を認識する連続性エピトープと，タンパク質の立体構造によって近接したアミノ酸を認識する構造的エピトープがある（図2）．

連続性エピトープは，おおむねアミノ酸10個前後で構成され，その中でも抗体結合に必須なアミノ酸が数個含まれている．タンパク質の変性によって変化することはないが，消化酵素によって切断されれば抗体結合能を失う[3]．一方構造的エピトープは，タンパク質の変性によって立体構造が変化すると抗体結合能が失われる可能性が高い[4]．

マスト細胞の脱顆粒は，1つのアレルゲンに複数のIgE抗体が結合してFcεRⅠが架橋されることによって誘導される．したがって，1分子にエピトープが1つしか存在しないタンパク質（またはペプチド）には，アレルギー症状を誘発する活性がない．

4 交差抗原性

複数のタンパク質の相同性を示すためにアミノ酸配列を比較することをアラインメントという．同一のアミノ酸配列の割合を同一性（identity），性質が類似したアミノ酸の組み合わせを

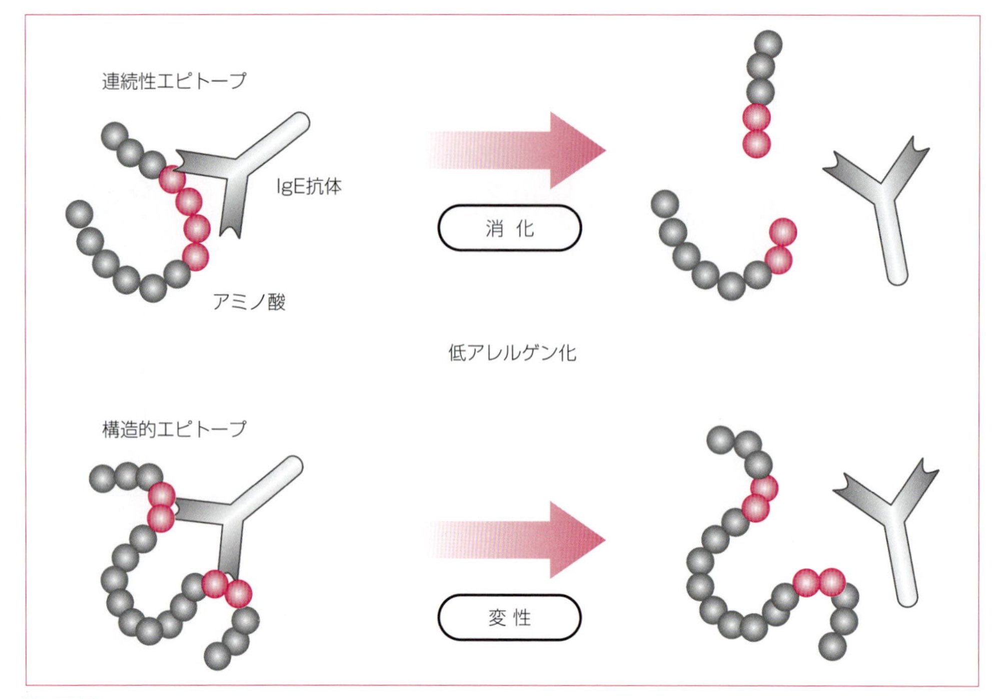

図2 アレルゲンエピトープの構造と変化

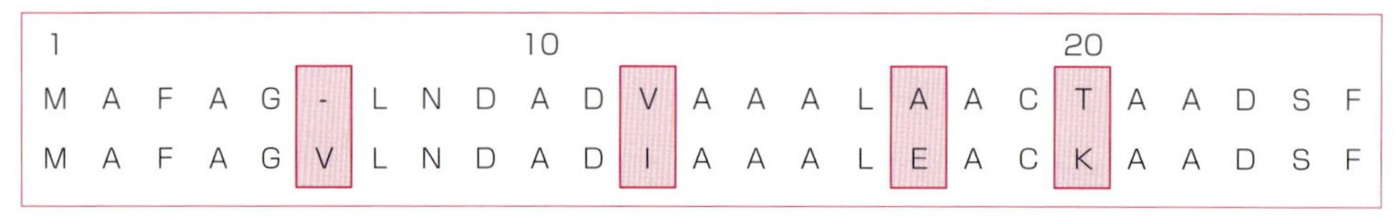

図3 アミノ酸配列のアラインメントと同一性のモデル
2つのアミノ酸配列を比較して，同じアミノ酸が並ぶ割合を計算する．上記の場合，25個のアミノ酸のうち四角で囲った4個以外は同じアミノ酸が並んでいるため，アミノ酸配列の同一性（identity）は21/25＝84%となる

含むものを類似性（homology）という[5]（図3）．

異なるタンパク質であっても，同じエピトープが存在すれば，IgE抗体はその両方に結合する．これを，交差抗原性という．交差抗原性によって，異なる食物に同時にアレルギー反応を認めることを，交差反応性ということもある．

交差抗原性を示すタンパク質の多くは，タンパク質構造全体の相同性がおおむね60%以上を示す．しかし，コア構造の相同性が高い同種のタンパク質であっても，エピトープとなりやすいループ領域の相同性が低ければ，交差抗原性を認めないこともある．したがって，あるアレルゲンでエピトープが同定されていれば，タンパク質全体の相同性と同時に，それに相当する部位のアミノ酸配列に着目して交差抗原性を検討することが望ましい[6]．

5 タンパク質の抽出

抗原性を持つタンパク質を同定・定量するためには，まず食品（試料）からタンパク質を溶液中に抽出する必要がある．試料を粉砕し，脂質の多い試料では脱脂操作を行った後に，何ら

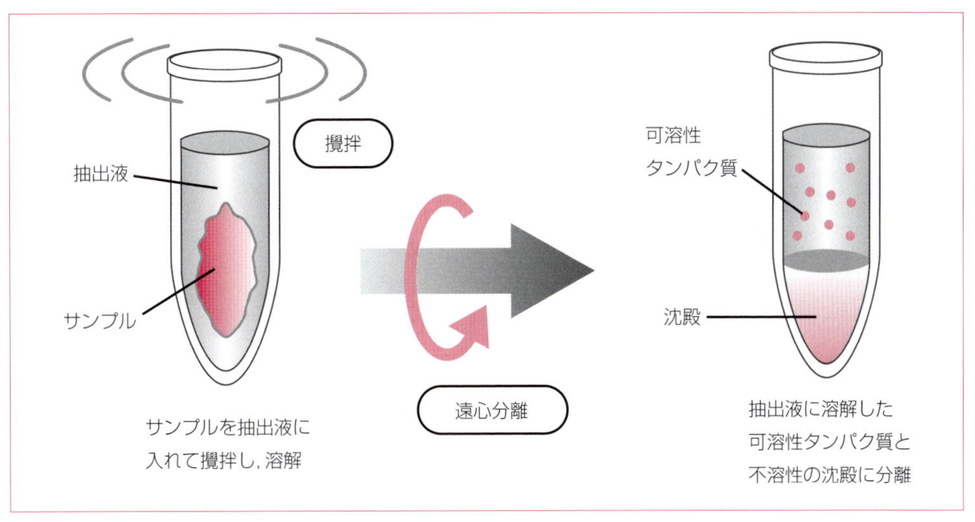

図4 抗原の抽出

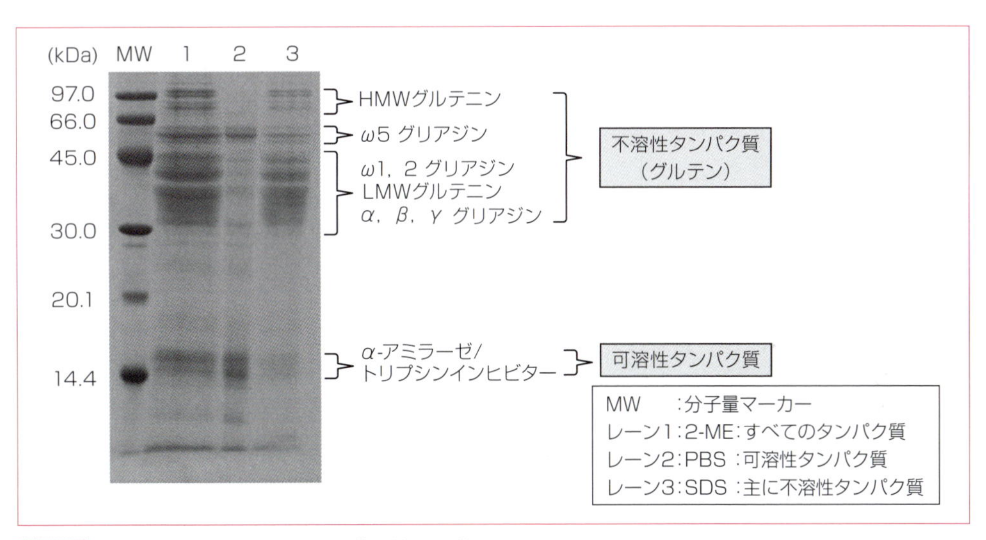

図5 抽出液による小麦タンパク質の画分

かの抽出液にサンプルを入れて攪拌・溶解する．溶解したタンパク質は，必要に応じて蒸留水で透析して抽出液の成分を除き，濃縮または凍結乾燥などを行って分析のサンプルとする．溶解しないタンパク質は遠心分離によって沈殿するため，必要によっては別の溶媒を用いて再度抽出する（図4）．

抽出液は，目的とするタンパク質に応じて適宜選択される．水溶性タンパク質を取り出す場合はリン酸バッファー（phosphate buffered saline：PBS）やトリス塩酸バッファー（Tris buffered saline：TBS）を用いるが，溶解性の低いタンパク質も抽出する目的で界面活性剤〔ラウリル硫酸塩，sodium dodecyl sulfate（SDS）〕や尿素，S-S結合を切断するための還元剤（2-メルカプトエタノール，2-ME），アルコールなどを利用することもある．例として，異なる抽出液を用いた小麦タンパク質の画分（fraction）を示す（図5）．

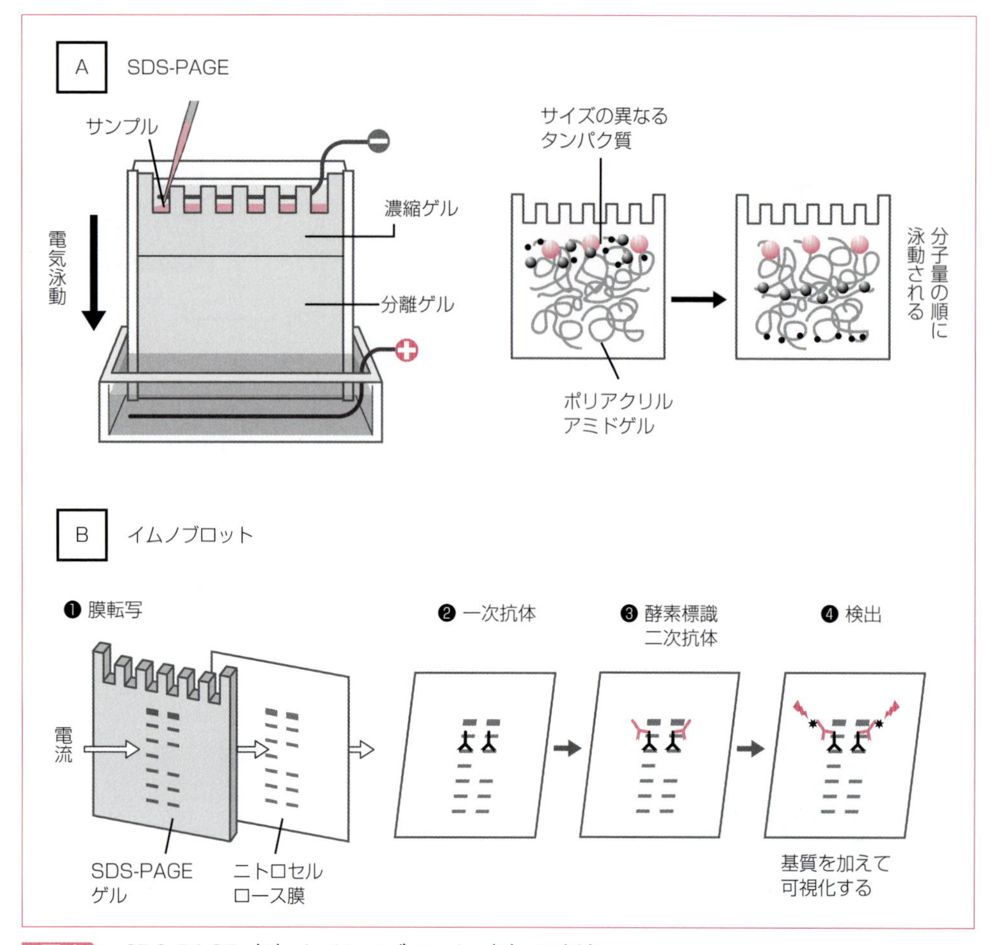

図6　SDS-PAGE（A）とイムノブロット（B）の方法

6　タンパク質の同定と定量

タンパク質を可視化する最も代表的な方法は，SDS-ポリアクリルアミドゲル電気泳動（SDS-PAGE）である．抽出された試料をSDSと2-MEを含むサンプルバッファーに入れて，ゲルの中で電気泳動する．泳動バッファーの作用で試料の立体構造と荷電が中和され，分子量だけに依存した泳動距離が得られる（図6A）．

タンパク質の大きさは，分子量（キロダルトン，kDa）で表現される．アレルゲンになりやすいタンパク質は10〜100 kDa程度の大きさにある．アミノ酸1個はおよそ0.1 kDaに相当するため，たとえば40 kDaのタンパク質はアミノ酸約400個と推測できる．

泳動後のゲルから，タンパク質をニトロセルロースまたはpolyvinylidene difluoride（PVDF）膜に電気的に転写して，膜上で抗体（抗血清や患者血清など）と反応させた後に，酵素標識した二次抗体を用いて抗原性を持つタンパク質を同定する方法を，イムノブロット（またはウエスタンブロット）という（図6B）．

抗原性のあるタンパク質を定量する代表的な方法は，サンドイッチELISAである（図7）．目的とするタンパク質に対する特異抗体をプレートに固相化し，そこに試料を入れて結合させる．結合した抗原に別の特異抗体を反応させ※2，さらに酵素標識した二次抗体を結合させて酵

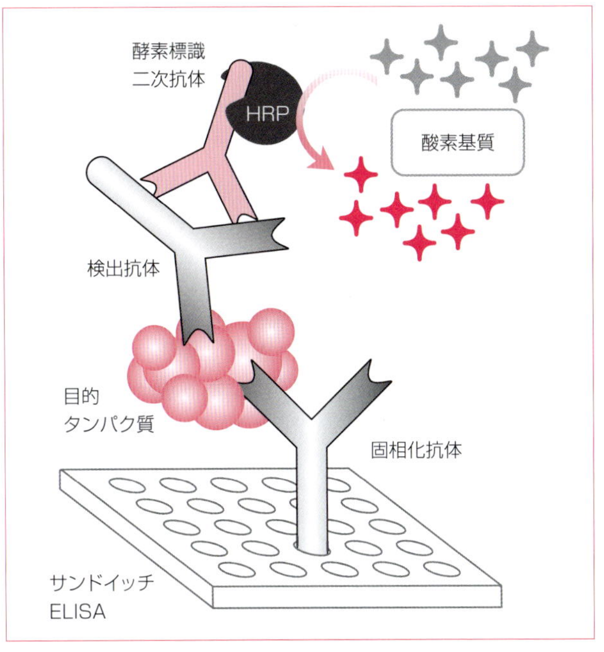

図7 タンパク質量を測定するサンドイッチELISAの原理

素反応の程度を測定する．定量のためには，既知のタンパク質量を含む標準抗原を測定して検量線を作成して照合する．

食品成分表に記載されるタンパク質量は，ケルダール法によって測定されている[7]．これは，化学物質に含まれる窒素量を測定するものであり，タンパク質だけでなく，ペプチドやアミノ酸も含めて定量される．

このように，タンパク質の同定や定量は，抗原の抽出法や定量法によって結果が異なるものであり，異なる方法によって得られた結果を比較する場合には，その特性をよく理解して解釈する必要がある．

7 アレルゲンタンパク質定量キット

食品表示法に基づくアレルゲン食品表示制度を支えるために，食品中のアレルゲンタンパク質を定量する省令特定原材料検査キットが公認されている．FASTKIT エライザ Ver. Ⅲシリーズ[8]（卵，牛乳，小麦，そば，落花生，大豆，ごま．日本ハム株式会社中央研究所）とモリナガ FASPEK エライザⅡ[9]（卵，牛乳，小麦，そば，落花生，大豆．モリナガ生科学研究所）が該当する．甲殻類（えび，かに）には，甲殻類キットⅡ「マルハニチロ」[10]（マルハニチロ株式会社）が利用できる．

これらの検査キットは，開発当初は水溶性タンパク質を抽出するものであったが，その後アレルゲンとなるタンパク質を網羅的に抽出するために，抽出液に界面活性剤と還元剤を加え，さまざまな変性タンパク質を抗原として作成した抗血清を用いるなどの改良が加えられて現在

※2 抗原を2種類の特異抗体で挟むことから，サンドイッチといわれる．

に至っている．したがって，結果を参照する場合には，どのキットを使用しているのか確認することが重要である．

正確な測定のためには，食品から抗原を抽出する操作の標準化が最も重要であり，消費者庁の通知に基づく公定法[11]が定められている．

8 糖タンパク質

アミノ酸配列に，さまざまな構造の糖鎖が結合したものを，糖タンパク質という．

糖タンパク質では，アスパラギンに結合した*N*結合型と，セリンやスレオニンに結合した*O*結合型（ムチン型）の2種類が代表的である．糖鎖を構成する成分はグルコース，ガラクトース，マンノース，フコース，キシロース，*N*-アセチルガラクトサミンなどであり，さまざまな大きさや構造様式を示す[12]．

IgEエピトープとしてよく解析されているのは，*N*-アセチルグルコサミンとマンノースのコア構造を持つ*N*結合型の糖鎖である．側鎖に存在するフコースとキシロースが抗原決定基となってIgE抗体結合能を持ち[13]，cross-reactive carbohydrate determinant（CCD）といわれる（図8）[14]．マンノースやキシロース側鎖の配置に基づいて命名されており，パイナップルのブロメラインから同定されたMUXF型や，西洋ワサビペルオキシダーゼで同定されたMMXF型が代表的であるが，蜂毒ホスホリパーゼA2に存在するMMF型，ピーナッツAra h 1に存在するMMX型など，キシロースやフコースを欠損するものもある．

CCDはIgE結合力が弱く，1つのタンパク質に存在する側鎖の数が限られているため，マスト細胞を活性化する力が弱いことが知られている[15]．

哺乳類（ヒトを除く）の糖脂質に存在するオリゴ糖※3（galactose-α-1,3-galactose，α-Gal）がIgE結合能を有し，牛肉・豚肉による遅発型アナフィラキシーの原因となることが報告されている[16]．

9 タンパク質の変性・分解・重合

タンパク質は，熱や化学的処理（酸，アルカリ，界面活性剤，キレート剤）を受けると高次構造が破壊される．これを変性という．肉や卵，豆腐のように調理や加工によって形や固さが変わるものは，変性しているものと考えられる．

タンパク質の変性により，立体構造に依存した構造的エピトープが失われることがある．さらにタンパク質は，胃腸の中で消化酵素の働きを受けて分解（消化）される．これによって連続性エピトープが失われることがある（図2参照）．

複数のタンパク質が結合して，大きな分子になることを重合という．たとえば小麦のグルテンは，多くのグルテニン分子がジスルフィド結合によって重合し，大きなポリマーを形成したものである．ここに，システイン残基を持つほかのタンパク質，たとえばオボムコイドが存在すると，オボムコイドがグルテンのポリマーに取り込まれることも発生する[17]．

重合したタンパク質は，一般的に不溶化する傾向があるので，抗原抽出をする過程で沈殿に

※3 オリゴ糖（oligosaccharide）：小さい糖鎖構造のこと．血液型の決定基となることからも，抗原性を持つことが理解できる．

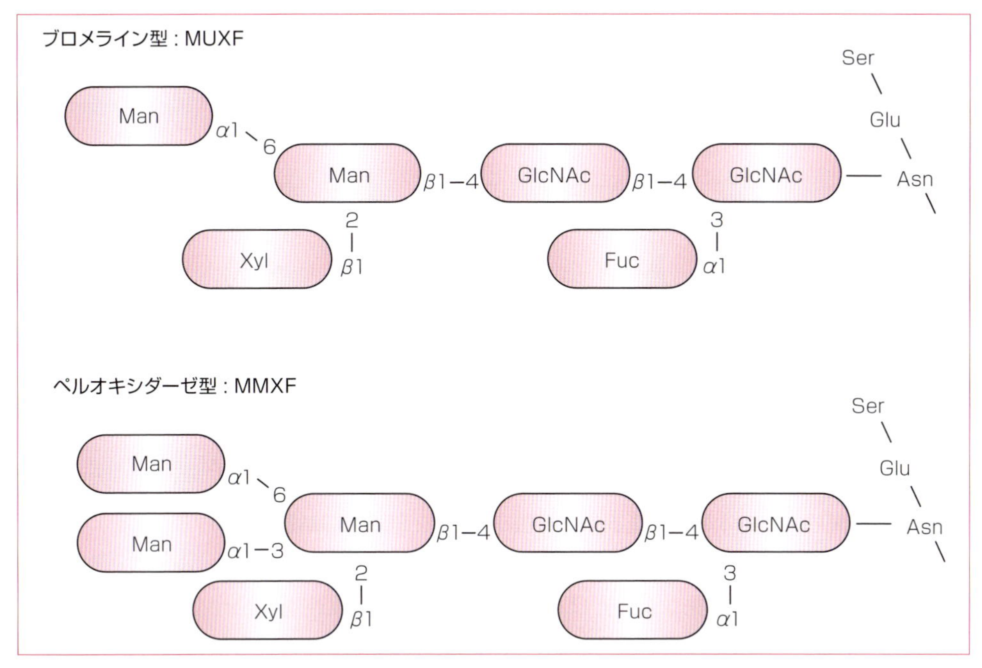

図8 cross-reactive carbohydrate determinants（CCD）の構造

代表的なCCDの基本構造を示す．アスパラギン（Asn）結合性の糖鎖で，2分子の*N*-アセチルグルコサミン（GlcNAc）からマンノース（Man）の側鎖が伸びる．キシロース（Xyl）とフコース（Fuc）の存在がIgE結合能に関与している．基本骨格に結合する糖鎖の頭文字から，MUXF（パイナップルブロメライン型），MMXF（西洋ワサビペルオキシダーゼ型）などと略称される．

〔海老澤元宏，ほか（監修），日本小児アレルギー学会食物アレルギー委員会（作成）：食物アレルギー診療ガイドライン2021，協和企画，2021〕

残りやすい（図4参照）．これが，摂取後の消化吸収にどの程度影響するのかは，タンパク質の種類や性質によって異なるものと思われる．

10 特異抗体の検出と定量

血清中に存在する特異的抗体を定量するためには，ELISA法が用いられる．ELISA法では，抗原タンパク質をマイクロタイタープレートに固相化し，血清をかけて特異抗体を反応させる．次いで，目的とする抗体（IgEやIgG）に応じて酵素標識した二次抗体（抗IgE抗体や抗IgG抗体）を反応させた後，酵素反応で基質を発色させて，結合した抗体量を測定する（図9A）．測定感度を上げるために，ビオチン標識の二次抗体を用いて，酵素標識したストレプトアビジンを用いることもある．

特異的IgE抗体価を測定する臨床検査では，抗原を固相化する担体としてセルローススポンジを充填したキャップを用いるImmunoCAP®法（サーモフィッシャー）[※4]や，マイクロビーズに結合した抗原と抗体を液相の中で結合させるアラスタット3g Allergy®法（シーメンス）が広く用いられている．

※4 かつては，放射性同位元素（^{125}I）を標識した抗ヒトIgE抗体を用いていたため，radio allergosorbent test（RAST法）とよばれていた．現在は，酵素標識した抗ヒトIgE抗体を用いて基質の反応で生じる蛍光強度を測定するFEIA法が用いられている．

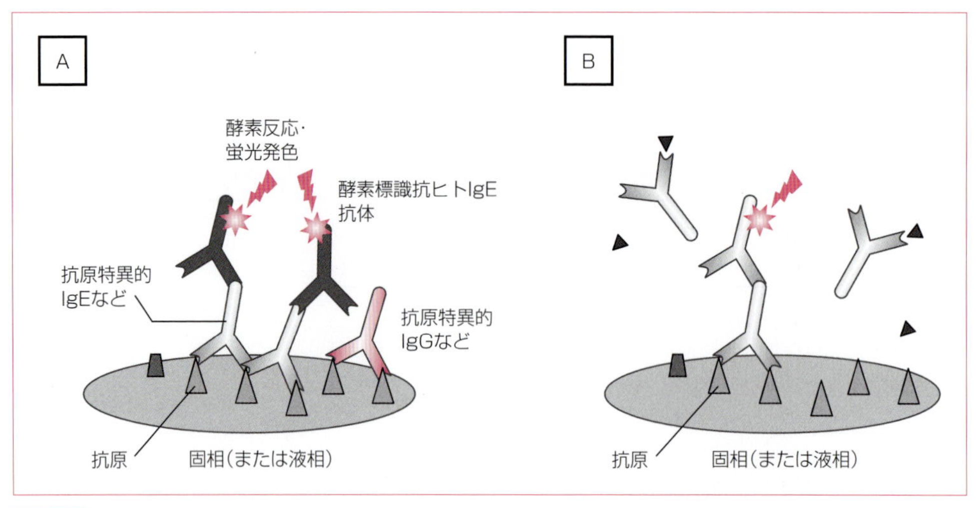

図9 特異的 IgE 抗体を測定する ELISA 法（A）と，ELISA 抑制試験（B）

異なる2つのタンパク質（たとえば小麦と米）の交差抗原性を検出するために，ELISA 抑制試験（吸収試験）が行われる．たとえば，小麦 IgE 抗体陽性の患者血清にあらかじめコメ抗原を入れて，コメに結合する IgE 抗体を吸収する．次いで，小麦を固相化した ELISA（またはイムノブロット）を行うと，両者に結合する IgE 抗体は検出されなくなるため，抗体価の測定値が低下する．低下率が高いほど，交差抗原性が強いと評価できる（図 9B）．

11 タンパク質以外のアレルゲン

タンパク質以外の成分でも，アレルギーを誘発する場合がある．

たとえば，合成甘味料の代表であるエリスリトールは分子量の小さい糖アルコールであるが，IgE 依存性にアナフィラキシーを誘発する症例が報告されている[18]．抗原認識にはエリスリトールがハプテンとなり，何らかの生体内タンパク質がキャリアーとして働いていることが想定されているが，キャリアータンパク質は同定されていない．

納豆に含まれる poly-γ-glutamic acid（PGA）も，アレルゲンとして働いて遅発型納豆アレルギーに関与することが知られている[19]．

おわりに

本項では，アレルゲンタンパク質を理解するための基礎的な知識を解説した．第Ⅱ部の各論で解説されるように，アレルゲンの分子的解析は飛躍的に進んでいる．その情報を正しく理解するために，本項が役に立てば幸いである．

文献

1）Borres MP, et al.：Use of allergen components begins a new era in pediatric allergology. *Pediatr Allergy Immunol* **22**：454-461, 2011
2）藤　博幸：タンパク質構造の基礎．*In* タンパク質の立体構造入門—基礎から構造バイオインフォマティクスへ—（KS 生命科学専門書）．講談社サイエンティフィク，2-17，2010
3）Jarvinen KM, et al.：Specificity of IgE antibodies to sequential epitopes of hen's egg ovomucoid as a marker for per-

sistence of egg allergy. *Allergy* **62**：758-765, 2007
4）Bernard H, et al.：Allergenicity of peanut component Ara h 2：Contribution of conformational versus linear hydroxyproline-containing epitopes. *J Allergy Clin Immunol* **135**：1267-1274, 2015
5）丸山伸之：ナッツ類アレルゲンコンポーネントと分子構造．日本小児アレルギー学会誌 **29**：303-311，2015
6）Naito M, et al.：Evaluation of cross-reactivity between casein components using inhibition assay and in silico analysis. *Pediatr Allergy Immunol* **32**：544-551, 2021
7）文部科学省：日本食品標準成分表 2020 年版（八訂）．https://www.mext.go.jp/a_menu/syokuhinseibun/mext_01110.html
8）日本ハム中央研究所：FASTKIT エライザ Ver. Ⅲシリーズ．http://www.rdc.nipponham.co.jp/fastkit/fastkit_elisa3.html（参照 2021-11-11）
9）森永科学研究所：モリナガ FASPEK エライザⅡ．http://www.miobs.com/product/tokutei/faspek2/index.html（参照 2021-11-11）
10）富士フイルム和光純薬株式会社：マルハニチロ【ELISA 法】甲殻類キットⅡ「マルハニチロ」https://labchem-wako.fujifilm.com/jp/category/00403.html（参照 2021-11-11）
11）消費者庁次長通知：アレルギー物質を含む食品の検査方法について（平成 22 年 9 月 10 日消食表第 286 号）https://www.cao.go.jp/consumer/history/02/kabusoshiki/syokuhinhyouji/doc/130530_shiryou2-6-1.pdf（参照 2022-2-21）
12）Altmann F：The role of protein glycosylation in allergy. *Int Arch Allergy Immunol* **142**：99-115, 2007
13）Tretter V, et al.：Fucose alpha 1,3-linked to the core region of glycoprotein *N*-glycans creates an important epitope for IgE from honeybee venom allergic individuals. *Int Arch Allergy Immunol* **102**：259-266, 1993
14）海老澤元宏，ほか（監修），日本小児アレルギー学会食物アレルギー委員会（作成）：食物アレルギー診療ガイドライン 2021．協和企画，2021
15）Mari A, et al.：Specific IgE to cross-reactive carbohydrate determinants strongly affect the *in vitro* diagnosis of allergic diseases. *J Allergy Clin Immunol* **103**：1005-1011, 1999
16）Román-Carrasco P, et al.：The α-Gal Syndrome and potential mechanisms. *Front Allergy* **2**：783279, 2021
17）Shin M, et al.：The influence of the presence of wheat flour on the antigenic activities of egg white proteins. *Allergy Asthma Immunol Res* **5**：42-47, 2013
18）Sugiura S, et al.：A case of anaphylaxis to erythritol diagnosed by CD203c expression-based basophil activation test. *Ann Allergy Asthma Immunol* **111**：222-223, 2013
19）Inomata N, et al.：Late-onset anaphylaxis due to poly（gamma-glutamic acid）in the soup of commercial cold Chinese noodles in a patient with allergy to fermented soybeans（natto）. *Allergol Int* **60**：393-396, 2011

B 鶏卵・魚卵・鶏肉

山田千佳子・和泉秀彦
（名古屋学芸大学 管理栄養学部）

1 鶏卵の成分組成

鶏卵は卵黄と卵白からなるが，その成分組成は大きく異なる．卵白には約10%のタンパク質，0.7%の無機質および微量のビタミンB群が，88%の水分中に溶けた状態で存在する（表1）[1]．新鮮卵は卵白にほとんど脂質を含んでおらず，また約10%を占めるタンパク質は卵という生体を保護する，または各種の役割を担ったものが多い．一方，卵黄は水分49.6%，タンパク質16.5%，脂質34.3%，灰分1.7%を主要な成分とし，卵白と比較して固形分含量と脂質含量がきわめて多い．卵黄中の大部分のタンパク質は脂質と結合したリポタンパク質として存在しており，低密度リポタンパク質（low density lipoprotein：LDL）は卵黄の持つ乳化性に関与する．

2 鶏卵の主要アレルゲン

卵のアレルゲンは主に卵白に存在するタンパク質である．卵白タンパク質の約54%を占めるオボアルブミン（ovalbumin：OVA），約11%を占めるオボムコイド（ovomucoid：OM），約3.4%を占めるリゾチーム（lysozyme：LY），そして約12%を構成するオボトランスフェリン（ovotransferrin：OT）などがあげられる．なお，鶏卵アレルゲンはニワトリ *Gallus domesticus* 由来アレルゲンということから，OVAはGal d 2，OMはGal d 1，OTはGal d 3，LYはGal d 4とよばれる．

1．オボアルブミン（OVA）

OVA（Gal d 2）は，385個のアミノ酸で構成される分子量45,000の球状タンパク質であり，1本の糖鎖を持つ（図1）[2]．OVAは1分子あたり1つのS-S結合と4つの遊離SH基を持っているが，卵白タンパク質中で遊離のSH基を持つタンパク質はOVAのみである．そのため，加熱などの変性によって，分子間にS-S結合を生じやすい．

タンパク質としての生物学的な特徴は持たないが，卵の調理・加工の際には，卵白の起泡性，熱凝固性などにおいて重要な役割を果たしている．OVA分子のエピトープ解析の結果は，一次構造上の連続するアミノ酸配列を認識していることを示唆している．5種のIgE結合エピトー

表1 鶏卵の成分組成　（可食部100 g あたり）

成分	水分	固形分	タンパク質	脂質	炭水化物	灰分	ビタミン
全卵	75.0	25.0	12.2	10.2	0.4		
卵黄	49.6	50.4	16.5	34.3	0.2		
卵白	88.3	11.7	10.1	Tr*	0.5		

〔文部科学省：日本食品標準成分表2020年版（八訂）．2020〕　Tr*＝ごく微量

プ（各々が6～12アミノ酸残基から構成される）が分子全体に分散して存在し，5種のうち4種は分子の表面にあり，二次構造としてβ-構造とβ-ターン構造をとっている[3]．

2. オボムコイド（OM）

OM（Gal d 1）は，186個のアミノ酸で構成される分子量約28,000の糖タンパク質であり，糖含量は25%にも及ぶ．分子内にS-S結合が9つ存在し，分子は3つのコンパクトなドメインを形成している．ドメインⅠとⅡはアミノ酸配列が約50%一致しており，高い構造的相同性を有しているが，ドメインⅢとは相同性がない（図2）[4]．このような特異な分子構造を持つため，熱や化学処理にきわめて安定性が高い．

また，OMはタンパク質分解酵素であるトリプシンの働きを阻害するトリプシンインヒビターとして知られるが，ヒトのトリプシンは阻害しない．ヒトアレルギー患者の血清を用いてエピトープ解析が行われた結果，患者の血清IgE抗体とOMの反応には，結合糖鎖はほとんど関係しないこと，OMの分子内S-S結合を切断しても50%以上の結合性を持つことが明らかとなっている[5]．また，各ドメインの主要エピトープは連続型であり，ドメインⅢの反応性が最も高い．そのドメインの遺伝子組換えの影響について，タンパク質構造の変化と卵アレルギー患者血清IgG・IgEとの反応性から検討した結果，32位Glyと37位Pheが抗原性とOMの構造の維持に重要な役割を果たしていることが示されている[6]．

3. リゾチーム（LY）

LY（Gal d 4）は，129個のアミノ酸で構成される分子量約14,300，等電点10～11の塩基性タンパク質である．糖を含まず，分子内にS-S結合が4つ存在する（図3）[7]．LYは溶菌作用のあるタンパク質として知られており，グラム陽性菌の細胞壁成分であるムコ多糖類を加水分解

5 10 15 20 25 30
Ac-Gly-Ser-Ile-Gly-Ala-Ala-Ser-Met-Glu-Phe-Cys-Phe-Asp-Val-Phe-Lys-Glu-Leu-Lys-Val-His-His-Ala-Asn-Glu-Asn-Ile-Phe-Tyr-Cys-
35 40 45 50 55 60
-Pro-Ile-Ala-Ile-Met-Ser-Ala-Leu-Ala-Met-Val-Tyr-Leu-Gly-Ala-Lys-Asp-Ser-Thr-Arg-Thr-Gln-Ile-Asn-Lys-Val-Val-Arg-Phe-Asp-
65 Ⓟ 70 75 80 85 90
-Lys-Leu-Pro-Gly-Phe-Gly-Asp-Ser-Ile-Glu-Ala-Gln-Cys-Gly-Thr-Ser-Val-Asn-Val-His-Ser-Ser-Leu-Arg-Asp-Ile-Leu-Asn-Gln-Ile-
Disulphide bridge to Cys 120
95 100 105 110 115 120
-Thr-Lys-Pro-Asn-Asp-Val-Tyr-Ser-Phe-Ser-Leu-Ala-Ser-Arg-Leu-Tyr-Ala-Glu-Glu-Arg-Tyr-Pro-Ile-Leu-Pro-Glu-Tyr-Leu-Gln-Cys-
Disulphide bridge to Cys 73
125 130 135 140 145 150
-Val-Lys-Glu-Leu-Tyr-Arg-Gly-Gly-Leu-Glu-Pro-Ile-Asn-Phe-Gln-Thr-Ala-Ala-Asp-Gln-Ala-Arg-Glu-Leu-Ile-Asn-Ser-Trp-Val-Glu-
155 160 165 170 175 180
-Ser-Gln-Thr-Asn-Gly-Ile-Ile-Arg-Asn-Val-Leu-Gln-Pro-Ser-Ser-Val-Asp-Ser-Gln-Thr-Ala-Met-Val-Leu-Val-Asn-Ala-Ile-Val-Phe-
185 190 195 200 205 210
-Lys-Gly-Leu-Trp-Glu-Lys-Ala-Phe-Lys-Asp-Glu-Asp-Thr-Gln-Ala-Met-Pro-Phe-Arg-Val-Thr-Glu-Gln-Glu-Ser-Lys-Pro-Val-Gln-Met-
215 220 225 230 235 240
-Met-Tyr-Gln-Ile-Gly-Leu-Phe-Arg-Val-Ala-Ser-Met-Ala-Ser-Glu-Lys-Met-Lys-Ile-Leu-Glu-Leu-Pro-Phe-Ala-Ser-Gly-Thr-Met-Ser-
245 250 255 260 265 270
-Met-Leu-Val-Leu-Leu-Pro-Asp-Glu-Val-Ser-Gly-Leu-Glu-Gln-Leu-Glu-Ser-Ile-Ile-Asn-Phe-Glu-Lys-Leu-Thr-Glu-Trp-Thr-Ser-Ser-
275 280 285 290 CHO 295 300
-Asn-Val-Met-Glu-Glu-Arg-Lys-Ile-Lys-Val-Tyr-Leu-Pro-Arg-Met-Lys-Met-Glu-Glu-Lys-Tyr-Asn-Leu-Thr-Ser-Val-Leu-Met-Ala-Met-
305 310 ASP 315 320 325 330
-Gly-Ile-Thr-Asp-Val-Phe-Ser-Ser-Ser-Ala-Asn-Leu-Ser-Gly-Ile-Ser-Ser-Ala-Glu-Ser-Leu-Lys-Ile-Ser-Gln-Ala-Val-His-Ala-Ala-
335 340 Ⓟ 345 350 355 360
-His-Ala-Glu-Ile-Asn-Glu-Ala-Gly-Arg-Glu-Val-Val-Gly-Ser-Ala-Glu-Ala-Gly-Val-Asp-Ala-Ala-Ser-Val-Ser-Glu-Glu-Phe-Arg-Ala-
365 370 375 380 385
-Asp-His-Pro-Phe-Leu-Phe-Cys-Ile-Lys-His-Ile-Ala-Thr-Asn-Ala-Val-Leu-Phe-Phe-Gly-Arg-Cys-Val-Ser-Pro

Ⓟ：リン酸基　CHO：糖鎖　ASP：遺伝子変異

図1　オボアルブミンの一次構造
〔Nisbet AD, et al.：The complete amino-acid sequence of hen ovalbumin. *Eur J Biochem* **115**：335-345, 1981を元に作成〕

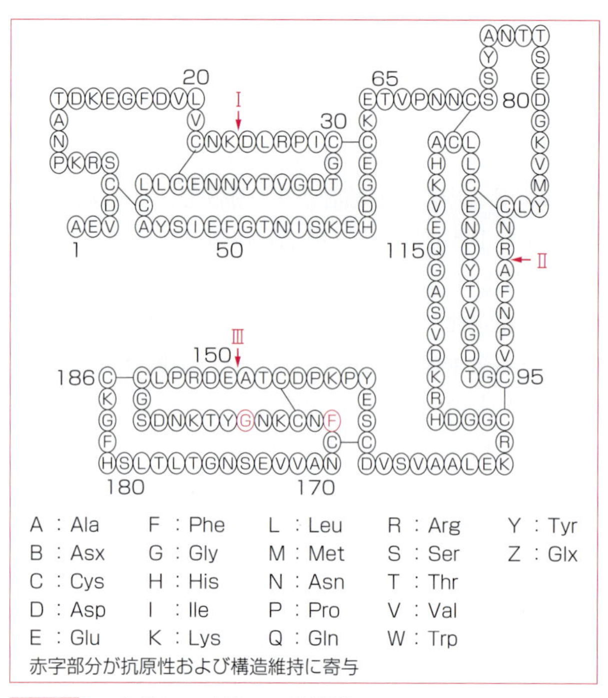

図2 オボムコイドの一次構造

〔Laskowski M Jr, et al.：Ovomucoid third domains from 100 avian species：isolation, sequences, and hypervariability of enzyme-inhibitor contact residues. *Biochemistry* **26**：202-221, 1987 を元に作成〕

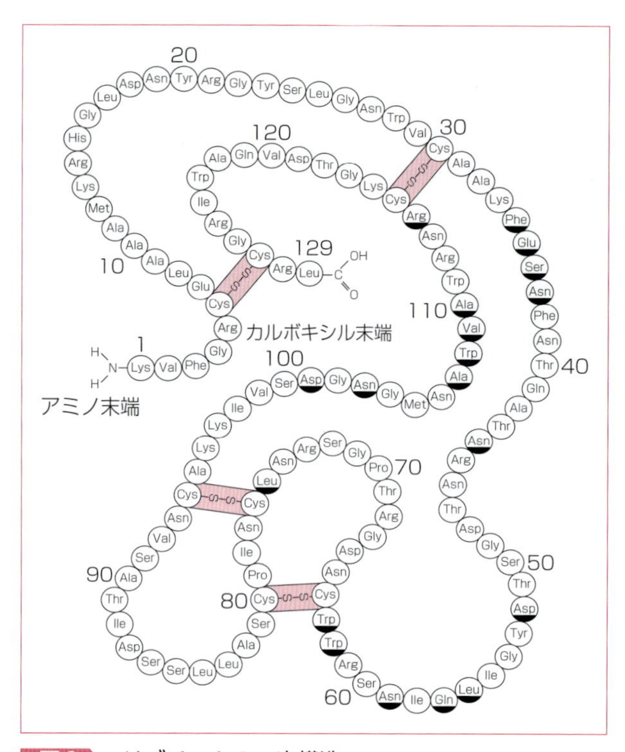

図3 リゾチームの一次構造

〔Canfield RE, et al.：The disulfide bonds of egg white lysozyme（muramidase）. *J Biol Chem* **240**：1997-2002, 1965 を元に作成〕

することにより溶菌する．そのため，卵の腐敗防止に大きく貢献しているほかに，塩化リゾチーム製剤としても汎用されている．また，100℃，40分の加熱変性処理により，ノロウイルスに対する不活化作用も確認されている[8]．

4．オボトランスフェリン（OT）

OT（Gal d 3）は，686個のアミノ酸で構成される分子量約77,800の糖タンパク質である[9]．OTは，鉄（Fe），銅（Cu）および亜鉛（Zn）などの金属イオンと，タンパク質1分子につき2か所で結合する能力を有する．金属イオンと結合したOTは安定化し，熱変性温度が上昇したり，プロテアーゼ抵抗性が高まったりする．しかし，卵白タンパク質中で最も熱変性を受けやすいため（凝固温度53〜55℃），アレルゲン活性は他の卵白アレルゲンと比較して低いと考えられる．

5．その他の家禽卵および卵黄のアレルゲン

また，鶏とガチョウ，アヒル，ウズラなどの卵の成分を比較すると，卵白中のOVAやOMなどの構造が鳥の種類により若干異なっている[10]．アレルゲン性に関しても，アレルゲンタンパク質の種類は鶏卵と同一であるが，反応性は鶏卵と比較してそのほかの卵は低い[11]．しかし，卵アレルギー患者は鶏卵と変わらないものとして注意を払うべきである．

さらに，卵黄タンパク質についてはリポタンパク質が主体であり，アレルゲン性は高くないが，LDLを構成するアポタンパク質とホスビチンがアレルゲンとしてあげられる．また，卵黄には卵白タンパク質がわずかではあるが含まれているので，卵黄摂取によるアレルギー症状は，混入した卵白によるものであることが多いと考えられる．一方，まれであるが難治性の卵黄アレルギーの例がある．bird-egg syndromeとよばれ，特に養鶏の飼育にかかわった成人女性にみられる場合が多い．これは吸い込んだ鳥の羽毛に含まれる鶏血清アルブミンによってアレルギー症状が誘引され，卵黄に存在し鶏血清アルブミンと同一成分のα-リベチン（分子量約80,000）と反応する[12]．

3 鶏卵アレルゲンの加熱による抗原性の変化

卵白は，60℃前後から凝固し始め70℃以上で硬いゲルとなるが，一般に卵白の熱凝固性には，温度，濃度，共存する塩，糖およびpHによって影響を受ける．また，卵白構成タンパク質の熱凝固性もそれぞれ異なる．熱感受性の高いOTから凝固し始め，含有量の最も多いOVAは60〜65℃で凝固する．一方OMは加熱により変性はするが，凝固しない．このように，鶏卵アレルゲンは加熱温度による凝固・不溶化の程度が異なり，この違いが抗原性に大きく関与している．この抗原性の変化について調べるために，鶏卵を沸騰水中（95〜100℃）で0〜20分加熱調理後に回収した卵白試料を用いて，まず可溶性タンパク質を抽出し，その残渣から不溶性のタンパク質を抽出して比較すると，LYは4分，OTは5分，OVAは9分で可溶性画分から消失し，不溶化（凝固）する一方，OMは20分加熱後にも可溶性のままである．またこのときのOVAの抗原性を調べると，不溶化に伴って抗原性が低下する．したがって，OVAは加熱により凝固・不溶化するため，抗原性が著しく低下する一方，OMは100℃で加熱しても凝固しないため，抗原性が残存しているといえる．

しかし，卵白は水で希釈すると加熱しても不溶化（凝固）しなくなるため，この性質を利用してOVAの加熱による抗原性の変化を評価すると，OVAは加熱時間に伴って変性後に凝集し，これに伴って患者血清中の抗体との結合能が低下したが，凝固OVAのような抗原性の低下は

認められなかった．したがって，OVA の抗原性の低減化は凝固による不溶化が大きく関与している可能性が高い．

また，鶏卵は単独調理だけでなく，小麦などの副材料と合わせて調理する場合が多いが，この場合も鶏卵白タンパク質は副食材の影響を受けて抗原性が変化する．経口免疫療法を受けた卵アレルギー患者に同量の卵を含むボーロまたはクッキーを摂取させると，ボーロを摂取した場合のみ症状が誘発されるケースがある．その原因を調べるために，卵白に対し副食材である小麦粉，米粉，片栗粉が 1：2〜1：6 と異なる配合比になるように加え，混捏・焼成した生地を数種作製した．この生地から可溶性タンパク質および不溶性タンパク質を別々に抽出し，鶏卵白タンパク質の調理による溶解性の変化を確認すると，片栗粉で作製した生地中では片栗粉の含有量が多いほど可溶性タンパク質が多く，卵白：片栗粉が1：2の生地では可溶性タンパク質が約 10% 残存したのに対して，卵白：片栗粉が 1：6 の生地では残存した可溶性タンパク質は約 40% に増加した．これは副食材である片栗粉中のデンプン粒子が鶏卵白タンパク質同士の凝固を阻害したためと考えられる．一方，小麦粉，米粉で作製した生地中の鶏卵白タンパク質は不溶性画分から検出され，卵白のみの加熱では可溶性画分から検出された OM も不溶化が確認された．これは副食材である小麦粉や米粉中のタンパク質との反応によって不溶化したと考えられる．これまでに，小麦粉を用いたパンや菓子類では，小麦粉タンパク質中の SH 基が鶏卵タンパク質の S–S 基と交換反応を起こし不溶化すると同時に，加熱による変性を受けやすくなることが知られている[13]．したがって，ボーロでは片栗粉中のデンプンが鶏卵白タンパク質の凝固を妨げた結果，抗原性が残存し症状が誘発された一方，クッキーでは小麦粉や米粉中のタンパク質との相互作用により鶏卵白タンパク質が不溶化して抗原性が低下したため摂取できたのではないかと考えられる．このように，鶏卵を副材料と合わせて調理する場合，アレルゲンはさまざまな成分と相互作用することにより抗原性が変化するため，摂取の際には注意が必要である．

卵黄は一般に卵白よりもアレルゲン性は低いが，ゆで卵をゆで上がり後に放置しておくと，経時的に卵黄中の OM が増加する．100℃の加熱によっても凝固しない卵白中の OM が水分とともに卵黄に移行したためと考えられる[14]．このことは，重度の卵アレルギー患者に対して固ゆで卵黄を負荷試験あるいは食事指導に用いる場合には，ゆでた後，卵黄を卵白から取り出すまでの時間も指定して指導する必要があることを示している．

4 魚卵の主要アレルゲン

魚卵には卵白部分が存在せず，卵黄部分のみで構成されている．卵黄タンパク質には，β'（ベータプライム）–コンポーネント，リポビテリン，ホスビチンとよばれるタンパク質が含まれているが，これらの前駆体はビテロジェニンというメス固有のタンパク質で，肝臓で合成され，卵母細胞に取り込まれた後，分解されて各タンパク質となる[15]．β'–コンポーネントは患者血清との反応性が最も高く，魚卵の主要アレルゲンである．いくらのβ'–コンポーネントはアミノ酸配列がきわめて類似した分子量 18,000 と 16,000 の 2 サブユニットから構成され，卵発生の過程でほとんど変化せず，その役割については明らかにされていない．また，このタンパク質はイクラをはじめ，サケ科魚卵（ニジマス，イトウ，アメマスなど）やタラコなど多くの魚卵中に存在し，抗原交差性を示す[16]．

リポビテリンはリン，脂質，金属塩などを含む複合タンパク質であり，ホスビチンはリン酸化セリンを多く含む．いずれも卵発生に伴って徐々に分解し，受精卵形成の主要成分やエネルギー源となる．ホスビチンは抗原性が低く，抗体ができにくい．

また，鶏卵と魚卵間の抗原交差性に関しては，明確な抗原交差性を示す報告はなく[16]，過度に注意する必要はないと考えられる．

5 鶏肉のアレルゲン

肉は，タンパク質含量が約 20% の高タンパク質食品であるが，食物アレルギーの原因食品とはなりにくいと考えられている．食肉加工品における食物アレルギーの報告は，しばしば「つなぎ」として使用された卵や牛乳の成分が原因であることから，これらに起因した症状と肉アレルギーは区別しなければならない．鶏肉アレルゲンには鶏血清アルブミン（α-リベチン，Gal d 5）があげられる[12]．α-リベチンは，シチメンチョウ，アヒル，カモ，ハト，ウズラなど家禽類とは交差反応を認めるが，牛・豚肉および卵白とは交差反応しない．そのほかに，鶏肉に含まれる酵素 2 種が鶏肉のアレルゲンであると報告されている[17]．鶏肉アレルギー患者の血清を用いたイムノブロット解析の結果，39 kDa および 41 kDa タンパク質が検出され，N 末端側アミノ酸配列分析により，グリセルアルデヒド-3-リン酸デヒドロゲナーゼ（glyceraldehyde-3-phosphate dehydrogenase：GAPDH）とフルクトース-1,6-ビスリン酸アルドラーゼ（fructose-1,6-bisphosphate aldolase：FBPA）が同定されている．

文献

1）文部科学省：日本食品標準成分表 2020 年版（八訂）．2020
2）Nisbet AD, et al.：The complete amino-acid sequence of hen ovalbumin. *Eur J Biochem* **115**：335-345, 1981
3）Mine Y, et al.：Fine mapping and structural analysis of immunodominant IgE allergenic epitopes in chicken egg ovalbumin. *Protein Eng* **16**：747-752, 2003
4）Laskowski M Jr, et al.：Ovomucoid third domains from 100 avian species：isolation, sequences, and hypervariability of enzyme-inhibitor contact residues. *Biochemistry* **26**：202-221, 1987
5）Zhang JW, et al.：Characterization of IgE and IgG epitopes on ovomucoid using egg-white-allergic patients'sera. *Biochem Biophys Res Commun* **253**：124-127, 1998
6）Mine Y, et al.：Reduction of antigenicity and allergenicity of genetically modified egg white allergen, ovomucoid third domain. *Biochem Biophys Res Commun* **302**：133-137, 2003
7）Canfield RE, et al.：The disulfide bonds of egg white lysozyme（muramidase）. *J Biol Chem* **240**：1997-2002, 1965
8）Takahashi H, et al.：Heat-Denatured Lysozyme Inactivates Murine Norovirus as a Surrogate Human Norovirus. *Sci Rep* **5**：1-9, 2015
9）Jeltsch JM, et al.：Sequence of the chicken ovotransferrin gene. *Nucleic Acids Res* **15**：7643-7645, 1987
10）Miguel M, et al.：Comparative study of egg white proteins from different species by chromatographic and electrophoretic methods. *Eur Food Res Technol* **221**：542-546, 2005
11）中村　良（編）：卵の科学．朝倉書店，136，1998
12）Szépfalusi Z, et al.：Egg yolk alpha-livetin（chicken serum albumin）is a cross-reactive allergen in the bird-egg syndrome. *J Allergy Clin Immunol* **93**：932-942, 1994
13）加藤保子：卵料理，卵添加加工品のアレルゲン．日調理科会誌 **35**：84-90，2002
14）坂井堅太郎，ほか：ゆで卵の作成と放置に伴うオボムコイドの卵黄への浸透．アレルギー **47**：1176-1181，1998
15）原　彰彦：魚類の卵形成と雌特異蛋白質ビテロジェニン“環境ホルモン”のバイオマーカー．化学と生物 **39**：29-36，2001
16）Kondo Y, et al.：IgE cross-reactivity between fish roe（salmon, herring and pollock）and chicken egg in patients anaphylactic to salmon roe. *Allergol Int* **54**：317-323, 2005
17）高畑能久，ほか：アレルギー患者 IgE が結合する鶏肉タンパク質の同定．日家禽会誌 **37**：228-233，2000

C 牛乳・牛肉

松原　毅・岩本　洋
（森永乳業株式会社 研究本部 健康栄養科学研究所 特殊栄養研究室）

1 牛乳と牛肉のアレルゲンコンポーネント

1．牛乳中のアレルゲンコンポーネント

牛乳には 1 L 当たり 30～35 g のタンパク質が含まれ，その種類は 40 種類以上である．その大半がヒトに対して異種であり，アレルゲンとなり得る．代表的な牛乳アレルゲンを表 1 に示す．カゼインは，牛乳を pH 4.6 に調整すると凝集し沈殿するタンパク質画分であり，4 種の分子（α-S1，α-S2，β-，κ-カゼイン）により構成される．カゼインは多数の分子が複合した直径 50～300 nm の巨大な不溶性のコロイド粒子（カゼインミセル）として存在する．カゼインを沈殿させた上清（乳清）中に存在するのが乳清タンパク質であり，β-ラクトグロブリン，α-ラクトアルブミン，血清アルブミンなどが含まれる．

即時型牛乳アレルギー患者における各コンポーネントに対する IgE 陽性率は，海外と日本で大きな違いはない[1～4]．日本では，ほとんどの患者でカゼイン特異的 IgE がみられ，約半数で β-ラクトグロブリンなどの乳清タンパク質に対する IgE が陽性であると報告されている[1,2]．

血液中の特異的 IgE の測定法として，広く ImmunoCAP® 法が使用されているが，少量の血液の利用で多種のアレルゲンに対する反応性を同時に分析できる方法として，マイクロアレイ法を使用した報告[4]も増えつつある．

2．牛肉中のアレルゲンコンポーネント

牛肉アレルギーの罹患率は低く，牛乳アレルギーと比較して研究が進んでいない．牛肉中の

表 1　牛乳中の主要アレルゲンの特徴

タンパク質	アレルゲン名［IUIS］	分子量 (kDa)	含量 (g/100 g)	即時型牛乳アレルギー患者における特異的IgE陽性率(%)			
				伊藤らの報告 (*n*=61)	中野らの報告 (*n*=115)	米国での報告 (*n*=113)	欧州での報告 (*n*=78)
全乳清タンパク質			0.63	—	—	—	—
α-ラクトアルブミン	Bos d 4	14.2	0.12	51	—	36	63
β-ラクトグロブリン	Bos d 5	18.3	0.32	69	46	36	50
血清アルブミン	Bos d 6	66.4	0.04	—	—	—	4
免疫グロブリン	Bos d 7	160	0.06	—	—	—	—
全カゼイン	Bos d 8		2.6	98	97	—	—
α-S1 カゼイン	Bos d 9	23.6	1.0	—	—	65*	49*
α-S2 カゼイン	Bos d 10	25.2	0.3	—	—	65*	49*
β-カゼイン	Bos d 11	24.0	1.0	—	—	75	44
κ-カゼイン	Bos d 12	19.0	0.3	—	—	48	30

*：報告ではα-カゼインに対する反応性をみているため，α-S1 カゼインとα-S2 カゼインを同率で記載した
—：分析していないことを示す

アレルゲンコンポーネントとして，血清アルブミン，免疫グロブリン，アクチン，ミオグロビン，トロポミオシンが知られている[5]．これらのコンポーネントのうち，血清アルブミンと免疫グロブリンは牛乳にも含まれており，それらに反応する牛乳アレルギー患者は，牛肉アレルギーを発症する可能性がある．実際，牛乳アレルギー患者のうち13〜20%が牛肉に対してもアレルギー症状を呈すると報告されている[6]．一方，牛肉アレルギー患者のうち，73〜93%が牛乳アレルギーに罹患しており，ほとんどの患者で血清アルブミンに対するIgEがみられる[7]．

近年，牛肉アレルギーに関係するIgEエピトープとして，牛肉タンパク質に結合している特定の糖鎖構造であるガラクトース-α1,3-ガラクトース（α-Gal）が同定された．α-Galを持つタンパク質として，前出の血清アルブミンやミオグロビンをはじめとして20種類以上のタンパク質が同定されている．α-Galに対するアレルギーでは，摂取から3〜6時間を経てアナフィラキシーなどの症状が認められる[8]．

2 食品の加工がアレルゲンの構造および抗原性に及ぼす影響

1．牛乳・乳製品の加熱殺菌

IgEエピトープには，タンパク質のアミノ酸配列（一次構造）と立体構造（高次構造）に依存するものがある．加熱によるタンパク質の構造変化は，タンパク質の熱安定性および熱負荷の程度に依存する．α-ラクトアルブミンやβ-ラクトグロブリンなどの乳清タンパク質は，分子内または分子間の相互作用により形成された複雑な立体構造を持つ．このため，立体構造依存的エピトープが存在し，加熱変性により抗原性が変化する．一方，カゼインは特異的な立体構造を持たないため，熱に対して安定である[9]．

飲用牛乳の製造では，搾乳された牛乳は乳脂肪球の均質化（ホモジナイズ）と加熱殺菌を受けた後に容器に充填される．ホモジナイズによりアレルゲン性（アレルギー症状の誘発）が増加するという動物実験の報告もあるが，ヒトでの負荷試験では差がみられない[9]．牛乳の加熱殺菌法には，大きく分けて低温保持式（63℃で30分間），高温保持式（75℃以上で15分間以上），高温短時間殺菌（72℃以上で15秒間以上），低温殺菌法（70〜80℃で15〜20秒間），超高温（UHT）殺菌法（120〜150℃で1〜3秒間）がある．日本で流通している牛乳の9割以上はUHT殺菌されたものであるが，飲用牛乳の加熱殺菌では，牛乳タンパク質の消化性は向上するものの，アレルゲン性（抗体との反応性）の低減はみられない[10]．乳清中の主要アレルゲンは，免疫グロブリン，血清アルブミン，β-ラクトグロブリン，α-ラクトアルブミンの順で熱に対して安定である．β-ラクトグロブリンとα-ラクトアルブミンは，90℃以上の熱処理でアレルゲン性が低下するが，50〜90℃の熱処理ではほとんど低減せず，逆に増大するという報告もある[9,11]．

牛乳には乳糖が多く含まれ，加熱により乳タンパク質中のリジン側鎖のアミノ基と結合する（アミノカルボニル反応）．この反応により乳タンパク質のアレルゲン性が低減することが知られており，その原因として抗体エピトープのマスキングや立体構造の変化が考えられている[9,11]．一方，乳タンパク質に付加した乳糖は元来の牛乳には存在しない構造であるため，新たなハプテン様抗原となることが知られているが，臨床的な関与は明らかではない[10]．

ヨーグルトの製造では，ヨーグルトのゲル化を促進させるために，乳清タンパク質を変性させてカゼインミセルとの相互作用を誘導する．そのため，一般的に飲用牛乳と比較して高い熱履歴の加熱殺菌（85〜95℃で2〜15分間）が行われる[12]．一方，ナチュラルチーズの製造では，続いて行われる凝乳〔乳酸菌発酵で生じた酸や，レンネット（凝乳酵素）の酵素反応によるカゼインの凝固〕を容易にするために，生乳の特性をできるだけ保持できる条件（75℃で15秒間または63℃で30分間）で加熱殺菌する[12]．

加熱殺菌とは異なるが，高度の加熱調理は臨床的に有用なようである．Nowak-Wegrzynらは，牛乳アレルギー患者の75%が，牛乳を配合したマフィン（177℃で30分間加熱）およびワッフル（260℃で3分間加熱）の摂取が可能であったと報告している[13]．この理由として，加熱による牛乳アレルゲンの立体構造の変化が考えられており，乳清タンパク質の顕著なアレルゲン性の低下が報告されている[14]．

2．加熱が牛肉のアレルゲン性に及ぼす影響

牛肉に含まれる血清アルブミンや免疫グロブリンは，調理のような高度の加熱処理によりアレルゲン性が低下する．牛肉アレルギー患者では熱安定性の低い血清アルブミンに反応する患者が多いことから，牛肉アレルギー患者のうち88%は十分に加熱された牛肉を摂取できたと報告されている[15]．一方，牛肉アレルゲンの中にはミオグロビンのように熱に対して安定なものもある[16]．また，前述したα-Galを持つタンパク質の中には熱安定性が高いものもある[8]．そのため，これらに反応する患者では，加熱の程度にかかわらずアレルギー症状が出る可能性が高い．

3．乳発酵食品のアレルゲン性

製造時の加熱殺菌以外にも，ヨーグルトやチーズなどの乳発酵食品では，乳酸菌により産生された酵素などが牛乳タンパク質のアレルゲン性に影響する可能性がある．

ヨーグルトの製造では，牛乳を加熱殺菌後，乳酸菌（サーモフィルス菌およびブルガリア菌）を添加して37～43℃で3～4時間ほどの発酵が行われる．市販ヨーグルトのアレルゲン性は飲用牛乳と比較して若干低いと報告されており[17]，実験室レベルの試験では，ヨーグルトに使用される乳酸菌のいくつかは牛乳タンパク質を分解するとも報告されている[18]．しかしながら，乳酸菌酵素による乳タンパク質の分解には長時間を要するため，ヨーグルト製造時の発酵時間では分解は起きにくい[19]．また，市販ヨーグルトのアレルゲン性は一般的なヨーグルトの加熱殺菌条件（90℃で4分間）で処理した牛乳と違いがないことから，ヨーグルトのアレルゲン性低下は加熱処理が主な原因であると考えられる[17]．市販ヨーグルトを使用した負荷試験では，牛乳に対する全身性症状を持つ患者の64%が陰性であったことが報告されている[20]．同試験において負荷試験の陽性者ではカゼインに対する皮膚プリックテストの陽性割合が高かったことから，ヨーグルトにおけるアレルゲン性の変化は，カゼインでは大きくなく，主に乳清タンパク質で起きていると考えられる[20]．

チーズの製造では，スターター菌（乳酸菌，プロピオン酸菌，カビなど）の発酵による牛乳のpH低下と，レンネット（凝乳酵素）によるκ-カゼイン（カゼインミセル表面に存在しミセルを負電荷に保つ）の切断で，ミセル間の静電的な反発が弱まり，カゼインが凝集沈殿する．カゼイン凝集物は乳清を除去した後に熟成されるが，長期熟成中にレンネットや上記スターター菌の産生するプロテアーゼにより，牛乳タンパク質の分解が進むことが知られている[10,12]．イタリアの伝統的なナチュラルチーズであるパルミジャーノ-レジャーノでは，α-ラクトアルブミンとβ-ラクトグロブリンのアレルゲン性（IgEとの反応性）には長期熟成による影響が少ないものの，カゼインのアレルゲン性には顕著な低減がみられ，3年間熟成したものでは牛乳アレルギー患者の58%が負荷試験で陰性であったことが報告されている[21]．

3 交差反応性

牛乳と牛肉には血清アルブミンや免疫グロブリンのように共通のタンパク質が含まれる．そのため，牛乳と牛肉の両方に対してアレルギー症状を示す患者もいる．

牛乳アレルギーまたは牛肉アレルギーの患者は，牛乳や牛肉に含まれるアレルゲンと構造（タンパク質のアミノ酸配列，立体構造，タンパク質に結合している糖鎖構造）が似ている分子を含む食品や環境抗原などに対して交差反応性を示す場合がある．大別すると，①ウシ以外の乳・肉との交差反応性，②乳・肉以外の食品との交差反応性，③食品以外のタンパク質との交差反応性，があげられる．

1．ウシ以外の乳・肉との交差反応性

1）牛乳とウシ以外の乳

牛乳アレルギー患者に対する代替食品として，ウシ以外（ヒツジ，ヤギ，水牛，ウマなど）の乳の使用が可能か研究されている．ヒツジ，ヤギ，および水牛の乳中に存在するタンパク質は，牛乳中のそれに対応するアレルゲンタンパク質とアミノ酸配列の相同性が非常に高く（表2）[6]，多くの牛乳アレルギー患者は，これらの乳に対して交差反応性を示す[6]．一方，一部の患者でヤギ乳の摂取が可能であるという報告もあり，その理由として，ヤギ乳には牛乳の主要アレルゲンの1つであるα-S1カゼインの含量が少ない，もしくは全く含まないものがあることが考えられている[22]．ウマ，ロバ，およびヒトコブラクダの乳に含まれるタンパク質は牛乳アレルゲンとの相同性が比較的低く，牛乳アレルギー患者でも摂取可能な場合もあるが，それらの乳でも交差反応性を示す場合がある[6]．一般的には，牛乳アレルギー患者はウシ以外の動物の乳でもアレルギー症状を発症する可能性が高く，摂取に際しては十分な注意が必要である．

牛乳アレルギー患者の中には，母乳（人乳）の摂取でも症状を示す患者もいる．牛乳アレルギーを持つ完全母乳哺育児では，母親が牛乳や乳製品を控えることにより症状が治まる場合が多い．一方，一部の患児では母親の食事制限のみでは改善せず，母乳摂取の中止により改善することがある．そのような児では，母乳中のカゼインやα-ラクトアルブミンに対するIgEが検

表2 哺乳類の乳タンパク質組成と牛乳タンパク質との相同性

種		ウシ	水牛	ヒツジ	ヤギ	ブタ	ヒトコブラクダ	ウマ	ロバ	ヒト
タンパク質（g/100 g）		3.2	4.5	4.9	4.3	4.8	3.6	2.1	2.2	1.3
カゼイン（%）		80	82	84	84	58	74	56	58	40
乳清タンパク質（%）		20	18	16	16	42	26	44	42	60
ウシのタンパク質との相同性（%）	α-S1カゼイン	100	95.3	88.3	87.9	47.2	44.2	43.3	—	31.9
	α-S2カゼイン	100	95.0	89.2	88.3	62.8	58.3	—	60.0	—
	β-カゼイン	100	97.8	92.0	91.1	67.0	69.2	60.5	—	56.5
	κ-カゼイン	100	92.6	84.9	84.9	54.3	58.4	57.4	—	53.2
	α-ラクトアルブミン	100	99.3	97.2	95.1	74.6	69.7	72.4	71.5	73.9
	β-ラクトグロブリン	100	96.7	93.9	94.4	63.9	欠失	59.4	56.9	欠失
	血清アルブミン	100	—	92.4	71.2	79.9	—	74.5	74.1	76.6

〔Restani P, et al.：Molecular aspects of milk allergens and their role in clinical events. *Anal Bioanal Chem* **395**：47-56, 2009を元に作成〕

出される[23]．これらのIgEがアレルギー症状にどの程度寄与するかは不明であるが，*in vitro*の試験では，ヒトα-ラクトアルブミンによるマスト細胞の脱顆粒が誘導されることが報告されている[23]．

2) 牛肉とウシ以外の肉

牛肉アレルギー患者では，ヒツジやブタなどの哺乳類の肉に対しても症状を示す場合がある．その理由として，主要アレルゲンである血清アルブミンの相同性が種間で高く保存されていることと[7]，前述した糖鎖構造α-Galに対する反応が考えられている．α-Galは霊長類には存在しないが，それ以外のウシやブタなどの哺乳類には共通して存在するため，交差反応性の要因となる．α-Galによるアレルギーは赤肉アレルギーともよばれる．α-Galに対するIgE産生は，ダニの唾液または消化管内に含まれるα-Galが刺咬によりヒトに注入されることにより誘導されると考えられているが，α-Galの由来については不明な点が多い[8]．

2. 乳・肉以外の食品との交差反応性

即時型牛乳アレルギーの乳幼児の10%程度は大豆乳に対しても反応する[24]．その要因の1つとして，カゼインと数種類の大豆タンパク質（Gly m Bd 30 K，Gly m 6 G4，Gly m 5）の交差反応性があげられている[25]．臨床的な関連性については定かでないが，マウスを使用した実験において，カゼイン特異的抗体が大豆タンパク質を認識することと，カゼインに対して感作されたマウスが大豆タンパク質の摂取によりアレルギー症状を呈することが報告されている[25]．

3. 食品以外のタンパク質との交差反応性

牛肉アレルギーでウシ血清アルブミンに反応する場合，大半の患者で他種の血清アルブミンと交差反応性を示す．血清アルブミンは上皮に含まれることから，イヌやネコなどのペット，またはウシなどの畜産動物の上皮が付着した毛を吸引することにより，呼吸器症状を伴うアレルギー症状を発症する場合がある[6]．

文献

1）Ito K, et al.：The usefulness of casein-specific IgE and IgG4 antibodies in cow's milk allergic children. *Clin Mol Allergy* **10**：1-7, 2012
2）中野泰至，ほか：牛乳アレルギー患者におけるカゼイン，βラクトグロブリン感作に関する研究．アレルギー **59**：117-122，2010
3）Shek LP, et al.：Humoral and cellular responses to cow milk proteins in patients with milk-induced IgE-mediated and non-IgE-mediated disorders. *Allergy* **60**：912-919, 2005
4）Hochwallner H, et al.：Microarray and allergenic activity assessment of milk allergens. *Clin Exp Allergy* **40**：1809-1818, 2010
5）Paschke A, et al.：Stability of bovine allergens during food processing. *Ann Allergy Asthma Immunol* **89**（6 Suppl. 1）：16-20, 2002
6）Restani P, et al.：Molecular aspects of milk allergens and their role in clinical events. *Anal Bioanal Chem* **395**：47-56, 2009
7）Restani P, et al.：Meat allergy. *Curr Opin Allergy Clin Immunol* **9**：265-269, 2009
8）Steinke JW, et al.：The alpha-gal story：lessons learned from connecting the dots. *J Allergy Clin Immunol* **135**：589-596, 2015
9）Verhoeckx KC, et al.：Food processing and allergenicity. *Food Chem Toxicol* **80**：223-240, 2015
10）岩本　洋：牛乳・乳製品の加工とアレルゲン性．日本小児難治喘息・アレルギー疾患学会誌 **13**：42-46, 2015
11）Bu G, et al.：Milk processing as a tool to reduce cow's milk allergenicity：a mini-review. *Dairy Sci Technol* **93**：211-223, 2013
12）上野川修一（編）：乳の科学．初版，朝倉書店，77-98，2014
13）Nowak-Wegrzyn A, et al.：Tolerance to extensively heated milk in children with cow's milk allergy. *J Allergy Clin Immunol* **122**：342-347, 2008

14）Hindley JP, et al.：Bos d 11 in baked milk poses a risk for adverse reactions in milk–allergic patients. *Clin Exp Allergy* **51**：132–140, 2021
15）Werfel SJ, et al.：Clinical reactivity to beef in children allergic to cow's milk. *J Allergy Clin Immunol* **99**：293–300, 1997
16）Fuentes MM, et al.：Isolation and characterization of a heat–resistant beef allergen：myoglobin. *Allergy* **59**：327–331, 2004
17）Ehn BM, et al.：Modification of IgE binding to beta–lactoglobulin by fermentation and proteolysis of cow's milk. *J Agric Food Chem* **53**：3743–3748, 2005
18）Bu G, et al.：Effects of fermentation by lactic acid bacteria on the antigenicity of bovine whey proteins. *J Sci Food Agric* **90**：2015–2020, 2010
19）Yao M, et al.：Study on reducing antigenic response and IgE–binding inhibitions of four milk proteins of Lactobacillus casei 1134. *J Sci Food Agric* **95**：1303–1312, 2015
20）Monaco S, et al.：Yogurt is tolerated by the majority of children with IgE–mediated cow's milk allergy. *Allergol Immunopathol*（*Madr*）**47**：322–327, 2019
21）Alessandri C, et al.：Tolerability of a fully maturated cheese in cow's milk allergic children：biochemical, immunochemical, and clinical aspects. *PLoS One* **7**：e40945, 2012
22）Lisson M, et al.：Immunoglobulin E epitope mapping by microarray immunoassay reveals differences in immune response to genetic variants of caseins from different ruminant species. *J Dairy Sci* **97**：1939–1954, 2014
23）Järvinen KM, et al.：Presence of functional, autoreactive human milk–specific IgE in infants with cow's milk allergy. *Clin Exp Allergy* **42**：238–247, 2012
24）Zeiger RS, et al.：Soy allergy in infants and children with IgE–associated cow's milk allergy. *J Pediatr* **134**：614–622, 1999
25）Candreva AM, et al.：Cross–reactivity between the soybean protein p34 and bovine caseins. *Allergy Asthma Immunol Res* **7**：60–68, 2015

D 小麦・ソバ・穀物

横大路智治
（広島大学大学院医系科学研究科 薬物療法開発学）
松尾裕彰
（広島大学大学院医系科学研究科 病院薬剤学）

1 小麦アレルゲン

1. 小麦タンパク質

小麦（*Triticum aestivum*）はイネ科コムギ属に分類される一年生の草木であり，世界で最も生産量の多い穀物である．小麦の実（小麦粒）は，小麦粉として利用される胚乳と胚芽からなり，その周囲を数層の外皮が覆っている．小麦粉の成分の含有率は品種や栽培条件などによって変化するが，一般的に糖質（主にデンプン）が67～75%，タンパク質が8～12%，脂質が1～2%，また，その他の成分としてビタミンやミネラルが含まれている．小麦タンパク質は中性塩溶液に対する溶解性によって，塩可溶性タンパク質と塩不溶性タンパク質に大別される[1]（図1）．塩可溶性タンパク質は小麦タンパク質の約15%を占め，アルブミンとグロブリンに分けられ，アミラーゼ，アミノペプチダーゼ，リポキシゲナーゼなどの酵素類を含んでいる．一方，小麦タンパク質の約85%を占める塩不溶性タンパク質には，主要成分であるグルテンと少量の不溶性残渣タンパク質が含まれている．グルテンはアルコールに可溶性であるグリアジンとアルカリ溶液に可溶性であるグルテニンからなり，両者が水の存在下で重合することで粘弾性を示す．

グリアジンは*α*/*β*-，*γ*-，*ω*1,2-と*ω*5-グリアジンに分類される．*α*/*β*-と*γ*-グリアジンがグルテンの60%を占めるのに対し，*ω*1,2-および*ω*5-グリアジンの含量はそれぞれ約5%程度である[1]．グリアジンは単量体のタンパク質であり，各コンポーネント間で構造に違いがみられる．*α*/*β*-および*γ*-グリアジンは，一次構造中にシステイン残基を多く含んでおり，グルタミンやプロリンなどのアミノ酸残基の繰り返しからなるN末端領域とシステイン残基を多く含む非反復領域からなるC末端領域を有している[1,2]．また，両タンパク質は，二次構造として，N末端領域に*β*-ターン構造，C末端領域に*α*-ヘリックスと*β*-シート構造が多くみられる．*α*/*β*-や*γ*-グリアジンと比較して，*ω*-グリアジンの一次構造は，グルタミンやプロリン残基が多く，繰り返し配列を多く含んでいるが，システイン残基を有していない．

グルテニンは，低分子量（low molecular weight：LMW）と高分子量（high molecular weight：HMW）グルテニンサブユニットが分子間ジスルフィド結合（S-S）によって結合した重合タンパク質であり，それぞれグルテン中に10%および20%含まれる．HMW-グルテニンは，分子量83～88 kDaのx型と分子量67～74 kDaのy型に分類され，グリアジンと同様にグルタミンやプロリン残基に富んだ反復領域を有しており，両末端領域にシステイン残基が存在する．これらのシステイン残基は，HMW-やLMW-グルテニン，*α*/*β*-や*γ*-グリアジンなどのシステイン残基を持つ分子とジスルフィド結合を形成し，巨大なポリマー状の分子を形成する[1,3]．このポリマー分子は天然の状態で約500～10,000 kDaの分子量を持ち，グルテンに特有の粘弾性を与える．HMW-グルテニンの二次構造は，反復領域に逆*β*-ターン，非反復領域である両末端に

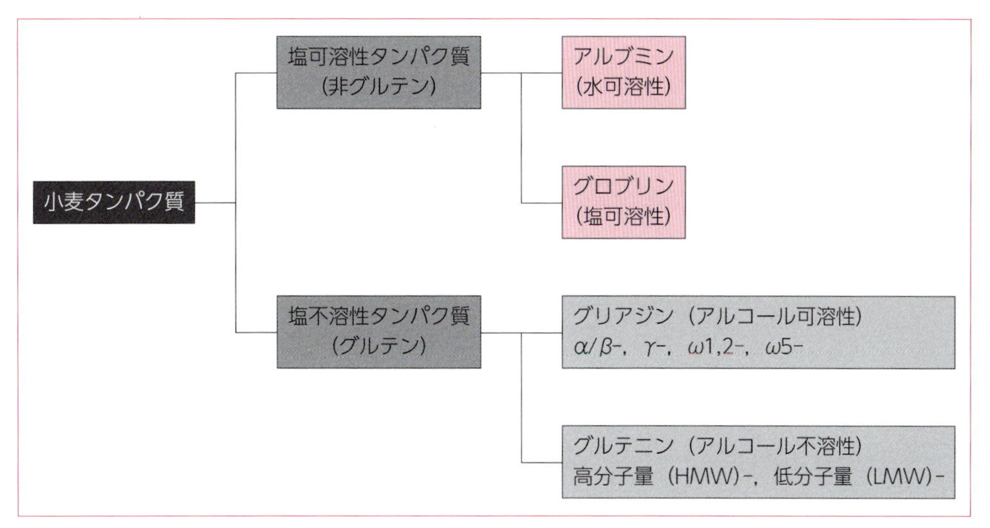

図1 小麦タンパク質のコンポーネント
HMW：high molecular weight，LMW：low molecular weight

α-ヘリックスを持つ球状構造を形成し，この構造がグルテンの物理化学的な性質を決定する因子であると考えられている[3]．LMW-グルテニンは，グルタミンやプロリン残基を多く含む反復領域であるN末端領域とα/β-やγ-グリアジンと相同性の高いC末端領域を有している．また，本タンパク質は，8つのシステイン残基を有しており，ジスルフィド結合を介した立体構造を形成している．

2. 小麦アレルゲン

小麦アレルギーには，小麦を摂取した直後から2時間以内にアレルギー症状が惹起される即時型小麦アレルギーや小麦を吸入することにより症状が惹起されるパン職人喘息，小麦に接触することで症状が惹起される小麦接触皮膚炎，小麦摂取後に運動負荷が加わることで症状が惹起される小麦依存性運動誘発アナフィラキシー（wheat-dependent exercise-induced anaphylaxis：WDEIA）などの臨床型がある[4]．また，加水分解小麦タンパク質を含有する石鹸を使用することにより経皮的に小麦タンパク質に感作され，WDEIAを発症した症例も報告されている[5]．各病型における原因アレルゲンの解析は盛んに行われており，小麦花粉症のアレルゲンを含めると現在までに約40種の小麦タンパク質がアレルゲンとして同定されている[4]．表1には食餌性の小麦アレルゲンを示した．これらのアレルゲンの一部は，病型間で重なりがみられるが，各病型で主要なアレルゲンが異なっている．即時型小麦アレルギーやパン職人喘息，小麦アレルギーが関与するアトピー性皮膚炎では，原因アレルゲンとして塩可溶性タンパク質と塩不溶性タンパク質の両方が関与する[4]．パン職人喘息や即時型小麦アレルギーの主要なアレルゲンとして，小麦プロフィリン（Tri a 12）や脂質輸送タンパク（LTP，Tri a 14），α-アミラーゼインヒビター（Tri a 15，28-30），β-アミラーゼ（Tri a 17），アグルチニン（Tri a 18），チオレドキシン（Tri a 25），1-システインペルオキシレドキシン（Tri a 32），セルピン（Tri a 33），グリセルアルデヒド-3-リン酸デヒドロゲナーゼ（Tri a 34），デヒドリン（Tri a 35）およびセリンプロテアーゼインヒビター様タンパク質(Tri a 39)などの塩可溶性タンパク質が報告されている[4,6]．また，一部の症例で，塩不溶性タンパク質であるグリアジンやグルテニンもパン職人喘息や即時型小麦アレルギーのアレルゲンとなることが報告されている[4,7]．一方，WDEIAの症例では，

表1 小麦アレルゲンコンポーネント

名称	分子量（kDa）	一般名
Tri a 12	14	プロフィリン
Tri a 14	9	脂質輸送タンパク質（LTP）
Tri a 15	12	α-アミラーゼインヒビター 0.28（単量体）
Tri a 17	56	β-アミラーゼ
Tri a 18	17	アグルチニンイソレクチン-1
Tri a 19	65	ω5-グリアジン
Tri a 20	35～38	γ-グリアジン
Tri a 21	28～35	α/β-グリアジン
Tri a 25	13	チオレドキシン
Tri a 26	88	HMW-グルテニン
Tri a 27	27	チオール還元酵素
Tri a 28	13	α-アミラーゼインヒビター 0.19（二量体）
Tri a 29	13	α-アミラーゼインヒビター CM1/CM2（四量体）
Tri a 30	16	α-アミラーゼインヒビター CM3（四量体）
Tri a 31	26	トリオースリン酸イソメラーゼ
Tri a 32	24	1-システインペルオキシレドキシン
Tri a 33	40	セルピン
Tri a 34	40～42	グリセルアルデヒド-3-リン酸デヒドロゲナーゼ
Tri a 35	12	デヒドリン
Tri a 36	32～40	LMW-グルテニン GluB3-23
Tri a 37	12	α-プロチオニン
Tri a 39	9	セリンプロテアーゼインヒビター様タンパク質
Tri a 40	16～17	α-アミラーゼインヒビター CM16/CM17
Tri a 41		NF-κB ミトコンドリアユビキチンリガーゼアクチベーター
Tri a 42		イネ科グループ 42
Tri a 43		イネ科グループ 43
Tri a 44		胚乳転送細特異的タンパク質 PR60
Tri a 45		伸長因子（EIF）-1

〔ALLERGEN NOMENCLATURE（http://allergen.org/index.php）；Matsuo H, et al.：Common food allergens and their IgE-binding epitopes. *Allergol Int* **64**：332-343, 2015 を元に作成〕

ω5-グリアジン（Tri a 19）や HMW-グルテニン（Tri a 26）などの塩不溶性タンパク質が主要な原因アレルゲンとして報告されている[4)].

3. IgE 結合エピトープ

1）LTP の IgE 結合エピトープ

LTP は，パン職人喘息や即時型小麦アレルギー，小麦摂取後に誘発されるアトピー性皮膚炎のアレルゲンとして知られており，一部の症例で WDEIA のアレルゲンとしても報告されている[4)]．小麦摂取後に誘発されるアトピー性皮膚炎の患者血清中に含まれる IgE は，LTP の QARSQSDRQS 配列に結合することが報告されている[8)]．また，この配列の一部を含む KNLHNQARSQ はパン職人喘息のエピトープとして報告されていることから，QARSQ 配列が異なった病型の共通エピトープである可能性が示唆されている[8)]．一方，患者血清中の IgE と LTP との結合性は，LTP を還元・アルキル化処理することで著しく低下することから，IgE は主に LTP の立体構造エピトープを認識すると考えられている[8)].

2）グリアジンとグルテニンの IgE 結合エピトープ

ω5-グリアジンは，WDEIA や小児の即時型小麦アレルギー患者の主要アレルゲンである．WDEIA 患者の血清中 IgE は，ω5-グリアジンの一次構造と強い結合を示し，その IgE 結合エピトープとして，QQX_1PX_2QQ（X_1＝L，F，S，I；X_2＝Q，E，G）が同定されている[4)]．また，

WDEIA 患者の IgE は，HMW-グルテニンとも強く反応し，その IgE 結合エピトープとして，QQPGQ や QQPGQGQQ，QQSGQGQ などが同定されている[4]．これらの配列は，ω5-グリアジンや HMW-グルテニンの一次構造中に反復配列として多数存在する．

加水分解コムギを含有する石鹸を使用することで，小麦タンパク質に経皮感作された患者では，従来の WDEIA で検出される ω5-グリアジンや HMW-グルテニンに対する特異 IgE がほとんど検出されず，γ-グリアジン（Tri a 20）に対する特異 IgE が検出される．エピトープ解析の結果，これらの患者の多くは γ-グリアジン中の 8 つのアミノ酸配列からなる QPQQPFPQ が主要な IgE 結合エピトープであることが明らかになっている[9]．この配列は，加水分解コムギに経口感作されたヨーロッパ人患者でも確認されている[4]．本症例の石鹸中に含まれる加水分解コムギは，グルテンを酸で処理して部分的に分解したものである．この処理過程では，ペプチド鎖の切断に加えて，グルテン中のグルタミン残基やアスパラギン残基の側鎖が脱アミド化され，それぞれグルタミン酸およびアスパラギン酸残基に変換される．このことから，感作に関連する加水分解コムギ中のエピトープ配列は EPEEPFPE であると推測される．

4. 小麦アレルゲンの安定性

1）小麦アレルゲンの安定性と加工処理

小麦は，生で食されることはほとんどなく，パンや麺類などの食品に加工・調理される．また，小麦グルテンは酸や酵素で部分的な加水分解処理を行うことで乳化性や保湿性が向上することから，食品や化粧品の添加物として使用される．小麦アレルゲンは，タンパク質であるため，熱や化学的処理を受けると高次構造や一次構造が変化し，アレルゲン性が変化する可能性がある．また，小麦製品を摂取した際には，胃腸の中で消化酵素により消化され，アレルゲンの立体構造エピトープや連続性エピトープが消失することもある．

2）熱処理の影響

小麦タンパク質のアレルゲン特性に及ぼす熱処理の影響については，いくつかの研究が報告されている．Scibilia らは，成人の小麦アレルギー患者を対象とした食物負荷試験で，生と加熱調理した小麦の摂取後のアレルギー反応に有意な差がないことを報告している[10]．また，Pastorello らは，小麦アレルギー患者血清中の IgE と反応を示す α-アミラーゼインヒビターやトリプシンインヒビターなどの小麦タンパク質は，調理の前後で IgE 結合能をそのまま維持することを明らかにしている[11]．小麦 LTP やグリアジン，グルテニンは，熱処理による変性を起こしにくいといわれているが，一方で高温・長時間の熱処理により IgE との反応性が低下することが報告されている[12,13]．このことは，高温・長時間の熱処理が，これらのタンパク質の高次構造を破壊することを示すものであり，少なくとも一部の小麦アレルギー患者で症状の誘発に，LTP やグリアジン，グルテニンの構造的エピトープが関与していることを示唆する．

また，熱処理がグルテン分子の重合反応を促進することも知られている[14]．グルテン中で，グリアジンは主にグルタミン残基による水素結合でグルテニンと架橋している．熱処理はこの水素結合を切断し，グルテンの一部をグリアジンとグルテニン分子に断片化する．一方，高温加熱時には，断片化したグリアジンやグルテニンに含まれるシステイン残基がジスルフィド結合を形成して重合反応が促進される．この反応は，特にシステイン残基を多く含む γ-グリアジンや α/β-グリアジンで起こりやすいと考えられている．この重合反応により，加熱処理が新たな構造的エピトープを持つ分子を生成する可能性もある．

3）酸処理の影響

天然の小麦グルテンは，溶解性に乏しいことから酸処理による加水分解を行い，食品や化粧品中の乳化剤として使われる．小麦グルテンの部分的な酸加水分解物は，経皮や経粘膜経路を介して吸収され，小麦アレルギーを引き起こす．このような症例の多くは，酸加水分解グルテンを含む石鹸やシャンプーなどの化粧品の使用によるものである．一方，ヨーロッパでは食品中に添加物として含まれている酸加水分解グルテンへの感作例も報告されている[4)]．前述のように，酸と熱処理による加水分解は，グルテンのペプチド結合を切断して低分子化するとともに，グルタミンやアスパラギン残基の脱アミド化を引き起こす．グルテンの脱アミド化は，グリアジンやグルテニンの水溶性を向上させるとともに，アレルゲン性を増加させることが示唆されている[15)]．また，酸加水分解グルテンでは，天然グルテンには存在しない高分子量の領域にIgE結合性がみられる[9)]．このことは，酸加水分解処理により低分子量のグリアジンやグルテニンの重合が起こり，新たなIgE結合エピトープが生成されている可能性を示唆する．

4）消化酵素の影響

胃液や胆汁中に含まれる消化酵素に対するアレルゲンの安定性は，アレルゲン活性に大きく影響する．小麦LTPは，熱処理と同様にペプシンやトリプシン，キモトリプシンなどの消化酵素に対して高い安定性を示す[16)]．一方，アルブミンやグロブリンは人工胃液（simulated gastric fluid：SGF）中で急速に分解される．また，グリアジンやグルテニンもSGFや人工腸液（simulated duodenal fluid：SDF）で分解されるが，グリアジンはグルテニンよりも安定性が高いと考えられている[17)]．

5．交差反応性

分類学上近い関係にある，もしくは進化の過程でIgE結合エピトープとなる構造を保存しているアレルゲン同士は，その共通のアレルゲン性により交差反応性を示すことがある．たとえば，小麦はイネ科に属する植物であるため，米や大麦，ライ麦，トウモロコシ，キビ，アワ，ヒエなどのイネ科植物由来のタンパク質と交差反応性を示す．これまでに，パン職人喘息の患者において，小麦プロフィリンやLTP，ω5-グリアジン，チオレドキシン，トリオースリン酸イソメラーゼ，グリセルアルデヒド-3-リン酸デヒドロゲナーゼなどのアレルゲンがほかのイネ科植物花粉由来のタンパク質と交差反応を示すことが報告されている[18)]．また，成人の小麦アレルギー患者の中には，イネ科植物花粉由来のタンパク質に感作され，生成されたIgEが摂取した小麦食品中のペルオキシダーゼ-Ⅰやβ-グルコシダーゼと交差反応することでアレルギーを発症したことを示唆する症例も報告されている[19)]．したがって，イネ科植物の花粉に感作されている患者では，小麦の摂取に注意が必要となる場合がある．さらに，WDEIA患者では，小麦ω5-グリアジンに加えて，ライ麦中のγ-70やγ-35セカリン，大麦中のγ-3ホルデインとも結合することが示されている[20)]．これらのタンパク質は，いずれも胚乳に存在する主要な貯蔵タンパク質であり，一次構造にプロリンやグルタミン残基を多く含み，互いに相同性が高い．したがって，WDEIA患者は，ライ麦や大麦の摂取にも注意が必要である．一方，穀類に対する皮膚プリックテストやIgE抗体価が陽性であってもアレルギー症状が誘発されないことがある．たとえば，小麦アレルギー患者のIgEは，米やトウモロコシ中のタンパク質とも交差反応を示すことがあるが，多くの場合，アレルギー症状が出ない．したがって，小麦アレルギーの病歴が疑われる場合は，穀物の摂取が可能であるかどうかを負荷試験で確認することも重要である．さらに，小麦LTPはパンアレルゲンとして知られており，バラ科由来のLTPであるPru p 3と共通の連続性エピトープや立体構造エピトープを持つ[21)]．したがって，小麦アレルギーの患者は穀物だけでなく，モモやウメなどのバラ科の食品とのアレルギーにも注意が必要である．

2 ソバアレルゲン

普通ソバ（*Fagopyrum esculentum*）は，日本，中国，韓国に加え，ほかのアジア諸国，最近ではヨーロッパや北米においても広く栽培されている．中国では普通ソバより苦みが強いダッタンソバ（*Fagopyrum tataricum*）が栽培されている．ダッタンソバは抗酸化作用などの機能性を有するルチン含量が多く，近年日本でも食されるようになった．

日本人や韓国人ソバアレルギー患者血清を用いたアレルゲン解析研究により，24 kDa，16 kDa，19 kDa，4 kDa，55 kDa，9 kDa，10 kDa タンパク質が，ソバの主要アレルゲンとして同定されている[22]．これらのアレルゲンは，それぞれ Fag e 1，Fag e 2，Fag e 3，Fag e 4，Fag e 5，Fag e TI，Fag e 10 kDa と命名されている（表2）.

Fag e 1 は種子貯蔵タンパク質の 1 つ 13S グロブリンであり，ソバアレルギー患者血清 IgE が結合するタンパク質として同定された．種子内に発現した 13S グロブリンはプロテアーゼにより α 鎖と β 鎖に切断されるが，Fag e 1 は β 鎖である．Fag e 1 は胃の消化酵素であるペプシンに対して感受性があり，経口摂取した場合には胃で分解されやすい．このことから，ソバアレルギーにおける症状誘発への関与は限定的であると推測されている．Fag e 1 の IgE 結合エピトープとして，QNVNRPSR（13～20 番），NNLPILEF（37～44 番），WNLNAH（64～69 番），EGRSVF（87～92 番），KAGNEG（113～118 番），IAGKTSVLRA（135～144 番），KEAFRL（159～164 番），SRDEKERERF（179～188 番）の 8 か所が同定されている[23]．

Fag e 2 は，2S アルブミンに属する種子貯蔵タンパク質である．Fag e 2 は，分子内に存在する 8 残基のシステインが 4 つのジスルフィド結合を形成し，非常に安定な構造を取っている．そのため，ペプシンに耐性があり消化分解されにくい．このことから，経口摂取後のアレルギー症状誘発に関与する主要なアレルゲンであるとされる[24]．Satoh らは，オーバーラップペプチドを利用したイムノブロット解析およびミモトープ解析から，ペプチド EGVRDLKELPSK（99～110 番）が Fag e 2 の IgE 結合エピトープであることを明らかにしている[25]．Fag e 10 kDa は Fag e 2 と高い相同性を有する 2S アルブミンである．Fag e 3 は，貯蔵タンパク質である 7S グロブリンに属するビシリン様タンパク質であり，そのアミノ酸配列はカシューナッツの Ana o 1 やクルミの Jug r 2 およびゴマの Ses i 3 と類似している．Fag e TI はトリプシンインヒビター類であり，TI-1，TI-2b，TI-2c にソバアレルギー患者の血清 IgE が結合することが明らかにさ

表2 ソバアレルゲンコンポーネント

種類	名称	分子量（kDa）	一般名
ソバ	Fag e 1	24	13S グロブリン/レグミン様タンパク質
	Fag e 2	16	2S アルブミン
	Fag e 3	19	7S グロブリン/ビシリン様タンパク質
	Fag e 4	4	抗菌ペプチド
	Fag e 5	55	ビシリン様タンパク質
	Fag e TI	9	トリプシンインヒビター
	Fag e 10 kDa	10	2S アルブミン
ダッタンソバ	Fag t 1	24	13S グロブリン/レグミン様タンパク質
	Fag t 2	16	2S アルブミン
	Fag t 3	56	11S グロブリン
	Fag t 6	18	オレオシン

〔ALLERGEN NOMENCLATURE（http://allergen.org/index.php）；Satoh R et al.：Understanding buckwheat allergies for the management of allergic reactions in humans and animals. *Breed Sci* **70**：85-92, 2020 を元に作成〕

れている[26)]．

日本人のソバアレルギー疑い患者65例を用いた解析によると，負荷試験陽性患者28例のうち各ソバアレルゲンコンポーネント特異IgE抗体の陽性率は，Fag e 1（71%），Fag e 2（25%），Fag e 3（61%），Fag e 10 kDa（18%），Fag e TI-2c（14%）であり，Fag e 1およびFag e 2の感度が高いことが示されている．一方，負荷試験陰性者37例の特異IgE抗体陽性率は，Fag e 1（59%），Fag e 2（8%），Fag e 3（11%），Fag e 10 kDa（11%），Fag e TI-2c（0%）であり，Fag e 1特異IgE検査の特異性は低い[27)]．実際に，Fag e 3特異的IgE抗体の測定が，ソバ経口負荷試験の予測に有用であることが示されている[28)]．

ダッタンソバにも普通ソバのアレルゲンとアミノ酸配列の相同性が高いタンパク質が存在する．したがって，ソバアレルギー患者がダッタンソバを食べると，交差反応により症状が誘発される可能性がある．ダッタンソバアレルゲンとして，Fag t 1，Fag t 2，Fag t 3，Fag t 6が同定されている[29,30)]．

ソバは小麦，米，トウモロコシといったイネ科の穀類とは異なりタデ科に分類されるため，イネ科の穀物アレルゲンとの交差反応性は低いと考えられる．ソバアレルギー患者において，コメタンパク質と交差反応するソバタンパク質特異IgEが報告されているが，患者の多くは米の摂取によりアレルギー症状が誘発されることはない．また，ピーナッツアレルゲンのオレオシン，前述したカシューナッツ，クルミ，ゴマとソバタンパク質間のIgEの交差反応が報告されており，ソバアレルギー患者がこれらのナッツ類を摂取する時には注意を要する．さらに，ソバタンパク質とラテックスタンパク質の間でのIgEの交差反応が報告されていることから，ラテックスアレルギー患者がソバ摂取で症状が誘発される可能性がある[22)]．

3　コメアレルゲン

コメ（*Oryza sativa*）はアジアで主食として栽培されているが，近年ヨーロッパなどでも摂取の機会が増えている．コメアレルギーは，イネ花粉症といわゆる食餌性のコメアレルギーに分類される．食餌性のコメアレルギーにおいては，蕁麻疹や喘鳴などの即時型症状を呈することは少なく，症状としてアトピー性皮膚炎の悪化や湿疹が誘発されることが多い．実際にアトピー性皮膚炎患者のおよそ10%でコメ特異IgEが検出される．これまでの研究で，α-アミラーゼ/トリプシンインヒビター（14～16 kDa），α-グロブリン（19 kDaおよび26 kDa），β-グリオキサラーゼ（33 kDa），グロブリン様タンパク質（52 kDaおよび63 kDa），56 kDa糖タンパク質が食餌性のコメアレルギーの原因アレルゲンとして同定されている[31)]．LTP（Ory s 14，14 kDa）やプロフィリンA（Ory s 12，14 kDa）はイネ花粉症のアレルゲンとして同定されたが，花粉のみならず種子にも含まれていることから，食餌性の原因アレルゲンとなりうる．α-アミラーゼ/トリプシンインヒビターは，熱や消化酵素に対して耐性を有し，調理後でもアレルゲン性が維持される．また，LTP（Ory s 14）も熱に対して安定である．Goliášらは新たな熱安定性のコメアレルゲン候補として，グルテリンC前駆タンパク質（55 kDa），デンプン粒結合型デンプン合成酵素（66 kDa），ジスルフィドイソメラーゼ様タンパク質（57 kDa），酸性フォスファターゼ（28 kDa）などを報告している[32)]．また，コメタンパク質特異IgEが交差反応する穀類として，ソバやトウモロコシが知られている．トウモロコシのLTPおよびトリプシンインヒビターに対する特異IgEがコメのそれらと交差反応することが報告されている．しかしながら，これらがコメアレルギーの症状の誘発に重要であるかについては明らかにされていない．

4 その他穀類アレルゲン

生産量が多い穀物としてトウモロコシ（*Zea mays*），大麦（*Hordeum vulgare*），ライ麦（*Secale cereale*）があげられる．トウモロコシもイネ科であり，花粉の吸入による鼻炎や喘息といった呼吸器症状を主とするトウモロコシ花粉症患者が存在する．一方で，患者食餌性のトウモロコシアレルギーはまれであるが，キチナーゼ（Zea m 8，29 kDa），プロフィリン（Zea m 12，14 kDa），LTP（Zea m 14，9 kDa），チオレドキシン（Zea m 25，14 kDa）などがアレルゲンとして報告されている[33,34]．大麦アレルギーの原因アレルゲンとして，プロフィリン（Hor v 12），α-アミラーゼ/トリプシンインヒビター（Hor v 15），α-アミラーゼ（Hor v 16），β-アミラーゼ（Hor v 17），ホルデイン（Hor v 21），LTP，タンパク質Zが報告されている．LTPやタンパク質Zは熱に対して安定であり，ビールの原因アレルゲンとして同定されている[35]．ライ麦アレルギーのアレルゲンとして，グループ5花粉アレルゲン（Sec c 5），プロフィリン（Sec c 12），セカリン（Sec c 20），αアミラーゼ/トリプシンインヒビター（Sec c 38）が同定されている[20,36]．オート麦（*Avena sativa*），アワ（*Setaria italica*），ヒエ（*Echinochloa frumentacea*）のアレルゲンについては明らかにされていない．

文献

1）Wieser H：Chemistry of gluten proteins. *Food Microbiol* **24**：115-119, 2007
2）Ferranti P, et al.：Mass spectrometry analysis of gliadins in celiac disease. *J Mass Spectrom* **42**：1531-1548, 2007
3）Shewry PR, et al.：The structure and properties of gluten：an elastic protein from wheat grain. *Phil Trans R Soc Lond B* **357**：133-142, 2002
4）Matsuo H, et al.：Common food allergens and their IgE-binding epitopes. *Allergol Int* **64**：332-343, 2015
5）Fukutomi Y, et al.：Rhinoconjunctival sensitization to hydrolyzed wheat protein in facial soap can induce wheat-dependent exercise-induced anaphylaxis. *J Allergy Clin Immunol* **127**：531-533, 2011
6）Hofer G, et al.：Three-dimensional structure of the wheat β-amylase Tri a 17, a clinically relevant food allergen. *Allergy* **74**：1009-1013, 2019
7）Walsh BJ, et al.：A comparison of the binding of IgE in the sera of patients with baker's asthma to soluble and insoluble wheat-grain proteins. *J Allergy Clin Immunol* **76**：23-28, 1985
8）Denery-Papini S, et al.：Immunoglobulin-E-binding epitopes of wheat allergens in patients with food allergy to wheat and in mice experimentally sensitized to wheat proteins. *Clin Exp Allergy* **41**：1478-1492, 2011
9）Yokooji T, et al.：Characterization of causative allergens for wheat-dependent exercise-induced anaphylaxis sensitized with hydrolyzed wheat proteins in facial soap. *Allergol Int* **62**：435-445, 2013
10）Scibilia J, et al.：Wheat allergy：a double-blind, placebo-controlled study in adults. *J Allergy Clin Immunol* **117**：433-439, 2006
11）Pastorello EA, et al.：Wheat IgE-mediated food allergy in European patients：alpha-amylase inhibitors, lipid transfer proteins and low-molecular-weight glutenins. Allergenic molecules recognized by double-blind, placebo-controlled food challenge. *Int Arch Allergy Immunol* **144**：10-22, 2007
12）Verhoeckx KC, et al.：Food processing and allergenicity. *Food Chem Toxicol* **80**：223-240, 2015
13）Ouahidi I, et al.：Characterization and stability of specific IgE to white egg's, gliadin's and peanut's proteins among children. *Iran J Allergy Asthma Immunol* **9**：97-102, 2010
14）Lagrain B, et al.：Molecular basis of processing wheat gluten toward biobased materials. *Biomacromolecules* **11**：533-541, 2010
15）Kumagai H, et al.：Improvement of digestibility, reduction in allergenicity, and induction of oral tolerance of wheat gliadin by deamidation. *Biosci Biotechnol Biochem* **71**：977-985, 2007
16）Palacin A, et al.：Recombinant lipid transfer protein Tri a 14：a novel heat and proteolytic resistant tool for the diagnosis of baker's asthma. *Clin Exp Allergy* **39**：1267-1276, 2009
17）Mittag D, et al.：Immunoglobulin E-reactivity of wheat-allergic subjects（baker's asthma, food allergy, wheat-dependent, exercise-induced anaphylaxis）to wheat protein fractions with different solubility and digestibility. *Mol Nutr Food Res* **48**：380-389, 2004

18）Sander I, et al.：Component-resolved diagnosis of baker's allergy based on specific IgE to recombinant wheat flour proteins. *J Allergy Clin Immunol* **135**：1529-1537, 2015
19）Ogino R, et al.：Identification of peroxidase-1 and beta-glucosidase as cross-reactive wheat allergens in grass pollen-related wheat allergy. *Allergol Int* **70**：215-222, 2021
20）Palosuo K, et al.：Rye gamma-70 and gamma-35 secalins and barley gamma-3 hordein cross-react with omega-5 gliadin, a major allergen in wheat-dependent, exercise-induced anaphylaxis. *Clin Exp Allergy* **31**：466-473, 2001
21）Tordesillas L, et al.：Molecular basis of allergen cross-reactivity：non-specific lipid transfer proteins from wheat flour and peach fruit as models. *Mol Immunol* **47**：534-540, 2009
22）Satoh R, et al.：Understanding buckwheat allergies for the management of allergic reactions in humans and animals. *Breed Sci* **70**：85-92, 2020
23）Yoshioka H, et al.：Expression and epitope analysis of the major allergenic protein Fag e 1 from buckwheat. *J Plant Physiol* **161**：761-767, 2004
24）Tanaka K, et al.：Pepsin-resistant 16-kD buckwheat protein is associated with immediate hypersensitivity reaction in patients with buckwheat allergy. *Int Arch Allergy Immunol* **129**：49-56, 2002
25）Satoh R, et al.：Identification of an IgE-binding epitope of a major buckwheat allergen, BWp16, by SPOTs assay and mimotope screening. *Int Arch Allergy Immunol* **153**：133-140, 2010
26）Park SS, et al.：Primary structure and allergenic activity of trypsin inhibitors from the seeds of buckwheat（Fagopyrum esculentum Moench）. *FEBS Lett* **400**：103-107, 1997
27）Maruyama N, et al.：Clinical utility of recombinant allergen components in diagnosing buckwheat allergy. *J Allergy Clin Immunol Pract* **4**：322-323, 2016
28）Yanagida N, et al.：Specific IgE for Fag e 3 Predicts Oral Buckwheat Food Challenge Test Results and Anaphylaxis：A Pilot Study. *Int Arch Allergy Immunol* **176**：8-14, 2018
29）Norbäck D, et al.：A Review on Epidemiological and Clinical Studies on Buckwheat Allergy. *Plants* **10**：607, 2021
30）Chen F, et al.：Identification of a Novel Major Allergen in Buckwheat Seeds：Fag t 6. *J Agric Food Chem* **69**：13315-13322, 2021
31）Teramura H, et al.：Aberrant endosperm formation caused by reduced production of major allergen proteins in a rice flo2 mutant that confers low-protein accumulation in grains. *Plant Biotechnol*（*Tokyo*）**36**：85-90, 2019
32）Goliáš J, et al.：Identification of rice proteins recognized by the IgE antibodies of patients with food allergies. *J Agric Food Chem* **61**：8851-8860, 2013
33）Weichel M, et al.：Screening the allergenic repertoires of wheat and maize with sera from double-blind, placebo-controlled food challenge positive patients. *Allergy* **61**：128-135, 2006
34）Pastorello EA, et al.：The maize major allergen, which is responsible for food-induced allergic reactions, is a lipid transfer protein. *J Allergy Clin Immunol* **106**：744-751, 2000
35）García-Casado G, et al.：Isolation and characterization of barley lipid transfer protein and protein Z as beer allergens. *J Allergy Clin Immunol* **108**：647-649, 2001
36）García-Casado G, et al.：A major baker's asthma allergen from rye flour is considerably more active than its barley counterpart. *FEBS Lett* **364**：36-40, 1995

E 種子（ピーナッツ・大豆・木の実類・ゴマ）

丸山伸之
（京都大学大学院農学研究科 品質設計開発学分野）

1 種子（ピーナッツ・大豆・木の実類・ゴマ）に含まれるアレルゲンコンポーネント

ピーナッツ・大豆・木の実類・ゴマの種子は，小麦などの穀物の種子と比較して，概してタンパク質含量が高い．木の実類にはクルミ，カシューナッツ，ペカン，ピスタチオ，アーモンド，ヘーゼルナッツ，マカダミア，ブラジルナッツなど数多くの植物種の種子が含まれる．種子タンパク質の中で占める割合が大きく，発芽時の栄養源となる貯蔵タンパク質（2S アルブミン，7S グロブリン，11S グロブリン）が主要なアレルゲンである（表 1）[1]．貯蔵タンパク質について複数のバリアント（アイソフォーム）が存在することが多く，それらはアレルゲンコンポーネント名でも区別されることがある（Ara h 3.0101 と Ara h 3.0201 など）．上記の種子に含まれるアレルゲンは，プロラミン，クーピンなどのファミリー/スーパーファミリーに属するものが多い[2]．プロラミンスーパーファミリーには 2S アルブミンや脂質輸送タンパク質（LTP）などが含まれる．システイン残基の特徴的なモチーフをもつものが多く，α-ヘリックスの占める割合が高いという特徴がある．クーピンスーパーファミリーには微生物，植物，動物由来の多様なタンパク質が含まれるが，アレルゲンとして報告されているものは 7S グロブリン（ビシリン）と 11S グロブリン（レグミン）のみである．また，防御タンパク質である Bet v 1 ファミリーや細胞骨格を構成するアクチンの調節タンパク質であるプロフィリンファミリーも花粉との交差により症状を呈する種子のアレルゲンとなる．上記以外にも種子の脂肪滴の形成にかかわるオレオシンや防御タンパク質であるディフェンシンなどもアレルゲンとして報告されている（表 1）．これらの主要なアレルゲンについて，構造の特徴とエピトープについて解説する．

2 アレルゲンコンポーネント

1．2S アルブミン

ピーナッツ（Ara h 2），ゴマ（Ses i 1），クルミ（Jug r 1）などにおいて，2S アルブミンは特異的 IgE 抗体価を臨床診断に利用することが有用である重要なアレルゲンコンポーネントである（表 1）[3〜5]．2S アルブミンは 17 kDa 程度を持つタンパク質として合成され，全体構造は 5 つの α-ヘリックスを持ち，多くの植物種ではポリペプチド中で切断を受け，2 本のポリペプチド鎖（小サブユニットと大サブユニット）になる（図 1）[6]．このポリペプチドには 8 つのシステイン残基によるモチーフ（C-X［11-12 残基］-C...C-C-X［9-11 残基］-C-X-C-X［約 30 残基］-C-X［6-7 残基］-C）が存在し，それらのシステイン残基間でジスルフィド結合が形成される（図 1，2）．ピーナッツ，木の実類，ゴマの 2S アルブミンの配列は 20〜60% 程度の比較的低い

表1　ピーナッツ・大豆・木の実類・ゴマのアレルゲンコンポーネント

ファミリー/スーパーファミリー	プロラミン		クーピン		Bet v 1/PR-10	プロフィリン	オレオシン	PR-12	その他
生化学的名称	2Sアルブミン	非特異的脂質輸送タンパク質	レグミン	ビシリン	PR-10	プロフィリン	オレオシン	ディフェンシン	
ピーナッツ	Ara h 2 Ara h 6 Ara h 7	Ara h 9 Ara h 16 Ara h 17	Ara h 3	Ara h 1	Ara h 8	Ara h 5	Ara h 10 Ara h 11 Ara h 14 Ara h 15	Ara h 12 Ara h 13	Ara h 18
クルミ	Jug r 1/ Jug n 1	Jug r 3 Jug r 8	Jug r 4/ Jug n 4	Jug r 2/ Jug n 2 Jug r 6	Jug r 5	Jug r 7			
ペカン	Car i 1		Car i 4	Car i 2					
カシューナッツ	Ana o 3		Ana o 2	Ana o 1					
ピスタチオ	Pis v 1		Pis v 2 Pis v 5	Pis v 3					Pis v 4
アーモンド		Pru du 3	Pru du 6	Pru du 8	Pru du 1	Pru du 4			Pru du 5, Pru du 10
ヘーゼルナッツ	Cor a 14	Cor a 8	Cor a 9	Cor a 11	Cor a 1	Cor a 2	Cor a 12 Cor a 13 Cor a 15		Cor a 6, Cor a 10
マカダミアナッツ			Mac i 2	Mac i 1					
ブラジルナッツ	Ber e 1		Ber e 2						
マツの実	Pin p 1								
ヨーロッパクリ		Cas s 8			Cas s 1				Cas s 5, Cas s 9
大豆	Gly m 8		Gly m 6	Gly m 5	Gly m 4	Gly m 3		Gly m 2	Gly m 1, Gly m 7
ゴマ	Ses i 1 Ses i 2		Ses i 6 Ses i 7	Ses i 3			Ses i 4 Ses i 5		

注：アレルゲンコンポーネント名は最初の数字のみ表示

類似性を示すが，クルミ（Jug r 1）とペカン（Car i 1）の間（88%）では高い類似性を示す[7]．木の実類の中でクルミ，カシューナッツ，ピスタチオ，ヘーゼルナッツの2Sアルブミンはアレルゲンの報告があるが，アーモンドやマカダミアの2Sアルブミンの存在については明確になっていない（表1）．

一次構造に基づいた合成ペプチドによる連続性エピトープ解析から，ピーナッツや木の実類などの2Sアルブミンに連続性エピトープが分子全体に分布しており，C末端側のヘリックス間の領域に比較的共通してエピトープが同定されていることが指摘されている（図2，赤下線部）[8]．また，Ara h 2においてヒドロキシル化されたプロリン残基はIgE結合性に影響を与えることが報告されてる（α2とα3の間のDPYSPSモチーフの中のプロリン残基）．一方で，2Sアルブミンの構造形成にはジスルフィド結合が重要であり，ジスルフィド結合が破壊されるとコンフォメーションが変化する．興味深いことに，ピーナッツアレルギー患者のエピトープに対

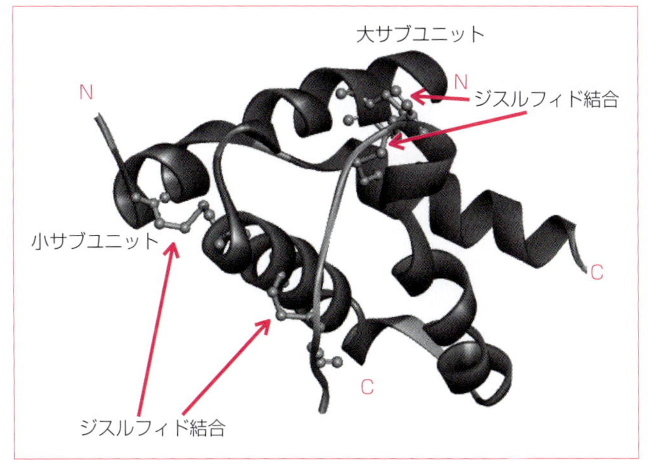

図1 ピーナッツ 2S アルブミン（Ara h 2）の立体構造

```
                                                                            α1            α2
Ara h 2.0101   MAKLTILVALALFLLAAHASARQQWELQ--------------GDRRCQSQLERAN--LRPCEQ
Ara h 6.0101   MAKSTILVALLALVLVAHAHASAMRRERGRQG----------DSSSCERQVDGVN--LKPCEQ
Ara h 7.0101   MMVKLSILVALLGALLVVASATRWDPDRGSRGSRWDAPSR--GDDQCQRLQRAN--LRPCEE
Jug r 1.0101   -------AALLVALLFVANAAAFRTTITTMEIDEDIDNPR-RRGEGCREQIQRQQN-LNHCQY
Car i 1.0101   ---MARVAALLVALLFVANAAAFRTTITTMEIDEDIDNPR-RRGESCREQIQRQQY-LNRCQD
Ana o 3.0101   MAKFLLLLSAFAVLLLVANASIYRAIVEVE-EDSGR-------EQSCQRQFEEQQR-FRNCQR
Cor a 14.010   MARLATLAALFAALLLVAHAAAFRTTITTVDVDEDIVNQQGRRGESCREQAQRQQN-LNQCQR
Pis v 1.0101   MAKLVLLLSAFAFLILAANASIYRATVEVEGENLSS-------GQSCQKQFEEQQK-FKHCQM
Gly m 8.0101   MTKFTILLISLLFCIAHTCSASKWQHQQ----------------DSCRKQLQGVN--LTPCEK
Ses i 1.0101   MAKKLALAAVLLVAMVALASATTYTTTVTTTAIDDEANQQS---QQCRQQLQGRQ--FRSCQR

                                                                                  α3
Ara h 2.0101   HLMQKIQRDEDSYERDPYSPSQDPYSPS------------PYDRRGAGSSQHQERCCNELNEF
Ara h 6.0101   HIMQRIMGEQEQYDS--------------------------YNFGSTRSSDQQQRCCDELNEM
Ara h 7.0101   HMRRRVEQEQEQEQDEYPYSRRGSR----------------GRQPGESDENQEQRCCNELNRF
Car i 1.0101   YLRQ-QCRSGG------------------------------YDEDNQRQ--HFRQCCQQLSQM
Jug r 1.0101   YLRQ-QSRSGGYDE-------------------------------DNQRQ-HFRQCCQQLSQM
Ana o 3.0101   YVKQEVQRG----------------------------------GRYNQRQESLRECCQELQEV
Cor a 14.010   YMRQ-QSQYGSYDG------------------------------SNQQQQQELEQCCQQLRQM
Pis v 1.0101   YVQQEVQKSQDGHS---------------------------LTARINQRQQCFKQCCQELQEV
Gly m 8.0101   HIMEKIQGRGDDDDDDDDDNHILRTMRG----RINYIRRNEGKDEDEEEEGHMQKCCTEMSEL
Ses i 1.0101   YLSQGRSPYGGEEDEVLE-----------------------MSTGNQQSEQSLRDCCQQLRNV

                          α4                    α5
Ara h 2.0101   ENNQRCMCEALQQIMENQSDRLQ-GRQQEQQFKRELRNLPQQCGLRAPQRCDLDVESGG----
Ara h 6.0101   ENTQRCMCEALQQIMENQCDGLQ-DRQMVQHFKRELMNLPQQCNFGAPQRCDLDVSGGRC---
Ara h 7.0101   QNNQRCMCQALQQILQNQSFWVPAGQEPVASDGEGAQELAPELRVQVTKPLRPL---------
Jug r 1.0101   D--EQCQCEGLRQVVRRQQQQQGLRGEEMEEMVQSARDLPNECGISS-QRCEIRRSWF-----
Car i 1.0101   E--EQCQCEGLRQAVRQQQQEEGIRGEEMEEMVQCASDLPKECGISS-RSCEIRRSWF-----
Ana o 3.0101   D--RRCRCQNLEQMVRQLQQQEQIKGEEVRELYETASELPRICSISPSQGCQFQSSY------
Cor a 14.010   D--ERCRCEGLRQAVMQQQGE--MRGEEMREVMETARDLPNQCRLSP-QRCEIRSARF-----
Pis v 1.0101   D--KKCRCQNLEQMVKRQQQQGQFRGEKLQELYETASELPRMCNISPSQGCQFSSPYWSY---
Gly m 8.0101   R-SPKCQCKALQKIMENQSEELE--EKQKKKMEKELINLATMCRFGPMIQCDLSSDD------
Ses i 1.0101   D--ERCRCEAIRQAVRQQQQEGGYQEGQSQQVYQRARDLPRRCNMRP-QQCQFRVIFV-----
```

図2 2S アルブミンの一次構造のアラインメント

シグナル配列を**茶色の字**，システイン残基を赤字で表示．Ara h2 の立体構造をもとに二次構造を表示．
連続性エピトープについては文献 8 を参考に記入．

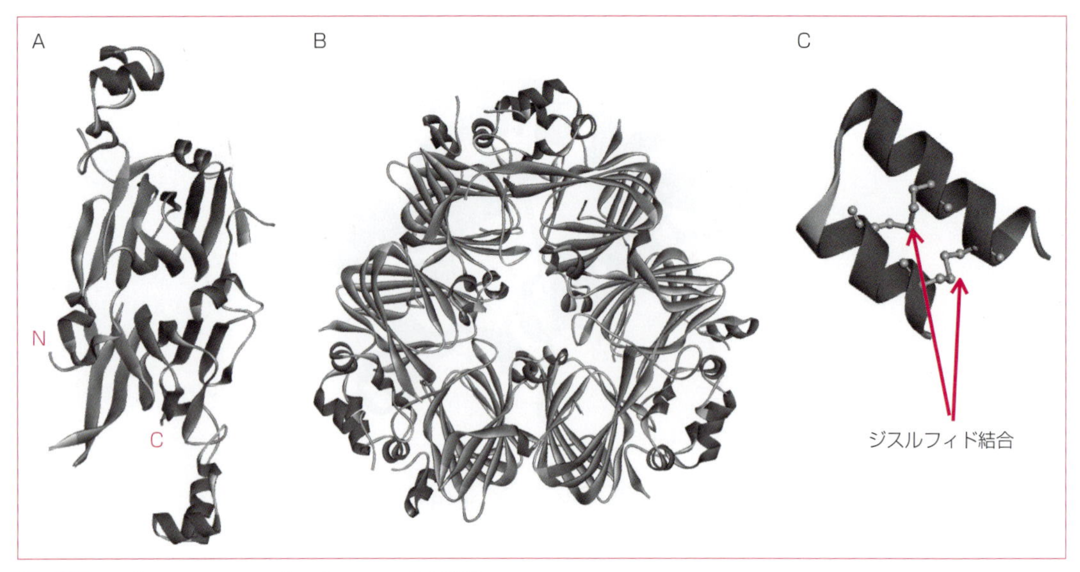

図3 ピーナッツ7Sグロブリンの立体構造
(A) 単量体, (B) 三量体, (C) システイン残基を含むモチーフの構造 (推定構造)

する解析からAra h 2とAra h 6の連続性エピトープの同定頻度は, 臨床症状の重篤度と逆相関するという報告がある. このことは, 2Sアルブミンの構造的エピトープが臨床診断に有用である可能性を示唆するのかもしれない[9,10].

2. ビシリン

ビシリンはピーナッツ, 大豆, 木の実類, ゴマなどでアレルゲンコンポーネントが報告されている (表1). ビシリンの単量体は分子量40〜80 k程度である. 植物種間で保存性の高いコア領域はβ-バレルとα-ヘリックスからなるドメインの繰り返し構造により単量体構造をとり, それらが三量体を形成することにより安定な構造をとっている (図3)[11]. レグミンとは異なり, ビシリンはコア領域に糖鎖を持つものが多い. 植物種によってはN末端部に親水性の領域を持つものがあり, その領域の同一性はコア領域と比較して相対的に低い. ピーナッツ, アーモンド, マカダミア, クルミなどのビシリンのN末端部は種子内でプロセシングを受け, その断片が蓄積される. それらの領域に存在するシステイン残基を含むモチーフはヘリックス-ターン-ヘリックス構造を形成すると推定され (図3), 抗菌活性を与えることにより植物防御に重要な役割を持つ可能性がある[12].

これまでAra h 1 (ピーナッツ), Ana o 1 (カシューナッツ) などの連続性エピトープについて報告されており[13], それらを比較すると多くのエピトープにおいてアラインメント上での位置やアミノ酸配列について異なっている. アラインメント上の位置が共通している領域についてもアミノ酸配列は異なっているため, それらのエピトープが交差反応性に関与している可能性は低い. また, ピーナッツやマカダミアの種子中で切断されるシステイン残基を含むモチーフを含む領域にIgE結合性があることも報告されている[14,15].

3. レグミン

レグミンはビシリンとともにクーピンスーパーファミリーに属し, ピーナッツ, 大豆, 木の実類, ゴマにおいて種子中の含量も多い (表1). レグミンの単量体はビシリン同様に, β-バレルとα-ヘリックスからなるドメインを重複して持つ[11]. 単量体は分子量60 k程度〜であり,

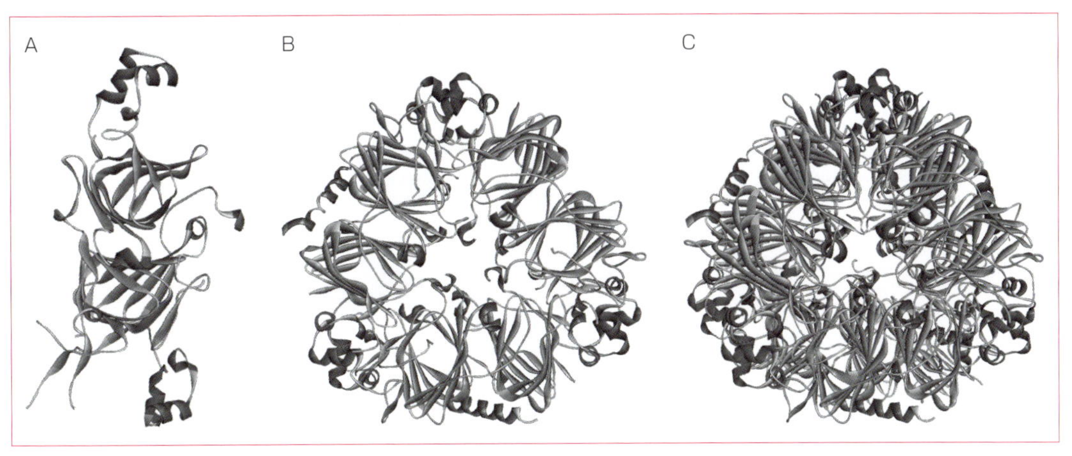

図4 アーモンド 11S グロブリンの立体構造
(A) 単量体，(B) 三量体，(C) 六量体

プロ型とよばれる安定な三量体を形成する（図4）．種子中のプロテアーゼによるプロセシング後，ポリペプチド鎖は等電点の異なる酸性鎖と塩基性鎖にわかれ，安定な六量体を形成する（図4）．酸性鎖と塩基性鎖の間に高度に保存されたサブユニット内ジスルフィド結合が存在する．異なる植物種のレグミン間において高い一次構造の同一性（32～95%）を示す．

ピーナッツ，大豆，木の実類などのレグミンについて連続性エピトープについて報告されている．分子全体にわたり多くの連続性エピトープが存在しており，アラインメント上で共通性の高い4か所の領域が連続性エピトープのホットスポットとして指摘されている[16]．これらの領域を構成する残基については分子表面に位置しているものが多く，植物種間のレグミンにおいて共通するアミノ酸配列が存在することから，血清での交差反応性に寄与している可能性が考えられる．また，カシューナッツやアーモンドのレグミンに関して構造的エピトープの存在が示唆されている[17,18]．

4. PR-10

シラカンバ花粉の主要アレルゲンである Bet v 1 を感作源として，植物性の食品に含まれる Bet v 1 ファミリーである PR-10 が交差抗原性を示す．多くの果物に対して交差反応を示すことが知られるが，種子にも PR-10 が含まれており，それらもアレルゲンとして報告されている（表1）[19,20]．日本では，豆乳アレルギーの原因となっており，口腔症状のみではなく，アナフィラキシーを起こすことも多い[20]．PR-10 は分子量 16 k 程度のものが多く[21]，弯曲した7つの β-ストランドよりなる β-シートが C 末端に位置する長い α-ヘリックスを包むような構造をとる（図5）．さらに，N 末端のストランドに続く2つの α-ヘリックスとともに疎水性のポケットを形成している．Bet v 1 と，Ara h 8（ピーナッツ）や Gly m 4（大豆）とのアミノ酸の同一性は45% 程度であるが，Bet v 1 の重要なエピトープと考えられている領域は豆類の PR-10 においても比較的保存されている．

5. プロフィリン

プロフィリンはすべての真核生物の細胞に存在する細胞骨格を形成するアクチン結合性のタンパク質であり，分子量 13～17 k 程度，等電点 4.3～9.2 である．β-ストランドより形成される β-シートと3つの α-ヘリックスにより構成されている（図6）[22]．

プロフィリンは代表的な汎アレルゲンであり，プロフィリンによる症状誘発の可能性が考え

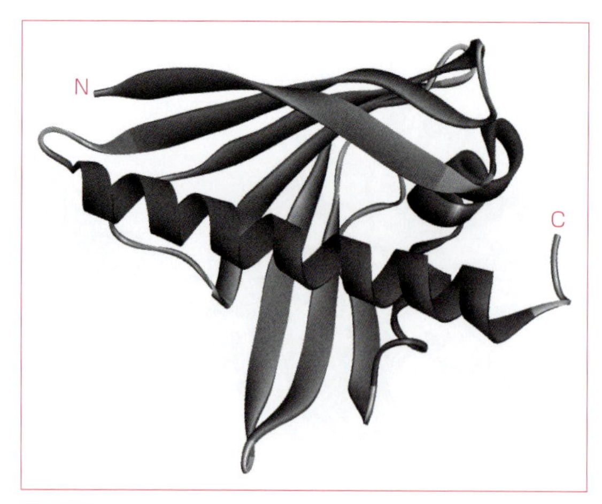

図5 大豆 PR-10 の立体構造

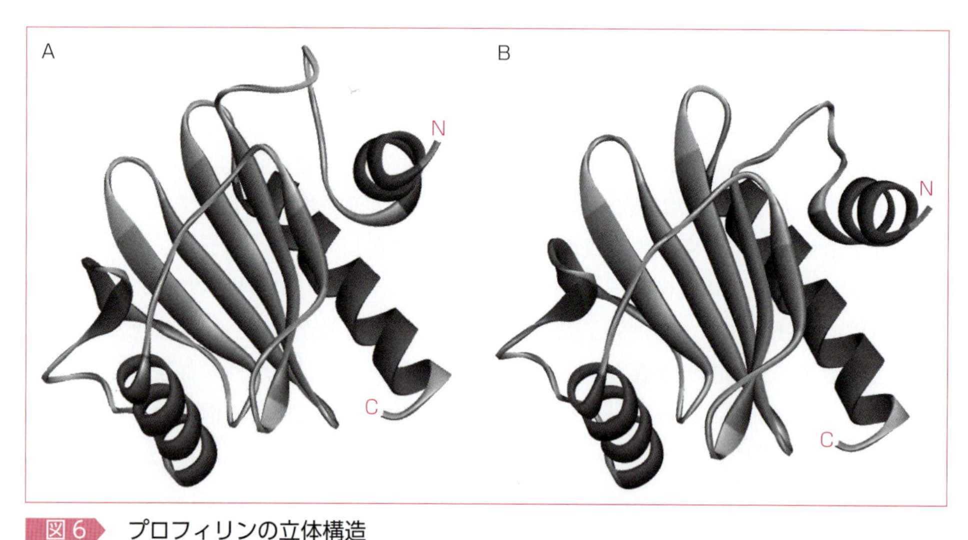

図6 プロフィリンの立体構造
（A）Bet v 2 シラカンバプロフィリン，（B）ピーナッツプロフィリン（Ara h 5）

られる症例では，花粉が感作源となっていることが示唆されている．Gly m 3（大豆），Ara h 5（ピーナッツ），Cor a 2（ヘーゼルナッツ），Jug r 7（クルミ），Pru du 4（アーモンド）などが報告されている．シラカンバ花粉のプロフィリンであるBet v 2と種子のプロフィリンとのアミノ酸の同一性は73〜78％であり，非常に高い値を示す．Bet v 2のエピトープとして，N末端およびC末端のα-ヘリックスとβ-ストランドの領域が報告されている．これらの領域は進化的に保存されており，交差反応性に寄与している可能性が考えられる．

6. オレオシン

植物種子中の中性脂質は脂質滴に貯蔵され，種子の成長過程でエネルギー源および炭素源として利用される．脂質滴はリン脂質とタンパク質の単層で囲まれたコアを持つ．この脂質滴の単層に存在する主要なタンパク質がオレオシンである．オレオシンは分子量14〜17.5 kのタンパク質であり，ピーナッツ（Ara h 10，Ara h 11，Ara h 14，Ara h 15），ゴマ（Ses i 4，Ses i 5），ヘーゼルナッツ（Cor a 12，Cor a 13，Cor a 15）においてアレルゲンとして同定されている（表

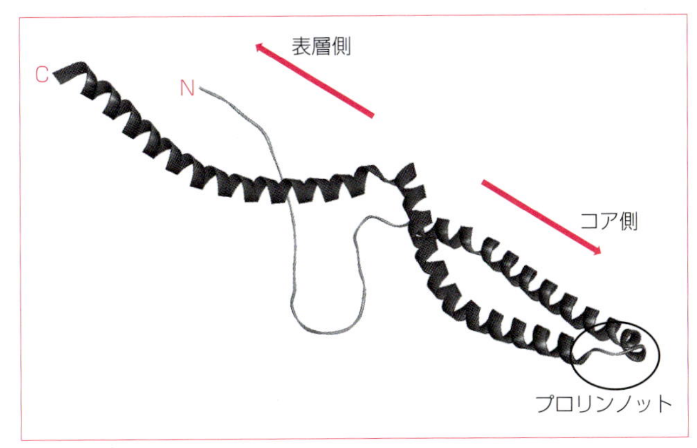

図7 オレオシン（Ara h 10）の推定構造

1）．ピーナッツのオレオシンに対する感作は，全身症状との相関が指摘されている[23]．それらのアミノ酸の同一性は30〜60%程度である．オレオシンは中央部にプロリンノットとよばれるヘアピンを持ち，リン脂質単層膜を貫通して油滴の疎水性コアに接触することができる（図7）．

7. 脂質輸送タンパク質

LTPは分子量約10k程度の比較的小さな分子であり，塩基性の等電点を持つ．ループによりつながれた複数のα-ヘリックスにより構成される[24]．プロラミンスーパーファミリーに特徴的なシステイン残基のモチーフを持ち，4つのジスルフィド結合が保存されている．トンネルのような大きなキャビティーが存在しており，その領域でさまざまな脂質と結合できる．ストレスにより発現量が増加し，植物組織の外周部での蓄積量が多く，果実では果皮において蓄積量が多い．LTPは微生物や菌類への生育阻害をする性質を持ち，防御タンパク質のファミリーであるPR-14に分類される．LTPは，地中海地方でのバラ科の果物に対するアレルギーにおける主要なアレルゲンとなっている．種子にもLTPは含まれており，Ara h 9（ピーナッツ），Jur r 3（クルミ），Pru du 3（アーモンド）などが報告されている（表1）．

8. ディフェンシン

植物ディフェンシンとは，システインに富んだ分子量8k程度のペプチドであり，抗真菌・抗菌活性を持つ．ピーナッツディフェンシン（Ara h 12，Ara h 13）が食物アレルギーの抗原として報告されているのに対し[25]，大豆ディフェンシン（Gly m 2）は吸入性アレルギーの抗原として同定されている（表1）．ヨモギ花粉ディフェンシン様タンパク質（Art v 1）は，Ara h 12，Ara h 13，Gly m 2と一次構造の同一性が低く，交差反応性の可能性は低いと推測されている．

9. その他

上記のアレルゲンコンポーネント以外に，食物アレルギーの原因アレルゲンとしてピーナッツではcyclophilin-peptidyl-prolyl cis-trans isomerase（Ara h 18），ピスタチオではmanganese superoxide dismutase（Pis v 4），アーモンドでは60 s acidic ribosomal prot. P2（Pru du 5），mandelonitrile lyase 2（Pru du 10）などが報告されている（表1）．

文献

1）Cabanillas B, et al.：Allergy to Peanut, Soybean, and Other Legumes：Recent Advances in Allergen Characterization, Stability to Processing and IgE Cross-Reactivity. *Mol Nutr Food Res* **62**：1700446, 2018
2）Radauer C, et al.：Evolutionary biology of plant food allergens. *J Allergy Clin Immunol* **120**：518-525, 2007

3）Yanagida N, et al.：Ses i 1-specific IgE and sesame oral food challenge results. *J Allergy Clin Immunol Pract* **7**：2084-2086, 2019
4）Sato S, et al.：Jug r 1 sensitization is important in walnut-allergic children and youth. *J Allergy Clin Immunol Pract* **5**：1784-1786, 2017
5）Borres MP, et al.：Recent advances in component resolved diagnosis in food allergy. *Allergol Int* **65**：378-387, 2016
6）Moreno FJ, et al.：2S Albumin Storage Proteins：What Makes them Food Allergens? *Open Biochem J* **2**：16-28, 2008
7）Maruyama N：Components of plant-derived food allergens：Structure, diagnostics, and immunotherapy. *Allergol Int* **70**：291-302, 2021
8）丸山伸之：ナッツ類アレルゲンコンポーネントと分子構造．日本小児アレルギー学会誌 **29**：303-311，2015
9）Otsu K, et al.：Epitope analysis of Ara h 2 and Ara h 6：characteristic patterns of IgE-binding fingerprints among individuals with similar clinical histories. *Clin Exp Allergy* **45**：471-484, 2015
10）Chen X, et al.：Conformational IgE epitopes of peanut allergens Ara h 2 and Ara h 6. *Clin Exp Allergy* **46**：1120-1128, 2016
11）Rasheed F, et al.：Modeling to Understand Plant Protein Structure-Function Relationships-Implications for Seed Storage Proteins. *Molecules* **25**：873, 2020
12）Zhang J, et al.：An Ancient Peptide Family Buried within Vicilin Precursors. *ACS Chem Biol* **14**：979-993, 2019
13）Wang F, et al.：Ana o 1, a cashew（Anacardium occidental）allergen of the vicilin seed storage protein family. *J Allergy Clin Immunol* **110**：160-166, 2002
14）Aalberse RC, et al.：Identification of the amino-terminal fragment of Ara h 1 as a major target of the IgE-binding activity in the basic peanut protein fraction. *Clin Exp Allergy* **50**：401-405, 2020
15）Ehlers AM, et al.：IgE-binding to vicilin-like antimicrobial peptides is associated with systemic reactions to macadamia nut. *Clin Transl Allergy* **10**：55, 2020
16）Robotham JM, et al.：Linear IgE-epitope mapping and comparative structural homology modeling of hazelnut and English walnut 11S globulins. *Mol Immunol* **46**：2975-2984, 2009
17）Xia L, et al.：Mapping of a conformational epitope on the cashew allergen Ana o 2：a discontinuous large subunit epitope dependent upon homologous or heterologous small subunit association. *Mol Immunol* **47**：1808-1816, 2010
18）Willison LN, et al.：Conformational epitope mapping of Pru du 6, a major allergen from almond nut. *Mol Immunol* **55**：253-263, 2013
19）Berkner H, et al.：Cross-reactivity of pollen and food allergens：soybean Gly m 4 is a member of the Bet v 1 superfamily and closely resembles yellow lupine proteins. *Biosci Rep* **29**：183-192, 2009
20）Fukutomi Y, et al.：Clinical relevance of IgE to recombinant Gly m 4 in the diagnosis of adult soybean allergy. *J Allergy Clin Immunol* **129**：860-863, 2012
21）Fernandes H, et al.：Structural and functional aspects of PR-10 proteins. *FEBS J* **280**：1169-1199, 2013
22）Rodríguez Del Río P, et al：Profilin, a Change in the Paradigm. *J Investig Allergol Clin Immunol* **28**：1-12, 2018
23）Schwager C, et al.：Peanut oleosins associated with severe peanut allergy-importance of lipophilic allergens for comprehensive allergy diagnostics. *J Allergy Clin Immunol* **140**：1331-1338, 2017
24）Asero R, et al：The clinical relevance of lipid transfer protein. *Clin Exp Allergy* **48**：6-12, 2018
25）Petersen A, et al.：Peanut defensins：novel allergens isolated from lipophilic peanut extract. *J Allergy Clin Immunol* **136**：1295-1301, 2015

F 魚類・甲殻類・軟体類

板垣康治
（札幌保健医療大学 保健医療学部 栄養学科）
塩見一雄
（東京海洋大学 名誉教授）

1 はじめに

わが国における総タンパク質摂取量の約 2 割，動物性タンパク質摂取量の約 4 割は魚介類由来であり，日本人にとって魚介類は重要な食糧となっている．消費量が多いことを反映して，魚介類は食物アレルギーの重要な原因食品の 1 つとなっており，特に成人における新規発症の原因としては，甲殻類が第 1 位，魚類が第 3 位を占めている[1]．魚介類アレルギーは，対象となる魚介類が非常に多種多様であるという点で他の食物アレルギーより複雑である．本項では，魚介類アレルギーを理解するために，その原因となるアレルゲンコンポーネントについて，これまでに報告されている知見を魚類，甲殻類，軟体類に分けて紹介する．

2 魚類アレルゲンコンポーネントと交差抗原性

1．パルブアルブミン

パルブアルブミンは，最初に同定された魚類アレルゲンであり，魚類の最も主要なアレルゲンと位置づけられている[2,3]．筋肉を構成するタンパク質は溶解性の違いから，水溶性の筋形質タンパク質，塩溶性の筋原線維タンパク質（アクチン，ミオシンなど），難溶性の筋基質タンパク質（コラーゲンなど）に大別されるが，パルブアルブミンは 12 kDa の筋形質タンパク質である．パルブアルブミンは脊椎動物特有の Ca^{2+} 結合タンパク質で，1 分子中に Ca^{2+} との結合部位が 2 か所存在している．魚類，両生類の筋肉に比較的多く含まれている熱安定性が高いタンパク質で，速筋の弛緩に関与していると考えられている．

各種硬骨魚類のパルブアルブミンのアミノ酸配列を図 1 に示す．パルブアルブミンには α 型と β 型の 2 つの分子種があり，等電点（α 型は 4.8 以上，β 型は 4.8 以下），アミノ酸残基数（α 型は 109 残基以上，β 型 108 残基以下），アミノ酸配列の特徴（β 型は Ala-13，Leu-15，Cys-18，Phe-66，Gln-68，Thr-78）の点で区別されている[2]．サメやエイなどの軟骨魚類および魚類より高等な脊椎動物には α 型が，硬骨魚類には主に β 型が含まれている．図 1 に示した硬骨魚類のパルブアルブミンもすべて β 型である（タラのパルブアルブミンは残基数が多いが，等電点およびアミノ酸配列の特徴から β 型とされている）．魚類アレルギー患者の多く（70% 以上）はパルブアルブミンを認識するが，β 型に反応すると考えてよい．硬骨魚類の β 型パルブアルブミン間での配列相同性は 60～90% と高く，特に Ca^{2+} 結合部位を含む領域ではきわめて高い．したがって，魚類アレルギー患者の多くは特定の魚種だけでなく硬骨魚全般に対して反応する．しかし，アミノ酸配列がかなり異なっている魚種もあるため，患者によっては摂取可能な魚種が存在している可能性が十分にあり，患者ごとに丁寧に摂取可能な魚について調べる

```
               1        10        20        30        40        50        60
ウナギ          AFAGVLKDADITAALEACKAADSFNYKAFFAKVGLSNKSPDDIKKAFSIIDQDKSGFIEE
マイワシ        ----LV-E----------------DH----H---M-GQ-A-EL----A------------
コイ1           -YG-I-N------------ - ----A-S---------A-T---------AV-----------
コイ2           -------N---------------[-]-[-H-T-]---[---TS]--A-EV----A------------
タイセイヨウサケ1 -C-HLCKE---KT-----------T-SF-T--HTI-FAS--A--V----KV----A-----V
タイセイヨウサケ2 S---  -N---VA---A--T------H-----------AS--S--V----YV-----------
タラ(Gadus callarias) --K-I-SN---K--EA--FKEG--DEDG-Y--[---DAF-A-EL-]-L-K[-A-E--E-----
マアジ          --K---N---V----DG--S-F  DH----KAC--AA--A--------A------------
チダイ          --G-I-----------A----------KH-E--S-----S--A-E-------V-----------
マサバ          ---S-----EV----DG---[-G--DH-K--KAC---G--T]-EV----A------------
カツオ          -V--  ----EVA---D---D-G--DH-K--HSC---G--A--V----A------------
メバル          ----F-SGT--K---AG-S-----SH-T--KAC--AS--A-EL----A------N-AY---
ヒラメ          SL-SK-SE-------AE-Q--G---H-K------------A---A---A--AV------D----
                                                                   **********

               61       70        80        90        100       110
ウナギ          DELKLFLQNFSKGARALTDKETKAFLQAGDTDGDGKIGIDEFAAVVKA
マイワシ        E----------C-K-------G---N--K----------------N-NHL--H
コイ1           ------------A--------A-------K---S--------V-----LI--
コイ2           -----------KAD---[---]G---T--[K]-[--S-]-[-]-----V---T-L---
タイセイヨウサケ1 E----------CPK--E---A-------K---A----M--------VL--Q
タイセイヨウサケ2 ------------AS-------A-------AD--K----M--V---G-MI-G
タラ(Gadus callarias) [----][---IA-AADL]-----A-------K[---A-----]--V---G-L-DKWGAKG
マアジ          -----------CA-----S-A-------K---S-------V---G-M--H
チダイ          -----------KA-------E--SK--K---S-------A---GEM--V
マサバ          E----------KA-----S-A-------K---S--------------MI-G
カツオ          -----------KSS----S-A-------K---S-------V---G-L--H
メバル          E----------AA-----------T--A---S-------V---T-L---
ヒラメ          ------------AS-------A---E--K---S-------V-----M--Q
               **                          ************
```

図1　魚類パルブアルブミンのアミノ酸配列

ウナギのパルブアルブミンと同じ残基は－で示す．タラ（*Gadus callarias*）およびマサバのパルブアルブミンで報告されている一次構造IgEエピトープ，コイ2のパルブアルブミンで推定されている立体構造IgEエピトープは□で囲ってある．EF-handモチーフおよびCa^{2+}結合部位は，それぞれヒラメパルブアルブミンの配列の下にアンダーラインおよび＊で示す

必要がある．

軟骨魚類のサメ類やエイ類は一般的に食用にされている．しかし，軟骨魚類のα型パルブアルブミンは，硬骨魚類のβ型パルブアルブミンとの間の抗原交差性に乏しく，アレルゲン性も非常に弱い．実際，ガンギエイ類を用いた負荷試験において，陽性者は魚類アレルギー患者11名中わずか1名であったと報告されている[4]．また，筆者らも医療機関の協力のもとに，北海道で食用にされているエイの1種メガネカスベを用いて，硬骨魚類のパルブアルブミンに対して反応する患者で負荷試験を行ったが，ほとんどの例において摂取可能であった．これらの結果は，魚類アレルギー患者の多くは，軟骨魚類は摂取できることを示唆している．なお，魚類β型パルブアルブミンとカエルやニワトリのα型パルブアルブミンとの間にも抗原交差性があることが示されているので[2,3]，正しい診断を受けていない魚類アレルギー患者はカエル肉や鶏肉の摂取についても注意を払う必要がある．

パルブアルブミン含有量は魚種によって大きく異なり，大型回遊魚（マグロ類，カツオなど）では1 mg/g未満と低く，底生魚（キンメダイ，マダイなど）では数mg/gと高い[5]．魚種による違いだけではなく筋肉の部位によっても差異があり，背部のほうが腹部より，頭部のほうが尾部より，普通肉のほうが血合肉より含有量が高い傾向がある[5]．さらに筆者らは，同じ魚種でありながら，一生を淡水で生活するヤマメ（陸封型）のほうが川で生まれ海で育つサクラマス（降海型または遡河型）よりパルブアルブミン含有量が高いこと[6]，稚魚であるシラスのほうが，親魚であるカタクチイワシよりパルブアルブミン含有量は低い傾向があること（未発表）を確認している．各種魚類のアレルゲン性は，パルブアルブミンの分子構造よりパルブアルブミン含有量に大きく依存すると考えられているので[7]，パルブアルブミンの含有量に関する情報をさらに蓄積することが望まれる．

魚類パルブアルブミンの立体構造（マサバパルブアルブミン）を図2に示す．パルブアルブ

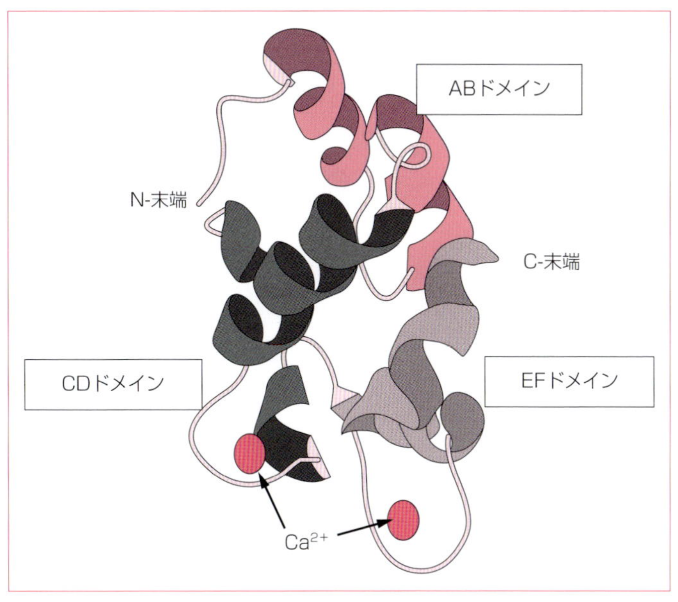

図2 マサバパルブアルブミンの立体構造

ミンの立体構造は，αヘリックス-ループ-αヘリックスで構成されているEF-handモチーフを持つことが大きな特徴となっている．ABドメイン，CDドメイン，EFドメインとよばれている3領域がEF-handモチーフに相当し，CDドメインとEFドメインのループ部分がCa^{2+}結合部位となっている．北欧産タラ（*Gadus callarias*）のパルブアルブミンについては4つの領域[8]が，マサバについては1つの領域[9]が主要な一次構造IgEエピトープとして提唱されている（図1）．一方，魚類パルブアルブミンからCa^{2+}を除去すると立体構造が若干変化し，IgE反応性が大きく低下することが明らかにされ，魚類パルブアルブミンのIgEエピトープとしてはCa^{2+}結合により保持された立体構造が一次構造より重要であることが示された[10〜12]．実際に，Ca^{2+}結合にとって重要な残基であるCDドメインのAsp-51をAlaに，EFドメインのAsp-90をAlaに，Asp-51とAsp-90の両方をAlaに置換した3種類の改変マサバパルブアルブミンを大腸菌で発現してIgE反応性をELISAで評価した検討では，IgE反応性は著しく低くなることが実証されている[11]．今のところ，ファージディスプレー法に基づくミモトープ解析により，コイパルブアルブミンの立体構造IgEエピトープ候補として3つの領域が推定されている（図1）[13]．魚類パルブアルブミンのアレルゲン性および交差反応性を分子レベルで理解するためには，各種変異体を作製してそのIgE反応性を評価することにより立体構造IgEエピトープを解明することが必須である．

2. コラーゲン

パルブアルブミンに次ぐ重要な魚類アレルゲンとして，筋基質タンパク質のコラーゲンが同定された[14,15]．魚類アレルギー患者の約半数がコラーゲンに反応する．各種魚類のコラーゲンは互いに交差抗原性を示すことも明らかにされている[16]．コラーゲンは動物に普遍的に含まれているタンパク質で，110〜120 kDaのα鎖3本がコイル状にからまって1分子を形成している．未変性状態では水に不溶であるが，加熱すると変性して水に可溶になり，魚肉から加熱抽出した場合には筋肉のプロテアーゼによる作用を受けて断片化しやすい．コラーゲンを加熱変性したもの，あるいは断片化したもののいずれもゼラチンとよばれているが，魚類コラーゲン由来のゼラチンは，コラーゲンと同等の IgE 結合能を保持している[15]．

加工食品に広く利用されているゼラチンは，一般的にウシやブタなどの哺乳類のコラーゲンから製造されている．哺乳類由来のゼラチンによるアレルギーはよく知られており，特定原材料に準ずるものとして表示が推奨されている．ただし，魚類コラーゲンと哺乳類コラーゲンや無脊椎動物（甲殻類，軟体類）コラーゲンとの間には交差抗原性はないと考えられている[14,15]．

3．トロポミオシン

後述するように，トロポミオシンは無脊椎動物の汎アレルゲン（pan-allergen，幅広い交差性を有するアレルゲン）としてよく知られているが，魚類を含む脊椎動物のトロポミオシンはヒトのトロポミオシンと配列相同性が高いためアレルゲン性を示さないと信じられてきた．しかし最近，トロポミオシンはテラピア類（カワスズメ）のアレルゲンとして報告され[17]，さらに数種魚類のトロポミオシンにも IgE 反応性が確認されている[18]．また，魚類とエビ類のトロポミオシンの間には抗原交差性があることも示されている[19]．魚類の新しいアレルゲンとしてのトロポミオシンについては，IgE エピトープ解析など今後の研究の進展が望まれる．

4．その他のアレルゲンコンポーネント[2,3]

その他の魚類アレルゲンとして，解糖系酵素のアルドラーゼ A（40 kDa），β-エノラーゼ（47 kDa），グリセルアルデヒド-3-リン酸デヒドロゲナーゼ（41 kDa），トリオースリン酸イソメラーゼ（28 kDa）およびクレアチンキナーゼ（41 kDa），鉄結合能を持つ血漿糖タンパク質のトランスフェリン（94 kDa）が報告されているが，これらアレルゲンは特定の魚種に含まれ，しかもごく一部の患者にのみ認識されるマイナーアレルゲンと考えられる．

3　甲殻類アレルゲンコンポーネントと交差抗原性

1．トロポミオシン

1993 年に，インドエビの主要アレルゲンはトロポミオシンであることが証明された[20]．その後，各種甲殻類の主要アレルゲンは共通してトロポミオシンであることが相次いで明らかにされた．トロポミオシンは筋原線維タンパク質（塩溶性タンパク質）の一種で，アクチン，トロポニンとともに細い筋原線維を構成して筋収縮の調節を担っている．熱に安定なタンパク質で，ほぼ全長にわたって α-ヘリックス構造をとっている約 35 kDa のサブユニット 2 本で構成されている．

広く食用にされているエビ類，イセエビ類，ザリガニ類，ヤドカリ類，カニ類などは，すべて新軟綱亜綱十脚目に属する甲殻類である（表 1）．わが国のアレルギー表示制度の対象となっている「えび」と「かに」はいずれも新軟綱亜綱十脚目の仲間で，「えび」は板鰓亜目と抱卵亜目のコエビ下目，イセエビ下目およびザリガニ下目を，「かに」は抱卵亜目の異尾下目（ヤドカリ類）と短尾下目（カニ類）を指している．高級食材として利用されている蔓脚亜綱無柄目のミネフジツボ[21]，釣り餌や食用に利用されている新軟綱亜綱オキアミ目のナンキョクオキアミ[22]とツノナシオキアミ[23]，寿司ネタとして利用されているトゲエビ亜綱口脚目のシャコ[22]についても主要アレルゲンはトロポミオシンであることが明らかとなっている．十脚目以外の甲殻類はアレルギー表示の対象外であるが，アレルゲン性については同等であると考えられるので注意が必要である．

各種甲殻類トロポミオシンのアミノ酸配列を図 3 に，配列相同性を表 2 に示した．各種甲殻類のトロポミオシンは互いに交差反応性を示す．十脚目のトロポミオシンでは，アミノ酸配列

表1 主な食用甲殻類の分類

亜綱	目	亜目	下目	主な種類
蔓脚亜綱	有柄目			カメノテ
	無柄目			ミネフジツボ
新軟綱亜綱	オキアミ目			ナンキョクオキアミ
	十脚目	根鰓亜目		クルマエビ類（ブラウンシュリンプ，インドエビ，ヨシエビ，ブラックタイガー，クルマエビなど），サクラエビ
		抱卵亜目	コエビ下目	その他のエビ類（シラエビ，アマエビ，ボタンエビなど）
			イセエビ下目	イセエビ，ウチワエビ
			ザリガニ下目	アメリカンロブスター
			異尾下目	ヤドカリ類（タラバガニ，アブラガニ，ハナサキガニなど）
			短尾下目	カニ類（ズワイガニ，ケガニ，ガザミなど）
トゲエビ亜綱	口脚目			シャコ

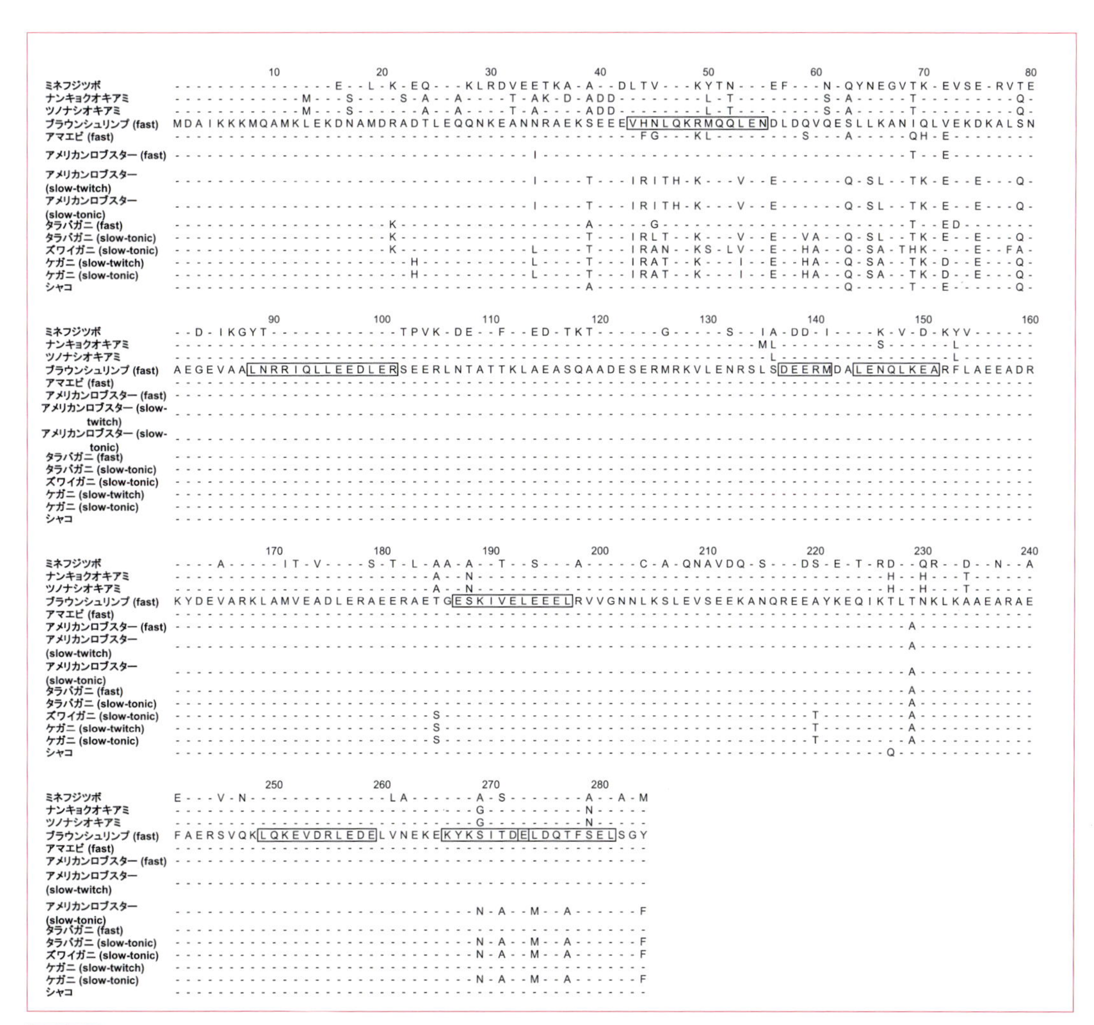

図3 甲殻類トロポミオシンのアミノ酸配列

ブラウンシュリンプのトロポミオシンと同じ残基は－で示す．ブラウンシュリンプのトロポミオシンに対して提唱されている IgE エピトープ領域は□で囲ってある

表2　甲殻類トロポミオシンのアミノ酸配列相同性（%）

	蔓脚亜綱	新軟綱亜綱					トゲエビ亜綱
	無柄目	オキアミ目		十脚目			口脚目
	ミネフジツボ	ナンキョクオキアミ	ツノナシオキアミ	fast type ブラウンシュリンプ アマエビ アメリカンロブスター タラバガニ	slow-twitch type アメリカンロブスター ケガニ	slow-tonic type アメリカンロブスター タラバガニ ズワイガニ ケガニ	シャコ
ミネフジツボ	100	57.4	57.7	58.5～59.5	58.8～59.5	58.1～59.2	59.9
ナンキョクオキアミ		100	98.2	88.4～89.8	84.5～85.6	82.0～84.2	90.5
ツノナシオキアミ			100	90.1～91.5	86.3～87.3	83.8～85.9	92.3
fast-type ブラウンシュリンプ アマエビ アメリカンロブスター タラバガニ				96.1～98.6	91.9～94.7	89.1～93.0	96.1～97.9
slow-twitch type アメリカンロブスター ケガニ					96.1	92.3～98.2	92.6～94.4
slow-tonic type アメリカンロブスター タラバガニ ズワイガニ ケガニ						94.0～97.9	88.7～92.6
シャコ							100

の相同性はおよそ90%以上ときわめて高い．筋肉は収縮速度の差異により fast muscle（速筋）と slow muscle（遅筋）に分類され，トロポミオシンにも fast muscle 由来の fast type と slow muscle 由来の slow type がある．slow type はさらに，slow-tonic type と slow-twitch type に分けられる．エビ類トロポミオシンは主として fast type で，カニ類トロポミオシンは主に slow type である．エビ類，カニ類以外では，シャコのトロポミオシンは十脚目の fast type のトロポミオシンと約97%もの高い配列相同性を示すことから，明らかに fast type であるといえる．しかし，オキアミ類のトロポミオシンの十脚目トロポミオシンとの配列相同性は82～90%とやや低いし，ミネフジツボのトロポミオシンにいたってはほかの甲殻類トロポミオシンとの相同性は約60%しかない．

臨床現場では，エビ（fast type トロポミオシンを含む）に対してだけアレルギーを示す患者，あるいはカニ（slow type トロポミオシンを含む）に対してだけアレルギーを示す患者の存在が知られている[24]．そのため，アレルギー表示制度では，「えび」と「かに」は別々に表示される．エビだけまたはカニだけにアレルギーを示す患者は，fast type と slow type のトロポミオシンの間で変異が著しい領域を特に強く認識している可能性がある．

トロポミオシンは無脊椎動物の汎アレルゲンと考えられている．軟体類（軟体動物）の主要アレルゲンもトロポミオシンであることがわかっており，甲殻類トロポミオシンとの抗原交差性が確認されている．また，甲殻類と同じ節足動物に分類されるダニ類やゴキブリ類のアレルゲンの1つとしてもトロポミオシンが同定され，両者のトロポミオシンはいずれも，甲殻類トロポミオシンと交差抗原性を示すことが認められている[25]．

2．アルギニンキナーゼ

ブラックタイガーなど数種エビ類およびズワイガニなど数種カニ類のマイナーアレルゲンとして，40 kDa のアルギニンキナーゼが同定されている[2,26]．アルギニンキナーゼはアルギニンと ATP からアルギニンリン酸（無脊椎動物の主要なホスファーゲン）を生成する，あるいはアルギニンリン酸の脱リン酸化を触媒する酵素で，IgE 反応性は加熱によって失われる．アルギニンキナーゼは，イイダコ[27]や一部昆虫類（ノシメマダラメイガ[28]，ゴキブリ[29]など）のアレルゲンとしても同定されており，甲殻類のアルギニンキナーゼとの交差抗原性も認められている．

3．筋形質カルシウム結合タンパク質

20 kDa の筋形質カルシウム結合タンパク質（sarcoplasmic calcium-binding protein：SCP）はブラックタイガーのアレルゲンとして最初に同定され[30]，その後数種エビ類においてもアレルゲンであることが確認されている[2,26]．SCP は EF-hand モチーフを持つ無脊椎動物特有の Ca^{2+} 結合性筋形質タンパク質で，Ca^{2+} の緩衝や筋肉の弛緩の過程に関与するタンパク質といわれている．構造的にも機能的にも，魚類の主要アレルゲンとして同定されている脊椎動物特有の Ca^{2+} 結合性タンパク質であるパルブアルブミンに相当すると考えられている．パルブアルブミン同様に Ca^{2+} 除去により IgE 反応性はかなり低下することが認められているので，IgE エピトープとしては立体構造が重要であると思われる[31]．なお，イムノブロッティングでは，患者血中 IgE はエビ類（特にクルマエビ科エビ類）の SCP と強く反応するが，カニ類の SCP とはほとんど反応しない[30]．SCP はエビ類特有のアレルゲンであると考えられる．

4．ミオシン軽鎖

シロアシエビ（バナメイエビ）の抽出液中に 20 kDa の新規アレルゲンが検出され，二次元電気泳動後のゲル内消化物の MALDI/MS 分析によりミオシン軽鎖であることが証明された[32]．その後，各種甲殻類（ヨーロッパエビジャコ，アメリカザリガニ，トゲノコギリガザミなど）のほか，ゴキブリのアレルゲンとしても同定されている[2,26]．ミオシン軽鎖は筋収縮に関与しているミオシン（約 220 kDa の 2 本の重鎖と，各重鎖に 2 本ずつの軽鎖の合計 6 本のポリペプチドで構成されている）を構成しているタンパク質で，IgE 反応性は加熱に対して安定である．ミオシン軽鎖は Ca^{2+} 結合性タンパク質であるが，Ca^{2+} と IgE 反応性との関連は不明である．

5．その他のアレルゲンコンポーネント

以上に述べてきたアレルゲンのほかに，近年，筋収縮に関与する Ca^{2+} 結合タンパク質のトロポニン C（21 kDa）や銅を含む呼吸色素のヘモシアニン（75 kDa），アクチン結合タンパク質の α-アクチニン（100 kDa），β-アクチニン（30 kDa）などの新規アレルゲンが次々に報告されている[2,26]．未同定のアレルゲンの存在も示唆されているので，今後もアレルゲンの単離・同定を地道に続けていく必要がある．

4 軟体類アレルゲンコンポーネントと交差抗原性

1．トロポミオシン

軟体類の主要アレルゲンは，甲殻類と同様，トロポミオシンであることが各種頭足類（イカ，タコ類）[33]，巻貝（アワビ，サザエなど）[34]，二枚貝（ミドリイガイ，マガキ，アサリなど）[34]で証明されている．各種軟体類のトロポミオシンは互いに IgE 交差性を示すだけでなく，甲殻類

トロポミオシンとも交差性を示す．しかし，軟体類トロポミオシンと甲殻類トロポミオシンとのアミノ酸配列の相同性は約60%とそれほど高くない（図4）．また，分類上同じ仲間の軟体類間ではトロポミオシンの配列相同性はおよそ90%以上と高いが，違う仲間との間では相同性は約70%程度しかない（図4，表3）．アミノ酸配列データから，軟体類トロポミオシンは，頭足類（イカ，タコ類），巻貝の古腹足目，新腹足目，二枚貝のフネガイ目，イガイ目，カキ目イタヤガイ科，カキ目イタボガキ科，マルスダレガイ目の少なくとも8つのグループに分けられる．軟体類トロポミオシンの交差反応性を明らかにするためには，各グループのトロポミオシンのIgEエピトープを解析する必要がある．

食用カタツムリも陸生の巻貝に分類されており，水生貝類同様にトロポミオシンがアレルゲンとして同定されている[35]．食用カタツムリと水生の貝類の交差抗原性についても解析が期待される．

2. その他のアレルゲンコンポーネント

上述したように，イイダコのアレルゲンとしてアルギニンキナーゼが報告されている[27]．最近，トリオースリン酸イソメラーゼ（28 kDa）もイイダコのアレルゲンであることが証明されている[36]．そのほか，クロアワビから100 kDaの新規アレルゲンが精製され，パラミオシンであることが明らかにされた[37]．クロアワビのパラミオシンとトロポミオシンとの間には交差反応性が認められている．パラミオシンは無脊椎動物特有の筋原線維タンパク質で，これまでにダニ類およびアニサキスのアレルゲンとしても同定されている[2]．クロアワビパラミオシンとダニ類やアニサキスのパラミオシンとの配列相同性は35%程度で，お互いの抗原交差性はないと考えられる．

文献

1）海老澤元宏，ほか（監修），日本小児アレルギー学会食物アレルギー委員会（作成）：食物アレルギー診療ガイドライン2021．協和企画，2021
2）Ruethers T, et al.：Seafood allergy：A comprehensive review of fish and shellfish allergens. *Mol Immunol* **100**：28–57, 2018
3）Kourani E, et al.：What do we Know About Fish Allergy at the End of the Decade? *J Investig Allergol Clin Immunol* **29**：414–421, 2019
4）Kalic T, et al.：Patients Allergic to Fish Tolerate Ray Based on the Low Allergenicity of Its Parvalbumin. *J Allergy Clin Immunol Pract* **7**：500–508, 2019
5）Kobayashi Y, et al.：Quantification of major allergen parvalbumin in 22 species of fish by SDS–PAGE. *Food Chem* **194**：345–353, 2016
6）嶋倉邦嘉，ほか：サケ類Oncorhynchus masou masouの陸封型（ヤマメ）と遡河型（サクラマス）のアレルゲンの比較解析．食衛誌 **53**：8–13，2012
7）Kobayashi A, et al.：Fish allergy in patients with parvalbumin–specific immunoglobulin E depends on parvalbumin content rather than molecular differences in the protein among fish species. *Biosci Biotechnol Biochem* **80**：2018–2021, 2016
8）Elsayed S, et al.：Immunochemical analysis of cod fish allergen M：locations of the immunoglobulin binding sites as demonstrated by the native and synthetic peptides. *Allergy* **38**：449–459, 1983
9）Yoshida S, et al.：Elucidation of a major IgE epitope of Pacific mackerel parvalbumin. *Food Chem* **111**：857–861, 2008
10）Swoboda I, et al.：Recombinant carp parvalbumin, the major cross–reactive fish allergen：a tool for diagnosis and therapy of fish allergy. *J Immunol* **168**：4576–4584, 2002
11）Tomura S, et al.：Reduction in the IgE reactivity of Pacific mackerel parvalbumin by mutations at Ca^{2+}–binding sites. *Fish Sci* **74**：411–417, 2008
12）Kobayashi A, et al.：IgE–binding epitopes of various fish parvalbumins exist in a stereoscopic conformation maintained by Ca^{2+} binding. *Allergol Int* **71**：720–723, 2016

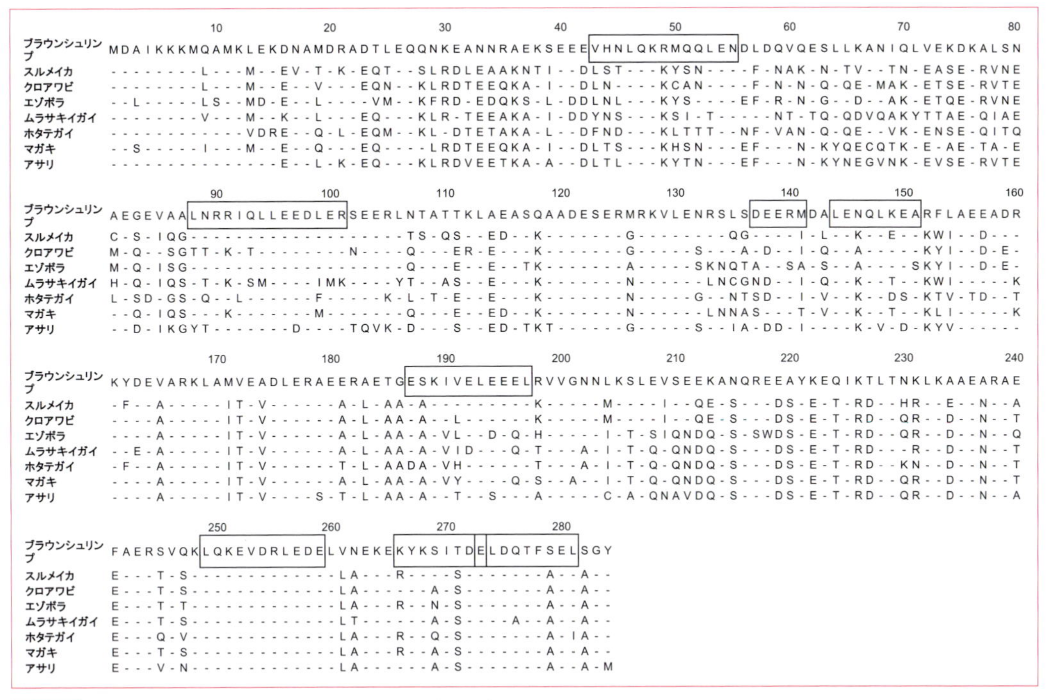

図4 軟体類トロポミオシンのアミノ酸配列

ブラウンシュリンプのトロポミオシンと同じ残基は－で示す．ブラウンシュリンプのトロポミオシンに対して提唱されているIgEエピトープ領域は□で囲ってある．

表3 軟体類トロポミオシンのアミノ酸配列相同性（%）

	頭足類	巻貝 古腹足目	巻貝 新腹足目	二枚貝 フネガイ目	二枚貝 イガイ目	二枚貝 カキ目 イタヤガイ科	二枚貝 カキ目 イタボガキ科	二枚貝 マルスダレガイ目
	コウイカ アオリイカ スルメイカ アカイカ マダコ	ミミガイ トコブシ アカネアワビ クロアワビ サザエ	エゾボラ	アカガイ	ヨーロッパイガイ ムラサキイガイ ミドリイガイ	アカザラガイ ヒオウギガイ ホタテガイ	マガキ	トリガイ ウバガイ ミルクイ アゲマキガイ マテガイ アサリ
頭足類	91.2～99.6	77.8～82.7	73.2～74.3	71.8～73.2	69.4～71.5	69.7～74.6	75.0～76.0	70.1～73.6
巻貝 古腹足目		94.0～99.6	75.4～77.8	77.5～80.3	71.5～75.4	68.3～81.0	76.0～78.5	70.8～76.8
巻貝 新腹足目			100	72.2	69.0～70.1	68.7～71.1	77.1	67.6～70.8
二枚貝 フネガイ目				100	75.4～75.7	70.4～73.2	79.2	70.1～73.9
二枚貝 イガイ目					94.0～99.6	67.6～70.1	78.9～79.2	64.8～67.3
二枚貝 カキ目 イタヤガイ科						84.4～91.0	72.2～73.9	65.1～71.5
二枚貝 カキ目 イタボガキ科							100	69.7～74.3
二枚貝 マルスダレガイ目								83.8～94.4

13）Untersmayr E, et al.：Mimotopes identify conformational epitopes on parvalbumin, the major fish allergen. *Mol Immunol* **43**：1454-1461, 2006
14）Sakaguchi M, et al.：IgE antibody to fish gelatin（type Ⅰ collagen）in patients with fish allergy. *J Allergy Clin Immunol* **106**：579-584, 2000
15）Hamada Y, et al.：Identification of collagen as a new fish allergen. *Biosci Biotechnol Biochem* **65**：285-291, 2001
16）Hamada Y, et al.：Reactivity of IgE in fish-allergic patients to fish muscle collagen. *Allergol Int* **52**：139-147, 2003
17）Liu R, et al.：Tropomyosin from tilapia（*Oreochromis mossambicus*）as an allergen. *Clin Exp Allergy* **43**：365-377, 2013
18）González-Fernández J, et al.：Possible Allergenic Role of Tropomyosin in Patients with Adverse Reactions after Fish Intake. *Immunol Invest* **47**：416-429, 2018
19）Peixoto S, et al.：Vertebrate Tropomyosin as an Allergen. *J Investig Allergol Clin Immunol* **28**：51-53, 2018
20）Shanti KN, et al.：Identification of tropomyosin as the major shrimp allergen and characterization of its IgE-binding epitope. *J Immunol* **151**：5354-5363, 1993
21）Suma Y, et al.：Comparative analysis of barnacle tropomyosin：divergence from decapod tropomyosins and role as a potential allergen. *Comp Biochem Physiol B Biochem Mol Biol* **147**：230-236, 2007
22）Motoyama K, et al.：Identification of tropomyosin as major allergens in antarctic krill and mantis shrimp and their amino acid sequence characteristics. *Mar Biotechnol* **10**：709-718, 2008
23）Nakano S, et al.：Reactivity of shrimp allergy-related IgE antibodies to krill tropomyosin. *Int Arch Allergy Immunol* **145**：175-181, 2008
24）富川盛光，ほか：日本における小児から成人のエビアレルギーの臨床像に関する検討．アレルギー **55**：1536-1542，2006
25）Santos AB, et al.：Cockroach allergens and asthma in Brazil：identification of tropomyosin as a major allergen with potential cross-reactivity with mite and shrimp allergens. *J Allergy Clin Immunol* **104**：329-337, 1999
26）Gelis S, et al.：Shellfish allergy：Unmet Needs in Diagnosis and Treatment. *J Investig Allergol Clin Immunol* **30**：409-420, 2020
27）Shen HW, et al.：Purification, cloning, and immunological characterization of arginine kinase, a novel allergen of Octopus fangsiao. *J Agric Food Chem* **60**：2190-2199, 2012
28）Binder M, et al.：Molecular and immunological characterization of arginine kinase from the Indianmeal moth, *Plodia interpunctella*, a novel cross-reactive invertebrate pan-allergen. *J Immunol* **167**：5470-5477, 2001
29）Brown AE, et al.：Purification and characterization of arginine kinase from the American cockroach（*Periplaneta americana*）. *Arch Insect Biochem Physiol* **56**：51-60, 2004
30）Shiomi K, et al.：Sarcoplasmic calcium-binding protein：identification as a new allergen of the black tiger shrimp *Penaeus monodon. Int Arch Allergy Immunol* **146**：91-98, 2008
31）Morii A, et al.：Importance of conformation for the IgE reactivity of sarcoplasmic calcium-binding protein from the black tiger shrimp *Penaeus monodon. Eur Food Res Technol* **236**：165-170, 2013
32）Ayuso R, et al.：Myosin light chain is a novel shrimp allergen, Lit v 3. *J Immunol* **122**：795-802, 2008
33）Motoyama K, et al.：Cephalopod tropomyosins：identification as major allergens and molecular cloning. *Food Chem Toxicol* **44**：1997-2002, 2006
34）Emoto A, et al.：Tropomyosins in gastropods and bivalves：identification as major allergens and amino acid sequence features. *Food Chem* **114**：634-641, 2009
35）Asturias JA, et al.：Cloning, isolation, and IgE-binding properties of *Helix aspersa*（brown garden snail）tropomyosin. *Int Arch Allergy Immunol* **128**：90-96, 2002
36）Yang Y, et al.：Identification of triosephosphate isomerase as a novel allergen in *Octopus fangsiao. Mol Immunol* **85**：35-46, 2017
37）Suzuki M, et al.：Paramyosin of the disc abalone *Haliotis discus discus*：identification as a new allergen and cross-reactivity with tropomyosin. *Food Chem* **124**：921-926, 2011

G 果物・野菜

岡崎史子
（龍谷大学 農学部 食品栄養学科）
成田宏史
（京都栄養医療専門学校 管理栄養士科）

1 果物・野菜アレルギーの特徴と分類

果物類は即時型食物アレルギーの原因食物としては4.5％とまだその頻度は低いが，年齢別新規発症例では1，2歳で6.7％，3〜6歳で9.8％，7〜17歳で21.5％，18歳以上で12.8％を占めており，成長してから発症する食物アレルギーの重要なアレルゲンである[1]．鶏卵・牛乳・小麦などの通常の主要食物アレルギーが乳幼児に多く，成長に伴って自然寛解することが多いのに比べて，果物・野菜アレルギーは成人にも発症が多く，耐性獲得の割合が低いなどと対照的である．これは両者の発症メカニズムが異なることを示唆している．

果物・野菜は卵や乳，小麦のように特殊なタンパク質を多く含むわけではなく，植物に一般的に含まれるタンパク質が抗原となるため，複数の植物に含まれる類似のタンパク質との交差反応性によって症状が発現することが特徴的である．特に植物にはウイルスや細菌の感染あるいは化学的，物理的ストレスによって誘導される感染特異的タンパク質（pathogenesis-related protein：PRP）とよばれる一連の生体防御タンパク質があり，アミノ酸配列や生理機能，性質によって17分類されている（表1）[2]．ほとんどの果物・野菜アレルゲンはPRPに属しており，PRPの一次構造は植物の進化の過程で保存されていることから，広い範囲で交差反応性を示す汎アレルゲン（pan-allergen）となりやすい[3]．特にバラ科果物（モモ，リンゴ，サクランボ，アンズ，プルーン，ビワ，ナシ，カリン，イチゴなど）は種類が多く食べる頻度も高いので，除去しなければならない食品数が増えやすい．また，食物以外の花粉やラテックスなどにもPRPなどのタンパク質が含まれているため，呼吸器・皮膚で感作が成立し，食物中の同類のタンパク質との交差反応性によっても発症することになる．感作抗原が花粉であれば花粉-食物アレルギー症候群（pollen-food allergy syndrome：PFAS），ラテックスであればラテックス-フルーツ症候群（latex-fruit syndrome：LFS）とよばれている．

表2[4]に代表的果物・野菜アレルゲンを，PRPと生理機能の観点からまとめた．果物・野菜以外にも香草（スパイス，ハーブ）も含めた．なお，世界保健機構（World Health Organization）と国際免疫学会連合（International Union of Immunological Societies）によるアレルゲン命名法では，植物の学名の属の頭3文字と種の頭1文字にその植物におけるアレルゲン番号がアラビア数字で表記される．通常近接の種の相同のアレルゲンに対して同じ数字が用いられるため，果物では「1」がPR-10（Bet v 1），「2」がソーマチン様タンパク質，「3」がlipid transfer protein（LTP），「4」がプロフィリン，「7」がgibberellin regulated protein（GRP）であることが多いが，そうでない場合もある．

また，個々の果物・野菜の観点から代表的アレルゲンをまとめたものが表3[5]である．

表1 感染特異的タンパク質（pathogenesis-related protein：PRP）

Family Proteins		M. W.※ (kDa)	Functions	Allergens identified with source and allergenic symptoms
PR-1	PR-1	15〜17	抗真菌薬	Cuc m 3（マスクメロン）—OAS Hev b 2（ラテックス）—接触性皮膚炎
PR-2	β-1,3-Glucanases	25〜35	グルカナーゼ	Ole e 9（オリーブ）—呼吸器アレルギー Mus a 5（バナナ）—OAS Pers a 1（アボカド）—目・鼻のかゆみ，喘息，など
PR-3	Chitinase types Ⅰ，Ⅱ，Ⅳ，Ⅴ，Ⅵ，and Ⅶ	25〜35	エンドキチナーゼ	Mus a 2（バナナ）—口唇の腫れ，アナフィラキシーなど
PR-4	Chitinase types Ⅰ and Ⅱ	13〜15	抗真菌薬，キチナーゼ	Hev b 6.01，Hev b 6.02，and Hev b 6.03（ラテックス）—接触性皮膚炎 Jun a 3（ヤマスギ），Cry j 1（ニホンスギ），Cup a 3（アリゾナイトスギ）—鼻炎，結膜炎，喘息
PR-5	Thaumatin-like proteins	22〜24	抗真菌薬	Pru av 2（サクランボ），Mal d 2（リンゴ），Cap a 1（ピーマン），Act d 2（キウイ），Mus a 4（バナナ）—OAS
PR-6	Tomato proteinase inhibitor Ⅰ	6	プロテイナーゼ阻害薬	—
PR-7	Tomato endoproteinase P	69	エンドプロテイナーゼ	—
PR-8	Cucumber chitinase	28	キチナーゼ	Hevamine（ラテックス）—接触性皮膚炎 Ziz m 1（インドナツメ）—口腔アレルギー症候群 Cof a 1（コーヒー）—目と気道のアレルギー
PR-9	Tobacco lignin-forming peroxidase	39〜40	ペルオキシダーゼ	—
PR-10	Parsley "PR-1" Bet v 1，Mal d 1，Api g 1，and Dau c 1	17〜18	リボヌクレアーゼ様	Bet v 1（シラカバ花粉）—鼻炎，結膜炎，喘息 Pru av 1（サクランボ），Mal d 1（リンゴ），Api g 1（セロリ），and Dau c 1（人参），Gly m 4（ダイズ），Vig r 1（リョクトウ），Cor a 1（ヘーゼルナッツ），Cas s 1（クリ）—OAS
PR-11	Tobacco chitinase type V	41〜43	キチナーゼ	—
PR-12	Radish Rs-AFP3	5	ディフェンシン	—
PR-13	Arabidopsis THI2.1	14	チオニン	—
PR-14	Lipid transfer proteins	9〜12	リン脂質と脂肪酸の輸送	Par j 1（カベイラクサ）—鼻炎，喘息 Pru p 3（モモ），Mal d 3（リンゴ），Pru av 3（サクランボ），Pru ar 3（アプリコット），Cor a 8（ヘーゼルナッツ），Cas s 8（クリ），Zea m 14（トウモロコシ）—OAS
PR-15	Barley OxOa	20	シュウ酸オキシダーゼ	—
PR-16	Barley OxOLP	20	シュウ酸オキシダーゼ	—
PR-17	Tobacco PRp27	27	unknown	—

※M. W.：Molecular weight

〔Sels J, et al.：Plant pathogenesis-related（PR）proteins：a focus on PR peptides. *Plant Physiol Biochem* **46**：941-950, 2008 を元に作成〕

表2 果物・野菜アレルゲンの分類と特徴

アレルゲンファミリー（PR 分類）	主要アレルゲン		分子量（kDa）	特徴
β-1,3-グルカナーゼ (PR-2)	Mus a 5（バナナ） Ole e 1（オリーブ）	トマト，ジャガイモ ブドウ，ピーマンにも存在	33-39	N 結合型糖鎖を持つ糖タンパク質 CCD（crossreactive carbohydrate determinant）の一種 ラテックス(Hev b 2)や花粉(Ole e 10）と交差
キチナーゼ・ ヘベイン様タンパク質 (PR-3，4，7)	Hev b 6（ラテックス） Pers a 2（アボカド） Mus a 2（バナナ） Bra r 1（カブ）		32 20	キチン結合部位に共通性 消化されやすいが，生じたペプチドに IgE 結合性あり Hev b 6 は代表的なラテックス抗原 熱感受性，エチレン誘導性
ソーマチン様 タンパク質 (PR-5)	Act d 2（キウイ） Mal d 2（リンゴ） Pru av 2（サクランボ） Cap a 1（コショウ）		23	甘味タンパク質ソーマチンと類似性を持つ 8 個のジスルフィド結合により，pH・熱・消化耐性を示す 生理機能は不明
Bet v 1 類似体 (PR-10)	Mal d 1（リンゴ） Pru av 1（サクランボ） Pru p 1（モモ）	Api g 1（セロリ） Dau c 1（ニンジン） Gly m 4（大豆）	18	Bet v 1 はシラカンバ花粉の代表的アレルゲン 熱・消化酵素に感受性
脂質輸送タンパク質 (PR-14)	Pru p 3（モモ） Mal d 3（リンゴ） Vit v 1（ブドウ） Cit s 3（オレンジ）	Sola l 3（トマト） Lac s 1（レタス） Bra o 3（キャベツ） Sin a 3（マスタード）	9	Lipid Transfer Protein（LTP） 4 個のジスルフィド結合により，pH・熱・消化耐性を示す 重症になることが多い 抗カビ，抗菌性あり
プロフィリン	Pru p 4（モモ） Mal d 4（リンゴ） Cuc m 2（メロン） Lyc e 1（トマト）	Mus a 1（バナナ） Api g 4（セロリ） Dau c 4（ニンジン） Art v 4（ヨモギ）	12-15	すべての真核細胞の細胞質に存在 細胞の動き，分裂，情報伝達時のアクチン重合の制御 熱・消化酵素に感受性 代表的な花粉アレルゲン
プロテアーゼ システイン型 セリン型	Act d 1（キウイ） Cuc m 1（メロン）		30 66	アクチニジン：キウイの主要重症アレルゲン ククミシン：メロンの主要アレルゲン どちらも熱・消化酵素に耐性

〔Fernández-Rivas M：Fruit and Vegetable Allergy, Ebisawa M, et al. eds,：Food Allergy：Molecular Basis and Clinical Practice. Chem Immunol Allergy. Basel, Karger, **101**：165-170, 2015 を元に作成〕

2 pollen-food allergy syndrome（PFAS）

PFAS の特徴は，花粉症（鼻炎，結膜炎）を先行することが多く，したがって花粉の種類によって交差反応を起こす食べ物が変わること（表 4）[5]，また，花粉の飛散状況によって季節性，地域性があることである[6]．たとえば，シラカンバ・スギ・ヒノキは春，カモガヤは夏，ブタクサ・ヨモギは秋に花粉が多く飛び，発症が多い．わが国ではシラカンバ花粉との交差性から北海道などの寒冷地でバラ科果物のアレルギーが多く[7]，六甲山系のオオバヤシャブシ花粉によるリンゴアレルギーも報告されている[8]．また，北ヨーロッパにおいても同様の報告がある．PFAS は口腔咽頭症状に限局することが多いため，口腔アレルギー症候群（oral allergy syndrome：OAS）ともよばれる．主なアレルゲンは，加熱により変性しやすい PR-10（Bet v 1 ホモログ）

表3 代表的花粉・果物・野菜アレルゲン

ラテックス	**(*Hevea brasiliensis*)**
Hev b 2	β-1,3グルカナーゼ
Hev b 6	ヘベイン前駆体
Hev b 8	プロフィリン
Hev b 11	クラスⅠキチナーゼ
Hev b 12	LTP
シラカンバ花粉	**(*Betula verrucosa*)**
Bet v 1	PR-10
Bet v 2	プロフィリン
Bet v 6	イソフラボン還元酵素
スギ花粉	**(*Cryptomeria japonica*)**
Cry j 1	ペクチン酸リアーゼ
Cry j 2	ポリガラクツロナーゼ
Cry j 7	GRP
ヨモギ花粉	**(*Artemisia vulgaris*)**
Art v 1	ディフェンシン様タンパク質
Art v 2	PR-1
Art v 3	LTP
Art v 4	プロフィリン
モモ	**(*Prunus persica*)**
Pru p 1	Bet v 1 様タンパク質
Pru p 2	ソーマチン様タンパク質
Pru p 3	LTP
Pru p 4	プロフィリン
Pru p 7	GRP
リンゴ	**(*Malus domestica*)**
Mal d 1	Bet v 1 様タンパク質
Mal d 2	ソーマチン様タンパク質
Mal d 3	LTP
Mal d 4	プロフィリン
サクランボ	**(*Prunus avium*)**
Pru av 1	Bet v 1 様タンパク質
Pru av 2	ソーマチン様タンパク質
Pru av 3	LTP
Pru av 4	プロフィリン
メロン	**(*Cucumis melo*)**
Cuc m 1	セリン　プロテアーゼ
Cuc m 2	プロフィリン
キウイ	**(*Actinidia deliciosa*)**
Act d 1	プロテアーゼ（アクチニジン）
Act d 5	プロテアーゼ(キウエリン)
Act d 8	Bet v 1 様タンパク質
Act d 9	プロフィリン
Act d 10	LTP
バナナ	**(*Musa acuminata*)**
Mus a 1	プロフィリン
Mus a 2	クラスⅠキチナーゼ
Mus a 3	LTP
Mus a 5	β-1,3グルカナーゼ
トマト	**(*Solanum Lycopersicum*)**
Sola l 1	プロフィリン
Sola l 2	β-フルクトフラノシダーゼ
Sola l 3	LTP
ダイズ	**(*Glycine max*)**
Gly m 4	Bet v 1 様タンパク質
Gly m 5	β-コングリシニン
Gly m 6	グリシニン

〔World Health Organization and International Union of Immunological Societies（WHO/IUIS）Allergen Nomenclature Sub-committee.：Allergen nomenclature. http://www.allergen.org/index.php（参照 2021-12-15）を元に作成〕

表4 花粉と交差反応する果物・野菜

花粉		交差反応する果物・野菜	
植物学分類	植物名		
カバノキ科	シラカンバ・ハンノキ	バラ科	リンゴ，モモ，サクランボ，スモモ，ナシ，イチゴ，ウメ，ビワ
		セリ科	セロリ，ニンジン，フェンネル，クミン，コリアンダー
		マタタビ科	キウイ
		ナス科	ジャガイモ，トマト
キク科	ブタクサ	ウリ科	メロン，スイカ，キュウリ，ズッキーニ
		バショウ科	バナナ
	ヨモギ	バラ科	リンゴ，モモ
		セリ科	セロリ，ニンジン，パセリ，フェンネル，クミン，コリアンダー
		アブラナ科	ブロッコリー，キャベツ，マスタード
		キク科	カモミール
イネ科	カモガヤ・マグサ	ナス科	ジャガイモ，トマト
		ウリ科	メロン，スイカ
		ミカン科	オレンジ
スギ科	スギ，ヒノキ	ナス科	トマト

〔World Health Organization and International Union of Immunological Societies（WHO/IUIS）Allergen Nomenclature Sub-committee.：Allergen nomenclature. http://www.allergen.org/index.php（参照 2021-12-15）を元に作成〕

やプロフィリンであるため，生の果物・野菜で症状が誘発されても，加熱したものは食べられることが多い．また，PFAS は子どもには少ないといわれていたが，花粉症の低年齢化に伴い，PFAS の低年齢化も懸念されている．

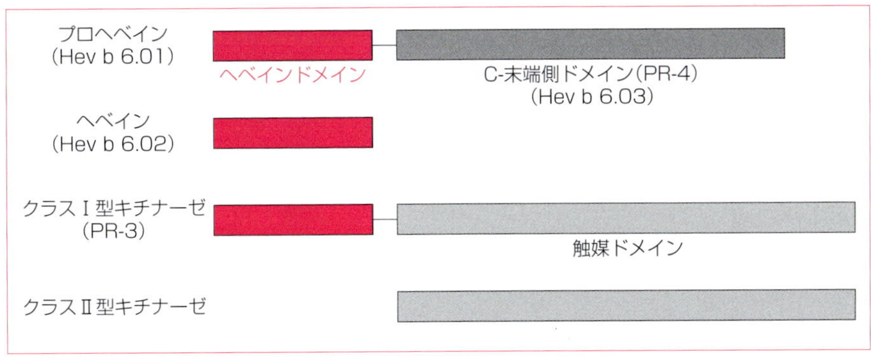

図1 PR-3 タンパク質の交差反応性

3 latex-fruit syndrome（LFS）

ラテックスはゴムの木（*Hevea brasiliensis*）の樹液を意味し，ラテックスにより即時型アレルギー反応が誘発されるラテックスアレルギー患者において，特定の果物や野菜およびそれらの加工品の摂取により誘発される蕁麻疹などの食物アレルギーをLFSという．ラテックスに含まれるタンパク質（Hev b 1～12）の多くがPRPであることに起因している[7]（表1，3）．中でもヘベイン（Hev b 6.02）はクリ・アボカド・バナナのアレルゲンであるクラスI型キチナーゼのN末端側のヘベイン部位（キチン認識部位）と高い相同性を示し[3]，PR-3に分類されている[4]（図1）．症状は，口腔症状にとどまらず，全身症状に至る場合もある．

4 重症果物・野菜アレルギー

PFAS，LFSも含めて果物・野菜アレルギーではOASが多いが，果物・野菜アレルギーの約1割がショックに至ることが報告されているし，食物依存性運動誘発性アナフィラキシーの約1割が果物を原因抗原としている[2]．これは，実際にアレルギーを起こしているのは食物その物ではなく，その成分であるタンパク質であるため，どのタンパク質がアレルゲンになっているかによってその症状が異なってくるからである．したがって近年では，アレルギーを原因物質からではなく，アレルゲン（分子）から考えていこうとする流れ，component resolved diagnosis（CRD）あるいはmolecule based allergy diagnosis（MAD）が中心となってきており，特に重症アレルギーの場合にはこの概念が重要である．果物・野菜アレルゲンの中にも，全身性の症状に至ったり，時にはアナフィラキシーショックにも至る重症抗原がある．その代表的な例がLTPとGRPである．

1. lipid transfer protein（LTP）[9]

LTPはPR-14に分類されるバラ科果物における主要アレルゲンであり，果物・野菜・穀類のアレルゲンとして広く同定されている[3,4]（表1～3）．LTPはアミノ酸配列が植物間で高い相同性を示し（図2），花粉にも存在し，広く交差反応する汎アレルゲンという意味ではOAS（PFAS，LFSを含む）の原因抗原であるが，加熱や消化酵素に対して安定であるため，重篤な症状を誘発する場合が多いといわれている．

植物界に存在するLTPは遺伝子の違いによりLTP1～15まで報告されているが，タンパク質として解析されているのは約9 kDaのLTP1および7 kDaのLTP2の報告が多い[10]．しかし，ほ

	1　　　　　10　　　　　20　　　　　30　　　　　40
モモ	ITCGQVSSSLAPCIPYVRGGGAVPPA—CCNGIRNVNNLARTTPDRQAAC
リンゴ	······T·········G···N··········TI·S·····A···T··
オレンジ	···········GFL·S··PI·MP····V·SL·AA········T··
トマト	···SS·FNG·I··LS··VK··K···T···R··KSLYSI·K··A·H·GV·
ジャガイモ	LS··E·T·G····L··LQ·S·PIG—G···G·VKGLLGA·K·PE··KT··
ジャポニカ米	·······N·AVG··LT·A·····G·S·A····V·SLKSA····A··RT··
シロイヌナズナ	·····T·A···S··LG·LSK··V···P···A·VKKL·GM·Q······Q··

50　　　　　60　　　　　70　　　　　80　　　　　90	Identities
NCLKQLSASVPGVNPNNAAALPGKCGVS—IPYKISASTNCATVK	
····N·AG·IS········G···K···N·······T········	74/91(81%)
·····AAG·I·NL·L····G···A·····I·····T··D·SK·R	62/91(68%)
S···MAAS··S·IDFK·······K···KNI·F···PKVD·SK·R	48/92(52%)
T···SAAN·IK·IDTGK··G···V·····I·····P··D·SK·Q	45/91(49%)
····NAARGIK·L·AG···SI··K········T····ID·SR·R	53/92(58%)
R··Q———SAAK····SL·SG···K·····I··P··T········I·	56/91(62%)

図2　LTPのアミノ酸配列

とんどの研究はLTP1を中心に展開されているので，本項ではLTP1に焦点をしぼり，LTP1をLTPと省略する．

LTPは等電点8.5〜10の塩基性単純タンパク質でトリプトファンが含まれていないこと，また8つのシステイン残基はすべてジスルフィド結合を形成しており，種を超えてよく保存されていることが特徴的である（図2）．このジスルフィド結合によって作り出されるLTPの強固な高次構造は，加熱や消化酵素に対して安定であること，そしてアレルゲン性が高いことに大きくかかわっている．また，疎水性アミノ酸が内側に局在しトンネル状の空洞を形成しているため，この空洞部分が脂質結合部位となる．このようにLTPは脂質結合能を有することから，当初細胞内における膜脂質の輸送に関係する低分子の疎水性タンパク質グループとして同定された．事実，試験管内でリポソーム間の脂質運搬活性がある．しかし，LTPはシグナルペプチドを伴ったプレタンパク質として生合成され，細胞外に分泌されることがわかったため，現在ではその名称と生理機能は一致しない．ただし例外としてササゲ種子やヒマワリ種子のLTPのように細胞内にも存在する場合がある．大部分のLTPは植物の表皮組織に多く発現されており，ウイルス感染，干ばつや寒冷，高塩濃度などによって誘導される．

一方，LTPが植物細胞膜表層のエリシチン受容体と結合できることが注目されている．エリシチンは植物病原菌によって分泌される10 kDaのステロール結合性タンパク質で，3対のジスルフィド結合によるLTPのような疎水性の空洞を形成しており，ちょうどこの部分が受容体との結合部位になる．エリシチンがこの受容体に結合した場合，植物は過敏反応により局所的な細胞死に至る．しかしエリシチン受容体に対してLTPが結合することにより植物の細胞死を抑制していると推測されている[11]．

2. gibberellin regulated protein（GRP）

1992年トマトにおいて初めて発見され，シロイヌナズナで植物ホルモンであるジベレリンにより発現が制御されている一群の遺伝子GASA（gibberellic acid-stimulated in arabidopsis）gene familyに属する一連のタンパク質がGRPとよばれている[12]．従来，電気泳動で9 kDaあたりを示すタンパク質をLTPと考え，LTP症候群[13]として診断されてきたが，リコンビナントモモ

	1 10 20 30 40	50 60	Identities
モモ	GSSFCDSKCGVRCSKAGYQERCLKYCGICCEKCHCVPSGTYGNKDECPC	YRDLKNSKGNPKCP	
ウメ	···	··············	63/63(100%)
アプリコット	·································N···············	·········K····	61/63(97%)
リンゴ	··P···············K······························	·········ED···	59/63(94%)
オレンジ	··D······A·······RED··········D···········H······	·········K····	55/63(87%)
スギ	AHID··KE·NR·····SAHD·············N···P·····E·S···	·AN······GH···	43/63(68%)

図3 GRPのアミノ酸配列

表5 LTPとGRP

	LTP lipid transfer protein	GRP gibberellin regulated protein
相同性	高い	高い
分子量	約9 kDa	約7 kDa
システイン残基	8個	12個
消化酵素耐性	高い	高い
熱安定性	高い	高い
生理機能	生体防御タンパク質	抗菌ペプチド（Snakin）
アレルゲン	重症マーカー (Pru p 3)	わが国重症マーカー (Peamaclein, Pru p 7)

LTP（rPru p 3）に対して反応しない症例が多いことから，精製モモLTPに混在する新規アレルゲンとしてPeamaclein（Pru p 7）が同定された[14,15]．前述の経緯からモモ以外にも広く存在するため，一般的によぶ場合はGRPが適切であろう．

GRPはほとんどの植物にその遺伝子の存在が報告されている．遺伝子には多形があり，現在までに14種類報告されている[12]．シグナルペプチドを伴ったプレタンパク質として生合成され，細胞外に分泌される7 kDaの塩基性単純タンパク質で，63個のアミノ酸のうちシステインが12個を占め，6個のジスルフィド結合が形成されている．LTP同様このシステインは種を超えてよく保存されている[16]（図3）．LTPのような疎水性ポケットは有していないが，堅牢な高次構造であるため，消化酵素耐性や熱安定性を示す．ジャガイモでは抗菌活性を持つペプチドsnakinとして報告されているほか，開花や成長の制御因子であるとの報告もあり，ジベレリンとの関係から興味深い[17]．このようにGRPはLTPと全く異なるタンパク質ではあるが，タンパク質としては共通する部分が多い（表5）．

nsLTP：脂質輸送蛋白質には輸送する脂質が特異的な場合とそうでない場合があり，本項に登場するLTPは非特異的なため当初ns（non specific）LTPと表記されたが，脂質輸送機能が疑われる現在においては，nsをつける必要はないと思われる．

2013年にGRPがアレルゲンとして報告されて以降，研究が活発に行われているため，近年の報告とわれわれの研究で得られた成果を簡単にまとめる．

①LTPとGRPを完全に分離することは難しいが，われわれはモモGRP，LTPに対するモノクローナル抗体カラムによる1ステップ純化に成功している[15]．また，遺伝子組み換え技術を用いてリコンビナント抗原を作製することでも区別することは可能であるが，両者とも立体構造を保っていることがアレルゲン性と関連している可能性が高く，その品質によってはIgEの反応性が異なるため，品質管理が重要である[18]．

②全身性のモモアレルギー17例の患者血清中，ELISAにおいてLTP陽性は1例であったが，GRPは9例（運動誘発性含む）であった．LTPが果皮に局在するのと対照的に，GRPは果肉に多く存在する．モモの品種や食習慣の違いから，日本人はモモの皮を剝いて食べるが，西洋では皮のまま食べることが多い．このことが日本ではLTPよりGRPに感作されることが多い理由と考えられる[18]．

③患者血清のELISAの結果は好塩基球活性化試験の結果とも一致していた．

④交差反応性を有するモノクローナル抗体を使ってリンゴ，オレンジ，ブドウ，トマト等にもGRPの存在を確認し，純化に成功している．現状ではモモ以上に多くのGRPを含む果物・野菜は確認できていない．

⑤モモアレルギー患者血清はELISAにおいてリンゴGRPとも交差したが，リンゴは食べられるケースが多い．これはELISAやImmunoCap® は抗原過剰条件であるため，交差性があれば陽性となるが，実際にリンゴを食べる場合は抗原量が少ないため症状はでにくいと考えられる．ただし，リンゴGRPに強く反応する例や，FDEIAの例も経験するため，注意が必要である．

⑥モモGRPがアレルゲンとして報告されて以降，オレンジ，ザクロ，ウメのアレルゲンとしても報告されている[19]．

⑦GRPがアレルゲンとして報告された当初は，花粉症と関連しないアレルゲンであると考えられていたが，近年，ヒノキ，スギ花粉中のGRPが同定され，そのアレルゲン性やPFASとの関連についての報告が相次ぎ，注目されている[20,21]．

LTPのように低分子量の分泌タンパク質でジスルフィド結合を形成することにより強固な高次構造を持つ植物タンパク質は，抗微生物活性を有するものも多く，cysteine-rich peptide（CRP）とよばれ注目されている[22]．GRPもCRPの一種であり，これら一連のタンパク質の高次構造，生理機能については今後の研究の進展に興味が持たれるところである．また，生活習慣病予防の観点から果物・野菜の摂取が推奨されているだけでなく，時代とともに食卓に並ぶ果物や野菜の種類や品種は変化しているため，果物・野菜アレルギーは今後まだまだ増加していくことが想定される．わが国においてLTP陽性率は低いようであるが，LTPに強く反応する患者も経験している．LTP，GRPは重症となりやすいことからも，従来のようにLTP症候群[13]としてではなく，今後はLTP/GRP症候群として対応していくことが必要ではないだろうかと考えている．LTPとGRPは植物における局在がそれぞれ表面と内部で異なることを除いてかなり共通している[23]．以下に今後の展開において共通して問題となるであろう事柄をまとめておく．

①野菜エキスを含む化粧品類があることに注意を要する．

②果物・野菜（スパイス，ハーブ）成分を含む健康食品中に濃縮されて存在する可能性がある．

③低分子量なので，だし汁や缶詰のシロップなどにも移行しやすい．

④LTPがビールアレルゲンとしても知られているように，消化耐性のあるタンパク質は発酵食品にも残存する[24]．

⑤ジスルフィド結合の多いタンパク質の場合には，還元状態（ジスルフィド結合が切断）の抗原を認識しないモノクローナル抗体が採れることが多い．このことは抗原のS-S結合が抗体による認識に対する重要なファクターであることを意味している．世界共通の抗原としてリコンビナントGRPの作製が急務であるが，リコンビナント抗原が天然の未変性抗原の高次構造を正しく反映している保証はない点に注意が必要である[18]．

⑥診断精度を高めるためには，果物，花粉，野菜それぞれの純化GRPと患者血清の反応性を比較解析すること，GRPやLTPは存在量が品種・部位・季節により一定でないため，プリックテストにスタンダード抗原を用いて行うこと等が必要となってくるであろう．

文献

1）今井孝成，ほか：消費者庁「食物アレルギーに関連する食品表示に関する調査研究事業」平成29（2017）年即時型食物アレルギー全国モニタリング調査結果報告．アレルギー **69**：701-705，2020

2）Sels J, et al.：Plant pathogenesis-related（PR）proteins：a focus on PR peptides. *Plant Physiol Biochem* **46**：941-950, 2008

3）Sinha M, et al.：Current overview of allergens of plant pathogenesis related protein families. *ScientificWorldJournal* **2014**：543195, 2014

4）Fernández-Rivas M：Fruit and Vegetable Allergy. Ebisawa M, et al. eds,：Food Allergy：*Molecular Basis and Clinical Practice. Chem Immunol Allergy*. Basel, Karger, **101**：165-170, 2015

5）World Health Organization and International Union of Immunological Societies（WHO/IUIS）Allergen Nomenclature Sub-committee.：Allergen nomenclature. http://www.allergen.org/index.php（参照 2021-12-15）

6）Price A, et al.：Oral Allergy Syndrome（Pollen-Food Allergy Syndrome）. *DERMATITIS* **26**：78-88, 2015

7）山本哲夫，ほか：花粉の感作と口腔アレルギー症候群．日本耳鼻咽喉科学会会報 **108**：971-979，2005

8）小笠原寛：オオバヤシャブシ花粉症に合併する口腔アレルギー症候群　疫学調査ならびに花粉抗原との関係．口腔・咽頭科 **13**，165-171，2001

9）山口（村上）友貴絵，ほか：Lipid Transfer Proteinをターゲットとした穀物・果実のアレルゲン表示．食品工業 **53**：88-96，2010

10）Wang NJ, et al.：Construction and analysis of a plant non-specific lipid transfer protein database（nsLTPDB）. *BMC Genomics* **13**（Suppl. 1）：S9, 2012

11）Osman H, et al.：Mediation of elicitin activity on tobacco is assumed by elicitin-sterol complexes. Mol Biol Cell **12**：2825-2834, 2001

12）Nahirñak V, et al.：Snakin/GASA proteins：involvement in hormone crosstalk and redox homeostasis. *Plant Signal Behav* **7**：1004-1008, 2012

13）Pascal M, et al.：Lipid transfer protein syndrome：clinical pattern, cofactor effect and profile of molecular sensitization to plant-foods and pollens. *Clin Exp Allergy* **42**：1529-1539, 2012

14）Tuppo L, et al.：Peamaclein—a new peach allergenic protein：similarities, differences and misleading features compared to Pru p 3. *Clin Exp Allergy* **43**：128-140, 2013

15）Inomata N, et al.：Identification of peamaclein as a marker allergen related to systemic reactions in peach allergy. *Ann Allergy Asthma Immunol* **112**：175-177, 2014

16）Tuppo L, et al.：Structure, stability, and IgE binding of the peach allergen Peamaclein（Pru p 7）. *Biopolymers* **102**：416-425, 2014

17）Sun S, et al.：GASA14 regulates leaf expansion and abiotic stress resistance by modulating reactive oxygen species accumulation. *J Exp Bot* **64**：1637-1647, 2013

18）Mori Y, et al.：Evaluation of serum IgE in peach-allergic patients with systemic reaction by using recombinant Pru p 7（gibberellin-regulated protein）. *Allergol Immunopathol*（*Madr*）**46**：482-490, 2018

19）Inomata N, Gibberellin-regulated protein allergy：Clinical features and cross-reactivity. *Allergol Int* **69**：11-18, 2020

20）Iizuka T, et al.：Gibberellin- regulated protein sensitization in Japanese cedar（Cryptomeria japonica）pollen allergic Japanese cohorts. *Allergy* **76**：2297-2302, 2021

21）Mori Y, et al.：Investigation of the sensitization rate for gibberellin-regulated protein in patients with Japanese cedar pollinosis, *Allergol Immunopathol*（*Madr*）**50**：89-92, 2022

22）Silverstein KAT, et al.：Small cysteine-rich peptides resembling antimicrobial peptides have been under-predicted in plants. *Plant J* **51**：262-280, 2007
23）Okazaki F, et al.：Determination of severe peach allergen gibberellin-regulated protein, and lipid transfer protein, using monoclonal antibodies. *J Nutr Sci Vitaminol* 2022（in press）
24）Murakami-Yamaguchi Y, et al.：Quality control system for beer developed with monoclonal antibodies specific to barly lipid transfer protein. *Antibodies* **1**：259-272, 2012

III

食物アレルギーの臨床各論

アレルゲン別の臨床例をあげ，検査，診断，指導ポイントを解説する．

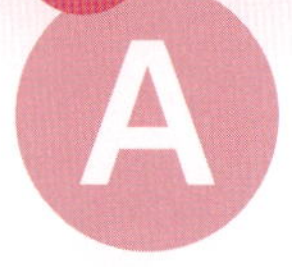

A 卵アレルギー

杉浦至郎
(あいち小児保健医療総合センター 免疫・アレルギーセンター アレルギー科)

1 卵アレルギーの症状と疫学

卵アレルギーとは鶏卵に対する即時型アレルギーを示すことが多く，本項では特に断りのない限り，即時型アレルギーを示すこととする．

わが国において卵アレルギーはすべての食物アレルギーの中で最も頻度が高い．ほとんどは乳幼児期に発症し，成長とともに自然寛解を示すため，有病率は年齢の上昇に伴って徐々に減少する．オーストラリアのバースコホートによれば，食物経口負荷試験（oral food challenge：OFC）で診断された非加熱卵に対する卵アレルギーの有病率は1歳で8.9%と報告されており[1)]，日本の後ろ向きコホート研究では，「必要最小限の除去」の方針による管理のもと，1歳台で卵アレルギーと診断された児の79%は6歳までに耐性を獲得していた[2)]．

卵アレルギーでは通常の即時型食物アレルギー症状はいずれも誘発される可能性があるが，ほかの食品と比較して腹痛，嘔吐，下痢といった消化器症状の誘発をよく経験する．

2 卵黄に関して

卵アレルギーのほとんどは卵白中の抗原が原因であり，卵黄摂取で症状が誘発された症例のほとんどは混入した卵白によるものと考えられている．「卵黄」の特異的抗体を測定するImmuno CAP® には卵白の混入がほとんどない Allergon AB 社の抗原が使用されており，卵黄特異的抗体は存在すると考えられるが，その臨床的意義は不明である．

卵黄に混入する卵白成分の量は卵白からの分離方法によって異なる．固ゆで卵を作成し卵黄のみ取り出す方法と，エッグセパレーターなどを用い生のままで卵黄と卵白を分離する方法が一般的に考えられるが，前者の場合，調理後すぐに分離した場合で0.01 g程度のゆで卵白に相当するオボムコイド（ovomucoid：OVM）が混入する可能性がある[3)]．一方，後者の場合，1 g程度（約1/40個）の卵白が混入する可能性がある[4)]．

Bird-egg syndrome は，羽毛によって Gal d 5（血清アルブミン）に対する感作が成立し，主に卵黄の摂取により即時型反応が誘発される病態を指す．また，2018年頃から乳児を中心として卵黄を原因とする food protein-induced enterocolitis syndrome（FPIES）の報告が増加している[5)]．

3 加工による抗原性の変化

鶏卵を加熱すると抗原性が低下することはよく知られている．また，加熱した卵の中でも小麦と一緒に加熱した baked egg は，さらに抗原性が低下するとされている[6)]．その一方で，卵

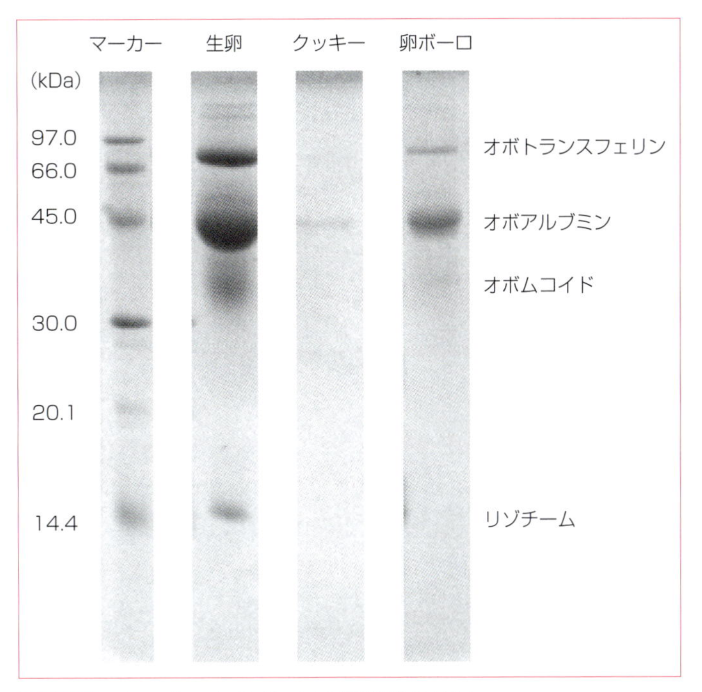

図1 クッキーと卵ボーロの溶解性の違い
生卵，クッキー（米粉），卵ボーロをPBSで溶解し，SDS-PAGEで電気泳動後CBB染色したもの
クッキーではほとんどバンドが見られない（溶解しないため残渣に卵タンパクが含まれている）が，卵ボーロでは生卵に近いバンドが認められる

ボーロは比較的強い抗原性を持つことが知られている．

われわれは，OFCの結果ほぼ同じ重症度であると考えられる重症鶏卵アレルギー児に対し，2015年から米粉クッキーを用いた経口免疫療法を行っていた．ところが，2017年から卵ボーロを用いた経口免疫療法に切り替えたところ，治療開始量で1か月間継続中に卵ボーロ群では有意に多くの患者に誘発症状を認め（37% vs 74%，$p = 0.008$），治療継続困難例が多く出現した．これは低アレルゲン化には「加熱」のみでなく「凝固（＝不溶化）」が強く影響しており，通常の加熱，または小麦粉や米粉と加熱した場合と比較して，卵ボーロでは高い溶解性が保たれている[7]（図1）ことが原因であると考えている（詳細は第II部B参照）．メレンゲも，凝固阻害という意味では同様の影響がある可能性がある．

加熱の程度（温度・時間）に加えて，それに伴う凝固の程度も重要である．20分ゆでの卵白では症状を認めないが，12分ゆでの卵白では症状を訴える患者が存在する．かきたま汁，茶碗蒸し，プリン等の食品は加熱温度や鶏卵の濃度，他の混合物の影響で凝固が不十分となり，症状誘発が起こりやすい．また，加熱鶏卵1個が摂取可能であれば，マヨネーズ摂取により重症症状を誘発した例はなく，自宅で摂取可能であると報告されている[8]．

4 ほかの卵類との交差性

鶏卵に対してアレルギーを有する患者がほかの卵にアレルギーを有するか否かを予想する場合，その患者が反応する鶏卵中のコンポーネントがほかの卵にも存在するかどうかを考える必要がある．たとえば魚卵アレルギーの主要コンポーネントであるビテロジェニンのβ'-コンポーネントは鶏卵には存在しないため，鶏卵と魚卵との交差性はないと考えられる．一方，ウズラやアヒルといったほかの鳥類の卵とは交差性がある[9]．鶏卵とウズラおよびアヒルの卵のアミノ酸配列における相同性はOVMで75%前後，オボアルブミン（ovalbumin：OVA）で82～88%である．ウズラ卵は鶏卵に比べて抗原性が低いという意見もあるが，臨床上は鶏卵と同じ抗原性を持つと考えるのが安全である．

例外的には，ウズラ卵のみに対する即時型アレルギーやFPIESも報告されている[10]．

5 診断

1. 問診

卵アレルギーの診断において最も重要なものは問診である．卵アレルギーがあると訴える患者が，卵の含まれた加工品を摂取していることはまれではなく，このことを明らかにするために特定の食物（パン，クッキー，唐揚げ，コロッケなど）の摂取歴に焦点を絞って問診を行うとよい．また，重症度を把握するという観点からも問診は非常に有用である．誤食などによりアレルギー症状を認めた経験がある場合は，その際に摂取した推定抗原量，加熱の程度，出現した症状や治療などに関してできるだけ正確な記録を残しておく．

誤食した加工食品中の抗原量を正確に推定することは困難であるが，製造元に問い合わせることにより情報が得られる場合がある．「加工食品のアレルゲン含有量早見表」には，アレルゲンタンパク質量の測定値をもとにした情報が記載されていて，摂取可能な加工食品を選択する際に役に立つが，食品成分表から換算した数値とは異なることを理解して参考にしたい．

2. 皮膚プリックテストと特異的IgE抗体価

どちらも体内に存在する特異的IgE抗体（specific IgE antibody：sIgE）を検出するために用いられる．皮膚プリックテスト（skin prick test：SPT）は特に乳児において感度が高く，乳児ではImmuno CAP® でsIgEが検出できない場合でも，SPTで陽性反応を認める症例が存在する．

sIgEの検出にはImmuno CAP® が用いられることが多い．その値とOFCの結果の関係はプロバビリティカーブで表される．加熱卵を用いたOFCの結果を予測するためには，卵白特異的抗体価（EW-sIgE）よりOVM特異的抗体価（OVM-sIgE）のほうが優れていることが示されている（図2）[11]．

OFCで同じ症状が誘発された場合でも，その症状を誘発した抗原量がより少ない場合，その患者はより重症であると考えられる．当科では誘発症状を点数化（p.73「ASCA：診断」参照）し，症状誘発までに摂取した総タンパク量で割ったTS/Pro（Total Score of ASCA/cumulative dose of protein）を重症度の指標とし，この値が高値であるほど重症と考えている．筆者らはこのTS/Proが高値であることに関連する因子について検討し，「OVM-sIgE（class）」，「total IgE＜1,000」，「5歳以上」，「完全除去をしている」はそれぞれ独立してTS/Pro高値に関与していることを示した．また，それぞれの因子の重要性によって点数をつけた予測モデルを開発した[12]（表1）．この予測モデルで8点以上を示す患者は重症症状を示す可能性が高く，一般的にはOFCの延期が望ましい（図3）．

3. 食物経口負荷試験

OFCに使用する食材として，卵黄や，全卵で作成したスクランブルエッグなども用いられることがある．しかし，卵黄に付着している卵白量は分離方法などに影響され，全卵を用いた場

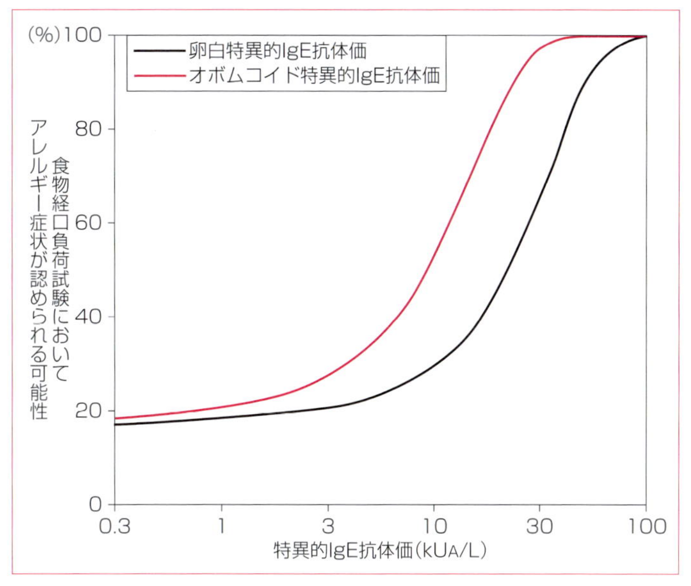

図2 1歳台で卵未摂取児のプロバビリティカーブ

〔Haneda Y, et al.：Ovomucoids IgE is a better marker than egg white-specific IgE to diagnose boiled egg allergy. *J Allergy Clin Immunol* **129**：1681-1682, 2012を元に作成〕

表1 TS/Proの概念を使用した「重症を予測する因子」と「重症度改善を予測する因子」

経口負荷試験での重症症状に関連する因子	
・OVM-sIgE	1点/class
・Total IgE<1,000	1点
・5歳以上	1点
・完全除去	2点
5点以下の症例はOFC施行が望ましい（抗原摂取を開始できる可能性がある）	
8点以上の症例はOFC延期が望ましい（重症症状が誘発される可能性が高い）	
卵アレルギーの重症度改善が期待できる状態	
・抗体価が低下傾向にある	
・微量でも抗原の摂取が継続できている	
・特異的抗体価が低い（診断時および再評価時）	

合は卵白と卵黄の混合割合や均一性が抗原性に影響する可能性がある．筆者らは，負荷量と加熱条件を正確に把握しやすいゆで卵白を用いている．

OFCにおける摂取量は予測される重症度を参考にして決定する．微量の抗原摂取で明らかな症状誘発の既往がある場合や前述の予測モデルからリスクが高いと判断される患児には，OFC時に負荷量を少量とする（例：最終摂取量を2g以下とする）などの十分な注意が必要である．また摂取間隔は40分以上，可能であれば60分以上あけることが望ましい[13]．

20分間加熱したゆで卵白は食感，味ともに好ましいものではなく，患児の摂取拒否により試験がスケジュールどおりに進まないことがある．対策として卵白の味つけに使用する調味料などをあらかじめ準備しておくとよい．調味料としては，ケチャップ，卵不使用のマヨネーズ，カレー，焼肉のタレなどがよく用いられるが，白飯やヨーグルトと混ぜて食べると，卵白の存在が視覚的に気にならなくなる．ジャム，チョコレートソース，メープルシロップなどを用い，

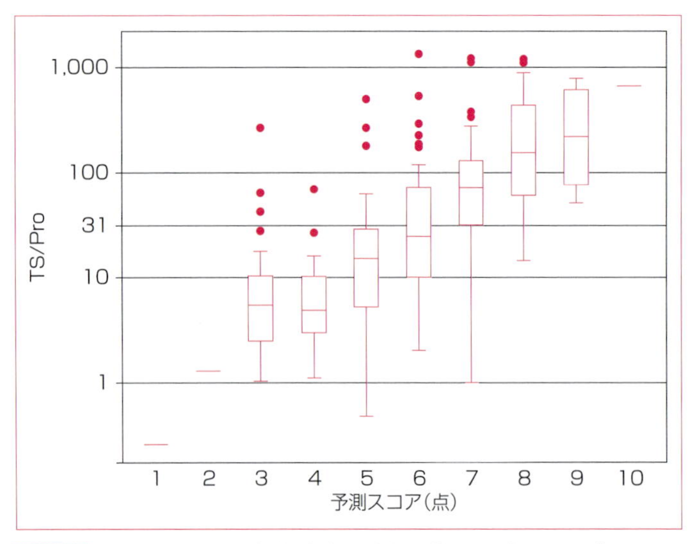

図3 ゆで卵白経口負荷試験の重症症状を予測するモデル

甘くして食べる方法を好む児もいる．このような工夫は，自宅で抗原摂取する際にもそのまま用いることが可能である．ごく少量の場合は凍結状態で食べることを好む児もいる．

重症の鶏卵アレルギー児では症状として眠気が誘発され，眠ってしまうことも少なくない．この場合，目が覚めた直後に嘔吐を認めることもある．OFC で重症症状が誘発された場合，一定期間卵の除去を継続した後に再度 OFC を行うことが一般的である．筆者らは「OVM-sIgE が減少していること」と，「微量であっても抗原摂取を継続していること」は，TS/Pro で評価した重症度の改善と関連していることを報告しており[14]，再度 OFC を計画する際の参考になる（表 1）．

症例 1

1 歳 3 か月　男児

● 食物経口負荷試験による診断

生後 3 か月から顔面を中心に湿疹が認められ，保湿薬などを使用していた．離乳食開始前の血液検査で卵白に陽性反応を認め，鶏卵を除去して離乳食を開始した．1 歳 2 か月時 OFC 目的に当科紹介受診．湿疹はほとんど認められず，発育は良好，血液検査では総 IgE 92 IU/mL，EW-sIgE 7.26 UA/mL，OVM-sIgE 0.34 UA/mL 未満であった．OFC は 20 分ゆで卵白を用いて 1-2-5-10 g の 40 分間隔で実施した．1 g 摂取後 5 分程度で卵白が付着した口唇周囲に発赤を認めたが自然に消失，10 g 摂取 2 時間後まで誘発症状は認められず，OFC を終了した．OFC 後自宅で摂取量を増量し，加熱鶏卵 1/2 個相当，低加熱加工品の摂取を繰り返しても症状が誘発されないことが確認できたため，卵除去を解除した．

6 卵除去における注意点

鶏卵の栄養素は複数の動物性，植物性タンパク質食品の組み合わせによって代替可能であるが，鶏卵は生活のさまざまな部分で使用されており誤食などに注意を要する．

大福など和菓子の皮（餅）には，卵白が使用されていることが多い．生もしくは加熱が不十分な食品，卵を乗せた後のご飯，メレンゲの割合が多い食品，卵ボーロなどの摂取（誤食）により，強い症状が誘発されることがある．

「同じラインで製造されている」などの注意喚起表示は表示義務がないため，記載に注意する意義は乏しい．「卵殻カルシウム」には焼成カルシウムと未焼成カルシウムがある．高温で処理されている焼成カルシウムは卵のタンパク質が残留しておらず，卵の表示は不要である．卵殻未焼成カルシウムも卵のアレルゲンの混入がほとんど認められず，卵としてのアレルゲン性は低いが，確認不十分のため卵の表示をしている企業が多い．

高濃度のオボアルブミンを含有する卵殻で作られたグラウンド用白線粉でアレルギー症状が誘発された例が報告されている[15]．

7 解除を目指した食事指導

OFC が陽性となり卵アレルギーと診断されても，食べられる範囲で抗原を摂取することで，QOL の向上とより早期の耐性獲得が期待できる．「食べられる範囲」は，症状誘発の閾値と誘発症状の重症度により判断される．市販されている加工品に含まれる抗原量ははっきりしていないものが多く，企業判断で変更される可能性がある．そのため当科では抗原そのものの摂取を指示し，摂取可能な抗原量から安全域を見積もって加工品の摂取を推奨している（p.253，254 図 12，13 参照）．

まず，OFC の結果から，最終負荷量と誘発症状の強さに応じて摂取開始量を決定し，自宅で摂取するように指導する．摂取は，湿疹の悪化も観察しながら週 2〜3 回で開始し，問題なければ連日摂取とすることができる．繰り返し摂取して誘発症状を認めないことが確認できたら，徐々に摂取量を増量（おおよそ 5〜10 回ごとに 10〜20% 増量）する．自宅での重量測定には最小目盛りが 0.1 g のデジタルスケール（3,000 円前後で購入可能）を勧めている．

自宅で摂取する抗原は原則として 20 分加熱のゆで卵白であるが，症状が誘発されないことを確認した後は，しっかりと加熱した炒り卵や薄焼き卵への変更を許可している．炒り卵や薄焼き卵には卵黄が加わるが，水分が蒸発して重量が減少するため，ゆで卵白 1 g は炒り卵または薄焼き卵 0.8 g 程度と換算している．これらはゆで卵白より好ましい味であり，冷凍後も味や食感がそれほど悪化しないため，まとめて作成，保存が可能なところが利点である．

摂取量が 1/4 個程度以上に到達すると，ゆで卵白のみでの継続は児にとって負担となることが多く，その他の卵料理を紹介して食べ方のバリエーションを増やすことを指導する．しかし，その場合は加熱の程度や摂取量の判断が難しく，保護者のスキルや本人の意欲を十分に考慮した料理の指導が必要で，管理栄養士の力に期待するところが大きい．

摂取を継続していくうえで最も大きな問題は卵嫌いである．そもそも，摂取後の辛い症状の記憶しかなく，食べてはいけないと言われてきた鶏卵の味を「美味しい」と思えないのは当然のことで，それを前提とした指導が求められる．特に 3 歳以降に摂取を開始した児は，摂取量の増加に伴って負担感が大きくなり，義務的に食べていることも多い．このような児にはハンバーグやパンケーキに混ぜる，卵白コーティングのチャーハン（生の卵白とご飯を混ぜた状態でチャーハンを作成する）にするといった調理の工夫を，児や家族とともに考える．

卵の解除を最後まで順調に進めるためには，少しでも早期から微量でも摂取を開始することや，ある年齢（およそ 3 歳頃）からは他の家族が食卓で“鶏卵をおいしそうに食べる姿”を見せることも考慮したい．

症例 2

2 歳 7 か月　女児

● 食事指導による解除

乳児期に湿疹がひどく外用ステロイドなどを使用した．生後 8 か月，茶碗蒸し 1 さじ摂取後に複数範囲の蕁麻疹を認め，血液検査で感作を認めたため，卵除去を指示された．1 歳 2 か月時の OFC（直前の検査結果：EW-sIgE 5.94 UA/mL，OVM-sIgE 2.62 UA/mL）では総量 3 g で複数範囲の蕁麻疹（TS 10 点，TS/Pro=29.5）を認め，除去の継続を指示した．2 歳 7 か月時の OFC（直前の検査結果：EW-sIgE 2.1 UA/mL，OVM-sIgE 0.97 UA/mL）では総量 18 g で軽度の腹痛と腸蠕動音の亢進，複数範囲の蕁麻疹（TS 15 点，TS/Pro＝7.4）を認めた．この結果から，ゆで卵白 2 g の摂取（2〜3 回/週）を指示した．2 か月後の外来では即時型反応や湿疹の悪化を認めておらず，10 回無症状ごとに約 20% の増量を指示，また連日摂取を許可した．その後も即時型反応を認めることなく，6 か月後 10 g，8 か月後 20 g，10 か月後 40 g と順調に鶏卵 1 個相当まで増量可能であった．その後，低加熱の加工品摂取後に症状が出ないことを自宅で確認してもらい，園の給食での卵制限を解除した．

8　治療（経口免疫療法）

鶏卵アレルギーに対する免疫療法は多くの報告があり，総論的には他の抗原と同様であるため，経口免疫療法総論（p.257）を参照いただきたい．

われわれは 2015 年から鶏卵アレルギー児に対しても緩徐微量経口免疫療法（Slow low-dose oral immunotherapy：SLOIT）を多くの患児に施行している[16)]．これは OFC で得られた症状誘発閾値（最終量）の約 1/10 から抗原摂取を開始，症状がなければ 1 か月に 1 回の割合で 1.1〜1.5 倍に増量し，1 年後に摂取開始量の 10 倍を目指すプロトコールである．鶏卵では 1 年間の治療期間中，摂取回数あたりの症状誘発割合は 0.6% であり，44% の参加者は 1 年間誘発症状を認めずに治療を完了した．高い安全性の一方でほとんどの参加者で症状誘発閾値の上昇，誘発症状の軽症化が認められ，抗原特異的抗体価は減少した．これらの成績は同時期に行った牛乳，小麦を対象とした SLOIT と同等であった．

その後は患者の希望も踏まえ急速法や緩徐法で摂取量増量を継続し，緩徐法を選択した場合でも 2，3，4 年後には 14%，46%，60% の参加者は鶏卵 1 個分を摂取可能（脱感作状態）であった．

他の抗原と同様，脱感作状態は持続的無反応状態（sustained unresponsiveness：SU）や耐性獲得とは同義ではない．また牛乳や小麦に比べて頻度は少ないが，摂取のみでは症状が誘発されず，摂取 2〜3 時間以内の運動により重症のアレルギー症状が誘発される状態（exercise-induced allergic reaction on desensitization：EIARD）が存在する．このため，免疫療法により卵摂取が可能となった患者は，集団生活で卵摂取を行う前には食後の運動により症状が誘発されないことを確認しておく必要がある．

治療のゴールは個人によって異なることを理解することも重要である．鶏卵は比較的治療経過が良いため鶏卵 1 個を目標とすることも多いが，誤食時の重症症状を防ぎ，多少の加工品を摂取する目的であれば1/8〜1/4 個程度でも十分といえる．本人・家族と治療目標などに関して十分相談することが望まれる．

9 薬剤やワクチンに含まれる鶏卵成分

鶏卵に含まれるリゾチームは消炎酵素剤としても使用されており，一般の感冒薬（病院で処方される薬には含まれない），点眼薬，軟膏，歯磨き粉などの外用薬に含まれている．

MRワクチンやムンプスワクチンの製造には，ニワトリの胚細胞が用いられている．胚細胞自体に卵白の成分は含まれず，MRワクチン1回分には，鶏卵タンパクと交差するタンパク質は1 ng未満しか検出されない．そのため，MRワクチンおよびムンプスワクチンの添付文書の接種要注意者に，卵アレルギー患者は含まれていない．

インフルエンザワクチンは，製造過程で有精卵が用いられており，日本製のワクチンでは数ng/mL（海外で流通しているものより少ない）のOVAが検出されている．OVA 600 ng/mL未満のワクチンでは重篤な反応は起こさないとする報告があり[17]，通常どおりに接種を行って重篤な反応を起こす可能性はきわめて低い．インフルエンザワクチン接種後に発生したアナフィラキシーは，鶏卵由来のタンパクではなく，インフルエンザHA（ヘマグルチニン）抗原によるものであることが報告されており[18]，「予防接種ガイドライン2021年度版」では「接種後の鶏卵アレルギーによる重篤な副反応の報告はなく，鶏卵アレルギー患者であっても接種可能である」と記載されている．

症例3

治療開始時6歳5か月　男児

緩徐微量経口免疫療法による治療

生後3か月頃から湿疹があり，感作を認めた卵の除去を開始した．3歳時のゆで卵白OFCでは総量3 gで全身膨疹，咳，嘔吐のアナフィラキシー，5歳時EW-sIgE 46.9 UA/mL，OVM-sIgE 23.6 UA/mLであった．6歳でゆで卵白OFCを行い，総量1.7 g複数範囲の蕁麻疹と軽度の腹痛（TS 15点，TS/Pro＝78.1）を認めた．ゆで卵白0.1 gからSLOITを開始し，1年後0.8 gまで増量できた．検査値もEW-sIgE 31.5 UA/mL，OVM-sIgE 11.8 UA/mLと低下し，効果判定のOFCでは総量8.7 g陰性であった．治療開始から2年後に，ゆで卵白1個摂取可能となり，摂取後に運動をしても症状が誘発されないことが確認できた．治療としての抗原摂取日を漸減し，食事として卵料理を食べることを習慣づけた．4年生から，学校給食での卵製品を解除した．

文献

1）Osborne NJ, et al.：Prevalence of challenge-proven IgE-mediated food allergy using population-based sampling and predetermined challenge criteria in infants. *J Allergy Clin Immunol* **127**：668-676, 2011
2）酒井一徳，ほか：遷延する鶏卵アレルギーに関する後ろ向きコホート研究．日本小児アレルギー学会誌 **35**：135-144，2021
3）坂井堅太郎，ほか：ゆで卵の作成と放置に伴うオボムコイドの卵黄への浸透．アレルギー **47**：1176-1181，1998
4）松井照明，ほか：ゆで卵白1.0 gの摂取が可能な鶏卵アレルギー児に対する生の状態で取り分け加熱した卵黄1個の経口負荷試験．日本小児アレルギー学会誌 **31**：63-71，2017
5）Akashi M, et al.：Recent dramatic increase in patients with food protein-induced enterocolitis syndrome（FPIES）provoked by hen's egg in Japan. *J Allergy Clin Immunol Pract* **10**：1110-1112, 2022
6）Shin M, et al.：The influence of the presence of wheat flour on the antigenic activities of egg white proteins. *Allergy Asthma Immunol Res* **5**：42-47, 2013
7）Makino A, et al.：Decrease in the allergenic activity of egg white proteins by baking with rice flour. EAACI Annual

Meeting 2018
8）小池由美，ほか：加熱鶏卵 1 個が摂取可能になった児に対する全卵マヨネーズ負荷試験．日本小児アレルギー学会誌 **30**：562–566，2016
9）高橋享子，ほか：卵アレルギー患者血清による IgE 結合卵白抗原の検索 ニワトリ，ウズラ，アヒル卵の主要タンパク質について．武庫川女子大学紀要 自然科学編 **50**：97–102，2002
10）Akashi M, et al.：Food Protein–Induced Enterocolitis Syndrome in Response to Quail's Egg in a Child Without Hen's Egg Allergy. *J Investig Allergol Clin Immunol* **27**：381–382, 2017
11）Haneda Y, et al.：Ovomucoids IgE is a better marker than egg white–specific IgE to diagnose boiled egg allergy. *J Allergy Clin Immunol* **129**：1681–1682, 2012
12）Sugiura S, et al.：Development of a prediction model of severe reaction in boiled egg challenges. *Allergol Int* **65**：293–299, 2016
13）Kitamura K, et al.：A 60–minute dosing interval is safer than a 30– or 40–minute interval in oral food challenge. *Allergol Int* **71**：230–235, 2022
14）杉浦至郎，ほか：ゆで卵白経口負荷試験における重症度改善に関連する因子の検討．第 64 回日本アレルギー学会春季臨床大会，2015
15）五十嵐瑞穂，ほか．卵殻を含有するグラウンド用白線粉によるアナフィラキシーの小児例．日本小児アレルギー学会誌 **34**：366–369，2020
16）Sugiura S, et al.：Slow low–dose oral immunotherapy：Threshold and immunological change. *Allergol Int* **69**：601–609, 2020
17）Erlewyn–Lajeunesse M, et al.：Recommendations for the administration of influenza vaccine in children allergic to egg. *BMJ* **339**：b3680, 2009
18）Nagao M, et al.：Highly increased levels of IgE antibodies to vaccine components in children with influenza vaccine–associated anaphylaxis. *J Allergy Clin Immunol* **137**：861–867, 2016

B 牛乳アレルギー

川本典生
（岐阜大学医学部附属病院 小児科）

1 食物アレルギーの診断について

食物アレルギーの管理の原則は，正しい診断に基づいた必要最小限の原因食物の除去であり，この点を念頭にまずは適切な診断を行う[1)]．牛乳はIgE依存性の即時型食物アレルギーの原因としてわが国では2番目に多いアレルゲンである[2)]．病歴などからIgE依存性の即時型食物アレルギーを疑った場合は，特異的IgE抗体価やプリックテストなどで，抗原特異的な免疫反応の確認を行う．病歴の確認には食物日誌の活用も考慮される．牛乳に対する複数のプロバビリティカーブが発表されており，対象，使用している食品や量がさまざまであることに注意しつつ，これらを参考にして診断をすすめる[1)]．食物経口負荷試験（oral food challenge：OFC）の実施については，「食物アレルギーの確定診断」を目的にしたものと「安全摂取可能量の決定および耐性獲得の確認」を目的にしたものとがある[1)]．近年はOFCの安全性に関心が高まっており，摂取間隔を広めにとることや，無理のない目標量を設定して多段階でOFCを行うことなどが広く行われるようになってきている．特にその食品に対してOFCを初めて行う場合に，それまでに摂取して症状が誘発されていれば，その摂取した抗原量とそのときの症状を可能な限り詳細に聞き取って，総負荷量の決定の参考にする．また，最近は患者の症状や検査値，また，医療機関の体制や専門性に応じてOFCの適応や総負荷量を決める方法が提案されている[1)]．

一方で牛乳は新生児・乳児食物蛋白誘発性胃腸症の原因としても知られている．まれではあるが，乳児期の食物アレルギーが関与するアトピー性皮膚炎も念頭におく必要がある．これら疾患においては，リンパ球刺激試験（lymphocyte stimulation test：LST）の有用性も指摘されており，保険診療の範囲外であるが，実施も検討される[3)]．

2 食物アレルギー患者の管理について

近年，専門施設において，研究的に食物による経口免疫療法（oral immunotherapy：OIT）が試みられている．われわれは，牛乳アレルギー患者にOITを行い，一定の成果を上げ，報告している[4)]．また，「食べて治す」抗原改変食品を開発し，臨床応用を試みている[5～8)]．「食物アレルギー診療ガイドライン2021」においても，「経口免疫療法を，食物アレルギーの一般診療として推奨しない」と記載されている[1)]．食物アレルギー委員会報告「CQ2 IgE依存性牛乳アレルギー患者において，経口免疫療法は完全除去の継続と比較して有用か？」のシステマティックレビューによれば，牛乳の食物経口免疫療法に関するランダム化比較試験は8研究（9文献）あり，メタ解析の結果，「摂取量の増加」については，リスク比（RR）が4.93［95%信頼区間（CI）：3.12～7.79］であり，OITが有用であった[9)]．また，近年自然寛解の得られやすいとされる低年齢に対する検討も増えており，3歳以下が含まれた研究においてサブ解析を行ったところ，摂取量増加について，リスク比が2.20［95% 信頼区間：1.68～2.37］であった．一方で，「重篤な有害事象ありの患者数」はこのメタ解析に含めた検討の中にはなかったものの，「有害事象ありの患者数」は，リスク比で3.72［95% 信頼区間2.48～5.57］であり，また，「有害事象に対する薬物療法（アドレナリン筋肉注射）の実施数」についてもリスク比で6.89［95% 信頼区間1.34–35.45］で，OITの実施には一定のリスクを伴うことが示された[9]．

食物アレルギーの対応としては，原因食品の除去が原則ではあるが，日常摂取機会が多く，将来の耐性獲得が期待できる食品（鶏卵，牛乳，小麦，大豆など）については，症状誘発しない範囲の量などを定期的に摂取する指導を目指すとされている[1]．一般の診療の中では，OFCの結果をもとに医師が指示を行い，食べることができる範囲で積極的に食べていくことが試みられている．特に，自宅で様子をみながら医師の指示のもと摂取量を漸増する方法が用いられることもある．これらの方法が，除去食の解除を早めるのかどうかについては，十分なエビデンスはないが，経口免疫療法の成果などからは，解除を早める可能性も期待されている．また，一定量を摂取することは，症状が誘発されるリスクもある半面，栄養バランスも改善し，生活の質の向上に資すると考えられる．

3 食べるための食事指導

症状が誘発される症状誘発閾値は，体調（発熱や胃腸炎，喘息など）や運動量，鎮痛薬などの薬剤やアルコール，月経などにより影響を受ける．特に学校や園での摂取量を決めることは小児の食物アレルギー患者の診療において重要な要素である．OFCで安全に摂取できる量がわかった場合，その後自宅での摂取を繰り返し，体調の変化なども加味して，一定期間自宅などで症状が出ないことを確認したうえで，学校や園などでの摂取を許可する．ある市の小中学校の1年間の給食調査では，飲用牛乳を除いた給食の中での牛乳の最大の使用量は175 mL相当であったと報告されている[10]．最終的に学校給食などの現場においては，牛乳200 mLに加えて乳製品を多く用いたシチューなどの食品やパン，チーズなどが同時に提供されることがあり，それを想定した栄養指導が求められる．

食事指導には，牛乳アレルゲンの特性についても十分な説明が必要である．牛乳の主要抗原タンパク質のうちβ-ラクトグロブリンは加熱で抗原性が低下するとされるものの，カゼインは加熱でも変性しないとされており，注意が必要である．アレルギーは原則としてタンパク質に対して起こることから，タンパク質の量を意識した食事指導が必要である（表1）．普通牛乳のタンパク質は約3.3%で[11]，うちカゼインは80%程度である．乳製品のうちチーズなどはこのカゼインを主原料にしており，タンパク質を多く含むために注意が必要な食品である[11]．一方バターは牛乳中の油脂（乳脂肪）が主成分であり，重量当たりの乳タンパク質の量は少ない（0.6%）．日本食品標準成分表をもとに栄養指導を行うが，同じチーズでも種類によりタンパク質の量はさまざまであり（表1），また，たとえばギリシャヨーグルトのように水を切る製法のヨーグルトではタンパク濃度が通常のヨーグルトに比べて高い場合もあり，注意を要する．

除去が必要な場合，代替の栄養源の確保は，とても重要である．牛乳を含む複数のアレルゲンの除去が必要な場合は，特に，タンパク質が充足するように配慮する必要がある．大豆アレルギーが合併していない例では，一般に牛乳を使ったレシピを調製豆乳に置き換えて類似のメニューを作ることができ，その場合の調製豆乳のタンパク量（3.2%）は牛乳とほぼ同等とな

表1 牛乳・乳製品に含まれる栄養とタンパク質の牛乳に対する比

食品成分		重量	エネルギー	水分	タンパク質	脂質	炭水化物	灰分	食塩相当量	タンパク質の比*
		g	kcal	g	**g**	g	g	g	g	
普通牛乳		100	61	87.4	**3.3**	3.8	4.8	0.7	0.1	**1.0**
加工乳（低脂肪）		100	42	88.8	**3.8**	1.0	5.5	0.9	0.2	**1.2**
脱脂粉乳		100	354	3.8	**34.0**	1.0	53.3	7.9	1.4	**10.3**
加糖練乳		100	314	26.1	**7.7**	8.5	56.0	1.6	0.2	**2.3**
クリーム（乳脂肪）		100	404	48.2	**1.9**	43.0	6.5	0.4	0.1	**0.6**
ヨーグルト（全脂無糖）		100	56	87.7	**3.6**	3.0	4.9	0.8	0.1	**1.1**
ヨーグルト（脱脂加糖）		100	65	82.6	**4.3**	0.2	11.9	1.0	0.2	**1.3**
ヨーグルト（ドリンクタイプ・加糖）		100	64	83.8	**2.9**	0.5	12.2	0.6	0.1	**0.9**
乳酸菌飲料（乳製品）		100	64	82.1	**1.1**	0.1	16.4	0.3	0.0	**0.3**
乳酸菌飲料（殺菌乳製品）		100	217	45.5	**1.5**	0.1	52.6	0.3	0.0	**0.5**
プロセスチーズ		100	313	45.0	**22.7**	26.0	1.3	5.0	2.8	**6.9**
ナチュラルチーズ	クリーム	100	313	55.5	**8.2**	33.0	2.3	1.0	0.7	**2.5**
	カテージ	100	99	79.0	**13.3**	4.5	1.9	1.3	1.0	**4.0**
	モッツァレラ†	100	269	56.3	**18.4**	19.9	4.2	1.3	0.2	**5.6**
	ブルー	100	326	45.6	**18.8**	29.0	1.0	5.6	3.8	**5.7**
	カマンベール	100	291	51.8	**19.1**	24.7	0.9	3.5	2.0	**5.8**
	チェダー	100	390	35.3	**25.7**	33.8	1.4	3.8	2.0	**7.8**
	ゴーダ	100	356	40.0	**25.8**	29.0	1.4	3.8	2.0	**7.8**
	エメンタール	100	398	33.5	**27.3**	33.6	1.6	4.0	1.3	**8.3**
	エダム	100	321	41.0	**28.9**	25.0	1.4	3.7	2.0	**8.8**
	パルメザン	100	445	15.4	**44.0**	30.8	1.9	7.9	3.8	**13.3**
アイスクリーム（高脂肪）		100	205	61.3	**3.5**	12.0	22.4	0.8	0.2	**1.1**
アイスクリーム（普通脂肪）		100	178	63.9	**3.9**	8.0	23.2	1.0	0.3	**1.2**
ソフトクリーム		100	146	69.6	**3.8**	5.6	20.1	0.9	0.2	**1.2**
無発酵バター（有塩）		100	700	16.2	**0.6**	81.0	0.2	2.0	1.9	**0.2**
無発酵バター（食塩不使用）		100	720	15.8	**0.5**	83.0	0.2	0.5	0.0	**0.2**
発酵バター（有塩）		100	713	13.6	**0.6**	80.0	4.4	1.4	1.3	**0.2**
乳児用調製粉乳		100	510	2.6	**12.4**	26.8	55.9	2.3	0.4	**3.8**
乳児用調製粉乳（13％調乳）‡		13（＋水）	66	0.3	**1.6**	3.5	7.3	0.3	0.1	**0.5**
乳児用調製粉乳（15％調乳）‡		15（＋水）	77	0.4	**1.9**	4.0	8.4	0.3	0.1	**0.6**
人乳‖		100	61	88.0	**1.1**	3.5	7.2	0.2	0.0	**0.3**

*タンパク質の比は対牛乳の値を示した．†モッツァレラは本来，水牛の乳を使用するものだが，牛乳で代用したものもある．‡乳児用調製粉乳は13％調乳および15％調乳とした場合の数値を計算上求めた．‖人乳は乳製品ではないが乳児用調製粉乳との比較のために示した

〔報告 文部科学省 科学技術・学術審議会 資源調査分科会：日本食品標準成分表2020年版（八訂），2020 https://www.mext.go.jp/a_menu/syokuhinseibun/mext_01110.html〕

る[11]．牛乳を除去せざるを得ない，あるいは，少量しか摂取できない場合には，代替の食品でタンパク質の摂取をすすめると同時に，カルシウムなどの摂取を考慮する必要がある．牛乳は重要なカルシウム源であり，牛乳除去を行っていた患者において，身長[12]や骨塩密度[13]への影響の報告もある．牛乳90 mLまたはヨーグルト84 gにはカルシウムが約100 mg含まれているが[11]，これを念頭において代替のカルシウム源を考慮して栄養指導を行う．さらに，ビタミンDはカルシウムの吸収を助ける働きがあるが，魚類や卵黄などに多く含まれており，鶏卵に加えて魚類など，多品目の除去が続いている事例では，ビタミンDの欠乏により，カルシウムの不足を助長する可能性もあり，注意が必要である（表2）[14]．

表2 カルシウムの推定平均必要量と推奨量

年齢（歳）	参照体重（kg）	推定平均必要量（mg/日）	推奨量（mg/日）	参照体重（kg）	推定平均必要量（mg/日）	推奨量（mg/日）
	男性			女性		
1〜2	11.5	357	428	11.0	346	415
3〜5	16.5	489	587	16.1	444	532
6〜7	22.2	487	585	21.9	448	538
8〜9	28.0	538	645	27.4	625	750
10〜11	35.6	590	708	36.3	610	732
12〜14	49.0	826	991	47.5	677	812
15〜17	59.7	670	804	51.9	561	673
18〜29	64.5	658	789	50.3	551	661
30〜49	68.1	615	738	53.0	550	660
50〜64	68.0	614	737	53.8	556	667
65〜74	65.0	641	769	52.1	543	652
75以上	59.6	600	720	48.8	517	620

〔「日本人の食事摂取基準」策定検討会：日本人の食事摂取基準（2020年版）「日本人の食事摂取基準」策定検討会報告書，2019 https://www.mhlw.go.jp/stf/newpage_08517.html より改変引用〕

症例

1歳4か月 男児

● 食物経口負荷試験と食事指導で徐々に除去を解除できた多品目への食物アレルギーの例

病 歴：生後9か月時に離乳食としてかぼちゃのペーストに粉ミルクを混ぜて一口与えた数分後に顔面に皮疹が出現した．翌日粉ミルクを数mL与えたところ，数分後に顔面，その後体幹・四肢に瘙痒を伴った皮疹が出現した．近医受診し，非特異的IgE 146 IU/mL，牛乳特異的IgE抗体（Immuno CAP®）4.07 UA/mL（クラス3）であった．加水分解乳に変更したが，その後症状なく使用している．1歳4か月時に非特異的IgE 164 IU/mL，牛乳特異的IgE抗体5.07 UA/mL（クラス3）であった．この結果を踏まえて近医皮膚科よりOFC目的で紹介受診．母乳栄養児で1歳時に断乳した．

経 過：牛乳のOFCを行い，1.5 mLで全身に皮疹を認めたため，牛乳の完全除去を行った．体重・身長などのフォローアップを行い，栄養状態を評価しつつ，適宜食事指導を行った．3歳時には牛乳特異的IgE抗体2.09 UA/mL（クラス2）となり，牛乳のOFCで積算18.5 mLを摂取して口腔周囲の紅斑などを認めた．その後，10 mL程度までの摂取で症状がないことが確認できたため，牛乳10 mLの摂取を進めた．4歳時にはIgE 438.0 IU/mL，牛乳特異的IgE抗体2.07 UA/mL（クラス2）であり，牛乳のOFCを行い，積算200 mL飲んで症状を認めなかった．1日の摂取量を200 mLまでとし，自宅での摂取をすすめた．

4 乳糖不耐症との相違

乳糖は牛乳に4.5％程度，人乳に7％程度含まれる[15]．牛乳に含まれる乳糖（ラクトース）は消化酵素（ラクターゼ）により，ガラクトースとグルコースに分解されて吸収される．このラクターゼの量的ないし質的異常により，乳糖の分解が進まないことにより起こるものを乳糖不耐症とよぶ．分解されない乳糖は大腸内にとどまり浸透圧を上昇させ，浸透圧性の軟便・下痢が生じる．また，腸管内の微生物によりガスが発生し，鼓腸や腹部膨満などを引き起こしたり，乳糖より乳酸などが産生されるなどして蠕動運動が強まり，腹痛や腹鳴を引き起こしたりする．下痢や腹痛などの消化器症状は食物アレルギーでも認められるが，抗原特異的に免疫学的機序を介して起こる症状であり，病態が異なる．

乳糖不耐症の検査法として，乳糖負荷試験，小腸ラクターゼ活性の測定，呼気水素試験などがある．チーズは製造過程で乳糖がほとんど除去されており，年長者ではチーズ（プロセスチーズ 100 g 中乳糖 0 g[11]）や乳糖分解乳（アカディ®：乳糖を 8 割カットされている）の摂取で症状が誘発されないことなどから，ある程度推察ができる．また，特に乳幼児においては，便の pH の低下や（一般に pH＜6.0 となる），無乳糖ミルク（ノンラクト®や明治ラクトレス®など）への変更で症状が改善することなどから，ある程度推察される．以前はクリニテスト®が便中の還元糖の簡便な検出法として用いられていたが，試薬が販売中止となっており，当科では状況に応じて参考として Benedict 法での便中の還元糖の検出も行っている．また，必要に応じて乳糖負荷試験を行うことで診断を確定する．

5 「乳」の表記

平成 14（2002）年 4 月 1 日より食品衛生法に基づく特定原材料を含む旨の表示が義務化され，特に発症数，重篤度から勘案して，表示する必要性の高いものとして，小麦，そば，卵，乳，落花生の 5 品目が必ず表示される特定原材料に選定された〔その後，平成 20（2008）年 6 月にえび・かにが追加され，7 品目が特定原材料として規定された〕．「乳」に関しては牛の乳より調製，製造された食品すべてに関して表示が必要とされているが，牛以外の乳（山羊乳，めん羊乳など）は表示の対象外となっている．「牛乳」アレルギー患者の場合，牛肉への交差抗原性はほとんどないと考えられているが，山羊乳などへの交差抗原性はあると考えられており，注意が必要である．

さらに食品表示に関係する三法（食品衛生法，JAS 法および健康増進法）が統合され，新たに食品表示法が制定，平成 27（2015）年 4 月 1 日に施行された．これにより，個々の原材料の直後に括弧書きする個別表示が原則となった[16]．表示の詳細は別項に譲るが，「一般的に特定原材料などにより製造されていることが知られているため，それらを表記しなくても，原材料として特定原材料などが含まれていることが理解できる」と考えられてきた，これまでの特定加工食品とその拡大表示が廃止され，その直後に括弧書きで特定原材料の表記が必要となった．それにより，「乳成分を含む」の記載〔昭和 26（1951）年厚生省令第 52 号の「乳及び乳製品の成分規格等に関する省令」の乳，乳製品の定義との関係から，「乳を含む」や「乳製品を含む」の表示は認められていない〕がされるようになり，消費者にはよりわかりやすい表示がなされるようになった．

また，「乳」の文字などが含まれているために誤解を生みやすい表記がある．「乳化剤」，「乳酸菌」，「乳酸カルシウム」，「乳酸ナトリウム」などには乳成分を示す用語でないことは理解する必要がある．乳化とは牛乳のように水と油が混ざり合っている状態であること，乳酸は最初に発見されたときに乳から発見されたことより名づけられたことなど，具体的に説明することが理解を助けることもある．また，乳糖は通常牛乳を原材料にしており乳タンパクの微量の混入の可能性はあるが，大半の患者では摂取可能である．乳糖は顆粒だしなどに含まれており，学校給食などでも多く使われているため，本当に摂取ができないほど重篤なのかどうかを十分検討したうえで食事指導をすすめる．

6 代替用ミルク

牛乳アレルギーのある乳児の代替用ミルクとして，加水分解乳，アミノ酸乳，大豆乳などが使われている．加水分解乳には高度加水分解乳と部分加水分解乳があり，このうち牛乳アレルギーに用いられるのは高度加水分解乳である．European Society of Pediatric Allergy and Clinical Immunology によれば，高度加水分解乳は 3,000 Da 未満のものと定義され，一方，部分加水分解乳は一般的に 5,000 Da 未満であると定義されている[17]．American Academy of Pediatrics（AAP）の Committee on Nutrition においても同様に定義されており[17]，そのほかに，アミノ酸ベースのアミノ酸乳が定義されている．

加水分解乳・アミノ酸乳の分類を表 3 に示す．わが国では，健康増進法第 26 条に基づき特別用途食品の表示の許可制度があり，乳児用調製粉乳や病者用食品などが規定されている．この，病者用食品の中にアレルゲン除去食品として，ニュー MA-1®，明治ミルフィー HP® などがある．これらの加水分解乳は，多くの牛乳アレルギー児において有用な栄養源として利用されるが，一部にアレルギー症状を誘発する可能性があることを念頭に，慎重に導入する必要がある．また，E 赤ちゃん® は乳児用調製乳と定義されておりアレルギー患者の治療用ミルクとはみなされていないが，多くの牛乳アレルギー患者では症状なく摂取できたとする報告もある[18]．アミノ酸乳としての明治エレメンタルフォーミュラ® は窒素源としてアミノ酸を使用しており，理論的にはアレルギー反応は起こらないと考えられる．ただし，浸透圧が高いため下痢などに注意が必要である．ボンラクト i®（アサヒグループ食品株式会社）は大豆由来の原料を用いた乳児用調製乳であったが，最近アレルゲン除去食品の表示許可も下りたため牛乳アレルギー患者への使用も考慮される．これらの点を踏まえて，必要に応じて適切な代替乳の選択を行う．

2014 年 6 月 17 日の厚生労働省告示第 258 号により，「食品，添加物等の規格基準」〔昭和 34（1959）年厚生省告示第 370 号〕の一部が改正され，添加物「ビオチン」が調製粉乳および母乳代替食品（2018 年 8 月 8 日に調製液状乳が追加）使用できるようになり，アレルゲン除去食品においても，2015～2016 年にかけては，各社がビオチンの追加などを行ってきた．「食品衛生法施行規則」〔昭和 23（1948）年厚生省令第 23 号〕および「食品，添加物等の規格基準」〔昭和 34（1959）年厚生省告示第 370 号〕が 2016 年 9 月 26 日に改正され，「亜セレン酸ナトリウム」が調製粉乳および母乳代替食品（2018 年 8 月 8 日に調製液状乳が追加）への添加が認められた．アレルゲン除去食品についても，今後各社がセレンの追加などを行っていくものとみられる．

7 牛乳に対する食物アレルギーの発症予防

近年二重アレルゲン曝露仮説の提唱により，経皮感作の重要性が強く認識されるようになる一方，乳幼児の食物アレルギーの発症に乳児期の経口的な曝露により免疫寛容が誘導されることが認識されるようになった[19]．牛乳アレルギーの発症に関していくつかの重要な報告がある．まず，生後 3 日間人工乳の曝露を避けると牛乳アレルギーの発症を避けることができたとする報告がある[20]．一方で，大規模出生コホート試験の結果より，生後 3 か月～6 か月の人工乳の摂取が牛乳アレルギーを予防する可能性が示された[21]．さらに，生後 1 か月～3 か月の間に人工乳を最低 10 mL 摂取したところ生後 6 か月の牛乳アレルギーを抑制できたとする報告も

表3 加水分解乳・アミノ酸乳およびアレルゲン除去食品の分類

法律上の定義	アレルゲン除去食品*				乳児用調製乳
AAPによる定義†	アミノ酸乳	高度加水分解乳			部分加水分解乳
商品名	明治エレメンタルフォーミュラ®	ニューMA-1®	明治ミルフィーHP®	ボンラクトi®	E赤ちゃん®‡
企業名	株式会社明治	森永乳業株式会社	株式会社明治	アサヒグループ食品株式会社	森永乳業株式会社
窒素源	精製結晶L-アミノ酸	カゼイン分解物	乳清分解物	大豆分解物	カゼイン分解物および乳清分解物
分子量 平均分子量		約300	800〜1,000	—	ほとんどが3,500以下
分子量 最大分子量		1,000	3,500	—	
乳糖	−	−	−	−	+
標準調整乳濃度	17%	15%	14.5%	14%	13%
浸透圧(mOsm/kg・H_2O)	400	320	280	290	294
100g当たりの栄養§(標準調乳濃度で調乳したときの栄養素) エネルギー(kcal)	391 (66.5)	466 (69.9)	462 (67.0)	480 (67.2)	512 (66.6)
たんぱく質(g)	11.5 (2.0)	13.0 (2.0)	11.7 (1.7)	12.9 (1.8)	10.5 (1.4)
脂質(g)	2.5 (0.4)	18.0 (2.7)	17.2 (2.5)	20.6 (2.9)	27.0 (3.5)
炭水化物(g)	78.8 (13.4)	63.5 (9.5)	66.2 (9.6)	61.8 (8.7)	57.5 (7.5)
食塩相当量(g)	0.47 (0.08)	0.41 (0.06)	0.43 (0.06)	0.41 (0.06)	0.36 (0.05)
ビタミンA(μg)	310 (52.7)	600 (90.0)	360 (52.2)	420 (58.8)	410 (53.3)
ビタミンB1(mg)	0.6 (0.1)	0.4 (0.1)	0.6 (0.1)	0.4 (0.1)	0.35 (0.05)
ビタミンB2(mg)	0.9 (0.2)	0.7 (0.1)	0.9 (0.1)	0.6 (0.1)	0.7 (0.1)
ビタミンB6(mg)	0.3 (0.1)	0.3 (0.05)	0.3 (0.04)	0.3 (0.04)	0.3 (0.04)
ビタミンB12(μg)	4 (0.7)	2 (0.3)	4 (0.6)	1.5 (0.2)	1.5 (0.2)
ビタミンC(mg)	50 (8.5)	50 (7.5)	50 (7.3)	60 (8.4)	60 (7.8)
ビタミンD(μg)	5.3 (0.9)	9.3 (1.4)	6.3 (0.9)	7.0 (1.0)	6.5 (0.8)
ビタミンE(mg)	6 (1.0)	6.3 (0.9)	6 (0.9)	5.2 (0.7)	10.0 (1.3)
ビタミンK(μg)	25 (4.3)	25 (3.8)	24 (3.5)	20 (2.8)	25 (3.3)
ビオチン(μg)	9.4 (1.6)	15 (2.3)	11.1 (1.6)	10 (1.4)	15 (2.0)
葉酸(μg)	200 (34.0)	100 (15.0)	200 (29.0)	60 (8.4)	100 (13.0)
亜鉛(mg)	2.8 (0.5)	3.2 (0.5)	3 (0.4)	3.6 (0.5)	3.0 (0.4)
カリウム(mg)	450 (76.5)	540 (81.0)	550 (79.8)	540 (75.6)	495 (64.4)
カルシウム(mg)	380 (64.6)	400 (60.0)	370 (53.7)	380 (53.2)	380 (49.4)
リン(mg)	220 (37.4)	240 (36.0)	205 (29.7)	210 (29.4)	210 (27.3)
鉄(mg)	6.5 (1.1)	6.0 (0.9)	6.4 (0.9)	7.0 (1.0)	6.0 (0.8)
銅(μg)	320 (54.4)	320 (48.0)	310 (45.0)	320 (44.8)	320 (41.6)
マグネシウム(mg)	42 (7.1)	45 (6.8)	41 (5.9)	40 (5.6)	45 (5.9)
セレン(g)	0 (0.0)‖	—¶	—‖	—**	7 (0.9)
カルニチン(mg)	7.8 (1.3)	12 (1.8)	9.2 (1.3)	6 (0.8)	12 (1.6)

*特別用途食品の表示の許可制度(健康増進法第26条)に基づく病者用食品の中のアレルゲン除去食品に該当するもの,†American Academy of Pediatricsによる定義,‡ミルクアレルギー患者用ではないことに留意する,§各栄養素については,各商品のWebサイトの記載(2022年3月15日アクセス)により作成し,記載のないものは一で示した.また,括弧内に標準調乳濃度で調乳した場合の栄養素を示した.‖2022年初夏頃より添加開始予定.¶原料由来のセレン(自社測定値で製品100g当たり5〜6μg)を含有する.**原料由来のセレン(自社測定値で製品100g当たり7μg)を含有する

ある[22].牛乳アレルギーの発症予防に対する知見が集積されつつあり,目覚ましい発展をとげている状況である.

文献

1)海老澤元宏,ほか(監修),日本小児アレルギー学会食物アレルギー委員会(作成):食物アレルギー診療ガ

イドライン 2021．協和企画，2021
2）今井孝成，ほか：消費者庁「食物アレルギーに関連する食品表示に関する調査研究事業」平成 29（2017）年即時型食物アレルギー全国モニタリング調査結果報告．アレルギー **69**：701-705，2020
3）Kondo N, et al.：Lymphocyte responses to food antigens in patients with atopic dermatitis who are sensitive to foods. *J Allergy Clin Immunol* **86**：253-260, 1990
4）Kaneko H, et al.：Efficacy of the slow dose-up method for specific oral tolerance induction in children with cow's milk allergy：comparison with reported protocols. *J Investig Allergol Clin Immunol* **20**：538-539, 2010
5）Ueno HM, et al.：T-cell epitope-containing hypoallergenic *β*-lactoglobulin for oral immunotherapy in milk allergy. *Pediatr Allergy Immunol* **27**：818-824, 2016
6）Ueno HM, et al.：Hypoallergenic casein hydrolysate for peptide-based oral immunotherapy in cow's milk allergy. *J Allergy Clin Immunol* **142**：330-333, 2018
7）Kawamoto N, et al.：Oral immunotherapy with antigenicity-modified casein induces desensitization in cow's milk allergy. *Allergy* **75**：197-200, 2020
8）近藤直美（監修），金子英雄，ほか（執筆）：最新 アレルギー疾患の免疫療法と分子標的治療―理論と実践―．診断と治療社，100-104，2013
9）川本典生，ほか：CQ2　IgE 依存性牛乳アレルギー患者において，経口免疫療法は完全除去の継続と比較して有用か？　日本小児アレルギー学会誌 **35**：304-318，2021
10）大島美穂子，ほか：学校給食における卵・乳使用量からみたアレルギー対応食適応基準の妥当性と栄養評価．日本小児アレルギー学会誌 **34**：551-559，2020
11）報告 文部科学省 科学技術・学術審議会 資源調査分科会：日本食品標準成分表 2020 年版（八訂），2020 https://www.mext.go.jp/a_menu/syokuhinseibun/mext_01110.html
12）Mukaida K, et al.：The effect of past food avoidance due to allergic symptoms on the growth of children at school age. *Allergol Int* **59**：369-374, 2010
13）Nachshon L, et al.：Decreased bone mineral density in young adult IgE-mediated cow's milk-allergic patients. *J Allergy Clin Immunol* **134**：1108-1113. e1103, 2014
14）「日本人の食事摂取基準」策定検討会：日本人の食事摂取基準（2020 年版）「日本人の食事摂取基準」策定検討会報告書，2019　https://www.mhlw.go.jp/stf/newpage_08517.html
15）van Neerven R J, et al.：Which factors in raw cow's milk contribute to protection against allergies? *J Allergy Clin Immunol* **130**：853-858, 2012
16）消費者庁：消食表第 139 号消費者庁次長通知，食品表示基準について，別添アレルゲンを含む食品に関する表示基準（平成 27 年 3 月 30 日）．2015　https://www.caa.go.jp/policies/policy/food_labeling/food_labeling_act/pdf/food_labeling_cms101_200720_01.pdf
17）Businco L, et al.：Hydrolysed cow's milk formulae. Allergenicity and use in treatment and prevention. An ESPACI position paper. European Society of Pediatric Allergy and Clinical Immunology. *Pediatr Allergy Immunol* **4**：101-111, 1993
18）Kido J, et al.：Most cases of cow's milk allergy are able to ingest a partially hydrolyzed formula. *Ann Allergy Asthma Immunol* **115**：330-331. e332, 2015
19）Lack G：Epidemiologic risks for food allergy. *J Allergy Clin Immunol* **121**：1331-1336, 2008
20）Urashima M, et al.：Primary Prevention of Cow's Milk Sensitization and Food Allergy by Avoiding Supplementation With Cow's Milk Formula at Birth：A Randomized Clinical Trial. *JAMA Pediatr* **173**：1137-1145, 2019
21）Tezuka J, et al.：Possible association between early formula and reduced risk of cow's milk allergy：The Japan Environment and Children's Study. *Clin Exp Allergy* **51**：99-107, 2021
22）Sakihara T, et al.：Randomized trial of early infant formula introduction to prevent cow's milk allergy. *J Allergy Clin Immunol* **147**：224-232. e228, 2021

C 小麦アレルギー

長尾みづほ
（国立病院機構 三重病院 臨床研究部）

1 はじめに

小麦アレルギーは，日本では全年齢における原因食物として鶏卵，牛乳に次いで3番目に多い[1]．新規発症例の年齢別原因アレルゲンとしてみると，0歳児では3番目（12.2%）と多いが，1歳，2〜3歳，4〜6歳で少なく（5番目以内になし），7〜17歳になると再び4番目（8.9%）の原因として浮上して，18歳以上では3番目（16.2%）という二峰性の分布をとる[1]．小麦アレルギーには離乳食の摂取開始時期に発症する一群と，学童期以降（成人期含む）に発症する一群という異なる病型もしくは発症メカニズムが存在することを示し，まれではあるが，産後に一時的に小麦アレルギーが発症し自然寛解した例もある[2]が，詳細は不明である．乳児期に発症する例は多くが初めての摂取で症状が誘発される一方，学童期以降に発症する例はそれまで無症状で摂取していて，あるときから症状誘発が始まるという病歴の特徴がある．後者ではイネ科花粉症に罹患した患者の中で小麦製品を摂取して蕁麻疹などの症状をきたすような花粉関連の病態もあるが，食物依存性運動誘発アナフィラキシーなどを引き起こす病態もあり[3]，種々の感作経路（経消化管感作，経気道感作，経皮感作），メカニズムなど今後，解明されるべき課題となっている．

いずれにしても，これら疫学的特徴と想定される病態を念頭において問診を進めることが，小麦アレルギーの診断やその後の管理に有用であろう．本項では小児期早期に発症する小麦アレルギーを中心に，上に述べた特徴について具体的に解説していく．小麦による食物依存性運動誘発アナフィラキシー（p.217「conventional WDEIA」参照）と社会問題ともなった化粧品を介した経皮感作による小麦アレルギー（p.218「グルパール19S含有石鹸使用者に発生したWDEIA」参照）については別項で扱う．

2 小麦アレルギーの症状と特徴

摂取後2時間以内（多くは30分以内）に起こる蕁麻疹や血管性浮腫などの皮膚症状，腹痛や嘔吐などの消化器症状，咳，喘鳴といった呼吸器症状，血圧低下を伴うアナフィラキシーショックなどの全身症状は，そのほかの即時型食物アレルギーと同様である．

1．乳児期の小麦感作にどう対処するか？

症例1では，小麦の感作のみで実際に小麦による誘発症状は確認されていない．乳児期にアトピー性皮膚炎がある場合などは非特異的に多抗原に感作がみられることもあるが，必ずしも摂取によりアレルギー症状が出現するとは限らない．皮疹のコントロールが不十分なときに，小麦を食べると皮疹が悪化する気がするという訴えを聞くこともあるが，まずはアトピー性皮

症例 1

0歳7か月　男児
生後5か月から離乳食を開始し，7か月のときに初めてゆで卵の卵黄を食べたところ全身の蕁麻疹がみられた．採血結果で卵白と小麦の感作がみられたため，近医で鶏卵と小麦の除去を指示された．
特異的IgE抗体価：小麦3.4 UA/mL　ω-5グリアジン0.1 UA/mL未満　卵白32.5 UA/mL　オボムコイド5.6 UA/mL
ω-5グリアジンが陰性であったため経口負荷試験を行い，小麦は摂取できることが確認された．

膚炎の状態を改善し，食物経口負荷試験（経口負荷試験）などで確認していくことが望ましい．実際，この症例の場合はうどんの経口負荷試験を行ったところ誘発症状はみられず，除去を解除した．

早期摂取により小麦アレルギーが予防できるのかといった課題については，システマティックレビューによると感作のリスクを低下させる可能性があるが小麦アレルギーのリスクには影響しないという見解になっている[4]．

2．乳児期に即時型アレルギー症状を呈したとき

乳児期に多くみられる典型的経過である．乳児期には鶏卵アレルギーや牛乳アレルギーなどほかの食物アレルギーを合併していることも多いため[5]，鶏卵や牛乳の摂取の既往についても確認しておくとともに，未摂取の場合はこれらの特異的IgE抗体も同時に調べて診断の参考にする．離乳食開始時に小麦アレルギーを予測するのは容易ではない．しかし，怖がって摂取を遅らせることも勧められない．離乳食の基本に則り，初めて摂取するときは一かけらのみにしておくことを勧めるとよいであろう．ごく少量ならば，もし症状が出現しても軽症であることが多いからである．また，離乳食初期にパン粥を与えることが多いが，パンには鶏卵，牛乳，小麦と3大アレルゲンすべてを含むことと，重量で比較した場合に小麦のタンパク量がうどんよりも多いため，最初に小麦製品を与えるときはうどんや素麺など小麦のみを含むもののほうが，アレルギー症状が誘発された際にも原因となったアレルゲンがわかりやすい．麩も小麦製品の代表的な食品で離乳食初期に使用されることが多いが，これも最初は少ない量から与え始めることが安全である．

池松らの報告では3歳までに63%が耐性獲得するとされており[6]，一般的に予後はよいので，乳児期に小麦アレルギーが確定診断された例でも，1歳を過ぎたところで，経口負荷試験を行って，摂取閾値が上昇するか確認していくとよい．

3．寛解が得られにくい児の特徴

寛解が得られにくい児の特徴としては，小麦の特異的IgE抗体価が高値の場合[5]，グリアジンのプリックテストが5 mm以上ある場合[7]，アナフィラキシーの既往がある場合[8]，さらに，消化器症状を呈する症例では特異的IgE抗体価の最大値をとる年齢が大きい場合[9]などが指摘されている．日本の報告では明らかな即時型症状または経口負荷試験陽性で診断した小麦アレルギーのうち，3歳で21%，6歳で66%がうどん200 gの摂取ができるようになっており，予後に関連する因子としては，特異的IgE抗体価高値やアナフィラキシーの既往などがあった[10]．しかし，これらの傾向があっても寛解することもあるため，過去1年以内のアナフィラキシー歴などがなければ，積極的，かつ慎重に経口負荷試験を行い除去レベルの確認をしていくことが望ましい．

症例 2

0歳6か月　女児
　完全母乳栄養児で生後2か月頃より頬を中心に湿疹がみられたためスキンケアと炎症部位のステロイド外用で加療していた．生後5か月後半より離乳食を開始し，6か月のときに初めてパン粥を与えたところ全身の蕁麻疹，続いて喘鳴がみられ，救急受診した．症状経過と特異的IgE抗体価の結果から小麦アレルギーと診断された．
　特異的IgE抗体価：小麦 20.5 UA/mL　ω-5グリアジン 5.6 UA/mL

症例 3

6歳5か月　男児
　乳児期に重症のアトピー性皮膚炎があり，特異的IgE抗体の結果やその後の経口負荷試験の結果で鶏卵，牛乳，小麦の完全除去を行っていた．4歳頃から加熱鶏卵については耐性獲得傾向がみられたが，牛乳は少量の誤食でアナフィラキシーが誘発され，小麦もうどん1 gの負荷試験で全身の蕁麻疹と喘鳴，嘔吐が出現した．麦ご飯の負荷試験でも10 g程度の摂取で血圧低下を伴うアナフィラキシーを呈した．

4．寛解しない小麦アレルギー児への学校における配慮

　症例3では，小学校での就学に向けて学校との話し合いを行った．重症の小麦アレルギー児の学校生活における留意点は，工作の授業で小麦粘土が使われる場合には，手の痒み，湿疹が誘発されたり，経皮感作が進む可能性もあるので，油粘土や寒天粘土など別の素材のものを使用するよう説明する．小麦粉が舞うような場所（小麦粘土工作やパン作りなど）で症状が誘発される可能性があるときはマスク着用などを考慮する．給食では，代替食の提供ができないときは，パンならば米飯か米粉パンの持参，麦ご飯の場合も米飯を持参させることになる．この場合，ほぼ毎日主食を持参することになるため，保温庫や電子レンジの使用が可能かなど学校と相談しておく．

3 検査と治療の実際

1．特異的IgE抗体

　特異的IgE抗体価から負荷試験陽性を予測するプロバビリティカーブが報告されている．ただし，プロバビリティカーブはこれを算出するために検討された対象によって異なるため，グラフをそのまま当てはめて，何UA/mLだから何%の確率である，のような解釈はできないことには留意する．小麦で報告されているプロバビリティカーブの一覧を表1に示す．
　小麦特異的IgEの診断性能は低年齢では比較的高いが，年齢が上がると特異性が低くなることがわかっている．すなわち，小麦特異的IgEが高値でも摂取可能な例が少なくないことである．Komataらの報告[11]では，小麦の特異的IgE抗体価は1歳未満のときには7 UA/mL以上あればおよそ90%の確率で陽性であるが，1歳以上になると80%以上を予測できる値も存在しない．
　そこで，コンポーネントであるω-5グリアジン特異的IgEを測定することにより診断性能が向上する．特に特異度が高くなり，1歳未満であれば2.2 UA/mL，1歳以上であれば3.5 UA/mL

表1 小麦のプロバビリティカーブの報告の一覧

文献 (報告年)	対象			食物経口 負荷試験	特異的 IgE 抗体			
	n	年齢	適用	負荷食品・量	測定法	アレルゲン	90% 予測値	50% 予測値
16 (2009)	301	平均 1.3 歳 (0.5〜14.6)	診断/経過	うどん 100 g	CAP	小麦	0 歳：7 ≧1 歳：N.E.	0 歳：1.4 ≧1 歳：19
17 (2011)	233	中央値 3.6 歳 (0.5〜17.5)	診断/経過	うどん 38 g	CAP	小麦	N.E.	18.5
						ω-5グリアジン	3.3	1
18 (2012)	331	中央値 2.3 歳 (0〜20.4)	診断/経過	記載なし	CAP	ω-5グリアジン	<2 歳：2.2 ≧2 歳：3.5	<2 歳：0.35 ≧2 歳：0.6
19 (2017)	626	平均 1.1 歳	診断/経過	うどん 15〜100 g	CAP	小麦	N.E.	10.4
					アラスタット		50.6	4.7
20 (2016)	68	中央値 6.8 歳 (95%CI： 3.3〜9.3)	経過	うどん 2 g	CAP	小麦	N.E.	42.5
						ω-5グリアジン	88.1	3.9

数値の一部は著者に確認して，元データから算出した
CAP：イムノキャップ® (U_A/mL)，アラスタット：アラスタット® 3gAllergy (IU_A/mL)，N.E.：not estimated
〔海老澤元宏，ほか(監修)，日本小児アレルギー学会食物アレルギー委員会(作成)：食物アレルギー診療ガイドライン 2021，協和企画，2021〕

以上あればおよそ 90% の確立で陽性と診断できたと報告されている．しかし，感度は必ずしも高くなく，陰性であっても小麦アレルギーを否定しにくいため注意が必要である．

耐性獲得に伴って抗体価が低下していき，経過観察の指標にも有用であるとの報告もあることから[12]，小麦アレルギーが疑われる場合には ω-5 グリアジンも合わせて測定することが望ましい．

また，ω-5 グリアジンは成人の小麦のアナフィラキシーや食物依存性運動誘発アナフィラキシーでも，小麦やグルテンの特異的 IgE 抗体価より有用であると報告されている[3]．

2. 食物経口負荷試験

確定診断には食物経口負荷試験を行う．しかし，小麦では特異的抗体価が低くてもアナフィラキシーを起こすこともあることから，完全除去を続けてきた例に対して負荷試験を行うときは十分な注意が必要である．逆に，乳児期にアトピー性皮膚炎があり，採血して小麦の感作がみられたことでそれまで摂取していたにもかかわらず小麦を除去してしまう保護者（あるいはそれを指示する医師）がいる．このような例に対しては，それまで摂取して量は食べていくように促すが，怖がって摂取を進められないときには 1 歳まで待つ必要はなく，積極的に経口負荷試験を行って安全に摂取できる量を確認したほうがよい．乳児期でも特異的 IgE 抗体価や既往などを加味して負荷量を設定すれば安全に経口負荷試験が実施できる[13]．食物アレルギー診療ガイドライン 2021[1]では少量，中等量，日常摂取量，といった段階的な経口負荷試験を提示しており，こういった方法による安全性の報告もある[14,15]．

3. 治　療

小麦アレルギーの管理は，後に述べるように食事指導が中心となるが，耐性の獲得が困難な児に対しては研究段階ではあるものの経口免疫療法が試みられている[16]．有用ではあるがアナフィラキシーのリスクも伴うのが問題であったが，最近では安全性を重視して目標量を少量にすることで[17]，摂取閾値は低くても誤食によるリスクを低下させることができ，長期経過の報告もみられている[18]．重要なことは，安全な摂取可能閾値を適切に評価して，必要最小限かつ

最終負荷量 ＼ 負荷試験結果	摂取を開始する量				
	陰性	グレード 1	グレード 2	グレード 3	グレード 4
20 g	20 g	10 g	5 g	2 g	
10 g	10 g	5 g	2 g		
5 g	5 g	2 g		除去の継続	
2 g	増量負荷				

図 1　食物経口負荷試験結果に基づく摂取指導プラン

食物経口負荷試験の最終負荷量と誘発症状のグレード分類から，摂取開始量を決定する．負荷陰性であれば最終負荷量から，負荷陽性では症状グレードに応じて 1〜2 段階落とした量から開始する．開始量が 2 g に満たない場合は，負荷試験前の除去を継続する
〔楪村春江，ほか：タンパク質換算を用いた小麦アレルギー患者への除去解除指導（第 4 報）．日本小児アレルギー学会誌 27：710-720，2013〕

安全な除去食を指導することである．経口負荷試験の施行が困難な施設では専門医への紹介が望ましい．かつ，経口免疫療法は治療に精通した食物アレルギーの専門医のもとで行われるものであり，安易な指導はリスクが大きい．

1）食べるための食事指導

小麦にかかわらず，食物アレルギーの基本的な方針は「必要最小限の除去」である．小麦の場合，主食を米にすることで栄養価的に劣ることは特になく，小麦の代わりに米粉を使用することで多くの料理を代替して作ることが可能である．市販の米粉パンの中には小麦グルテンを含有しているものもあることから原材料の表記には注意する必要がある．麺類には米麺，あわ麺，ひえ麺など小麦以外の麺類を使用することで対応が可能である．揚げ物などは，パン粉の代わりにコーンフレークを使用したり片栗粉を用いたりする．

摂取可能な量は経口負荷試験の結果から推定する．楪村らは最終負荷量とそのときの症状によって摂取開始量を推奨している（図 1）[19]．

醤油などの調味料は製造工程で小麦を使用するが，醸造過程で小麦アレルゲンが残存していないという報告もあり[20]，アナフィラキシーをきたすような重症児でもほとんどが摂取可能であることから過剰な除去は不要である．しかし，塩分や浸透圧など非特異的な刺激のために口周囲に接触することで発赤を起こすことがあり，アレルギー症状とよく混同される．口周囲の発赤のみの症状であれば，再度別の日に口周囲につかないように食べさせて様子をみるとよい．

患者がおいしく安全に食べられる量がはっきりしてきたら，少しずつ増量していってもよい．摂取量は小麦タンパク質を基準に決めていく．パンは水分の多いうどんに比べると，「みための」ボリュームより小麦タンパク質としては多いことに注意する．表 2 にうどん 50 g 相当の小麦タンパク質を含む小麦製品の量を示す．

しかし過去の症状誘発歴や経口負荷試験で皮膚症状だけではなく呼吸器症状もみられた場合は，安易に増量すると重症の誘発症状が起こることがあるので，注意が必要である．摂取後の腹痛を訴える場合，本人が小麦の味を嫌がる場合なども無理に進めないほうがよい．

2）小麦が使用されている食品

小麦が多く使用されている食品としては，まず主食となるパン類やうどんやラーメンなどの麺類がある．小麦を生地とする料理にお好み焼きやたこ焼き，ホットケーキなどがある．スポンジケーキやクッキーなどの菓子類にも使用される．比較的量が少ないものとして，カレーやシチューのルー，揚げ物の衣などがあげられる．少量含むものとして，ハンバーグやソーセー

表2 うどん 50 g が摂取可の場合に食べられる可能性の高い食品の量（例）

小麦製品	量
薄力粉	16 g まで
強力粉	11 g まで
食パン	14 g（6 枚切の場合約 1/4 枚）まで
スパゲティ，マカロニ（ゆで）	25 g まで
スパゲティ，マカロニ（乾）	10 g まで
焼きふ	4.5 g まで

*量の換算は「日本食品標準成分表 2015 年版」にもとづく
〔「食物アレルギーの栄養指導の手引き 2017」検討委員会（研究代表者：海老澤元宏）：厚生労働科学研究班による食物アレルギーの栄養指導の手引き 2017．2017〕

ジなどのつなぎにも使用されていることもある．そのため調理加工品を購入する際には原材料表示を確認する必要がある．小麦が少量だけ使われているようなスナック菓子などは，少しずつ食べ進めていくときに利用しやすい．

3）ほかの穀物（大麦，ライ麦，ソバなど）との関係

小麦アレルギーの児は，大麦やライ麦といったほかの麦類にも交差反応性を示すために，アレルギー症状が誘発される場合もある．しかし，臨床的に交差反応する確率は 20% 程度とされるので[21]，必ずしもほかの麦類まで除去する必要はない．麦茶は摂取可能なことが多いが，麦ご飯は学校給食で提供されるところもあるため経口負荷試験などで確認しておいたほうがよい．大麦での症状が誘発される予測因子として，小麦アレルギーが重症であること，ω-5 グリアジンや小麦の特異的 IgE 高値があげられている[22]．オーツ麦は小麦アレルギーが重症でも摂取可能なことが多く，症状があっても軽症であると報告されている[23]．

大麦やライ麦は原材料表示の義務がないため，これらにも反応してしまう症例では注意が必要である．多くの麦類で症状が誘発される場合には，ほかの穀物の摂取が可能か確認していくと代替食を考えやすい．トウモロコシは大麦やライ麦が陽性であっても摂取可能なことが多い．

ソバアレルギーが臨床的に小麦や米と交差反応することは極めてまれで，特異的 IgE 抗体価もソバ単独で高値をとることが多い．逆に，ソバ特異的 IgE 抗体価がほかの穀物と同等の値を示す場合は，ソバアレルギーである可能性は低い[24]．しかし，ソバの製品によっては小麦が含有されていることがあるため，原材料表示を確認することは必須である．

4）パン職人喘息

小麦に対して経気道的に感作されることにより発症するのがパン職人喘息（baker's asthma）である．パン職人，菓子職人，ピザ職人，製粉業者など小麦粉を扱う労働者の職業病の 1 つと

症例 4

18 歳　女性

大学生になりクレープ屋でアルバイトを始めたところ，数か月後くらいから時々息苦しくなることを感じていた．バイト中に多く出現することからパン職人喘息が疑われた．バイトを辞めて吸入ステロイドで喘息の治療を開始したところ症状は速やかに改善していった．その後吸入ステロイドを中止しても症状の再燃はみられなかった．小麦の摂取はパン職人喘息の診断後も続けており，摂取でアレルギー症状が誘発されることはなかった．

特異的 IgE 抗体価：小麦 0.3 UA/mL　ω-5 グリアジン 0.10 UA/mL 未満

されており，小麦を吸い込むことで喘息や鼻症状などが出現し，パン職人の15～20%が鼻症状を，5～10%が喘息症状を呈するともいわれている職業病である[25]．吸い込むことでは症状が出現するが，経口摂取は可能である患者も多いため，IgE抗体の感作のみで摂取の除去を指示する必要はない．パン職人喘息に特徴的な小麦のコンポーネントの感作もいくつか報告があり[26]，ヨーロッパのパン職人を対象とした調査では，Tri a 27，Tri a 28といったコンポーネントのIgE結合率が高いことが示されているが[27]，現時点ではそれだけで確定診断できるものはない．そのため対応としては，発症が疑われたときには速やかに診断し，小麦粉を吸い込みやすい環境から配置換えを推奨する．喘息を合併しない鼻炎症状のみのパン職人鼻炎（Baker's rhinitis）もみられるが，その場合は小麦粉以外のアレルゲン検査の実施も考慮して小麦が原因アレルゲンかどうかの鑑別を行う[28]．

5）セリアック病

セリアック病（celiac disease）は，小麦などに含まれるグルテンにより引き起こされる自己免疫類似疾患で，タンパク漏出性胃腸症を呈する疾患である．IgEの関与する即時型アレルギーとは異なる．臨床症状としては下痢，腹痛，吸収不良症候群などがある[29]．疫学的には地域性あるいは人種間の格差がみられるが，ヨーロッパなどでは，いわゆるcommon diseaseで，その頻度はおおよそ，人口の100～300人に1人とされている[30]．わが国ではまれであり，症例報告が散見される程度である[31]．セリアック病の診断には血清学的に抗グリアジン抗体の証明，消化管内視鏡所見を参考にするが，グルテン除去食によって症状が消失することで最終的に診断する[29]．IgEが関与しないにもかかわらずグルテン除去で症状が改善した場合には居住地域や人種を参考にしながら本症を鑑別にいれるとよい．

6）経口ダニアナフィラキシー

自宅で調理したお好み焼きやたこ焼きを食べて，突然，アナフィラキシーを起こす例がある．小麦アレルギーと考えられてしまうが，そのほかの小麦製品を普通に食べていた場合は小麦粉の中に繁殖したダニ（コナヒョウヒダニ，ケナガコナダニ，ヤケヒョウヒダニなど）を経口摂取することによって発症する疾患である[32]．これらのダニは交差抗原性があり，喘息やアレルギー性鼻炎でダニ感作がある患者では要注意である．うまみ成分の添加されたミックス粉，特に開封後に時間を経ているものはダニが繁殖しやすい．

文献

1）海老澤元宏，ほか（監修），日本小児アレルギー学会食物アレルギー委員会（作成）：食物アレルギー診療ガイドライン2021，協和企画，2021
2）Tanaka A, et al.：Temporary wheat allergy in the postpartum period. *Allergol Int* **70**：159-160, 2021
3）Matsuo H, et al.：Sensitivity and specificity of recombinant omega-5 gliadin-specific IgE measurement for the diagnosis of wheat-dependent exercise-induced anaphylaxis. *Allergy* **63**：233-236, 2008
4）Chmielewska A, et al.：Systematic review：Early infant feeding practices and the risk of wheat allergy. *J Paediatr Child Health* **53**：889-896, 2017
5）Keet CA, et al.：The natural history of wheat allergy. *Ann Allergy Asthma Immunol* **102**：410-415, 2009
6）池松かおり，ほか：乳児期発症食物アレルギーに関する検討（第2報）　卵・牛乳・小麦・大豆アレルギーの3歳までの経年的変化．アレルギー **55**：533-541，2006
7）Kotaniemi-Syrjänen A.：The prognosis of wheat hypersensitivity in children. *Pediatr Allergy Immunology* **21**（**2 Pt 2**）：e421-428, 2010
8）Mansouri M, et al.：Follow-up of the wheat allergy in children；consequences and outgrowing the allergy, *Iran J Allergy, Asthma Immunol* **11**：157-163, 2012
9）Czaja-Bulsa G, et al.：The natural history of IgE mediated wheat allergy in children with dominant gastrointestinal symptoms. *Allergy Asthma Clin Immunol* **10**：12, 2014

10）Koike Y, et al.：Predictors of Persistent Wheat Allergy in Children：A Retrospective Cohort Study. *Int Arch Allergy Immunol* **176**：249–254, 2018
11）Komata T, et al.：Usefulness of wheat and soybean specific IgE antibody titers for the diagnosis of food allergy. *Allergol Int* **58**：599–603, 2009
12）Shibata R, et al.：Usefulness of specific IgE antibodies to omega–5 gliadin in the diagnosis and follow–up of Japanese children with wheat allergy. *Ann Allergy Asthma Immunol* **107**：337–343, 2011
13）山田慎吾，ほか：乳児期の食物経口負荷試験の安全性と有用性．日本小児アレルギー学会誌 **33**：726–737, 2019
14）Yanagida N, et al.：A three–level stepwise oral food challenge for egg, milk, and wheat allergy. *J Allergy Clin Immunol Pract* **6**：658–660. e10, 2018
15）二瓶真人，ほか：うどんの段階的な食物経口負荷試験に関する安全性の検討．日本小児アレルギー学会誌 **33**：129–138, 2019
16）Sato S, et al.：Wheat oral immunotherapy for wheat–induced anaphylaxis. *J Allergy Clin Immunol* **136**：1131–1133, e7, 2015
17）Nagakura KI, et al.：Low–dose–oral immunotherapy for children with wheat–induced anaphylaxis. *Pediatric Allergy Immunol* **31**：371–379, 2020
18）Nagakura KI, et al.：Long–term follow–up of fixed low–dose oral immunotherapy for children with wheat–induced anaphylaxis. *J Allergy Clin Immunol Pract* **10**. 1117–1119. e2, 2022.
19）楳村春江，ほか：タンパク質換算を用いた小麦アレルギー患者への除去解除指導（第4報）．日本小児アレルギー学会誌 **27**：710–720, 2013
20）古林万木夫，ほか：醤油醸造におけるアレルゲンの分解・除去機構．日本小児アレルギー学会誌 **32**：144–151, 2018
21）Jones SM, et al.：Immunologic cross–reactivity among cereal grains and grasses in children with food hypersensitivity. *J Allergy Clin Immunol* **96**：341–351, 1995
22）坪谷尚季，ほか：小麦アレルギー患児における大麦アレルギー合併を予測する因子の検討．日本小児アレルギー学会誌 **31**：683–691.
23）Burman J, et al.：Children with wheat allergy usually tolerate oats. *Pediatr Allergy Immunol* **30**：855–857, 2019
24）Yamada K, et al.：Immediate hypersensitive reactions to buckwheat ingestion and cross allergenicity between buckwheat and rice antigens in subjects with high levels of IgE antibodies to buckwheat. *Ann Allergy Asthma Immunol* **75**：56–61, 1995
25）Quirce S, et al.：Diagnosis and management of grain–induced asthma. *Allergy Asthma Immunol Res* **5**：348–356, 2013
26）Quirce S, et al.：Clinical presentation, allergens, and management of wheat allergy. *Expert Rev Clin Immunol* **12**：563–572, 2016
27）Sander I, et al.：Component–resolved diagnosis of baker's allergy based on specific IgE to recombinant wheat flour proteins. *J Allergy Clin Immunol* **135**：1529–1537, 2015
28）春名威範，ほか：Baker's rhinitis 症例における小麦粉抗原に対する IgE および末梢血単核細胞応答の解析の試み．アレルギー **68**：35–42, 2019
29）岸　昌廣，ほか：知ってそうで知らない消化器疾患（第15回）Celiac 病．*G. I. Research* **23**：437–441, 2015
30）King AL, et al.：Celiac disease. *Curr Opin Gastroenterol* **16**：102–106, 2000
31）馬場　由，ほか：【診断困難な炎症性腸疾患】グルテン制限食で臨床症状，画像所見が改善したセリアック病の1例．胃と腸 **50**：950–956, 2015
32）Takahashi K, et al.：Oral mite anaphylaxis caused by mite–contaminated okonomiyaki/pancake–mix in Japan：8 case reports and a review of 28 reported cases. *Allergol Int* **63**：51–56, 2014

D ピーナッツ・木の実類アレルギー

北林　耐
（旗の台アレルギー・こどもクリニック）

一般的に，生物学的に近い食物間ではタンパク質のアミノ酸配列の相同性が高く，交差抗原性が強いとされている．ピーナッツはマメ目マメ科であるが，木の実類は別の目，科に分類されるため，ピーナッツアレルギーがあっても木の実類をすべて除去する必要はない．また，木の実類の多くはお互い分類学上かけ離れているため，ナッツアレルギーの際には個別に摂取可能かどうか判断する必要がある．

最近ではアレルゲンコンポーネントの研究が進み，ピーナッツではAra h 1〜17まで同定されており，木の実類では主要アレルゲンとして，クルミではJug r 1〜4，カシューナッツではAna o 1〜3，ヘーゼルナッツではCor a 1，8，9，14が同定されている．即時型反応では貯蔵タンパク質が重要であることが判明しているが，口腔アレルギー症状を主訴とする場合には，シラカンバやハンノキなどの植物と交差反応があるアレルゲンコンポーネントが重要であることがわかってきている．

1 疫　学

アメリカで実施された電話アンケート調査によると，ピーナッツと木の実類のアレルギー頻度はそれぞれ全人口の0.8%と0.6%，18歳未満の小児の1.4%と1.1%であり，アメリカ国民の1%以上（およそ300万人）にピーナッツもしくは木の実類のアレルギーがあり，小児においてその頻度が増加していることがわかっている[1]．

家族集積性に関しては，ピーナッツアレルギーが親または兄弟姉妹にある場合，その子どもはピーナッツアレルギーに対して7倍のリスクがあるとの報告や[2]，親族にピーナッツアレルギー患者がいる家系では，一般集団よりピーナッツアレルギーの患者の頻度が有意に高かった（7% vs. 0.5%）とする報告がある[3]．

2017年に行われたわが国の即時型食物アレルギー全国モニタリング調査では，原因食物として木の実類の増加が著しく，鶏卵，牛乳，小麦に続き第4位で8.2%となり，第5位のピーナッツ5.1%と順位が逆転した．木の実類の内訳をみるとクルミが62.9%で最も多く，次いでカシューナッツ20.6%，アーモンド5.3%の順であった．ショックの原因食物としては，鶏卵，牛乳，小麦に次いでクルミが8.0%，ピーナッツが7.3%であったが，原因食物別のショック発生頻度は，カシューナッツが18.3%と最も高く，クルミは16.7%，ピーナッツは15.4%であった[4]．ピーナッツの耐性獲得率の報告にはばらつきがあり，海外の出生コホートでは約20%であるが[5,6]，他の報告では3%と低いものもある[7]．木の実類アレルギーの耐性獲得率は8.9%[8]と低く，長期間にわたって除去する必要がある．

2 症 状

ピーナッツ，木の実類のアレルギーでは即時型反応を起こしやすく，アナフィラキシーショックなど多臓器にわたる重篤な症状を呈することが多い．アメリカで行われた調査では，患者の 77% が多臓器にわたる症状を経験し，6% が意識障害を経験している[9]．ピーナッツ，木の実類のアレルギー症状が重篤になるのは，ピーナッツや木の実類のアレルゲンエキス中の成分が免疫系を介することなく補体経路を活性化して大量の C3a を産生させ，マクロファージ，マスト細胞および好塩基球を刺激して PAF またはヒスタミンを放出させる機序と，IgE を介したマスト細胞の脱顆粒が同時に起こることによると考えられている[10]．

ピーナッツの症状誘発閾値に関しては，タンパク量にして 100 μg〜1 g と幅があり，成人患者の半数は 3 mg（ピーナッツ 1/50 個に相当）という極微量で症状を認めたとの報告がある[11]．また，ピーナッツオイルによる経口負荷試験で，約 1/3 の症例で陽性を示したとの報告もある[12]．

ピーナッツ，木の実類のアレルギーでは，二相性に症状を認めることがあり，誤食時には十分注意して経過観察をする必要がある．

3 発症機序

ピーナッツアレルギーのある乳幼児の 70% 以上が，初回のピーナッツ摂取で症状を発症することから，経母乳あるいは経胎盤感作の可能性があると考えられてきた．実際，ピーナッツタンパク質は，母親がピーナッツを摂取した後 1〜3 時間以内に母乳中に移行する[13]．しかしその後，小児におけるピーナッツの感作は，炎症を起こした皮膚にピーナッツオイルを塗布したことにより生じる可能性があり，大豆タンパク質と交差反応性があることもわかってきた[14]．また，英国とイスラエルに在住するユダヤ人の小児を対象としたピーナッツアレルギーの有病率調査で，英国在住のユダヤ人のほうが有意に高く，ピーナッツの早期摂取がピーナッツアレルギーの発症予防に関与している可能性があることが示唆された[15]．近年，フィラグリン遺伝子異常があるとピーナッツアレルギーの発症率が有意に高いことが報告され，フィラグリン遺伝子異常により皮膚のバリア機能が低下するため，ピーナッツの経皮感作が成立すると推測されている[16]．

また，スペイン・アメリカ・スウェーデンの 3 か国におけるピーナッツアレルギー患者の感作アレルゲンコンポーネントを比較したところ，アメリカでは Ara h 1〜Ara h 3 の貯蔵タンパク質の感作頻度が高いのに対し，スペインでは LTP（lipid transfer protein）である Ara h 9 が，スウェーデンでは PR-10 タンパク質である Ara h 8 の頻度が高く，ピーナッツアレルギー患者の感作タンパク質には地域差があることがわかってきた[17]．つまりアメリカでは Ara h 2 を中心とした貯蔵タンパク質がピーナッツ感作の主原因であるが，スペインをはじめとする南欧や地中海地方では果物の摂取量が多いため，果物に含まれる LTP がピーナッツ感作の原因に，そしてスウェーデンをはじめとする北欧ではハンノキやシラカンバ花粉中の PR-10 タンパク質である Bet v 1 に感作されることによって，交差反応性にピーナッツに感作されることが多いのではないかと考えられている．

表1 ピーナッツ，木の実類の生物学的分類

	目	科	属	種
バラ類 マメ群	マメ目	マメ科	ラッカセイ属	ピーナッツ
	バラ目	バラ科	サクラ属（スモモ属）	アーモンド
	ブナ目	クルミ科	クルミ属	クルミ
			ペカン属	ペカンナッツ
		カバノキ科	ハシバミ属	ヘーゼルナッツ
バラ類 アオイ群	ムクロジ目	ウルシ科	カシューナットノキ属	カシューナッツ
			カイノキ属	ピスタチオ
	アオイ目	アオイ科	カカオ属	カカオ
キク類	ツツジ目	サガリバナ科	ブラジルナッツ属	ブラジルナッツ
真正双子葉類	ヤマモガシ目	ヤマモガシ科	マカダミア属	マカダミアナッツ

〔海老澤元宏（監修），日本小児アレルギー学会食物アレルギー委員会（作成）：食物アレルギー診療ガイドライン 2021，協和企画，2021 より一部改変〕

表2 ピーナッツ，木の実類のアレルゲンコンポーネント

	プロラミン		クーピン		PR-10	プロフィリン	オレオシン
	LTP	2S アルブミン	7S グロブリン	11S グロブリン			
ピーナッツ	Ara h 9 Ara h 16 Ara h 17	Ara h 2 Ara h 6 Ara h 7	Ara h 1	Ara h 3	Ara h 8	Ara h 5	Ara h 10 Ara h 11 Ara h 14 Ara h 15
クルミ	Jug r 3 Jug r 8	Jug r 1	Jug r 2	Jug r 4	Jug r 5	Jug r 7	
ペカンナッツ		Car i 1		Car i 4			
カシューナッツ		Ana o 3	Ana o 1	Ana o 2			
ピスタチオ		Pis v 1	Pis v 3	Pis v 2 Pis v 5			
ヘーゼルナッツ	Cor a 8	Cor a 14	Cor a 11	Cor a 9	Cor a 1	Cor a 2	Cor a 12 Cor a 13 Cor a 15
アーモンド	Pru du 3			Pru du 6		Pur du 4	
ブラジルナッツ		Ber e 1		Ber e 2			
マカダミアナッツ			Mac i 1	Mac i 2			

〔海老澤元宏（監修），日本小児アレルギー学会食物アレルギー委員会（作成）：食物アレルギー診療ガイドライン 2021，協和企画，2021 より一部改変〕

4 交差抗原性

ピーナッツは分類学的には大豆と共通のマメ目マメ科に属し，ほかの木の実類とは目，科を異にするが，ピーナッツアレルギー患者の約 30% に木の実類のアレルギーがあるとされている[18]（表 1）

木の実類間の交差抗原性を特異的 IgE（specific IgE：sIgE）抗体価で検討してみると，クルミとペカンナッツ，カシューナッツとピスタチオ，アーモンドとヘーゼルナッツの間には強い相関関係が認められる[18]．またピーナッツ，木の実類のアレルゲンコンポーネント（表 2）についてアミノ酸配列を比べてみると，クルミとペカンナッツの 2S アルブミンである Jug r 1 と Car i 1，11S グロブリンである Jug r 4 と Car i 4，カシューナッツとピスタチオの 7S グロブリンである Ana o 1 と Pis v3 の類似性がきわめて高い[19]．最近では，カシューナッツの 2S アルブミン

である Ana o 3 を用いてピスタチオアレルギーの診断を行っても，臨床上問題ないことが報告されている[20]．

5 抗原性の変化

中国ではピーナッツの消費量が多いにもかかわらず，アメリカに比較してピーナッツアレルギーの頻度が低い．その理由として，中国では「茹でる」，「揚げる」といった加工が主であるのに対し，欧米では「煎る」といった加工が主であることによると考えられている．煎ることにより Ara h 2 のトリプシンインヒビター活性が 3〜4 倍に増強し，Ara h 1 のトリプシンによる消化を阻害することでアレルゲン性が増強すると考えられている[21]．また，Ara h 1 と Ara h 2 は糖類と加工するとメイラード反応が増強することが示唆されている[21]．

6 診　断

ピーナッツ，木の実類は重篤な症状を起こすアレルゲンの 1 つであり，明らかなアナフィラキシーの既往があれば，診断確定や耐性獲得の確認を目的とした食物経口負荷試験（oral food challenge：OFC）は原則として推奨されない．しかし多くのピーナッツや木の実類アレルギーの患者は，摂取歴がないまま sIgE 抗体価が陽性というだけでアレルギーと診断され除去指導がされている．

ピーナッツアレルギーにおいて，ピーナッツの粗抗原に対する特異的 IgE 抗体価の測定は，感度は良いが特異度が低く，ピーナッツ sIgE 抗体価が陽性であっても摂取可能な例が認められる．このため現在では，ピーナッツと Ara h 2–sIgE 検査を組み合わせて診断することが勧められる．Ara h 2 はほかのアレルゲンコンポーネントと比較して sIgE 検査の診断効率が高く，4.71 UA/mL をカットオフ値とした場合，陽性的中率が 95% 以上と報告されている[22]．また，わが国の小児において Ara h 2 と同時に Ara h 1 と Ara h 3 が陽性であれば，陽性的中率が 100% になるとの報告もある[23]．実際には，まずピーナッツ特異的 IgE 抗体価を測定し，50 UA/mL 以上であればピーナッツアレルギーと診断できるが，0.35 UA/mL 以上 50 UA/mL 未満の場合には Ara h 2 特異的 IgE 抗体価を追加測定して，4.0 UA/mL 以上であればピーナッツアレルギーと診断する．4.0 UA/mL 未満の場合には OFC を行い，ピーナッツアレルギーかどうか確かめる必要がある．ピーナッツ特異的 IgE 抗体価が 0.35 UA/mL 未満であれば，Ara h 2 を測定せずにピーナッツアレルギーを否定できる（図 1）．しかし，Ara h 2 が陰性だからといってピーナッツアレルギーを否定することはできない．なぜなら Ara h 2 以外のアレルゲンコンポーネントにより症状が誘発される可能性が考えられるからである[24]．

木の実類のアレルギーにおいても，臨床症状との相関や交差反応性を理解するうえでアレルゲンコンポーネントの重要性が認識されてきており，種子貯蔵タンパク質を中心に検討がなされている．

クルミの主要アレルゲンは，Jug r 1（2S アルブミン），Jug r 2（7S グロブリン），Jug r 3（LTP），Jug r 4（11S グロブリン）であるが，どれも耐熱性が高く，全身症状を引き起こしやすい．クルミアレルギーの診断における Jug r 1–sIgE 抗体価の感度・特異度はカットオフ値を 0.423 UA/mL としたときに，それぞれ 85%，79% と高く診断に有用である[25]．クルミアレルギーを診断する際には，クルミ sIgE 抗体と Jug r 1 を測定し，クルミ sIgE 抗体が 0.35 UA/mL 以上で Jug r 1 が

症例1

7歳　男児

病歴：4歳時，チョコレートの中に入っていたピーナッツを食べて顔面腫脹と呼吸困難を認めた．6歳時，ピーナッツせんべいを誤食したが症状がなかったため，近医でピーナッツのOFCを行ったところ，1/8個で咽頭に瘙痒感を認めた．

検査結果：WBC 10,700/mm^3（Eo 11.0%），IgE 1,280 IU/mL，シラカンバ0.54 UA/mL，スギ65.7 UA/mL，イヌ65.8 UA/mL，ヤケヒョウヒダニ≧100 UA/mL，卵白8.58 UA/mL，卵黄1.61 UA/mL，オボムコイド10.0 UA/mL，ピーナッツ73.7 UA/mL

アレルゲンコンポーネント：Ara h 1<0.1 UA/mL，Ara h 2 89.6 UA/mL，Ara h 3 0.20 UA/mL，Ara h 8<0.1 UA/mL，Ara h 9<0.1 UA/mL

診断：ピーナッツ，Ara h 2の特異的IgE抗体はともに高値であり，即時型のピーナッツアレルギーと診断しエピペン®を処方した．

症例2

5歳　男児

病歴：生後3か月時アメリカでアトピー性皮膚炎と診断され，その後実施したOFCでピーナッツを与えたところ全身に蕁麻疹を認めた．

検査結果：WBC 10,300/mm^3（Eo 7.4%），IgE 602 IU/mL，ピーナッツ4.71 UA/mL，アーモンド0.79 UA/mL

アレルゲンコンポーネント：Bet v 1 50.01 UA/mL，Ara h 2 1.91 UA/mL，Ara h 8 6.79 UA/mL，Cor a 1 35.3 UA/mL，Gly m 4 7.41 UA/mL，ω-5 Gliadin 0.61 UA/mL

診断：Bet v 1，Ara h 8，Cor a 1，Gly m 4などのPR-10タンパク質が陽性であることから，ピーナッツに対するアレルギー症状はPFAS (pollen-food allergy syndrome) によるものと考えられた．

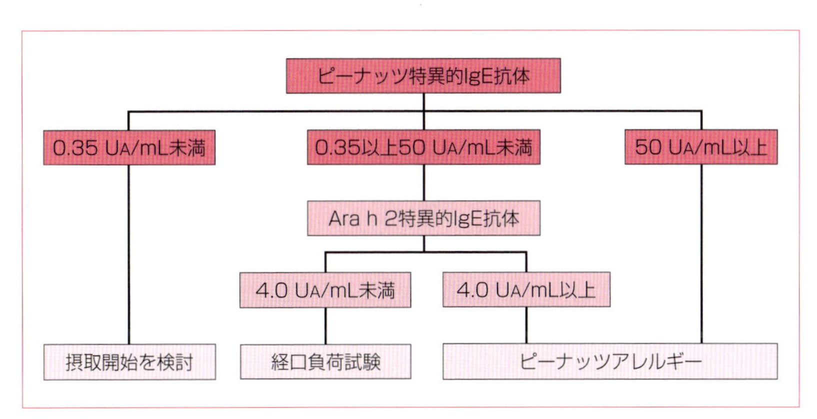

図1　ピーナッツアレルギー診断の目安

1 UA/mL以上の場合にはクルミアレルギーと診断できるが，クルミsIgE抗体が0.35 UA/mL未満でJug r 1が0.35 UA/mL以上の場合もしくはクルミsIgE抗体が0.35 UA/mL以上でJug r 1が1 UA/mL未満の場合にはOFCを行い，クルミアレルギーかどうかを確かめる必要がある．クルミsIgE抗体とJug r 1がともに0.35 UA/mL未満の場合には摂取開始を検討してよいと考えられている（図2）．

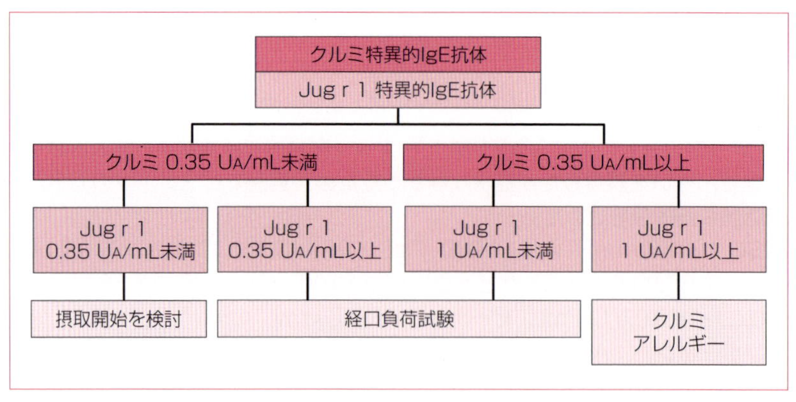

図2 クルミアレルギー診断の目安

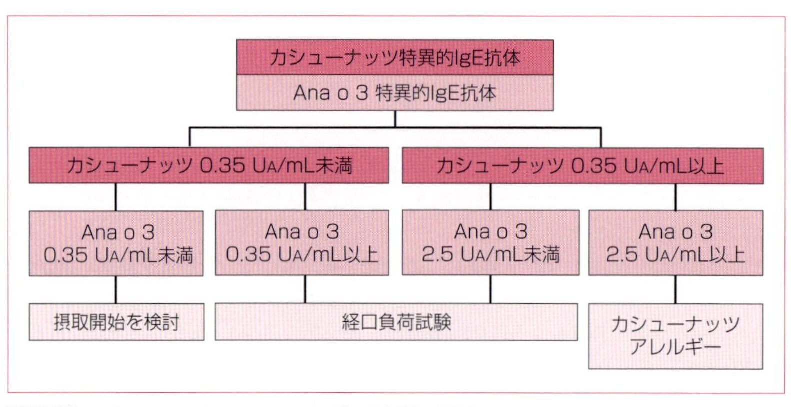

図3 カシューナッツアレルギー診断の目安

症例3

3歳　男児

病歴：ピーナッツ，クルミ，カシューナッツが入った鯛茶漬けを食べたところ，口唇腫脹と口腔内瘙痒感が出現し，後日クルミパンを食べたところ咳嗽を認めた．

検査結果：WBC 5,650/mm^3（Eo 13.1%），IgE 685 IU/mL，ピーナッツ<0.10 UA/mL，クルミ 3.06 UA/mL，カシューナッツ 0.15 UA/mL，アーモンド 0.33 UA/mL，ヘーゼルナッツ 0.66 UA/mL，ブラジルナッツ 0.10 UA/mL，ココナッツ 0.10 UA/mL，シラカンバ<0.10 UA/mL

アレルゲンコンポーネント：Ara h 2<0.10 UA/mL，Jug r 1 3.36 UA/mL，Jug r 3 <0.10 UA/mL

診断：検査結果から2Sアルブミンが関与している即時型のクルミアレルギーと診断し，同じクルミ科のペカンナッツは摂取しないように指導した．ピーナッツ，カシューナッツのsIgE抗体は陰性であり，その後ピーナッツやカシューナッツを摂取したが症状はなかった．

カシューナッツの主要アレルゲンは，Ana o 3（2Sアルブミン），Ana o 1（7Sグロブリン），Ana o 2（11Sグロブリン）である．Ana o 3-sIgE抗体価がカシューナッツの診断に最も有用であり，2.0 UA/mLをカットオフ値とした場合，陽性的中率が95%以上との報告があるが[26]，OFCを行った症例で，陽性的中率95%のカットオフ値である2.2 UA/mLを用いると非カシューナッツアレルギーの5%は正しく診断できなかったが，カシューナッツアレルギーの70%は正しく診断できたとする報告もある[27]．カシューナッツアレルギーを診断する際には，カシューナッツ sIgE 抗体と Ana o 3 を測定し，カシューナッツ sIgE 抗体が 0.35 UA/mL 以上で Ana o 3 が 2.5 UA/mL 以上の場合にはカシューナッツアレルギーと診断できるが，カシューナッツ sIgE 抗体が 0.35 UA/mL 未満で Ana o 3 が 0.35 UA/mL 以上の場合もしくはカシューナッツ sIgE 抗体が 0.35 UA/mL 以上で Ana o 3 が 2.5 UA/mL 未満の場合には OFC を行い，カシューナッツアレルギーかどうかを確かめる必要がある．カシューナッツ sIgE 抗体と Ana o 3 がともに 0.35 UA/mL 未満の場合には摂取開始を検討してよいと考えられている（図 3）.

症例 4

12 歳　男児
病歴：学校でカシューナッツの入ったスナック菓子を食べたところ，舌の瘙痒感と嘔吐を認めた．
検査結果：WBC 6,800/mm^3 (Eo 6.1%)，IgE 484 IU/mL，ピーナッツ 0.10 UA/mL，クルミ<0.10 UA/mL，カシューナッツ 27.3 UA/mL，アーモンド 0.27 UA/mL，ヘーゼルナッツ 0.87 UA/mL，ブラジルナッツ 0.13 UA/mL，カカオ<0.10 UA/mL，大豆 0.30 UA/mL
アレルゲンコンポーネント：Ana o 3 32.8 UA/mL
診断：カシューナッツ，Ana o 3 の sIgE 抗体がともに高値であり，即時型のカシューナッツアレルギーと診断した．カシューナッツと同じウルシ科のピスタチオに関しては摂取しないように指導するとともに，エピペン® を処方した．
その他の木の実類に関しては OFC を実施し，摂取可能なものについては除去を解除した．

ヘーゼルナッツに対するアレルギー反応は，口腔アレルギー症候群から重篤なアナフィラキシー反応まで及ぶ．ヘーゼルナッツアレルギーはカバノキ科花粉アレルギーのある患者で高頻度に認められ，Cor a 1（PR-10）や Cor a 8（LTP）などの交差反応性アレルゲンコンポーネントが診断の参考になる．近年，貯蔵タンパク質の Cor a 14（2S アルブミン）と Cor a 9（11S グロブリン）の測定が可能となり，わが国では保険収載されていないが，アナフィラキシーを呈するような重篤な症例では Cor a 14 と Cor a 9 が診断および重症度の判定に有用と考えられている[28,29]．

症例 5

6 歳　男児
病歴：ピーナッツを食べて嘔吐し，ピーナッツを触った手で目を擦って眼瞼腫脹を認めたことがある．今回，ヘーゼルナッツを含むプラリネを食べたところ嘔吐を認めた．
検査結果：WBC 10,300/mm^3（Eo 8.5%），IgE 413 IU/mL，ピーナッツ 6.16 UA/mL，ヘーゼルナッツ 4.71 UA/mL
アレルゲンコンポーネント：Ara h 1 <0.1 UA/mL，Ara h 2 5.11 UA/mL，Ara h 3 <0.1 UA/mL，Ara h 8 <0.1 UA/mL，Ara h 9 <0.1 UA/mL，Cor a 1 <0.1 UA/mL，Cor a 8 <0.1 UA/mL，Cor a 9 5.08 UA/mL，Cor a 14 0.68 UA/mL
診断：ピーナッツ，ヘーゼルナッツの Ara h 2，Cor a 9 が陽性，Cor a 14 疑陽性であり，貯蔵タンパク質が原因の即時型アレルギーと診断した．その後外食した際にヘーゼルナッツを誤食し，口唇腫脹と咽喉頭閉塞感を認めたため，エピペン® を携帯するように指導した．

なお，木の実類を含む植物の糖タンパクには，共通な構造を持ちIgE抗体を認識しやすい糖鎖（cross-reactive carbohydrate determinant：CCD）が存在することが知られている．臨床症状を伴わないピーナッツsIgE抗体陽性の患者において，IgE抗体がCCDを認識する場合があることが報告されており[30]，多種の木の実類sIgE抗体価が一様に高値をとる場合には，CCD特異的IgE抗体の存在を考慮して，皮膚プリックテストや食物経口負荷試験を行い診断する必要がある．

7 治 療

ピーナッツ，木の実類は食物アレルギーを起こしやすい代表的な食品であり，わが国では発症数，重篤度を勘案して，ピーナッツを表示義務のある特定原材料に，木の実類のうちクルミ，カシューナッツ，アーモンドを表示推奨の特定原材料に指定している．ピーナッツ，木の実類はカレールーやチョコレートなどの菓子類，ドレッシングなどに使用されている場合があり，外見だけで使用の有無を判別することは困難である．またピーナッツ，木の実類ともに自然寛解率が低く，重症化する傾向があるため，自己注射薬（エピペン®）の所持が必要である．

食事指導として，木の実類アレルギーがあるからといってすべての木の実類を除去する必要はなく，交差反応性の強いクルミとペカンナッツ，カシューナッツとピスタチオ，アーモンドとヘーゼルナッツはどちらかにアレルギーがあると診断された場合には，もう一方を除去することが必要となる．また，ピーナッツやカシューナッツアレルギーの患者では，キウイ，リンゴ，柑橘類の種子で，貯蔵タンパク質の交差性が原因と考えられるアレルギー症状が報告されており，これらが含まれる柑橘類のジュースやドレッシングには注意が必要である[31〜33]．カシューナッツアレルギーでは，ペクチンで重篤な症状を起こした症例も報告されている[34,35]．

ピーナッツアレルギー患者を対象にした経口免疫療法が報告されてから[36,37]，わが国においても，一部の施設で経口免疫療法が実施され，その有効性が報告されている[38]．しかし，まだ研究段階の治療法であり，安全性などについて今後十分注意して検討していく必要がある．

このほかの治療として，抗IgE療法がOFCにおけるピーナッツ感度の閾値を有意かつ大幅に増加させたとの報告があり，誤食の際などの予防につながると考えられているが[39]，今後の臨床研究が待たれる状況である．

8 発症予防

2015年に発表されたLEAP Studyで，ピーナッツアレルギーのリスクが高い児（重症湿疹，卵アレルギー，またはその両方を有する乳児）において，ピーナッツを含む食品の摂取を生後4〜11か月の時期に開始することによって，アレルギーの発症頻度が有意に低下し，ピーナッツに対する免疫応答が調節されたとの報告があった[40]．その後日本アレルギー学会を含む世界の10の学会からピーナッツアレルギー発症予防に関するコンセンサスステートメントが発表され，ピーナッツ摂取の導入を遅らせることがピーナッツアレルギーの進展のリスクを増大させることにつながる可能性があるので，ピーナッツアレルギーが多い国では乳児期（4〜11か月）にピーナッツを含む食品の摂取を開始することを推奨すべきであるとしている[41]．

文献

1) Sicherer SH, et al.：US prevalence of self-reported peanut, tree nut, and sesame allergy：11-year follow-up. *J Allergy Clin Immunol* **125**：1322-1326, 2010
2) Hourihans JO'B, et al.：Peanut allergy in relation to heredity, maternal diet, and other atopic disease：results of a questionnaire survey, skin prick testing, and food challenges. *BMJ* **313**：518-521, 1996
3) Crespo JF, et al.：Food Allergy nuts and tree nuts. *Br J Nutr* **96**：95-102, 2006
4) 今井孝成，ほか：消費者庁「食物アレルギーに関連する食品表示に関する調査研究事業」平成 29（2017）年即時型食物アレルギー全国モニタリング調査結果報告．アレルギー **69**：701-705，2020
5) Peters RL, et al.：Natural history of peanut allergy and predictors of resolution in the first 4 years of life：A population-based assessment. *J Allergy Clin Immunol* **135**：1257-1266, 2015
6) Arshad SH, et al.：The natural history of peanut sensitization and allergy in a birth cohort. *J Allergy Clin Immunol* **134**：1462-1463.e6, 2014
7) Green TD, et al.：Clinical characteristics of peanut-allergic children：recent changes. *Pediatrics* **120**：1304-1310, 2007
8) Fleischer DM, et al.：The natural history of tree nut allergy. *J Allergy Clin Immunol* **116**：1087-1093, 2005
9) Sicherer SH, et al.：Prevalence of peanut and tree nut allergy in the United States determined by means of a random digit dial telephone survey：A 5-year follow-up study. *J Allergy Clin Immunol* **112**：1203-1207, 2003
10) Khodoun M, et al.：Peanuts can contribute to anaphylactic shock by activating complement. *J Allergy Clin Immunol* **123**：342-351, 2009
11) Wensing M, et al.：The distribution of individual threshold doses eliciting allergic reactions in a population with peanut allergy. *J Allergy Clin Immunol* **110**：915-920, 2002
12) Morisset M, et al.：Thresholds of clinical reactivity to milk, egg, peanut and sesame in immunoglobulin E-dependent allergies：evaluation by double-blind or single-blind placebo-controlled oral challenges. *Clin Exp Allergy* **33**：1046-1051, 2003
13) Vadas P, et al.：Detection of peanut allergens in breast milk of lactating women. *JAMA* **285**：1746-1748, 2001
14) Lack G, et al.：Factors associated with the development of peanut allergy in childhood. *New Engl J Med* **348**：977-985, 2003
15) Du Toit G, et al.：Early consumption of peanuts in infancy is associated with a low prevalence of peanut allergy. *J Allergy Clin Immunol* **122**：984-991, 2008
16) Brown SJ, et al.：Loss-of-function variants in the filaggrin gene are a significant risk factor for peanut allergy. *J Allergy Clin Immunol* **127**：661-667, 2011
17) Vereda A, et al.：Peanut allergy：Clinical and immunologic differences among patients from 3 different geographic regions. *J Allergy Clin Immunol* **127**：603-607, 2011
18) Maloney JM, et al.：The use of serum-specific IgE measurements for the diagnosis of peanut, tree nut, and seed allergy. *J Allergy Clin Immunol* **122**：145-151, 2008
19) 丸山伸之：ナッツ類アレルゲンコンポーネントと分子構造．日本小児アレルギー学会誌 **29**：303-311，2015
20) Savvatianoss S, et al.：Sensitization to cashew nut 2S albumin, Ana o 3, is highly predictive of cashew and pistachio allergy in Greek children. *J Allergy Clin Immunol* **136**：192-194, 2015
21) Stanley JS, et al.：Identification and mutational analysis of the immunodominant IgE binding epitopes of the major peanut allergen Ara h 2. *Arch Biochem Biophys* **342**：244-253, 1997
22) 海老澤元宏，ほか：ピーナッツアレルギー診断における Ara h 2 特異的 IgE 抗体測定の意義．日本小児アレルギー学会誌 **27**：621-628，2013
23) Ebisawa M, et al.：Measurement of Ara h 1-, 2-, and 3-specific IgE antibodies is useful in diagnosis of peanut allergy in Japanese children. *Peidiat Allergy Immunol* **23**：573-581, 2012
24) Asanoj A, et al.：Anaphylaxis to peanut in a patient predominantly sensitized to Ara h 6. *Int Arch Allergy Immunol* **159**：209-212, 2012
25) Sato S, et al.：Jug r 1 sensitization is important in walnut-allergic children and youth. *J Allergy Clin Immunol Pract* **5**：1784-1786.e1, 2017
26) Lange L, et al.：Ana o 3-specific IgE is a good predictor for clinically relevant cashew allergy in children. *Allergy* **72**：598-603, 2017
27) Sato S, et al.：Anao-3-specific IgE is a predictive marker for cashew oral food challenge failure. *J Allergy Clin Immunol Pract* **7**：2909-2911.e4, 2019
28) Masthoff LJN, et al.：Sensitization to Cor a 9 and Cor a 14 is highly specific for a hazelnut allergy with objective symptoms in Dutch children and adults. *J Allergy Clin immunol* **132**：393-399, 2013
29) Carraro S, et al.：COR a 14-specific IgE predicts symptomatic hazelnut allergy in children. *Pediatr Allergy Immunol*

27：322-324, 2016
30）Ito K, et al.：Cross-reactive carbohydrate determinant contributes to the false positive IgE antibody to peanut. *Allergol Int* **54**：387-392, 2005
31）O'Sullivan MD, et al.：Cosensitization to orange seed and cashew nut. *Ann Allergy Asthma Immunol* **107**：282-283, 2011
32）Brandström J, et al.：IgE to novel citrus seed allergens among cashew-allergic children. *Pediatr Allergy Immunol* **27**：550-553, 2016
33）van Odjik J, et al.：High frequency of IgE sensitization towards kiwi seed storage proteins among peanut allergic individuals also reporting allergy to kiwi. *Clin Mol Allergy* **15**：18, 2017
34）Ferdman RM, et al.：Pectin anaphylaxis and possible association with cashew allergy. *Ann Allergy Asthma Immunol* **97**：759-760, 2006
35）宇野浩史，ほか：冷凍温州ミカン中のペクチンによってアナフィラキシーを起こした7歳女児例．アレルギー **66**：1244-1247，2017
36）Hofmann AM, et al.：Safety of peanut oral immunotherapy protocol in children with peanut allergy. *J Allergy Clin Immunol* **124**：286-291, 2009
37）Jones SM, et al.：Clinical efficacy and immune regulation with peanut oral immunotherapy. *J Allergy Clin Immunol* **124**：292-300, 2009
38）Nozawa A, et al.：Monitoring Ara h 1, 2 and 3-sIgE and sIgG4 antibodies in peanut allergic children receiving oral rush immunotherapy. *Pediatr Allergy Immunol* **25**：323-328, 2014
39）Leung DYM, et al.：Effect of anti-IgE therapy in patients with peanut allergy. *N Engl J Med* **348**：986-993, 2003
40）Du Toit G, et al.：Randomized trial of peanuts consumption in infants at risk for peanuts allergy. *N Engl J Med* **372**：803-813, 2015
41）Fleischer DM, et al.：Consensus communication on early peanut introduction and the prevention of peanut allergy in high-risk infants. *J Allergy Clin Immunol* **136**：258-261, 2015

E 大豆・ゴマアレルギー

高里良宏
(あいち小児保健医療総合センター 免疫・アレルギーセンター アレルギー科)

1 大 豆

大豆はマメ目，マメ科ダイズ族の 1 年草で種子を食用とする．日本人の食生活において，大豆は豆そのもの以外に，豆腐や納豆，豆乳，または乳化剤や調味料として利用される中心的な食物といえる．そのため，大豆アレルギー児が完全除去を行うことは，本人と家族の日常生活において負担が大きい．

また，大豆特異的 IgE（specific IgE：sIgE）抗体陽性であっても実際に症状を呈する大豆アレルギーの割合は少ない．抗体価に惑わされず，十分な問診と食物経口負荷試験（oral food challenge：OFC）などで大豆アレルギーを正確に診断し，必要最小限の除去から早期解除を目指すことは，臨床現場において重要である．

1. 臨床型分類とコンポーネント

大豆アレルギーの臨床症状は大きく 2 つに分けられ，それに関与するコンポーネントも異なっている．

1 つは乳幼児期に発症する即時型症状である[1)]．これには主として大豆の貯蔵タンパク（Gly m 5，Gly m 6，Gly m 8）が関与する[2,3)]．Gly m 5，Gly m 6 は他の豆類とのアミノ酸配列相同性は 50% 程度だが，2S アルブミンである Gly m 8 はピーナッツの Ara h 2 とのアミノ酸配列相同性は 30% 程度と低い．

もう 1 つは，学童期以降の発症が多い，カバノキ科花粉症に伴う花粉-食物アレルギー症候群である．生の豆乳では口腔・咽頭症状を起こし，時にショックを引き起こすが，豆腐は安全に摂取できるという特徴を有する．これにはカバノキ科花粉の主要アレルゲン Bet v 1 のホモログである Gly m 4 が主として関与する[4)]．

また，成人を中心とするがわが国特有の病型として納豆による遅発型アナフィラキシーも散見される．これは大豆に対するアレルギーではなく，納豆の粘稠成分であるポリガンマグルタミン酸が主要アレルゲンであるため，豆腐や豆乳などの摂取には問題はない．感作源はクラゲ刺傷と考えられており，納豆を摂取して約半日後に発症し，アナフィラキシーショックの頻度が 7 割といわれている[5)]．

2. 大豆特異的 IgE 抗体価と食物経口負荷試験

大豆 sIgE 抗体価は，大豆アレルギーの診断に対する感度・特異度が乏しく，大豆への感作陽性症例を対象とすると，実際に症状を呈する例は 20% に満たないというわが国からの報告がある[6,7)]．当科の 2012〜2020 年の大豆 OFC の結果では，陽性者と陰性者の大豆 sIgE 抗体価に有意差は認められたが，抗体価が高値であっても OFC で陰性となり解除できた患者も多く認めている（図 1）．このように大豆 sIgE 抗体価は偽陽性となる症例も多いため，抗体価の上昇のみで

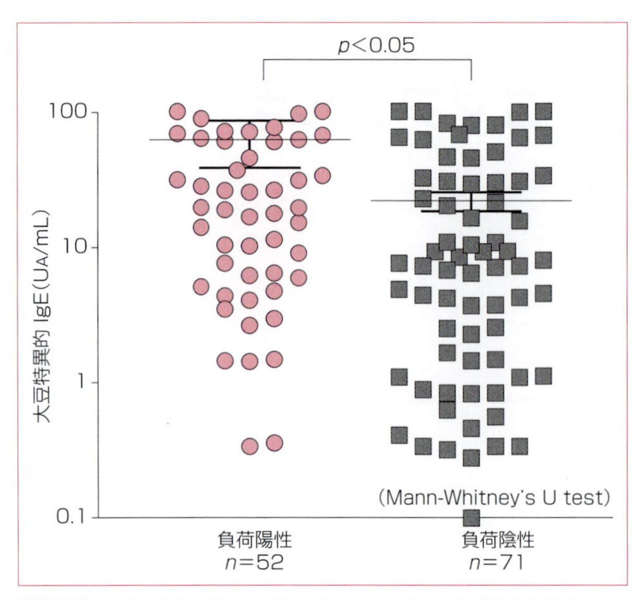

図1 大豆特異的 IgE 抗体価と大豆経口負荷試験結果
〔あいち小児保健医療総合センター　アレルギー科，2012–2020〕

除去指導を行うのではなく，確定診断として OFC を行うことが重要である．しかし，OFC の陽性者の中にはアナフィラキシーのような重篤な症状を生じる患者も少なくないため，慎重に行う必要がある[7]．

大豆 OFC の実施方法は「食物アレルギー診療ガイドライン 2021」[8]では豆腐，煮豆，豆乳などを使用し，原則的に少量（誤食などで混入する可能性がある量）から開始し，段階的に日常摂取量（幼児から学童の 1 回の食事量）まで確認することが推奨されている．当科では負荷食品は乳幼児でも摂取しやすい木綿豆腐にしており，摂取量は問診で聴取した既往歴をもとに最低量を設定し，少量から中等量までを 1 回の OFC で確認する目的で 0.5–1–2–5–10（–20）g，30 分間隔で負荷しているケースが多い．

3．大豆の食品表示

大豆は乳化剤として使用されることが多く，菓子や加工食品，調味料に使用されている．食品のアレルギー表示においては特定原材料に準ずる推奨表示の食品であり，使用されていても表示されていない可能性もある．微量の大豆にも反応する重症患者には正しい理解を促す必要がある．

4．大豆アレルギーの予後

一般的には，大豆アレルギーは小児期早期に耐性獲得するとされており，わが国では乳児期発症の大豆アレルギー児の検討において 3 歳時点での耐性獲得率は 8 割弱と報告されている[9]．アメリカでは感作例を含んだ調査において 4 歳までに 25%，6 歳までに 45%，10 歳までに 69% が耐性獲得したとされている[10]．

5．食べるための食事指導

症例 1 のように，自宅での摂取中にアナフィラキシーを生じる症例もあるため，OFC 後の食事指導も重要である．大豆アレルゲンは食物に含まれるタンパク質である．よって，OFC 後の食事指導の際には，表 1 に示すように「日本食品標準成分表」[11]に基づき，食品に含まれるタンパク質量をもとに各食品の摂取量を指導している．

表1 食品別の大豆タンパク量

	100 g当たりのタンパク量（g）
絹ごし豆腐	4.9
木綿豆腐	6.6
豆乳	3.6
枝豆	11.5
水煮缶	12.9
がんもどき	15.3
油揚げ	18.6
きな粉	35.5

図2 木綿豆腐 10 g（タンパク質 0.7 g）に相当するその他の大豆製品
※食品標準成分表 2010 を参考に作成
〔2015.3.1 あいち小児保健医療総合センター アレルギー科〕

10g

症例 1

4歳2か月　女児

● **即時型の大豆アレルギー**

生後8か月時の採血で大豆 sIgE 4.22 UA/mL のため，大豆除去の指導を受けていた．2歳3か月時に豆腐入りの鍋で豆腐を避けて摂取したが，顔面腫脹と蕁麻疹が出現し，大豆特異的 IgE 6.18 UA/mL であった．2歳10か月時に豆腐の OFC を実施し，総量 18.5 g で咳嗽・眼の周囲発赤を認め，陽性と診断した．自宅では2gの豆腐を食べてみるよう指導したがなかなか摂取ができず，醤油や味噌と大豆油は摂取していた．3歳3か月時に納豆 20 g を摂取してアナフィラキシー（眼瞼腫脹と呼吸苦）を生じ，入院となった．3歳11か月時に大豆 sIgE 2.09 UA/mL と低下傾向を認めたため，4歳2か月時に豆腐の OFC を再検し，総量 38 g で陰性を確認した．

症例 2

10歳11か月　男児

● **花粉症を持つ児の口腔アレルギー症候群**

花粉症があり抗ヒスタミン薬を内服していた児が，9歳ごろから濃度の濃い豆腐製品を摂取すると咽頭の瘙痒感を生じるようになった．通常の豆腐や豆は摂取可能であった．特異的 IgE 値は大豆＜0.35 UA/mL であったが，シラカンバ 23.6 UA/mL，ハンノキ 17.3 UA/mL，Gly m 4 21.9 UA/mL であり，花粉症から感作された口腔アレルギー症候群と診断された．

たとえば，木綿豆腐のタンパク質量は 6.6% で豆乳のタンパク質量は 3.6% のため，豆乳のタンパク質量は木綿豆腐の約 1/2 倍である．したがって，木綿豆腐 50 g が摂取可能になった患者は，50（g）×6.6％＝豆乳 X（g）×3.6％という計算により，90 g（約 90 mL）の豆乳が摂取可能であると指導することができる．実際に患者への説明の際には，図2のような一覧表も利用している．

症例2のような口腔アレルギー症候群の患者に対する食事指導は，豆乳の摂取は控えるように指導するが，症状を生じない大豆製品まで除去する必要はなく，口腔内違和感を覚えるものだけは取り除くように指導している．

また，他の豆類（小豆，インゲン，ソラマメなど）に関しては植物分類学的に属が異なり，交差反応は少ないため大豆アレルギー患者が一律に他の豆類を除去する必要はない．

6．加工食品（醤油・味噌・油など）のアレルゲン性

醤油・味噌は発酵の過程で大部分のタンパク質がアミノ酸まで分解されるため[12]，重篤な大豆アレルギーでなければ摂取可能なことが多い．味噌に関しては長く発酵された辛口米味噌や豆味噌のような色の濃い味噌は特にアレルゲン性が低下しているといわれている[13]．大豆油は精製度が高く，重篤な大豆アレルギー患者でも 50 g の油を摂取しなければ症状を生じないとの報告もあり[14]，ほとんどの患者で摂取可能である．

2　ゴ　マ

ゴマはシソ目ゴマ科ゴマ属の1年草である．良好な風味と栄養価が高いため，古くからさま

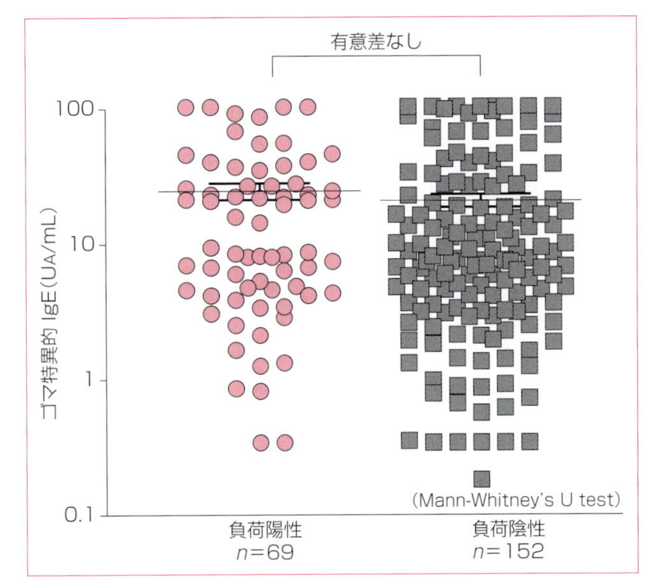

図3 ゴマ特異的 IgE 抗体価と負荷試験結果
〔あいち小児保健医療総合センター　アレルギー科，2012-2020〕

症例 3

3 歳 1 か月　男児

● **すりゴマとねりゴマには注意**

生後 9 か月時，豆腐にすりゴマをかけて摂取し，2 時間後から嘔吐 3 回と下半身に膨疹と紅斑を認めた．ゴマ sIgE 100 UA/mL であったため除去を指導した．その後，自宅でゴマ油と粒ゴマは摂取し症状なく，2 歳 8 か月時の血液検査でゴマ sIgE 85.1 UA/mL とやや低下傾向であったため，3 歳 1 か月に OFC を実施した．すりゴマ総負荷量 0.8 g で全身蕁麻疹を生じたため，すりゴマとねりゴマの除去継続となり，アドレナリン自己注射薬を処方した．

ざまな調味料に利用されており，学校給食などでも使用頻度の高い食品である．ゴマペーストやすりゴマなどを含有する乳化液状調味料(たとえば，しゃぶしゃぶや焼き肉のたれ類，ドレッシングなど）はさまざまな商品が販売されている．

1. ゴマアレルギーの臨床像

ゴマアレルギーは近年世界的に増加傾向である[15]．それでも食物アレルギーの 1% 以下ではあるが，そのうち約 30% がアナフィラキシーを引き起こす可能性があるといわれている[16]．

ゴマを含有する加工食品が多く販売されているなかで，重症なゴマアレルギー児はコンタミネーションにも注意が必要である．しかし，アレルギー表示制度では推奨表示にとどまるため，ゴマの完全除去は非常に負担が大きい．よって正確に診断を行い，必要であればアドレナリン自己注射薬を処方することも考慮すべき食品である．

2. ゴマ特異的 IgE 抗体価，皮膚プリックテストと経口負荷試験

ゴマ粗抗原の sIgE 抗体価は特異度が低い[15,16]．当科の 2012〜2020 年のゴマ OFC の結果をみても，陽性者と陰性者のゴマ sIgE 抗体価に有意差は認められず，抗体価が 100 UA/mL 以上の患者でも陰性の症例を多く認めた（図 3）．よって，ゴマの診断においては，明らかな既往歴が

ない場合にはゴマsIgE抗体価の値に惑わされずにOFCを実施することが重要である．しかし，OFCの陽性者の中にはアナフィラキシーのような重篤な症状を生じる患者も少なくないため，常に慎重に行う必要がある．皮膚プリックテストは市販化された抽出液では特異度は高いが，感度が低いことが問題視されており，一方でねりゴマそのものを使用すると感度が上がり，特異度が下がることから，両者を併用することで診断精度をあげる試みがされている[17]．

ゴマには7種類（Ses i 1–7）のアレルゲンコンポーネントが同定されているが，この中で2Sアルブミンである Ses i 1 の臨床症状との関連を筆者らは報告している[18]．

ゴマの診断で一番重要なことは，コンタミネーションで症状を誘発するかどうかをOFCで見極めることである．当科でのゴマOFCはすりゴマを使用し，0.1–0.2–0.5–1–2 g を30分間隔で負荷している．

3．ゴマのアレルギー表示

2013年9月からゴマはアレルギー表示推奨品目に新たに指定されたが，特定原材料に準ずるものとして推奨表示の食品であり，使用していても表示されていない可能性もある．よって患者に正しい理解を促す必要がある．

4．ゴマアレルギーの予後

ゴマアレルギーは乳幼児期に30%が耐性獲得したという報告[19]もあるが，一般的に耐性獲得を得られにくいと考えられている．予後を変える治療としてのイスラエルからの経口免疫療法の報告では，60人の患者を対象として53人（89%）がねりゴマ20 g相当の脱感作に成功したとされており[20]，今後の発展が期待される．

5．食事指導

症例3のようにゴマ油や粒ゴマは抗体価が高値な児であっても摂取可能なことが多いが，すりゴマやねりゴマは一度に大量摂取となるため注意が必要である．ゴマの加工食品ではペーストとして調味料で使用されていることが多く，摂取前に視覚的にゴマを確認して除去することは困難である．よって，OFCで陽性となった症例でコンタミネーションでも症状を誘発する可能性のある症例に関しては，アドレナリン自己注射薬（エピペン®）の処方も考慮すべきである．

おわりに

大豆もゴマも日常生活で含有する食品が多く，アレルギー表示は推奨表示にとどまるため，完全除去を行うことは保護者にとって負担が大きい．よって，リスクを正確に評価するためのOFCは重要である．大豆に関しては予後がよいため，定期的な評価のうえで積極的な解除指導が望ましい．一方，ゴマは自然寛解が望めないため，OFCでリスク評価を行い，アドレナリン自己注射薬の必要性を評価することが重要ある．コンタミネーションでも重篤な症状を誘発する可能性のある重症者に対しては，日常生活での負担を少しでも軽減するために経口免疫療法が今後期待される．

文献

1）Sicherer SH, et al.：Dose-response in double-blind, placebo-controlled oral food challenges in children with atopic dermatitis. *J Allergy Clin Immunol* **105**：582-586, 2000

2）Ito K, et al.：IgE to Gly m 5 and Gly m 6 is associated with sever allergic reactions to soybean in Japanese children. *J*

Allergy Clin Immunol **128**：673-675, 2011
3）Ebisawa M, et al.：Gly m 2S albumin is a major allergen with a high diagnostic value in soybean-allergic children. *J Allergy Clin Immunol* **132**：976-978, 2013
4）Mittag D, et al.：Soybean allergy in patients allergic to birch pollen：clinical investigation and molecular characterization of allergens. *J Allergy Clin Immunol* **113**：148-154, 2004
5）Inomata N, et al.：Involvement of poly（γ-glutamic acid）as an allergen in late-onset anaphylaxis due to fermented soybeans（natto）. *J Dermatol* **39**：409-412, 2012
6）Komata T, et al.：Usefulness of wheat and soybean specific IgE antibody titers for the diagnosis of food allergy. *Allergol Int* **58**：599-603, 2009
7）Sato M, et al.：Oral challenge tests for soybean allergies in Japan：A summary of 142 cases. *Allergol Int* **65**：68-73, 2016
8）海老澤元宏，ほか（監修），日本小児アレルギー学会食物アレルギー委員会（作成）：食物アレルギー診療ガイドライン 2021．協和企画，100-119．2021
9）池松かおり，ほか：乳児期発症食物アレルギーに関する検討（第 2 報）：卵・牛乳・小麦・大豆アレルギーの 3 歳までの経年的変化．アレルギー **55**：533-541，2006
10）Savage JH, et al.：The natural history of soy allergy. *J Allergy Clin Immunol* **125**：683-686, 2010
11）文部科学省：日本食品標準成分表 2010．科学技術・学術審議会資源調査分科会報告書．2010 http://www/mext.go.jp/b_menu/shingi/gijyutu/gijyutu3/houkoku/1298713.htm
12）Magishi N, et al.：Degradation and removal of soybean allergen in Japanese soy sauce. *Mol Med Rep* **16**：2264-2268, 2017
13）Moriyama T, et al.：Hypoallergenicity of various miso pastes manufactured in japan. *J Nutr Sci Vitaminol*（*Tokyo*）**59**：462-469, 2013
14）Rigby NM, et al.：Quantification and partial characterization of the residual protein in fully and partially refined commercial soybean oils. *J Agric Food Chem* **59**：1752-1759, 2011
15）Sokol K, et al.：Prevalence and diagnosis of sesame allergy in children with IgE-mediated food allergy. *Pediatr Allergy Immunol* **31**：214-218, 2020
16）Gangur V, et al.：Sesame allergy：a growing food allrgy of global proportions? *Ann Allergy Asthma Immunol* **95**：4-11, 2005
17）Epov L, et al.：Using skin prick test to sesame paste in the diagnosis of sesame seed allergy. *J Allergy Clin Immunol Pract* **8**：1456-1458, 2020
18）Maruyama N, et al.：Measurement of specific IgE antibodies to Ses i 1 improves the diagnosis of sesame allergy. *Clin Exp Allergy* **46**：163-171, 2016
19）Aaronov D, et al.：Natural history of food allergy in infants and children in Israel. *Ann Allergy Asthma Immunol* **101**：637-640, 2008
20）Nachshon L, et al.：Efficacy and Safety of Sesame Oral Immunotherapy-A Real-World, Single-Center Study. *J Allergy Clin Immunol Pract* **7**：2775-2781, 2019

F 魚・甲殻類アレルギー

中島陽一
(藤田医科大学医学部 小児科学)
近藤康人
(藤田医科大学 ばんたね病院 小児科)

わが国での即時型アレルギー症状の原因食品として，甲殻類は第 8 番目（2.9%），魚類は第 11 番目（1.4%），特に 18 歳以上では頻度が高く，甲殻類は第 1 番目（17.1%），魚類は第 3 番目（14.5%）と報告されている[1]．アメリカの電話調査[2]による魚介類アレルギーの有病率は，成人で 2.8%，小児では 0.6% と報告されている．メタ解析における有病率は，魚類が 0～7%，甲殻類は 0～10.3% とばらつきがある[3]．有病率は魚や甲殻類の消費量にも影響されるため，わが国同様に魚をよく食べるシンガポールとフィリピンでの 14～16 歳での有病率は約 5% である[4]．自然経過に関しては，魚，甲殻類のアレルギーは寛緩しにくいといわれており，アメリカの寛解率調査では 3～4% と報告がされている[2]．食物経口負荷試験（oral food challenge：OFC）で確認されたタラのアレルギーの耐性獲得率は 4，5 歳で 3.4%，思春期で 45.6% との報告があり[5]，年齢とともに増加している．また，魚アレルギー患者は多魚種にアレルギーを持つ傾向があり，67% が多魚種にアレルギーがあったという報告もある[2]．このことから魚アレルギー患者では魚全般の除去が必要になることも少なくない．甲殻類を除去しても栄養学的には問題は生じにくいが，魚類はビタミン D，多価不飽和脂肪酸の主要な供給源であり，小児の成長という面でも重要な食品である．

1 症 状

1．IgE 依存性反応

魚，甲殻類ともに，摂取した際の即時型アレルギー症状は，卵や牛乳などでみられる症状と特に大きな違いはない．エビアレルギー患者 99 名の調査では，小児期や 20 歳代までの若年成人期に発症し，症状の発現は摂取後 1 時間以内の即時型反応が 87.9% を占めた．また，2 臓器以上の症状をきたしたアナフィラキシー症例が 61.6% と多くみられた．口腔内の違和感といった主観症状のみで，それ以上の量の摂取が困難な場合も多くみられる（症例 1）．

魚アレルギーは 1 歳児をピークに非常に多くみられる（図 1）[6]．われわれの調査では日本人の摂取量が多い魚にアレルギーの頻度が高く（表 2）[6]，また多くの症例が複数の魚に IgE 結合

症例 1

5 歳　女児

魚は少量を口にするだけで，口腔内違和感を訴えて食べるのを嫌がるため全く食べていない．ImmunoCAP® の検査で魚 7 魚種に対する特異的 IgE はすべてクラス 3 以上であったが，魚の出汁とマグロの缶詰は食べることができている．

症例 2

10 歳　女児

マグロ（スズキ目サバ科）でアナフィラキシー（全身の灼熱感，腹痛，蕁麻疹，呼吸困難）を 2 度起こした．マグロ以外の同じサバ科に属するマサバやカツオではアレルギー症状は起こさない(表 1)．病歴と皮膚テストの結果からマグロ単魚種のアレルギーと診断した．しかし，学校給食でクロカジキ（スズキ目マカジキ科）を食べ 30 分後にアナフィラキシー（呼吸困難，腹痛，全身の灼熱感，蕁麻疹）が出現した．抽出した抗原での皮膚試験でマグロとカジキが陽性，カツオ，マサバは陰性だった．ELISA-inhibition にてマグロとカジキに交差反応性がみられ，同じ科のマサバとは共通抗原性はみられなかった．

症例 3

11 か月　女児

離乳食でタラを混ぜたお粥をあげたところ，5 時間後に嘔吐して，8 時間後に下痢がみられた．ほかの魚も試したが毎回嘔吐がみられた．ImmunoCAP® の検査で魚 7 魚種，アニサキスに対する特異的 IgE はすべてクラス 0 であった．抗原液を用いた皮膚テストでも陰性であった．非 IgE 依存性反応と考えられ魚は除去とした．

を有していた[7]．生物学的分類とアレルゲン性が一致していないため予想外にアレルギー症状を起こすことがあり[8]，注意が必要である（症例 2）．

また，魚抗原は吸入抗原としても知られており，魚市場近郊でのエアーサンプリングによる生魚抗原や蒸気中の抗原の飛散量の調査報告[9]や，魚市場労働者における魚抗原による喘息の症例報告がある[10]．

手湿疹による皮膚のバリア機能が低下した素手で魚を頻回に触る職場で経皮感作を起こし，それまで食べられていた魚にアレルギー症状を起こした報告もある[11]．成人がそれまで食べられていた魚でアレルギー症状をきたした場合には，手湿疹や職業的な曝露について確認することが大切である．

2. 非 IgE 依存性反応

スペインから，魚は乳幼児での food protein-induced enterocolitis syndrome（FPIES）の原因として報告されている[12]．FPIES は原因食物摂取後数時間で嘔吐や下痢といった症状をきたす非 IgE 依存性反応であり，通常皮膚テストは陰性である（症例 3）．スペインでの 14 人の報告では，9 人が負荷試験でも陽性で，3〜4 年後に臨床的に寛解したとされている．

2 検査・治療の具体例

1. 甲殻類

エビ特異的 IgE（specific IgE：sIgE）抗体価の診断的中率は，クラス 3〜4 であっても 20% 以下である．逆にアレルギー症状を有する人でも IgE 抗体が陰性となる場合が 20% 近く存在する．抗原液を用いた皮膚テストや，甲殻類そのものを用いた prick-to-prick が有用な場合もある．エビのトロポミオシンである Pen a 1 が診断に有用であるというスペインからの報告[13]があ

表1 魚の分類表

綱	目	亜目	科	種
軟骨魚綱	メジロザメ目		メジロザメ科	ヨシキリザメ
	トビエイ目		アカエイ科	アカエイ
硬骨魚綱	ウナギ目	ウナギ亜目	ウナギ科	ウナギ
		アナゴ亜目	アナゴ科	マアナゴ
	ニシン目	ニシン亜目	ニシン科	ニシン マイワシ ウルメイワシ
			カタクチイワシ科	カタクチイワシ
	コイ目		コイ科	コイ
			ドジョウ科	ドジョウ
	キュウリウオ目	キュウリウオ亜目	キュウリウオ科	アユ
			シラウオ科	シラウオ
		ニギス亜目	ニギス	ニギス
	サケ目		サケ科	シロザケ ベニザケ
	キンメダイ目		キンメダイ科	キンメダイ
	ギンメダイ目		ギンメダイ科	ギンメダイ
	タラ目		タラ科	マダラ スケトウダラ
			メルルーサ科	メルルーサ
	ボラ目		ボラ科	ボラ
	ダツ目	ダツ亜目	サンマ科	サンマ
			サヨリ科	サヨリ
			トビウオ科	トビウオ
	カサゴ目	カサゴ亜目	フサカサゴ科	カサゴ メバル
		コチ亜目	コチ科	マゴチ
		ギンダラ亜目	ギンダラ科	ギンダラ
		アイナメ亜目	アイナメ科	アイナメ
	スズキ目	スズキ亜目	アジ科	マアジ ブリ
			イサキ科	イサキ
			タイ科	マダイ
			キス科	シロギス
			ムツ科	ムツ
		ハゼ亜目	ハゼ科	マハゼ
		サバ亜目	サバ科	マサバ サワラ カツオ クロマグロ
			タチウオ科	タチウオ
			カマス科	ヤマトカマス
			メカジキ科	メカジキ
			マカジキ科	マカジキ クロカジキ
	カレイ目	カレイ亜目	カレイ科	マガレイ
			ヒラメ科	ヒラメ
	フグ目	フグ亜目	フグ科	トラフグ
	アンコウ目	アンコウ亜目	アンコウ科	アンコウ

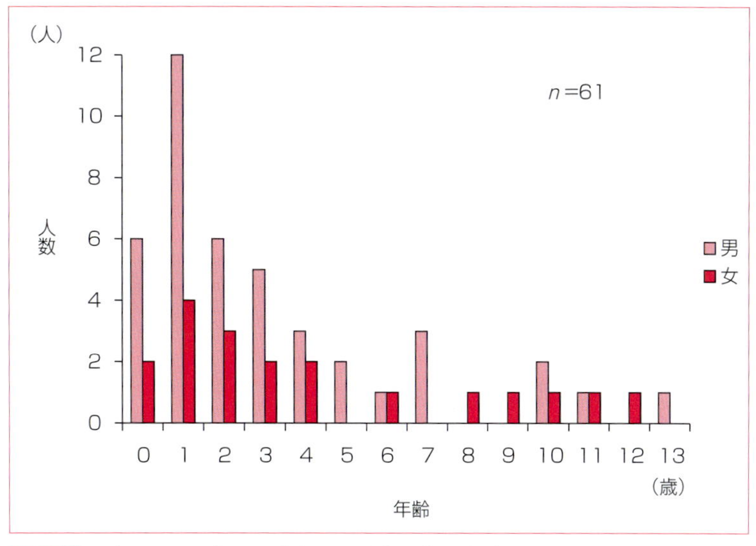

図1 魚アレルギーで受診した患者の年齢分布

〔近藤康人：魚肉アレルギー．アレルギーの臨床 **28**：619-624，2008 を元に作成〕

表2 初診時の病歴からアレルギーが疑われた魚種（n=61 人）

順位	魚種	例数（人）
1	サケ	14
2	マグロ	13
	イワシ	13
4	カレイ	11
	アジ	11
6	タイ	9
7	タラ	8
8	ブリ	7
9	サバ	5
10	メバル	4

〔近藤康人：魚肉アレルギー．アレルギーの臨床 **28**：619-624，2008 を元に作成〕

症例 4

兄がエビアレルギーのため血液検査を行ったところ，エビ sIgE は 8.5 UA/mL，カニ sIgE は 6.2 UA/mL であった．入院の上，OFC を行ったところ，エビは計 30 g，カニは 40 g 食べられた．

る一方で，Pen a 1 特異的 IgE 抗体価は，エビアレルギー患者と非アレルギー患者で有意な差がなかったとする日本からの報告もある[14]．甲殻類アレルギーの診断には，これらの補助試験（sIgE 抗体価や皮膚テスト）だけでは不十分なため，確定診断が必要な場合は，OFC が必要である．

2. 魚 類

ImmunoCAP® で測定できる魚種は，タラ，サケ，マグロ，アジ，カレイ，イワシ，サバの 7 種類である．それ以外の魚種では市販の抗原液か新鮮な魚（使用する食物の衛生面に対する配慮が必要である）を用いたprick-to-prickでの皮膚試験を用いる（症例5）．ただし多種生魚を使った皮膚テストでアナフィラキシーを起こした報告があり配慮が必要である[15]．魚sIgE抗体価の値だけで魚アレルギーの有無の判別はできず[16]，sIgE抗体価が高くても実際には食べられる場合もあるので，症状の既往がない場合では，OFCで確認する．魚アレルギーの診断に好塩基球活性化試験が有用との日本からの報告もある[17]．

3 食べるための食事指導

1．甲殻類

甲殻類アレルギーは自然耐性を獲得しにくいとされており，アレルギー症状の既往がはっきりしている場合は除去を指導する．エビとカニ両方にアレルギー反応を示すのはエビアレルギーの約65%と報告されており[18]，病歴から安全性を確認できない場合にはOFCで確認する．また，症例6に示すようにエビアレルギーの約80%はエビせんべいを食べられる．甲殻類と同様にトロポミオシンが主要なアレルゲンと考えられているイカやタコなどの軟体動物もエビアレルギーの80%が摂取可能である[18]．主要抗原であるトロポミオシンは熱に強いため，生のエビでも加熱したエビでもアレルゲン性は変わらないとされているが，生エビのみ，または加熱のエビのみで症状が出る患者もいる．

2．魚　類

1）魚除去の問題点

魚はビタミンDや多価不飽和脂肪酸の主要な供給源として重要である．魚だけでなく，乳や卵黄などの除去をしている場合には，ビタミンDやカルシウムの摂取量が不足して身長の伸びの遅れや，くる病のリスクもある．ビタミンDの代替食品として，きくらげ，乾燥しいたけを用いるとよいが，最も豊富な魚を増やすことは幼小児期において重要である．

2）魚全般を完全に除去している場合

魚全般のアレルギーのアプローチを（図2）に示す．カツオ節，煮干しなどの出汁は，発酵の過程でタンパク質が分解したアミノ酸として抽出されているためアレルゲン性が低下しているとされており，最初に試す食品として考える．マグロなどの缶詰では，高温，高圧処理によ

症例5

サワラを初めて1切れ食べた直後に蕁麻疹が出現した．血液検査で，アニサキスのsIgEは陰性だったが，サワラは測定できないため，新鮮なサワラでprick-to-prick testを行った．陽性コントロールであるヒスタミンによる膨疹径が8 mmで，サワラによる膨疹径が7 mm（＋＋＋）であった．今後，サワラは除去と指導した．

症例6

1歳　男児
エビせんべいを食べても問題なかったので，ゆでたエビを食べさせたら，蕁麻疹が出現した．ImmunoCAP® の検査でエビIgE 25 UA/mLであり，エビの除去とした．

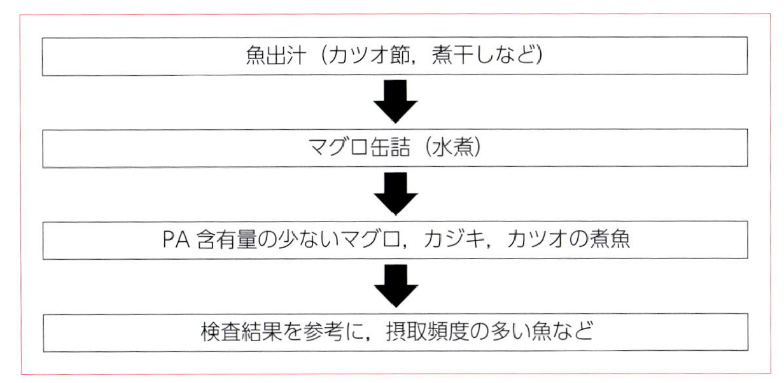

図2 魚アレルギー患者へのアプローチ

表3 各魚種での PA の含量

PA 量（mg/g）	魚 種
高（5<）	キンメダイ，アカカマス，イサキ，マダイ，アカムツ，マアジ，トビウオ
中（1～5）	シログチ，ニジマス，マイワシ，サンマ，サバ，シロサケ
低（<1）	ギンザケ，カツオ，メカジキ，キハダ，メバチ

〔Kobayashi Y, et al.：Quantification of major allergen parvalbumin in 22 species of fish by SDS-PAGE. *Food Chem* **194**：345-353, 2016 を元に作成〕

り低アレルゲン化されているため食べられる場合がある[19]．魚アレルギー患者25名にツナ缶のOFC を行い 24 名（96%）が陰性であったとの報告がある[20]．パルブアルブミン（PA）は水溶性なので，オイルよりも水煮タイプのマグロ缶詰を水洗いしたものでOFC を行うとよい．マグロの缶詰でアナフィラキシーをきたした報告もあるので，症例によっては皮膚テストで陰性を確認してから OFC を行うことも考慮する．マグロの缶詰が陰性であった場合には，ほかの種類の魚の缶詰を試してもよい．魚そのものを試す場合には，表 3[21]に示すように，PA の含有量の少ないマグロ，カジキ，カツオといった魚から OFC を行う．その後は検査の結果を参考にしながら，摂取機会の多い魚種を試していくとよい．

魚そのもの以外で，魚のすり身は，ミンチにした魚肉を「水さらし」する過程で PA の量が減少する．PA を認識する患者血清で，竹輪や蒲鉾に対する反応性が低下するとされており[22]，OFC で試してもよい．しかし，コラーゲンは非水溶性であるために「水さらし」においてすり身に残るため，コラーゲンを認識する患者ではアレルゲン性は保たれる．

3）食べられる魚がある場合

特定の魚でアレルギー症状が出る場合には，自然耐性しにくいとされており，原因魚種は除去とする．以前に陽性であっても食べられる魚を食べていると数年後にほかの魚も陰性化する場合もあるので，希望があれば OFC を再度行ってもよい．PA のアミノ酸配列の相同性は 60～90% であり，食べられる魚種がある場合には，その魚を摂取していくことでほかの魚が食べられることにつながることを期待する．

3．ヒスタミン中毒との相違

1）ヒスタミン中毒とは

ヒスタミンが大量に蓄積した魚を摂取した際に生じるアレルギー様症状である[23]．もともと魚肉に含まれるヒスチジンが，モルガン菌などによりヒスタミンに分解されて（図 3），魚肉に含まれるヒスタミン濃度が 10 mg/100 g 以上となったときに症状が誘発される可能性があり，

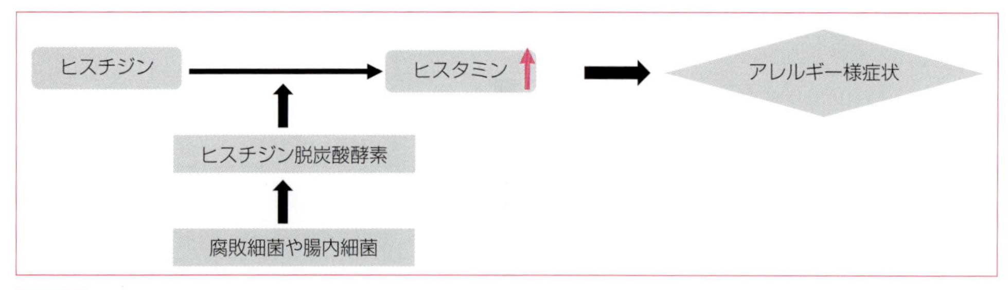

図3　魚肉中でのヒスタミンの産生

表4　各魚種におけるヒスチジンの含量

ヒスチジン含量（mg/100 g）	魚　種
1,000～1,300	キハダ，ブリ，カツオ，マカジキ，マサバ，メバチ
400～1,000	カタクチイワシ
1～10	アンコウ，マダイ，イシガレイ，メバル，ヒラメ

〔塩見一雄：魚貝類とアレルギー．成山堂書店，2003を元に作成〕

100 mg/100 g以上の場合には重篤な症状をきたす可能性がある[24]．ヒスチジンは白身魚よりも赤身魚で多い（表4）[22]．菌が発育しやすい環境は菌の種類によって異なり，25～40℃で発育する菌と，0～10℃で発育する菌があり，購入した魚を冷蔵庫で長期の保存する場合には注意を要する．市場で流通する鮮魚や魚加工品のヒスタミン産生菌汚染状況を調査した報告[25]では，ヒスタミン産生菌の汚染頻度は鮮魚が22.2%だったのに対して，塩干物37.5%，味醂干し87.5%と加工品で多い結果であった．

症状は，即時型アレルギー症状でみられるものと同様である．重症な症状が起こるときはヒスタミン濃度が高いレベルと考えられている[26]．

2）ヒスタミン中毒を疑うときは

今まで食べていて無症状だった魚種（特に赤身の魚，調理方法は焼き物や揚げ物）でアレルギー様症状が出現し，魚やアニサキスの血液検査や市販の抗原液を用いた皮膚テストが陰性の場合に疑う．摂取時にピリッとした苦味を感じることがあるといわれている．ヒスタミン感受性には個人差があり，成人より小児で感受性が高いと考えられている[24]．

3）ヒスタミン中毒の診断のために

摂取した魚のヒスタミン濃度を測定する方法もあるが，現実的ではない．症状がでた魚の抗原液か，なるべく新鮮な魚そのものを用いた皮膚テストで陰性を確認後に，その魚種のOFCを行い陰性であればヒスタミン中毒と考えられる．

4．アニサキス

アニサキスアレルギーの疫学としては，2010年のイタリアで1万人のスクリーニング調査において，4.5%がアニサキスの皮膚テストが陽性で，0.6%にアニサキスアレルギーの既往がみられたと報告されている[27]．

以前にアニサキスの寄生した魚を摂取してアニサキスに感作された人が，再度アニサキスの寄生した魚を摂取した際に起こりうる．魚摂取時にアレルギー症状をきたした患者では，魚に加えて，アニサキスの特異的IgE検査も行う．アニサキスのアレルゲンとしてAni s 1～14が知られている．アニサキスアレルギー患者の50%以上でAni s 1，2，7が陽性であり，主要抗原と考えられている．熱に強い抗原もあるため，それが原因抗原の場合には加熱してもアレルゲン性は低下しない．

アニサキスアレルギー患者は，アニサキスが寄生しない川魚やちりめんじゃこは食べられる．

文献

1）今井孝成，ほか：消費者庁「食物アレルギーに関連する食品表示に関する調査研究事業」平成 29（2017）年即時型食物アレルギー全国モニタリング調査結果報告．アレルギー **69**：701-705，2020

2）Sicherer SH, et al.：Prevalence of seafood allergy in the United States determined by a random telephone survey. *J Allergy and Clin Immunol* **114**：159-165, 2004

3）Moonesinghe H, et al.：Prevalence of fish and shellfish allergy：A systematic review. *Ann Allergy Asthma Immunol* **117**：264-272. e4, 2016

4）Shek LP, et al.：A population-based questionnaire survey on the prevalence of peanut, tree nut, and shellfish allergy in 2 Asian populations. *J Allergy and Clin Immunol* **126**：324-331, 2010

5）Xepapadaki P, et al.：Natural History of IgE-Mediated Fish Allergy in Children. *J Allergy Clin Immunol Pract* **9**：3147-3156. e5, 2021

6）近藤康人：魚肉アレルギー．アレルギーの臨床 **28**：619-624，2008

7）Koyama H, et al.：Grades of 43 fish species in Japan based on IgE-binding activity. *Allergol Int* **55**：311-316, 2006

8）Kondo Y, et al.：Parvalbumin is not responsible for cross-reactivity between tuna and marlin：A case report. *J Allergy and Clin Immunol* **118**：1382-1383, 2006

9）Taylor AV, et al.：Detection and quantitation of raw fish aeroallergens from an open-air fish market. *J Allergy and Clin Immunol* **105**：166-169, 2000

10）Rodriguez J, et al.：Occupational asthma caused by fish inhalation. *Allergy* **52**：866-869, 1997

11）Sano A, et al.：Two cases of Occupational Contact Urticaria Caused by Percutaneous Sensitization to Parvalbumin. *Case Rep Dermatol* **7**：227-232, 2015

12）Zapatero Remon L, et al.：Food-protein-induced enterocolitis syndrome caused by fish. *Allergol Immunopathol* **33**：312-316, 2005

13）Gámez C, et al.：Tropomyosin IgE-positive results are a good predictor of shrimp allergy. *Allergy* **66**：1375-1383, 2011

14）Tagami K, et al.：Pen a 1-specific IgE does not improve the accuracy of a shrimp allergy diagnosis among Japanese children due to cross-reactivity with Der p 10. *Allergol Int* **69**：290-292, 2020

15）Haktanir Abul M, et al.：Anaphylaxis after prick-to-prick test with fish. *Pediatr Int* **58**：503-505, 2016

16）Schulkes KJ, et al.：Specific IgE to fish extracts does not predict allergy to specific species within an adult fish allergic population. *Clin Transl Allergy* **4**：27, 2014

17）Imakiire R, et al.：Basophil Activation Test Based on CD203c Expression in the Diagnosis of Fish Allergy. *Allergy Asthma Immunol Res* **12**：641-652, 2020

18）富川盛光，ほか：日本における小児から成人のエビアレルギーの臨床像に関する検討．アレルギー **55**：1536-1542，2006

19）Bernhisel-Broadbent J, et al.：Fish hypersensitivity. Ⅱ：Clinical relevance of altered fish allergenicity caused by various preparation methods. *J Allergy and Clin Immunol* **90**：622-629, 1992

20）Pecoraro L, et al.：IgE-mediated fish allergy in pediatric age：Does canned tuna have a chance for tolerance? *Pediatr Allergy Immunol* **32**：1114-1117, 2021

21）Kobayashi Y, et al.：Quantification of major allergen parvalbumin in 22 species of fish by SDS-PAGE. *Food Chem* **194**：345-353, 2016

22）塩見一雄：魚貝類とアレルギー．成山堂書店，2003

23）大原由利，ほか：押さえておきたいアレルギーの常識　ヒスタミン中毒（scombroid poisoning）．治療 **94**：1942-1946，2012

24）登田美桜，ほか：国内外におけるヒスタミン食中毒．国立医薬品食品衛生研究所報告，31-38，2009

25）新井輝義，ほか：卸売市場で流通する鮮魚，魚介類加工品及び浸け水のヒスタミン生成菌汚染状況．東京都健康安全研究センター研究年報，245-250，2007

26）Sanchez-Guerrero IM, et al.：Scombroid fish poisoning：a potentially life-threatening allergic-like reaction. *J Allergy and Clin Immunol* **100**：433-434, 1997

27）Consortium A-IA.：Anisakis hypersensitivity in Italy：prevalence and clinical features：a multicenter study. *Allergy* **66**：1563-1569, 2011

G 果物アレルギー

夏目　統
（浜松医科大学医学部 小児科）

果物・野菜アレルギーは①臨床型分類，②感作経路（病態）の分類，③アレルゲンコンポーネントによる分類，④原因食品の属する生物学的分類という4つの観点から考える必要がある．歴史的に言葉の定義が少しずつ変わっており，①の口腔アレルギー症候群（oral allergy syndrome：OAS）の定義，②の花粉-食物アレルギー症候群（pollen-food allergy syndrome：PFAS）の定義が変化し分かりにくくなっている．まずはそれについて説明し，その後③④のアレルゲンコンポーネントから考えた診断と感作源，日常生活指導について説明する．

1 分類

1．臨床型分類

食物摂取による即時型アレルギー反応の症状が現れるメカニズムは，アレルゲンが吸収される場所によって，大きく2つに分けられる（図1）．1つ目は，口腔粘膜で吸収されることにより出現する症状，2つ目は腸で吸収されたアレルゲンが全身に広がって出現する症状である．

口腔粘膜で吸収されることにより出現する症状は，摂取約15分以内に出現する，口腔内違和感（イガイガや辛い，痛いなど），口唇腫脹，口・目など顔の発赤・膨疹，咳払い，嗄声などである．

腸で吸収されることにより出現する症状は，多くは摂取15分以上経ってから出現し，全身ど

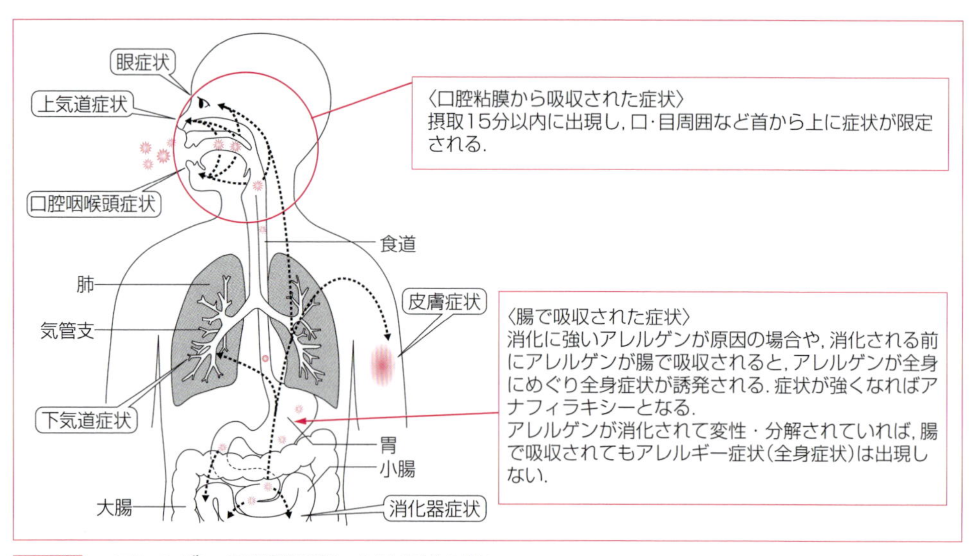

図1　アレルゲンの吸収経路による症状の違い

こでも認めうる膨疹，連続性咳嗽，喘鳴などがある（以下，これらを全身症状とよぶ）．腸で吸収されたアレルゲンの量が多くなると，体内をめぐるアレルゲン濃度が増えるため，全身症状は強くなり，最終的にはアナフィラキシーやアナフィラキシーショックとなる可能性がある．

1）口腔アレルギー症候群

広義のOAS（1987年にAmlotら[1]が提唱）は上記，口腔粘膜で吸収されることによる「症状」を指し，原因食品は限定されていない．一方，狭義のOAS（1988年にOrtolaniら[2]が提唱）は，「疾患名」として使われることが多く，花粉症（PR-10やプロフィリン感作）に関連した果物-野菜アレルギーの症状が口腔内や口周囲に限局していることを指して使用される．食物アレルギー診療ガイドライン2021では，臨床型（疾患名）としてOASが用いられ，「全身症状の一部としての粘膜症状とは区別され，発症機序から見るとPFASに相当する場合が多い」と記載されている[3]．ただし，狭義のOASと診断されるPR-10感作患者が豆乳を一気飲みした際に全身症状を認めたとする報告があるため[4]，後述する患者説明時には注意を要する．また，食物依存性運動誘発アナフィラキシー（food-dependent exercise induced anaphylaxis：FDEIA）を呈するGRP感作がヒノキ科花粉と関連している可能性が報告されており[5〜7]，OAS≒PFASとはいえないことが明らかになってきたため，今後用語の混乱が続く可能性がある．

2）食物依存性運動誘発アナフィラキシー

食物アレルギーにおける即時型アレルギー反応のうち，FDEIAが分類されている[3]．FDEIAは食物摂取のみでも，運動のみでも症状は出現せず，食物摂取と運動が合わさることで即時型アレルギー症状が誘発されるものを指す．原因食品は小麦や甲殻類が多いとされているが，近年果物の報告が増えており[3]，原因の3位が果物であるとも報告されている[8]．FDEIAがなぜ運動時に誘発されるかにはさまざまな説があり，一定していない[9]．ただ，臨床的には，小児FDEIAではGRP感作による果物アレルギーに遭遇することが多いため，常に鑑別にあげる必要があると考える．また，FDEIAと診断された児が数年の経過で運動をしなくても症状が誘発されるように変化することがあるため，これにも注意を要する．

2．感作経路（病態）の分類

以前は，PR-10タンパクやプロフィリン感作がある場合に，それぞれの果物・野菜を摂取した際に口腔周囲の症状が誘発される疾患名・臨床型分類をPFASと表現することが多かった．しかし，近年，スギ・ヒノキ科花粉中のGRPと果物中のGRPとの交差反応によりFDEIAや即時型症状の病型が誘発される可能性が報告されている[5〜7]．このことから，花粉との交差反応＝OASではないことが明らかになってきた．そのため，食物アレルギー診療ガイドライン2021には，PFASは「花粉感作後に，花粉と交差抗原性を有する植物性食物を経口摂取してアレルギー症状を来す病態」と記載され[3]，診断名ではなく「感作経路（病態）」の呼び名として位置づけられている．

上記の症状の分類（臨床型）と感作経路を表1にまとめると以下のイメージとなる．乳幼児期から発症し，食物抗原そのものから感作されたと考えられているキウイフルーツ等では全身症状を呈するなど即時型症状の病型となる[3]．一方，PFASの中でもGRPに感作されている患者は，FDEIAを呈することもあれば，通常の鶏卵アレルギーのように運動を伴わなくても全身の即時型症状を呈することもある．

3．アレルゲンコンポーネントによる分類

表2に示すようなアレルゲンコンポーネントが，果物アレルギーに関連する主要なコンポーネントとして報告されている（表2）．各コンポーネントと，それぞれの症状や交差反応性につ

表1 果物・野菜アレルギーの臨床型と感作経路，原因食品・タンパクの概念図

		臨床型分類		
		口腔アレルギー症候群（OAS）	即時型症状	食物依存性運動誘発アナフィラキシー（FDEIA）
感作経路（病態）	食物抗原そのもの		キウイフルーツ，バナナ等	
	花粉（PFAS）	PR-10（バラ科，大豆等）	LTP（バラ科等）	
		プロフィリン（ウリ科，ナス科，セリ科，キウイフルーツ等）	GRP（バラ科，ミカン科，ザクロ等）	
	ラテックス（LFS）		ヘベイン（バナナ，アボカド，キウイフルーツ等）	

OAS：oral allergy syndrome，FDEIA：food-dependent exercise-induced anaphylaxis，PFAS：pollen-food allergy syndrome，PR-10：pathogenesis-related protein-10，LTP：lipid tranfer protein，GRP：gibberellin-regulated protein，LFS：latex fruit syndrome

表2 植物・果物野菜のアレルゲンコンポーネント

		アレルゲンコンポーネント				
		PR-10	プロフィリン	GRP	LTP	その他
植物・果物野菜名	科					
シラカンバ	カバノキ科	Bet v 1	Bet v 2			
ハンノキ	カバノキ科	Aln g 1				
ヘーゼルナッツ	カバノキ科	Cor a 1	Cor a 2		Cor a 8	Cor a 14（2S アルブミン）
ピーナッツ	マメ科	Ara h 8	Ara h 5		Ara h 9	Ara h 2（2S アルブミン）
大豆	マメ科	Gry m 4	Gry m 3		Gly m 1	Gry m 8（2S アルブミン）
モモ	バラ科	Pru p 1	Pru p 4	Pru p 7	Pru p 3	
リンゴ	バラ科	Mal d 1	Mal d 4		Mal d 3	
サクランボ	バラ科	Pru av 1	Pru av 4	Pru av 7	Pru av 3	
ウメ	バラ科			Pru m 7		
オレンジ	ミカン科		Cit s 2	Cit s 7	Cit s3	
ザクロ	ミソハギ科			Pun g 7	Pun g 1	
スギ	ヒノキ科			Cry j 7		Cry j 1，2
イトスギ	ヒノキ科			Cup s 7		
オリーブ	モクセイ科		Ole e 2		Ole e 7	
オオアワガエリ	イネ科		Phl p 12			
メロン	ウリ科		Cuc m 2			
スイカ	ウリ科		Citr l 12			
トマト	ナス科	Sola l 4	Sola l 1		Sola l 3，6，7	
グリーンキウイ	マタタビ科	Act d 8	Act d 9		Act d 10	Act d 1（アクチニジン）
ブタクサ	キク科		Amb a 8			
ヨモギ	キク科		Art v 4		Art v 3	
セロリ	セリ科	Api g 1	Api g 4		Api g 2，6	
バナナ	バショウ科		Mus a 1		Mus a 3	Mus a 2（クラスⅠキチナーゼ）
ラテックス			Hev b 8		Hev b 12	Hev b 6.02（ヘベイン）
アボカド	クスノキ科					Pers a 1（クラスⅠキチナーゼ）
クリ	ブナ科	Cas s 1				Cas s 5（クラスⅠキチナーゼ）

R-10：pathogenesis-related protein-10，LTP：lipid tranfer protein，GRP：gibberellin-regulated protein

いては表1に示したとおりである．

PR-10の代表的な感作経路は，シラカンバ，ハンノキ花粉のBet v 1，Aln g 1への感作が原因で，交差反応によりバラ科果物や豆乳によるOASの原因となる．プロフィリンは代表的にはイネ科のカモガヤやオオアワガエリ（Phl p 12）やキク科のブタクサ（Amb a 8），ヨモギ（Art v 4）

への感作により，ウリ科，ナス科，セリ科等の果物・野菜によるOASの原因となる[3]（表2）．PR-10もプロフィリンも，耐熱・消化耐性の低いタンパク質のため，摂取直後の口腔粘膜での吸収時はアレルゲンとして作用するため口周囲の症状を誘発するが，嚥下された後はアレルゲンエピトープが消化過程で消失しやすいため腸で吸収されることによる全身症状はきたしにくいためOASとなる（図1）．ただ，先述したように，豆乳や新鮮な果物を絞ったジュースを大量に一気に飲むことで，全身症状が誘発されることが知られており[4]，OASといえど全身症状が出る可能性があることは注意が必要である．

LTPは地中海地方でのモモ（Pru p 3），特にその皮部分の摂取による全身症状例として報告されている．感作経路がオリーブ（Ole e 7）やヨモギ花粉（Art v 3）であるとする報告もあるが，これについてはまだ解明されていない[10]．

GRP（gibberellin-regulated protein）は日本でのモモ（Pru p 7）等のバラ科果物や柑橘類（Cit s 7），ザクロ（Pun g 7）等を摂取した際の全身の即時型症状やFDEIAの原因となる[11]．近年，スギ（Cry j 7）[7]やヒノキ科花粉（Cup s 7）にもGRPが含まれることが明らかにされ，感作経路としてヒノキ科花粉が原因の可能性が高いと考えられている[5,6]．GRPはナス科の唐辛子（Cap a 7）にも含まれ交差反応を呈した報告もあり[12]，植物の分類を超えて症状誘発を呈する印象がある．

また，乳幼児期から認められる食物抗原そのもので感作されたと考えられているキウイフルーツでの即時型症状では，アクチニジンであるAct d 1が主要アレルゲンコンポーネントであると報告されている[13]．

ヘベイン（Hev b 6.02）（ラテックス）と果物のクラスⅠキチナーゼの交差反応がラテックス-フルーツ症候群（latex-fruit syndrome：LFS）の原因となる．ラテックスアレルギー患者の30～50%が果物中のクラスⅠキチナーゼ内のヘベイン様ドメインへの交差反応により，バナナ（Mus a 2）・アボカド（Pers a 1）・クリ（Cas s 5）等に対して即時型症状を認める[14]．ラテックスアレルギーのハイリスク因子は，頻回手術既往者，天然ゴム手袋の使用頻度の多い職業（医療従事者，食品関係業，清掃業）である．一方，ゴム手袋内の加硫促進剤によるⅣ型アレルギーがラテックスアレルギーと誤診されている場合があり，この場合は果物の除去は不要である[14]．また，スクリーニング検査として行われることがあるラテックス特異的IgE抗体価は，プロフィリン（Hev b 8）への感作によっても上昇することがある（表2）．そのため，キウイ等の果物摂取による口腔内違和感を認める患者で，ラテックス特異的IgE抗体価が上昇していても，ラテックス-フルーツ症候群ではなく，実は単なるイネ科・キク科花粉によるOASで，ラテックスは無関係なことがよく経験される．そのため，キウイによるOASだからといってすぐにラテックス特異的IgE抗体価を測定して診断するのではなく，ゴム接触による「膨疹」の誘発歴聴取やHev b 6.02特異的IgE抗体価測定など総合的に診断する必要がある．

4. 原因食品の属する生物学的分類

上記アレルゲンコンポーネントは，植物の生物学的分類が離れればアレルゲンコンポーネントの相同性は低くなる．逆に近いものはアレルゲンコンポーネントが証明されていなくても臨床的には交差反応を示す．たとえば，リンゴのGRPはまだ発見されていないが，GRP感作の患者の場合，症状誘発の原因としてモモの次にリンゴが多く，交差反応が認められている．実際に症状誘発が多いかどうかは，生物学的分類の近さのほかに，1回の食べる量や安価で手に入りやすいか，地域性，患者の好みなど多くの要素が関係している．そのため，交差反応を認めうる生物学的分類の果物・野菜をすべて除去すべきかどうかは答えがない．

2 診断・検査

果物アレルギーの診断で最も重要なことは，全身症状やアナフィラキシーをきたす可能性が高いのか，それとも口腔周囲に限局した症状にとどまりやすいOASなのかを鑑別することである．診断の方法には，①現病歴，②特異的IgE抗体検査（粗抗原・コンポーネント），③皮膚プリックテスト（skin prick test：SPT），④食物経口負荷試験がある．

1．現病歴

しっかりと聴取した現病歴は，オープン法による食物経口負荷試験での診断と比較しても十分に有用であると報告されている[12]．現病歴で重要な点は，果物アレルギーの大多数を占めるOASであるのか，それとも全身症状を伴うものなのかを，まず鑑別することである．

既往歴で全身症状を認めていれば，OASの可能性はその時点でかなり低くなる．一方，OASの場合は，加熱によって症状誘発が減弱もしくは消失するため，加工品などの摂取で症状が消失することを確認できれば，OASの可能性が高くなる．バラ科食品であればアップルパイやイチゴジャム，大豆であれば豆腐（一部OAS症例では豆腐やゆでたもやしでも口腔内違和感を訴える場合もある），トマトであればケチャップなどを具体名としてあげることで容易に鑑別できることがある．

2．特異的IgE抗体検査（粗抗原・コンポーネント）

特異的IgE（specific IgE：sIgE）抗体検査は感度・特異度はともに必ずしも高くない．また，果物粗抗原IgE抗体が陽性であっても，全身症状のリスクが高いのか，それともOASなのかは鑑別できない．一方，コンポーネント特異的IgE抗体価は感作抗原がPR-10やプロフィリンなのか，LTP・GRPなのかについて診断ができ，OASなのかどうかの鑑別に有用である．ただし，これらコンポーネントsIgE抗体検査は2022年現在は保険適用外である[3]．

また，粗抗原sIgE抗体価が陰性にもかかわらず全身症状を呈する例も報告されており[15]，こういったときは下記の皮膚プリックテストが有用な場合がある．

ラテックス-フルーツ症候群（LFS）に関しては，2016年よりHev b 6.02特異的IgE抗体価が保険適用となったため，先に述べたプロフィリン感作によるラテックス粗抗原特異的IgEの上昇が鑑別しやすくなった．

3．皮膚プリックテスト

SPTは，果物に対する検査ではsIgE抗体検査より感度が高いとされている．用いる抗原として，市販のアレルゲンエキスを用いた場合は感度が低いことがあり，果物・野菜そのものを用いたprick-to-prick法のほうが感度は高い．これはPR-10やプロフィリンの不安定性によるものではないかと考えられている[10]．ただ，sIgE検査と同様に，果物に対して陽性という結果だけでは全身症状を認める可能性が高いのか，OASなのかは鑑別できない．

そこで，OASであれば原因アレルゲンが消化や加熱で変性・失活する性質を利用して，生と加熱した果物の両方を用いてSPTを行う方法が報告されている[15]．この方法は，100℃で4分間加熱をすると，OAS症例の多くはSPTが1 mm以下と陰転化するのに対して，全身症状を認める症例の多くは，SPTは変化しなかった．また，SPTの結果はコンポーネントsIgE抗体価の結果とも一致しており，外来診療の中で安価に簡便に行える．具体的な電子レンジでの加熱方法は文献[16]を参照されたい．

4．食物経口負荷試験

診断に苦慮する際は，最終的に食物経口負荷試験を行う．負荷試験の方法としては「口含み試験」や「舌下投与試験」などもある[3]．OAS の場合，主観的な症状がほとんどであるため，二重盲検プラセボ対照食物負荷試験が推奨されている[17]．Rodriguez らは，メロンによる OAS を主訴とする 53 人を対象にオープン法の負荷試験を行った場合，25 人（47%）のみが陽性となり，さらに二重盲検プラセボ対照食物負荷試験を追加施行すると 17/25 人のみが陽性であり，主訴による診断の曖昧さについて報告している．全身症状を伴うかどうかについてはオープン法の経口負荷試験でも診断できることが多い．また，FDEIA の病型を呈する患者では，トレッドミルなどを使用した運動負荷試験等についても検討する必要がある．

症例

14 歳，女児
【既往歴】 スギ，イネ科花粉症
13 歳頃から生のメロンやスイカを食べると 5 分後に口腔内掻痒感が出現するようになった．なお，30〜60 分後には症状は消失した．
14 歳の 6 月にパスタとフルーツポンチ（モモ・サクランボ・パイナップルの缶詰）を摂取し，90 分後に全身膨疹が出現し，60 分程で消失した．
14 歳の 7 月にアップルパイを摂取し，70 分後に全身膨疹と連続性咳嗽を認めた．
当院に受診し，血液検査で，総 IgE 1,255 IU/mL，カモガヤ sIgE>100 UA/mL，スギ sIgE>100 UA/mL，ハンノキ sIgE 0.31 UA/mL，小麦 sIgE 4.3 UA/mL，ω-5 グリアジン sIgE<0.1 UA/mL，ラテックス sIgE 6.3 UA/mL，Hev b 6.02sIgE<0.1 UA/mL であった．皮膚プリックテストは小麦陰性，生・缶詰のモモともに陽性，メロンは生で陽性，加熱したメロンでは陰性であった．
【診断】 イネ科花粉症（プロフィリン感作）による PFAS（メロンやスイカ）とスギ花粉症（GRP 感作）によるバラ科等果物の即時型症状．なお，イネ科花粉 sIgE が高値の場合は小麦・ラテックス sIgE は偽陽性を示すことが多く，IgE だけで小麦やラテックスアレルギーと決めつけないように注意が必要である．

3 食事・生活指導，治療

1．食事・生活指導

OAS であれば，加熱すれば症状なく摂取できる場合が多い．非加熱の場合，以前は各ガイドラインでは原因の果物・野菜を除去するよう記載されていたが，近年は少量の摂取に限れば許可してよいと記載されている[3]．口腔内の症状などに頓用薬は不要である．ただし，豆乳によるアナフィラキシーの報告が散見されることから，豆乳や生果物の搾りたてジュースを一気に飲むことは避けるように指導する必要がある．

全身症状を認める例ではアナフィラキシーのリスクが高いので，加熱した果物・野菜も含めて除去が必要である[5]．バラ科果物による全身症状を呈する症例では，最初はモモだけであったのが後々リンゴやウメでも全身症状を呈するようになる症例を経験することがある．このような症例で，バラ科果物全体を除去するよう指導すべきかどうかについて一定の見解は得られていない．また，柑橘類やブドウ類での症状誘発を合併する例も散見される．

ラテックスアレルギーと確定診断されている場合，ラテックス-フルーツ症候群は 30〜50% に認められるとされるが，全例ではない[14]．症状が疑われるものは検査を進め，現在症状なく摂取しているものは除去不要であるとされている[14]．

2. 免疫療法

OASの治療として，花粉に対する皮下免疫療法や舌下免疫療法の治療効果については多数報告があるが，効果の有無については一定の見解は得られていない[3,10]．OASに対して果物そのものを用いた経口免疫療法については効果があったとする一報があるが，否定的な報告が多い．

全身症状を認める果物アレルギーに対する経口免疫療法については，症例報告がなされているのみで[18]まとまった報告はなく詳細は不明である．

3. 予　後

予後に関する報告はない[3]．ただ，OASであれば，もともと花粉症が原因のため，花粉症の重症化に伴い年々症状をきたす果物・野菜が増えていくことがある．患者はどんどん悪化する症状に不安を抱くことが多いため，事前に症状が出現する果物の種類が増えていく可能性について伝えておくことも重要である．

文献

1）Amlot PL, et al.：Oral allergy syndrome（OAS）：symptoms of IgE–mediated hypersensitivity to foods. *Clin Allergy* **17**：33–42, 1987
2）Ortolani C, et al.：The oral allergy syndrome. *Ann Allergy* **61**：47–52, 1988
3）海老澤元宏，ほか（監修），日本小児アレルギー学会食物アレルギー委員会（作成）：食物アレルギー診療ガイドライン 2021．協和企画，2021．
4）Kleine–Tebbe J, et al.：Severe oral allergy syndrome and anaphylactic reactions caused by a Bet v 1– related PR–10 protein in soybean, SAM22. *J Allergy Clin Immunol* **110**：797–804, 2002
5）Tuppo L, et al.：Isolation of cypress gibberellin–regulated protein：Analysis of its structural features and IgE binding competition with homologous allergens. *Mol Immunol* **114**：189–195, 2019
6）Klingebiel C, et al.：Pru p 7 sensitization is a predominant cause of severe, cypress pollen–associated peach allergy. *Clin Exp Allergy* **49**：526–536, 2019
7）Iizuka T, et al.：Gibberellin–regulated protein sensitization in Japanese cedar（Cryptomeria japonica）pollen allergic Japanese cohorts. *Allergy* **76**：2297–2302, 2021
8）厚生労働科学研究費補助金：生命予後に関する重篤な食物アレルギーの実態調査・新規治療法の開発および治療方針の策定（研究代表：森田栄伸）：特殊型食物アレルギーの診療の手引き 2015．島根大学医学部皮膚科，2015
9）Ansley L, et al.：Pathophysiological mechanisms of exercise–induced anaphylaxis：an EAACI position statement. *Allergy* **70**：1212–1221, 2015
10）Werfel T, et al.：Position paper of the EAACI：food allergy due to immunological cross–reactions with common inhalant allergens. *Allergy* **70**：1079–1090, 2015
11）Inomata N：Gibberellin–regulated protein allergy：Clinical features and cross–reactivity. *Allergol Int* **69**：11–18, 2020
12）World Health Organization and International Union of Immunological Societies（WHO/IUIS）Allergen Nomenclature Sub–committee.：Allergen nomenclature.
13）Le TM, et al.：Kiwifruit allergy across Europe：clinical manifestation and IgE recognition patterns to kiwifruit allergens. *J Allergy Clin Immunol* **131**：164–171, 2013
14）日本ラテックスアレルギー研究会ラテックスアレルギー安全対策ガイドライン作成委員会：ラテックスアレルギー安全対策ガイドライン 2018．協和企画，2018
15）夏目 統，ほか：OASの現状と治療の展望．加熱果物を併用した皮膚プリックテストの有用性．日本ラテックスアレルギー研究会会誌 **17**：19–24，2014
16）池谷茂樹，ほか：果物アレルギー．*MB Derma* **229**：35–40，2015
17）Rodriguez J, et al.：Randomized, double–blind, crossover challenge study in 53 subjects reporting adverse reactions to melon（Cucumis melo）. *J Allergy Clin Immunol* **106**：968–972, 2000
18）Katoh Y, et al.：A case of oral immunotherapy for peach allergy sensitized to Pru p7. *Pediatr int* **64**, e14860, 2022

H その他の食物アレルギー

千貫祐子・森田栄伸
（島根大学医学部 皮膚科）

1 牛肉アレルギー

1．牛肉アレルギーの複雑な交差反応

2008年，Chungらは，アメリカにおいて抗悪性腫瘍薬のセツキシマブによるアナフィラキシーが一部の地域に多く発生していること，セツキシマブ特異的IgEはセツキシマブに含まれる糖鎖galactose-α-1，3-galactose（α-Gal）と特異的に結合することを報告した[1]．セツキシマブは上皮細胞増殖因子受容体（epidermal growth factor receptor：EGFR）を標的とするIgG1サブクラスのヒト/マウスキメラ型モノクローナル抗体で，頭頸部癌やEGFR陽性の治癒切除不能な進行・再発の結腸・直腸がんに対して，わが国はもちろん，世界中で広く使用されている．セツキシマブ重鎖のFab領域のマウス由来の可変部に糖鎖α-Galが存在する（図1）．

2009年になり，Comminsらは，獣肉摂取3〜6時間後に発症する遅発型の蕁麻疹やアナフィラキシーの原因が，糖鎖α-Galを認識する特異的IgE（specific IgE：sIgE）であることを報告した[2]．これらの患者血清中IgEはウシ，ブタ，ヒツジ，牛乳，ネコ，イヌには反応するが，七面鳥，トリ，魚には反応しない．つまり，四つ足の哺乳類はα-Galを豊富に有するために，これらを認識するIgEが遅発型の獣肉アレルギーを起こしたのである．このことから，セツキシマブアレルギーの原因と牛肉アレルギーの原因は，α-Galという同一の糖鎖であることが判明した（α-Gal syndrome）．

筆者らが診療している牛肉アレルギー患者でも，全例で豚肉sIgEが検出された[3]．さらに，

症例1

58歳，男性（血液型O型）

【現病歴】 2006年9月中旬，昼食に焼肉（豚肉，牛肉）を食べ，15時に全身に蕁麻疹が出現した．同年10月下旬，19時にすき焼きを食べ，20時30分に全身に蕁麻疹が出現した．同年12月初旬，19時にもつ鍋を食べ，22時に全身に蕁麻疹が出現し，総合病院で治療を受けた．このとき血液検査を施行され，抗原sIgE検査（ImmunoCAP®）で牛肉と豚肉が陽性であったため，摂取制限を指導された．2007年3月初旬，19時に子持ちカレイの煮付けを食べ，21時に全身に蕁麻疹が出現し，アナフィラキシーショックを発症し，入院治療を受けた．

【検査】 抗原sIgE検査（ImmunoCAP®）で牛肉，豚肉sIgEは陽性であったが，カレイsIgEは陰性であった（牛肉sIgE：1.83 UA/mL，豚肉sIgE：1.28 UA/mL，カレイsIgE：<0.34 UA/mL）．皮膚テストの結果，カレイ魚肉には陽性反応を示さず，カレイ魚卵に陽性反応を示した．またウェスタンブロット法にてカレイ魚卵sIgEを検出した．さらに，交差試験を施行したところ，牛肉抗原とカレイ魚卵抗原に交差反応を認めた．

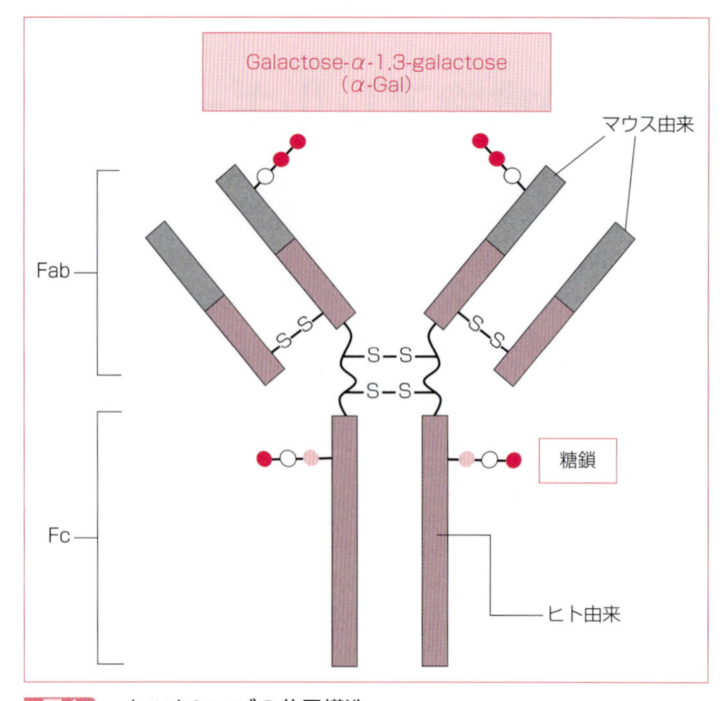

図1 セツキシマブの分子構造
セツキシマブはEGFRを標的とするヒト/マウスキメラ型抗体製剤である．セツキシマブ重鎖のFab領域のマウス由来の可変部に糖鎖galactose-α-1,3-galactose（α-Gal）が存在する

全例が過去にセツキシマブを投与されたことがないにもかかわらず，セツキシマブsIgE陽性（ImmunoCAP®）で，また牛肉sIgE値とセツキシマブsIgE値には正の相関関係が認められた．つまり，わが国の症例でも牛肉アレルギーの主要な原因抗原エピトープは糖鎖α-Galであり，豚肉，セツキシマブとも交差反応し得ることが示された．さらに筆者らの経験では，牛肉アレルギー患者は鯨肉摂取でもアレルギー症状を生じており，四つ足の哺乳類肉のみならず，哺乳類肉全般に注意が必要と考える．また筆者らは，牛肉アレルギー患者のほぼ全例がカレイ魚卵に対してもアレルギーを生じることを確認している．ただし，カレイ魚卵アレルギーの原因は，α-Galそのものではなく，ZPAX（糖タンパク）であった[4]．この交差反応についても注意を要する．

2. 牛肉アレルギーの特徴

牛肉アレルギーの特徴の1つは，遅発型に発症することである，図2に，島根大学医学部皮膚科で診療している30名の牛肉アレルギー患者の，牛肉摂取からアレルギー症状発症までの経過時間を示す．67%のエピソードで，牛肉摂取から3時間以上経過してから，27%のエピソードでは5時間以上経過してからアレルギー症状が生じていた．この原因は明らかではないが，牛肉アレルギーの主要抗原エピトープがタンパクそのものではなく，タンパクに結合した糖鎖であることに起因している可能性が考えられる．

また，牛肉アレルギーが血液型A型またはO型の人に好発することも特徴である（図3）．この原因は，ABO式血液型が赤血球表面に結合する糖鎖の種類によって決まることに起因する．B型の糖鎖はα-Galと類似の構造であり，自己抗原に対しては抗体を産生し難いものと思われる．

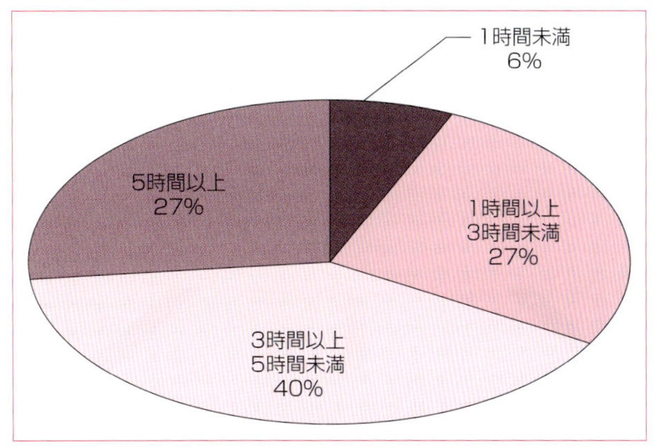

図2 牛肉摂取からアレルギー症状発症までの時間
30名の牛肉アレルギー患者について，牛肉摂取からアレルギー症状発症までの時間を統計したところ，67%のエピソードで牛肉摂取後3時間以上経過してからアレルギー症状が出現していた

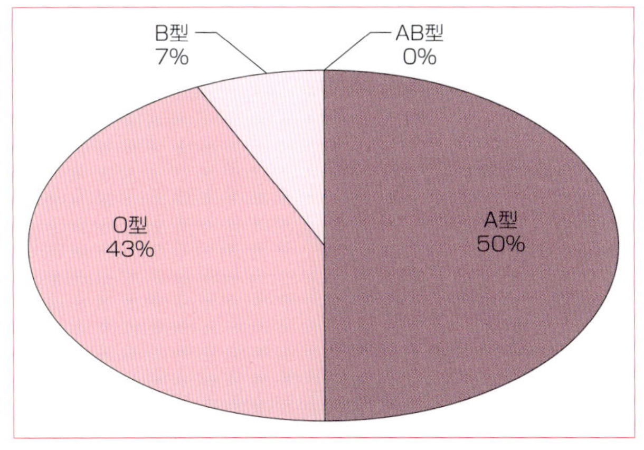

図3 牛肉アレルギー患者の血液型
30名の牛肉アレルギー患者について血液型を調べたところ，患者の多くがA型またはO型であった

3. 牛肉アレルギーの発症原因としてのマダニ咬傷

牛肉アレルギーの主要抗原エピトープである糖鎖α-Galへの感作経路について，2011年にアメリカのCommins らは，疫学的研究からロッキー山紅斑熱を媒介するマダニ *Amblyomma americanum* 咬傷との関連を示唆した[5]．スウェーデンのHamsten らは，免疫染色によってマダニ *Ixodes ricinus* の消化管内にα-Galが存在することを証明しており，マダニ咬傷によってα-Galへの感作を生じ得ることを報告している[6]．

島根大学病院の位置する島根県東部は，マダニが媒介する日本紅斑熱の好発地域であり，この地域で筆者らは多数の牛肉アレルギー患者を診療している．わが国における牛肉アレルギーの感作原因としてのマダニ咬傷の関与を解析する目的で，筆者らは日本紅斑熱の媒介優勢種であるフタトゲチマダニの成ダニを入手し，唾液腺のみを取り出してタンパクを抽出し，抗α-Gal抗体を用いて，フタトゲチマダニの唾液腺中にα-Galが存在するか否かをウェスタンブロット法にて確認した．その結果，フタトゲチマダニの唾液腺中にα-Galの存在を証明し得た[7]．

さらに，牛肉アレルギー患者血清中IgEのフタトゲチマダニ唾液腺タンパクへの反応をウェ

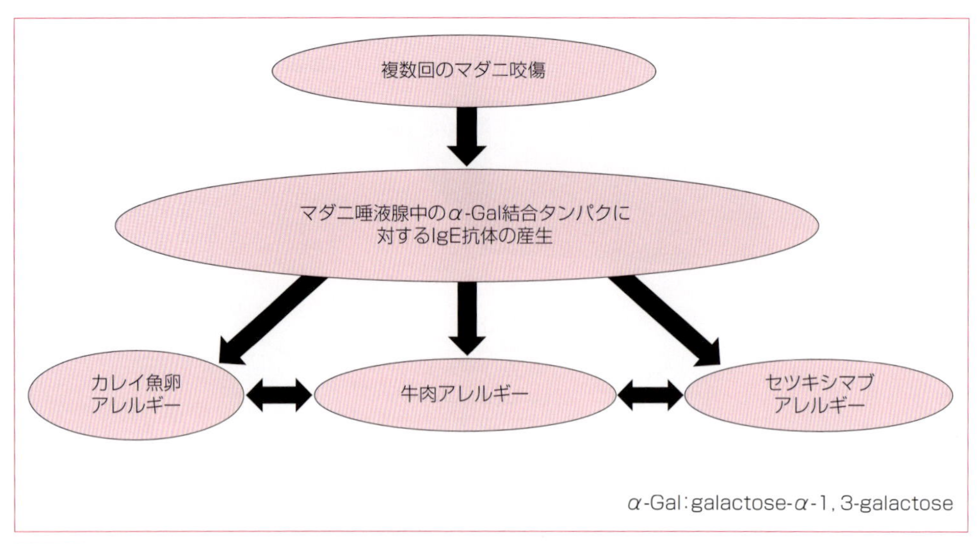

図4 牛肉アレルギーの推定発症機序と交差反応
マダニに複数回咬まれることによって，マダニ唾液腺中のα-Gal結合タンパクに対するIgE抗体が産生され，牛肉アレルギーが発症し得る．牛肉アレルギー患者は交差反応のためにセツキシマブやカレイ魚卵にもアレルギー反応を示す

スタンブロット法にて解析したところ，患者血清中IgEはフタトゲチマダニ唾液腺可溶性タンパクに結合した．さらにこの反応は，過ヨウ素酸処理を施すことによって消失したことから，患者血清中IgEが糖鎖を認識していることが判明した．つまり，フタトゲチマダニに咬まれることによって，マダニ唾液腺中のα-Gal含有タンパクに対するIgE抗体が産生され，牛肉アレルギーが発症し得ることが確認できた（図4）．

4．牛肉アレルギーの生活指導

牛肉アレルギーの感作原因がマダニ咬傷であり得ることが判明したため，筆者らは牛肉アレルギー患者にマダニ咬傷の回避を指導している．実際に，山間地で勤務をしていて牛肉アレルギーを発症した30代男性患者が，転勤により山間地での勤務がなくなった後に，牛肉特異的IgEが陰性化し，牛肉の摂取が可能となった．マダニは，ヒトや動物を咬む際に痛みや痒みを感じさせない物質を注入するため，ヒトはマダニに咬まれても自覚症状を伴わないことが多い．このため牛肉アレルギー患者は，気づかないうちにマダニに繰り返し咬まれている可能性がある．

今回筆者らがα-Galの存在を証明したフタトゲチマダニは日本全土に生息し，平地に多く都市部でもみられるマダニである．屋外での作業の際には体表の露出を控え，ダニ忌避剤などを使用すること，また帰宅時には衣類や皮膚にマダニが付着していないか確認し，入浴時によく洗い流すことなどが必要と思われる．

2 エリスリトールアレルギー

1．エリスリトールとは

エリスリトールとは糖アルコールの一種で，メロン，ブドウ，梨などの果実や，醤油，味噌，清酒などの発酵食品に含まれている天然甘味料である．ブドウ糖を発酵させることによっても作ることが可能である．砂糖の約75%の甘みがある一方で，カロリーが低くゼロカロリーやノンカロリーと表示できるため，広く食品で使用されているほか，医薬部外品などにも使用されている．

2. エリスリトールによるアレルギー

わが国におけるエリスリトールによるアレルギーの実態について，海老澤らは，2013年4月の全国調査報告で「エリスリトールの摂取による即時型アレルギーの健康被害の確定あるいは疑いの症例」を16例認めたとしている[8]．その後，2015年4月の続報では新たに13例を認めたと報告している[9]．エリスリトールによるアレルギー発症の機序について，エリスリトールは分子量122.12の，環状構造を有さない直線状鎖状構造の糖アルコールであるため，エリスリトールそのものが単独で抗原性を有しているとは考え難い．この点については，エリスリトールが何らかの方法でキャリアタンパクと結合している可能性が示唆されているが，解明には至っていない．

さらに，このような抗原特異性もあってか，エリスリトールによるアレルギーではプリックテストやスクラッチテストでは陽性反応を認めない症例が散見される[10,11]．皮内テストでは陽性反応を認めやすいため，エリスリトールによるアレルギーを疑った際には皮内テストまで施行して確認されたい．

3. エリスリトールによるアレルギーの対処法

エリスリトールによるアレルギーを発症した場合，現時点ではエリスリトールを含有する食品や医薬部外品を回避することを勧める．糖アルコールは，エリスリトール，還元パラチノース，還元水飴のなどのように「食品」として扱われるものと，キシリトール，ソルビトール，マンニトールなどのように「食品添加物」として扱われるものがある．キシリトールのように食品添加物として扱われる場合は表示義務があるが，エリスリトールのように「食品」の複合原材料の1つとして使用された場合で，占める割合・順位が低い場合には表示されないこともあるため，注意が必要である．

この問題を解決するためには，われわれ臨床医が症例を集積して実態を解明し，法の改正につなげることも必要と考えられる．なお，エリスリトールはほかの糖アルコールであるキシリトール，ソルビトール，マンニトールなどとは交差反応を起こしにくい[12]．

症例2

17歳，女性

【現病歴】 2011年3月初旬，19時半に夕食（ご飯，糸こんにゃく，豆腐，卵）を食べ，21時半に清涼飲料水Aとゼリー B，スナック菓子Cを食べ，直後から喉の違和感，咳嗽，顔面紅潮，体幹の蕁麻疹が出現し，入院治療を受けた．当時施行された食物抗原sIgE検査（ImmunoCAP®）や，清涼飲料水A，ゼリー B，スナック菓子Cを含む被疑食品のプリックテストにて原因が同定できず，蕁麻疹出現時に抗ヒスタミン薬の頓用を行うこととなった．2012年9月中旬，12時半にお弁当（昆布のおにぎり，いなり寿司，ソーセージ，ベーコン，焼肉）を食べ，13時に清涼飲料水Dを飲んだ．14時半に喉の違和感，顔面紅潮，体幹の蕁麻疹が出現し，抗ヒスタミン薬を内服して救急外来を受診し，入院治療を受けた．

【検査】 被疑食品の抗原sIgE検査（ImmunoCAP®）と清涼飲料水Dのプリックテストは陰性であったが，ゼリー Bと清涼飲料水Dに共通して含有されていた甘味料のエリスリトール（10 mg/mL）を用いた皮内テストにて陽性反応を認めた．

3 pork-cat syndrome

1．pork-cat syndromeとは

pork-cat syndromeとは，1994年に初めて提唱された肉アレルギーの一種で，原因抗原は豚の血清アルブミン（Sus s 1）であり，類似の構造を有するネコの血清アルブミン（Fel d 2）に経気道的に感作された後，交差反応によって豚肉摂取時にアレルギー症状を呈する疾患である[13]．ネコの血清アルブミンに感作されるには数年単位の時間を要するとされる[14]．動物種間の血清アルブミンの交差抗原性は高いため，ネコ以外のイヌやハムスターが感作に関与した例も報告されている[15]．

感作された患者は豚肉を食べると必ず症状が出現するわけではなく，加熱の不十分な豚肉や薫製した豚肉の摂取で症状が出やすく，しっかりと熱が加わった豚肉では症状が出にくい．症例3は遅発性に，また運動時にアレルギー症状が出現していたが（食物依存性運動誘発アナフィラキシーの病型），一般的には豚肉摂取30～45分後には症状が出現するとされる．

2．診断と対処法

pork-cat syndromeの診断には，問診と同時に，豚の血清アルブミンであるSus s 1-sIgEとネコの血清アルブミンであるFel d 2-sIgEの測定を行うことが有用である（ただし，いずれも保険未適用である）．症例3でも前者が46.0 UA/mL，後者が100＜UA/mLと高値を示した．保険適用の検査では，豚肉sIgEとネコ皮膚sIgEを測定することで，ある程度推察できる．対処法としては，十分な加熱がなされていない豚肉の摂取を回避することが重要となるが，ネコとの接触を避けた生活を送ることで，ネコ血清アルブミンsIgE値が低下し，豚肉を安全に摂取できるようになる可能性がある．

症例3

13歳，女児

【現病歴】 2012年4月，給食（ご飯，鶏肉，ほか）摂取後にバスケットをしていたところ，全身に蕁麻疹が出現した．翌日も，給食（ご飯，アジの南蛮漬け，つくねの味噌汁，ほか）摂取後にバスケットをしていたところ，全身に蕁麻疹が出現した．5月にも同様のエピソードがあった．7月，給食（ご飯，サワラの蒲焼き，ワンタンスープ，ほか）摂取後にマラソンをしていたところ，全身の蕁麻疹と呼吸苦が出現した．10月，給食（ご飯，アカウオの西京焼，けんちん汁，ほか）摂取後にマラソンをしていたところ，全身の蕁麻疹と呼吸苦が出現した．

【検査】 ご飯以外に全てのエピソードで共通する食品がなかったため，大半のエピソードで摂取していた魚に関して抗原sIgE検査（ImmunoCAP®），プリックテストを施行したが，いずれも陰性であった．共通項目検索の目的で朝食の内容を確認したところ，毎朝ハムかソーセージ（豚肉の加工食品）を摂取していたため，牛肉，豚肉sIgE検査を行ったところ，豚肉で43.1 UA/mLと高値を認めた一方で，牛肉では1.54 UA/mLと低値であった．このことからpork-cat syndromeを疑い，さらに問診を行った．患児宅では幼少児期からネコを飼育しており，患児はネコと一緒に寝ており，ネコとの接触で鼻炎症状を生じていたことが判明した．ネコ上皮sIgE検査は127 UA/mLと著明高値を示した．さらに皮膚テストでは，豚肉，ポークソーセージ（Prick-to-prick），猫毛（診断用アレルゲンエキス注射液）で陽性反応を認めた．

文献

1）Chung CH, et al.：Cetuximab–induced anaphylaxis and IgE specific for galactose–alpha–1,3–galactose. *N Engl J Med* **358**：1109–1117, 2008
2）Commins SP, et al.：Delayed anaphylaxis, angioedema, or urticaria after consumption of red meat in patients with IgE antibodies specific for galactose–alpha–1,3–galactose. *J Allergy Clin Immunol* **123**：426–433, 2009
3）千貫祐子，ほか：牛肉アレルギー患者 20 例の臨床的および血清学的解析．日皮会誌 **123**：1807–1814，2013
4）Chinuki Y, et al.：IgE antibodies to galactose–a–1,3–galactose, an epitope of red meat allergen, cross–react with a novel flounder roe allergen. *J Investig Allergol Clin Immunol*, Online ahead of print, 2021
5）Commins SP, et al.：The relevance of tick bites to the production of IgE antibodies to the mammalian oligosaccharide galactose–α–1,3–galactose. *J Allergy Clin Immunol* **127**：1286–1293. e6, 2011
6）Hamsten C, et al.：Identification of galactose–α–1,3–galactose in the gastrointestinal tract of the tick Ixodes ricinus；possible relationship with red meat allergy. *Allergy* **68**：549–552, 2013
7）Chinuki Y, et al.：Haemaphysalis longicornis tick bites are a possible cause of red meat allergy in Japan. *Allergy* **71**：421–425, 2016
8）海老澤元宏，ほか：エリスリトール（甘味料）等の摂取による即時型アレルギー全国調査．アレルギー **62**：428，2013
9）海老澤元宏，ほか：エリスリトール（甘味料）等の摂取による即時型アレルギー全国調査　続報．アレルギー **64**：621，2015
10）原田　晋，ほか：プリックテストで診断をなしえなかった甘味料エリスリトールによるアナフィラキシーの 1 例．皮膚臨床 **56**：1253–1257，2014
11）栗原和幸，ほか：プリックテスト陰性，皮内テスト陽性のエリスリトールによるアナフィラキシーの 5 歳男児例．アレルギー **62**：1534–1540，2013
12）清水裕希，ほか：エリスリトールによる蕁麻疹の 1 例．JEDCA **6**：90–94，2012
13）Drouet M, et al.：The pork–cat syndrome：effect of sensitization to cats on sensitization to pork meat. Apropos of a case. *Allerg Immunol*（*Paris*）**26**：305–306, 1994（article in French）
14）Posthumus J, et al.：Initial description of pork–cat syndrome in the United States. *J Allergy Clin Immunol* **131**：923–925, 2013
15）Cisteró–Bahíma A, et al.：Meat allergy and cross–reactivity with hamster epithelium. *Allergy* **58**：161–162, 2003

食物アレルギーの臨床的課題

A　アナフィラキシー

B　食物依存性運動誘発アナフィラキシー（FDEIA）

C　新生児・乳児食物蛋白誘発胃腸症，好酸球性消化管疾患

D　成人の食物アレルギー

E　栄養・食事指導

F　経口免疫療法

臨床現場における最近のトピックを解説する．

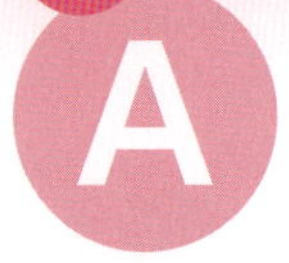

A アナフィラキシー

柳田紀之
（国立病院機構 相模原病院 小児科）
海老澤元宏
（国立病院機構 相模原病院 臨床研究センター）

症例

7 歳，女児（図 1）

【病歴】生後 2 か月頃から湿疹あり，6 か月頃には湿疹は軽快．鶏卵，牛乳，小麦アレルギーと診断．鶏卵は未摂取で完全除去．牛乳は即時症状の既往あり．小麦はうどん 7 g でアナフィラキシー（皮膚＋呼吸）の既往あり．

【採血結果】

検査データ（6 歳）	
卵白	15.3（UA/mL）
オボムコイド	11.5（UA/mL）
牛乳	15.9（UA/mL）
小麦	18.7（UA/mL）
ω-5 グリアジン	10.5（UA/mL）

図 1　7 歳女児小麦によるアナフィラキシーショック症例

【入院経過】小麦の食物経口負荷試験のために入院．うどん 2 g 相当を摂取し，アナフィラキシーショックとなる．

【症状の時間経過】

20 分〜連続する咳嗽，顔面紅斑，SpO_2 93→85 と低下あり
35 分〜血圧 60/43 mmHg，傾眠傾向
65 分〜嘔吐 4 回，座位保てず，便失禁，一時血圧測定不能
93 分〜呼名に反応
120 分〜血圧 86/42 mmHg
300 分〜軽快

【治療】

20 分〜アドレナリン筋肉注射 1 回目，気管支拡張薬，O_2投与
30 分〜輸液，抗ヒスタミン薬静脈注射
50 分，75 分，90 分アドレナリン 3 回投与（計 4 回）

【転帰】上記の治療で軽快し，後遺症なく退院した．

【考察】このように以前症状を呈した量よりも少ない量でより重篤な症状が出現することがある．特に小麦，木の実類等は重篤な症状をきたすことが多い．食物経口負荷試験を行う際には重篤な症状に対応できる体制が必要である．

1 アナフィラキシーの概要

1. アナフィラキシーの定義

アナフィラキシーとは,「アレルゲン等の侵入により, 複数臓器に全身性にアレルギー症状が惹起され, 生命に危機を与え得る過敏反応」をいう. そのうち,「アナフィラキシーに血圧低下や意識障害を伴う場合」を, アナフィラキシーショックという[1]. 世界アレルギー機構（world allergy organization：WAO）のアナフィラキシー委員会は 2020 年に下記のアナフィラキシーの定義を提案している.「アナフィラキシーは重篤な全身性の過敏反応であり, 通常は急速に発現し, 死に至ることもある. 重症のアナフィラキシーの特徴は, 致死的になり得る気道・呼吸・循環器症状により特徴づけられるが, 典型的な皮膚症状や循環性ショックを伴わない場合もある」[2].

さらに診断基準として下記が提案されている. 下記の基準のいずれかを満たす場合, アナフィラキシーである可能性が非常に高いとされる（図 2）.

①典型的な皮膚症状に加え, 他の 1 つ以上の臓器系に明らかな症状が認められる場合.

または,

②当該患者にとって既知のアレルゲンまたはアレルゲンの可能性が高いものへの曝露があり, 呼吸器系および/または心血管系の症状が認められる場合.

2. アナフィラキシーの疫学

アナフィラキシーの既往を有する割合は, わが国において, 小学生 0.6%, 中学生 0.4%, 高校生 0.3% である（図 3）. 世界全体におけるアナフィラキシーの発現率は 10 万人年当たり 50～112 件であり, 生涯有病率は 0.3～5.1% と推定されている[2]. 研究で使用された疾患定義, 研究方法, 地理的要因（地域差）によりばらつきがある[3,4]. アナフィラキシーの発現率は, 10 万人年当たり 1～761 件である[2]. 1.5～25 年間の追跡調査期間中にアナフィラキシー患者の 26.5～54.0% で再発が認められる[2]. 食物アレルギーによるアナフィラキシーにより死に至る確率は患者 10 万人当たり 1.35～2.71 人とされる. わが国では, 年間 70 人程度がアナフィラキシーにより死亡し, 原因がわかっているものとしては医薬品が最も多く, 次いでハチ刺傷が多い.

3. アナフィラキシーの原因と機序

アナフィラキシーの多くは IgE が関与する免疫学的機序により発生し（表 1）, 最も多くみられる誘因は食物, 刺咬昆虫（ハチ, 蟻）の毒, 薬剤である. アナフィラキシーの特異的誘因の多くは世界共通であるが, 食習慣, 刺咬昆虫に曝露する頻度, 薬剤の使用率により地理的差異がある. 薬剤は, IgE が関与しない免疫学的機序およびマスト細胞を直接活性化することによっても, アナフィラキシーの誘因となりうる. 造影剤は, IgE が関与する機序と関与しない機序の両者により, アナフィラキシーの誘因となりうる. アレルギー反応の進行の速さや重症度を決めるものは, 原因物質の侵入ルート（静脈注射, 筋肉注射, 皮下注射, 経口摂取の順に速い）や原因物質の量, さらに患者側などさまざまな要因による.

4. アナフィラキシーのリスク因子

喘息の存在はアナフィラキシーの重篤化のリスク因子であり, そのコントロールを十分に行う必要がある. アナフィラキシーに対するアドレナリンの不使用は死亡のリスクを高める[5]. 致死的アナフィラキシーのリスクは, ①思春期, 若年成人, ②ピーナッツ, ナッツ類, ③気管支喘息の合併, ④アドレナリンを 30 分以内に使用していないことなどがあげられる[6].

以下の2つの基準のいずれかを満たす場合，アナフィラキシーである可能性が非常に高い

① 皮膚，粘膜組織，またはその両方の症状（全身性の蕁麻疹，瘙痒または潮紅，口唇・舌・口蓋垂の腫脹など）が急速に（数分～数時間で）発症した場合

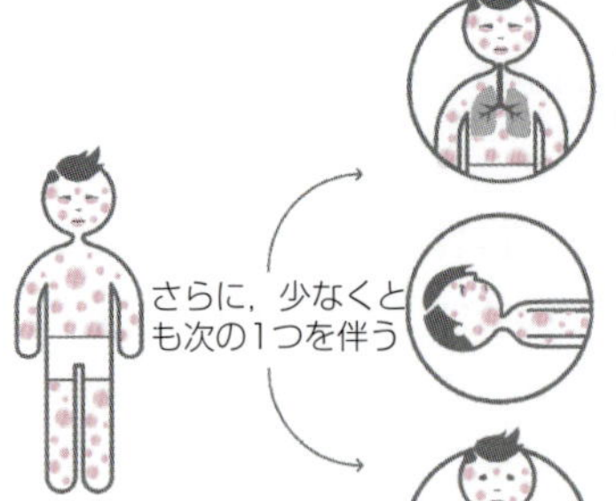

A. 気道/呼吸：呼吸不全
（呼吸困難，呼気性喘鳴・気管支攣縮，吸気性喘鳴，PEF低下，低酸素血症など）

B. 循環器：血圧低下または臓器不全に伴う症状
（筋緊張低下［虚脱］，失神，失禁など）

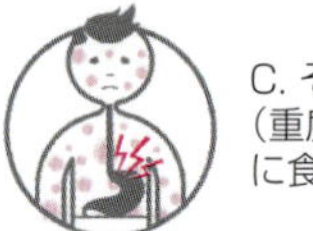

C. その他：重度の消化器症状
（重度の痙攣性腹痛，反復性嘔吐など［特に食物以外のアレルゲンへの曝露後］）

② 典型的な皮膚症状を伴わなくても，当該患者にとって既知のアレルゲンまたはアレルゲンの可能性がきわめて高いものに曝露された後，血圧低下*または気管支攣縮または喉頭症状#が急速に（数分～数時間で）発症した場合

乳幼児・小児：
収縮期血圧が低い（年齢別の値との比較），または30%を超える収縮期血圧の低下*

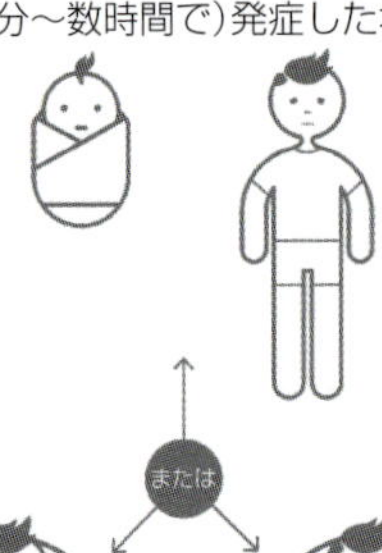

成人：
収縮期血圧が90 mmHg未満，または本人のベースライン値に比べて30%を超える収縮期血圧の低下

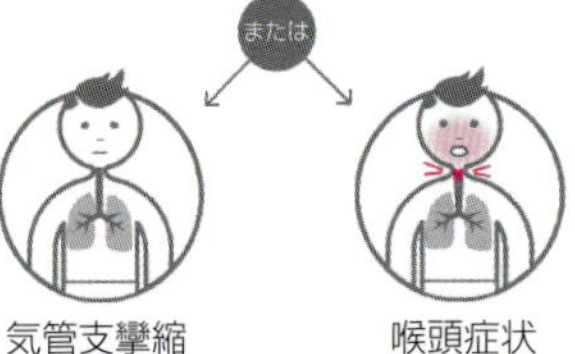

PEF（ピークフロー）：最大呼気流量
* 血圧低下は，本人のベースライン値に比べて30%を超える収縮期血圧の低下がみられる場合，または以下の場合と定義する．
　i　乳児および10歳以下の小児：収縮期血圧が（70 mmHg＋［2×年齢（歳）］）未満
　ii　成人：収縮期血圧が90 mmHg未満
\# 喉頭症状：吸気性喘鳴，変声，嚥下痛など．

図2　アナフィラキシーの診断基準
〔Cardona V, et al.：World allergy organization anaphylaxis guidance 2020. *World Allergy Organ J* **13**：100472, 2020〕

5. アナフィラキシーの症状

アナフィラキシーが発症する臓器は多種である．通常，症状は，皮膚・粘膜，上気道・下気道，消化管，心血管系，中枢神経系の中の2つ以上の器官系に生じる．皮膚および粘膜症状はアナフィラキシー患者の80～90%，気道症状は最大70%，消化器症状は最大45%，心血管系症状は最大45%，中枢神経系症状は最大15%に発現する[1]．症状および徴候のパターン（発症，症状の数，経過）は患者により異なり，同一患者でもアナフィラキシーの発症ごとに異なる．発症初期には，進行の速さや最終的な重症度の予測が困難であり，数分で死に至ることもある．蘇生に成功しても重篤な低酸素脳症を残すことがある．致死的反応において呼吸停止または心停止までの中央値は，薬物5分，ハチ15分，食物30分との報告がある[3]．

A. アレルギー疾患罹患者（有症者）数

	食物アレルギー	アナフィラキシー	エピペン® 保持者
小学校	210,461（4.5%）	28,280（0.6%）	16,718（0.4%）
中学校・中等教育学校	114,404（4.8%）	10,254（0.4%）	5,092（0.2%）
高等学校	67,519（4.0%）	4,245（0.3%）	1,112（0.1%）
合計	453,962（4.5%）	49,855（0.5%）	27,312（0.3%）

B. アナフィラキシーショックによる死亡数

	2001	2002	2003	2004	2005	2006	2007	2008	2009	2010	2011	2012	2013	合計
総数	58	53	53	46	73	66	66	48	51	51	71	55	77	768
ハチ刺傷	26	23	24	18	26	20	19	15	13	20	16	22	24	266
食物	3	0	3	2	1	5	5	4	4	4	5	2	2	40
医薬品	17	17	19	19	31	34	29	19	26	21	32	22	37	323
血清	0	0	1	0	1	1	1	0	1	0	0	0	1	6
詳細不明	12	13	6	7	14	6	12	10	7	6	18	9	13	133

C. ショック症状を誘発した原因植物

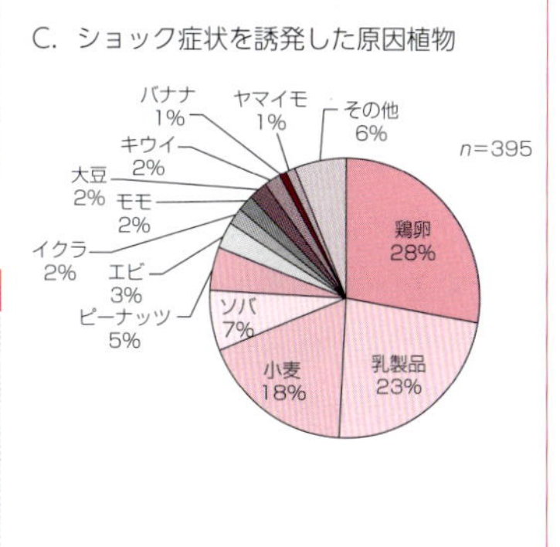

図3 アナフィラキシーの疫学

〔A：平成25年8月現在　文部科学省調査，B：2001-2013年度厚生労働省人口動態統計，C：Akiyama H, et al.：Adv Food Nutr Res 62：139, 2011；日本アレルギー学会（監修），Anaphylaxis対策特別委員会（編集）：アナフィラキシーガイドライン．日本アレルギー学会，2014を元に作成〕

表1 アナフィラキシーの発生機序（アナフィラキシーガイドライン）

IgEが関与する免疫学的機序		
食物	小児	鶏卵，牛乳，小麦，甲殻類，ソバ，ピーナッツ，ナッツ類，ゴマ，大豆，魚，果物
	成人	果物・野菜，小麦，甲殻類，スパイス，ナッツ類，アニサキス
昆虫	刺咬昆虫（ハチ，蟻）	
医薬品	β-ラクタム系抗菌薬*，NSAIDs**，生物学的製剤*，造影剤*，ニューキノロン系抗菌薬	
その他	天然ゴムラテックス，職業性アレルゲン，環境アレルゲン，食物+運動，精液	
IgEが関与しない免疫学的機序		
医薬品	NSAIDs**，造影剤*，デキストラン，生物学的製剤*	
非免疫学的機序（例：マスト細胞を直接活性化する場合）		
身体的要因	運動，低温，高温，日光など	
アルコール		
薬剤*	オピオイドなど	
特発性アナフィラキシー（明らかな誘因が存在しない）		
これまで認識されていないアレルゲンの可能性		
マスト（肥満）細胞症	クローン性マスト細胞異常の可能性	

*複数の機序によりアナフィラキシーの誘因となる
**NSAIDs（Nonsteroidal anti-inflammatory drugs）：非ステロイド性抗炎症薬
〔Simons FE, et al.：WAO Journal 4：13-37, 2011；日本アレルギー学会（監修），Anaphylaxis対策特別委員会（編集）：アナフィラキシーガイドライン．日本アレルギー学会，2014を元に作成〕

二相性アナフィラキシーは成人の最大23%，小児の最大11%のアナフィラキシーに発生する．二相性反応の約半数は，最初の反応後6〜12時間以内に出現する[2]．重篤な反応が認められる場合，アドレナリンを複数回投与した患者は特に注意深い経過観察が必要である[2]．アナフィラキシーの遅延反応でアドレナリン投与を要したのは9.2%であり（中央値1.7時間，14分〜30時間），うち76%は4時間以内であるが，7.4%は4〜10時間のうちに重篤な反応をきたしている[7]．

2 アナフィラキシーに対する医療機関の対応

1．初期対応

1）バイタルサインの確認

まずはABCDEアプローチ（Airway，Breathing，Circulation，Disability，Exposure）で全身状態を評価する（図4）．バイタルサインを確認し，人手を集め，アドレナリンの筋肉注射を考慮する．心拍数やSpO_2モニターを装着し，血圧を測定する．バイタル測定を5～15分ごとなど状況に応じ頻回かつ定期的に行う．

2）助けを呼ぶ

可能なら院内の蘇生チームなどを呼ぶ．

3）アドレナリンの筋肉注射

0.01 mg/kg（最大量：成人0.5 mg，小児0.3 mg）を大腿筋外側部または上腕外側に筋肉注射する．必要に応じて5～15分ごとに再投与する．

4）患者を仰臥位にする

患者は体位変換をきっかけに急変する可能性があるため（empty vena cava syndrome），仰臥位・下肢挙上とし，酸素投与，静脈ルートを確保し，必要に応じて心肺蘇生法を行う．呼吸苦が強いときは上体を起こし，嘔吐時は顔を横に向ける．

1　バイタルサインの確認：
循環，気道，呼吸，意識状態，皮膚，体重を評価する．

⇩

2　助けを呼ぶ：可能なら蘇生チーム（院内）または救急隊（地域）．

⇩

3　アドレナリンの筋肉注射：0.01 mg/kg（最大量：成人0.5 mg，小児0.3 mg），必要に応じて5～15分ごとに再投与．

⇩

4　患者を仰臥位にする．
仰向けにして30 cm程度足を高くする．
呼吸が苦しいときは少し上体を起こす．
吐いているときは顔を横向きする．
突然立ち上がったり座ったりした場合，数秒で急変することがある．

⇩

5　酸素投与：必要な場合，フェイスマスクか経鼻エアウェイで高流量（6～8 L/分）の酸素投与を行う．

⇩

6　静脈ルートの確保：必要に応じて0.9%（等張/生理）食塩水を5～10分の間に成人なら5～10 mL/kg，小児なら10 mL/kg投与．

⇩

7　心肺蘇生：必要に応じて胸部圧迫法で心肺蘇生．

⇩

8　バイタル測定：頻回かつ定期的に患者の血圧，脈拍，呼吸状態，酸素化を評価する．

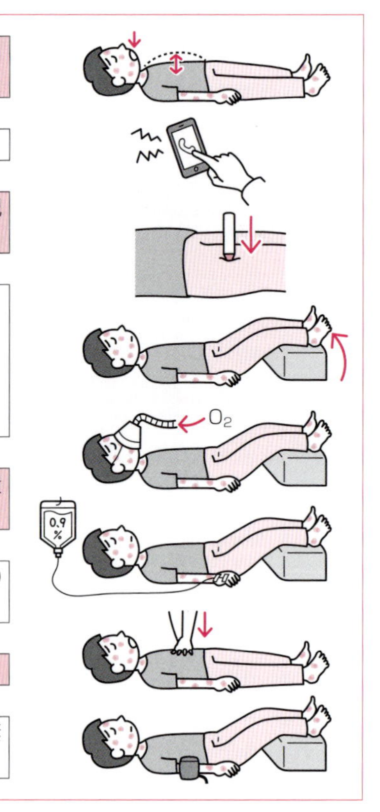

図4　アナフィラキシーの初期対応

〔Simons FE, et al.：WAO Journal 4：13-37, 2011；日本アレルギー学会（監修），Anaphylaxis対策特別委員会（編集）：アナフィラキシーガイドライン．日本アレルギー学会，2014を元に作成〕

5）酸素投与

呼吸器症状，循環器症状を認める場合にはリザーバー付きマスクか経鼻エアウェイで高流量（6〜8 L/分）の酸素投与を行う．

6）静脈ルートの確保

アナフィラキシーの際には多くは血管透過性亢進により，血管内脱水の状態となる．必要に応じて0.9％（等張/生理）食塩水を5〜10分の間に，成人なら5〜10 mL/kg，小児なら10 mL/kg投与する．

7）心肺蘇生

必要に応じて胸部圧迫法で心肺蘇生を行う．

8）バイタル測定

バイタル（血圧，脈拍，呼吸数，SpO_2）測定を5〜15分ごとに頻回かつ定期的に行う．

2．重症度と治療

重症度を適切に評価し，各器官の重症度に応じた治療を行う．重症度（グレード）判定は，アナフィラキシーガイドラインの臨床所見による重症度分類（表2）を参考に最も高い器官症

表2　臨床所見による重症度分類（アナフィラキシーガイドライン）

		グレード1（軽症）	グレード2（中等症）	グレード3（重症）
皮膚・粘膜症状	紅斑・蕁麻疹・膨疹	部分的	全身性	←
	瘙痒	軽い瘙痒（自制内）	強い瘙痒（自制外）	←
	口唇，眼瞼腫脹	部分的	顔全体の腫れ	←
消化器症状	口腔内，咽頭違和感	口，のどのかゆみ，違和感	咽頭痛	←
	腹痛	弱い腹痛	強い腹痛（自制内）	持続する強い腹痛（自制外）
	嘔吐・下痢	嘔気，単回の嘔吐・下痢	複数回の嘔吐・下痢	繰り返す嘔吐・便失禁
呼吸器症状	咳嗽，鼻汁，鼻閉，くしゃみ	間欠的な咳嗽，鼻汁，鼻閉，くしゃみ	断続的な咳嗽	持続する強い咳き込み，犬吠様咳嗽
	喘鳴，呼吸困難	—	聴診上の喘鳴，軽い息苦しさ	明らかな喘鳴，呼吸困難，チアノーゼ，呼吸停止，$SpO_2 \leq 92\%$，締めつけられる感覚，嗄声，嚥下困難
循環器症状	脈拍，血圧	—	頻脈（＋15回/分），血圧軽度低下，蒼白	不整脈，血圧低下，重度徐脈，心停止
神経症状	意識状態	元気がない	眠気，軽度頭痛，恐怖感	ぐったり，不穏，失禁，意識消失
治療	抗ヒスタミン薬	必要に応じて	○	○
	呼吸器症状に対する気管支拡張剤吸入	—	○	○
	ステロイド	—	必要に応じて	○
	アドレナリン	—	○（吸入で改善しない場合）	○

血圧低下：1歳未満＜70 mmHg，1〜10歳＜[70 mmHg＋(2×年齢)]，11歳〜成人＜90 mmHg
血圧軽度低下：1歳未満＜80 mmHg，1〜10歳＜[80 mmHg＋(2×年齢)]，11歳〜成人＜100 mmHg
〔柳田紀之，ほか：日本小児アレルギー学会誌 28：201，2014；Yanagida N et al.：Pros One 10：e0143717, 2015；Yanagida N, et al.：Allergol Int 65：135-140, 2016；Yanagida N, et al.：Int Arch Allergy Immunol **168**：131-137, 2015 を元に作成〕

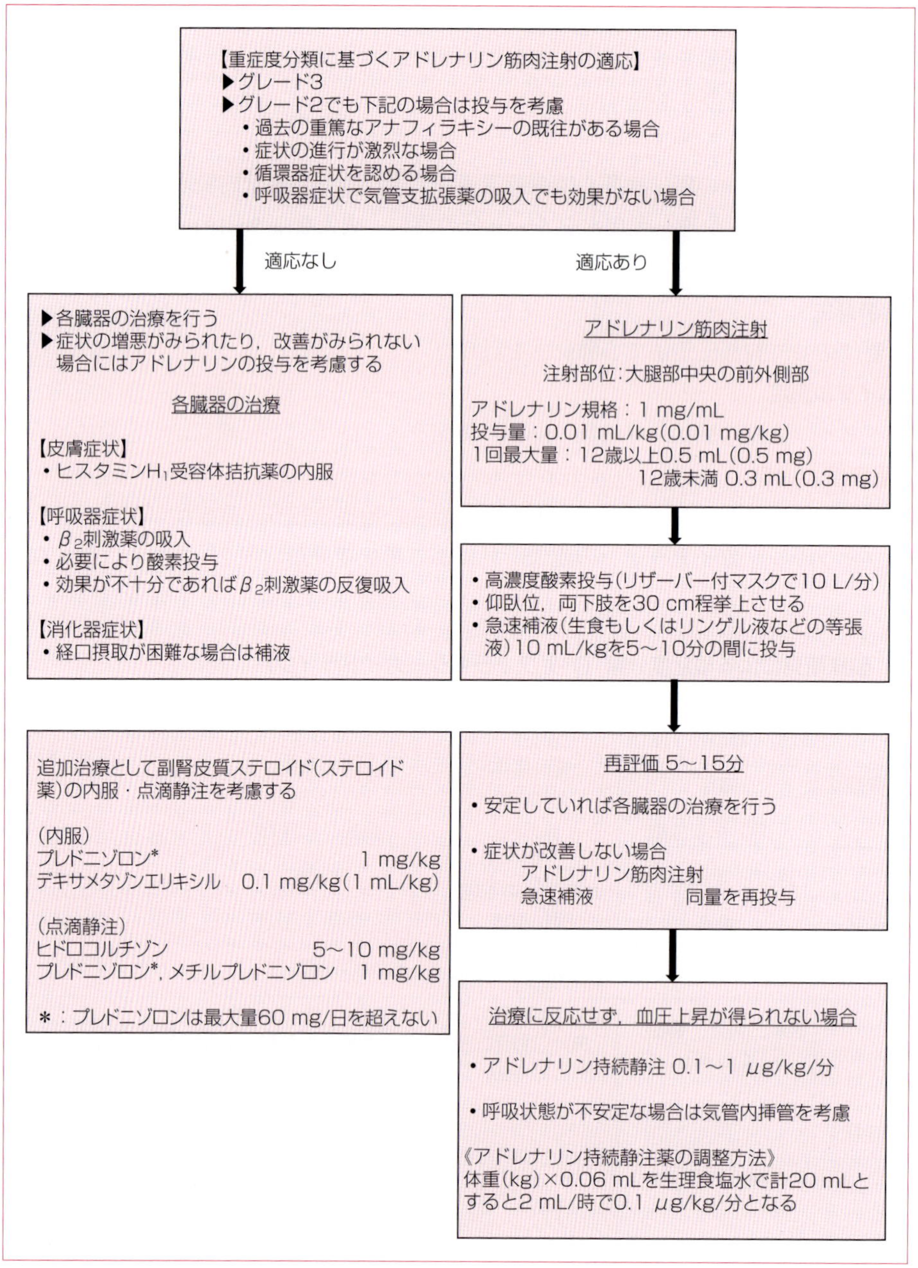

【重症度分類に基づくアドレナリン筋肉注射の適応】
▶グレード3
▶グレード2でも下記の場合は投与を考慮
・過去の重篤なアナフィラキシーの既往がある場合
・症状の進行が激烈な場合
・循環器症状を認める場合
・呼吸器症状で気管支拡張薬の吸入でも効果がない場合

適応なし

▶各臓器の治療を行う
▶症状の増悪がみられたり，改善がみられない場合にはアドレナリンの投与を考慮する

各臓器の治療

【皮膚症状】
・ヒスタミンH_1受容体拮抗薬の内服

【呼吸器症状】
・β_2刺激薬の吸入
・必要により酸素投与
・効果が不十分であればβ_2刺激薬の反復吸入

【消化器症状】
・経口摂取が困難な場合は補液

追加治療として副腎皮質ステロイド(ステロイド薬)の内服・点滴静注を考慮する

(内服)
プレドニゾロン* 1 mg/kg
デキサメタゾンエリキシル 0.1 mg/kg(1 mL/kg)

(点滴静注)
ヒドロコルチゾン 5～10 mg/kg
プレドニゾロン*，メチルプレドニゾロン 1 mg/kg

＊：プレドニゾロンは最大量60 mg/日を超えない

適応あり

アドレナリン筋肉注射

注射部位：大腿部中央の前外側部

アドレナリン規格：1 mg/mL
投与量：0.01 mL/kg(0.01 mg/kg)
1回最大量：12歳以上0.5 mL(0.5 mg)
12歳未満 0.3 mL(0.3 mg)

・高濃度酸素投与(リザーバー付マスクで10 L/分)
・仰臥位，両下肢を30 cm程挙上させる
・急速補液(生食もしくはリンゲル液などの等張液)10 mL/kgを5～10分の間に投与

再評価 5～15分

・安定していれば各臓器の治療を行う

・症状が改善しない場合
アドレナリン筋肉注射
急速補液　同量を再投与

治療に反応せず，血圧上昇が得られない場合

・アドレナリン持続静注 0.1～1 μg/kg/分

・呼吸状態が不安定な場合は気管内挿管を考慮

《アドレナリン持続静注薬の調整方法》
体重(kg)×0.06 mLを生理食塩水で計20 mLとすると2 mL/時で0.1 μg/kg/分となる

図5　食物アレルギーの症状出現時の対応
〔海老澤元宏，ほか（監修），一般社団法人日本小児アレルギー学会（作成）：食物アレルギー診療ガイドライン2021，協和企画，2021〕

状によって行う．グレード3（重症）の症状を含む複数臓器の症状，グレード2以上の症状を複数認める場合に，アナフィラキシーと診断する．

重症度に応じた治療のフローチャートは図5を参照されたい．グレード1（軽症）は軽微な症状のため原則として治療は不要であるが，経過は慎重に観察し，症状が遷延する場合には抗ヒスタミン薬投与などを行う．グレード2（中等症）では原則として抗ヒスタミン薬の投与を行い，症状の改善がなければステロイド薬の投与を考慮する．呼吸器症状がある場合には気管支拡張薬の吸入も併用し，吸入で改善がみられない場合は，アドレナリンの投与を考慮する．

呼吸器症状以外ではグレード2では原則としてアドレナリンは不要であるが，過去に重篤なアナフィラキシーの既往がある場合や症状の進行が激烈な場合は投与してよい．グレード3（重症；不整脈，低血圧，心停止，意識消失，嗄声，犬吠様咳嗽，嚥下困難，呼吸困難，喘鳴，チアノーゼ，持続する我慢できない腹痛，繰り返す嘔吐など）は原則としてアドレナリン筋肉注射を行う[1]．その後，抗ヒスタミン薬の投与，β_2刺激薬吸入，症状の再燃を防ぐためにステロイドの投与などを必要に応じて行う．

3．治療薬

1）第一選択薬

大腿部中央の前外側への0.1％アドレナリン筋肉注射（0.01 mg/kg，最大量：成人0.5 mg，小児0.3 mg）が第一選択薬であり必要に応じて5〜15分ごとに繰り返す．心停止もしくは心停止に近い状態では経静脈投与が必要であるが，それ以外では不整脈，高血圧などの有害作用を起こす可能性があるので推奨されない．アドレナリン血中濃度は筋注後10分程度で最高になり，40分程度で半減する．アドレナリンの効果は短時間で消失するため，症状が続く場合は追加投与する．アドレナリンはα_1アドレナリン受容体（血管収縮，血圧上昇，気道粘膜浮腫の軽減），β_1アドレナリン受容体（心収縮力増大，心拍数増大）およびβ_2アドレナリン受容体（メディエーター放出低下，気管支拡張）に作用する．

2）第二選択薬

グレード2（中等症）以上の症状で治療介入を考慮する．ヒスタミンH_1受容体拮抗薬（抗ヒスタミン薬）は，瘙痒感，紅斑，蕁麻疹，血管浮腫，鼻および眼の症状を緩和するが，呼吸器症状には無効である．第二世代の抗ヒスタミン薬は，第一世代の抗ヒスタミン薬と同等の効果があり，眠気などの副作用が少ない可能性があるが，現状では十分なデータがない．β_2刺激薬は，喘鳴，咳嗽，息切れなどの下気道症状に有効であるが，上気道閉塞などの症状には無効である．グルココルチコイドは作用発現に数時間を要し，二相性アナフィラキシーを予防する可能性があるが，その効果は立証されていない．

3 アナフィラキシーに対する医療機関以外での対応

1．初期対応

自宅や学校など医療機関以外で症状が誘発された場合には，医療機関へのアクセスなどを考慮のうえ，より積極的に加療してもよいと考えられる．エピペン®の添付文書でも過去にアナフィラキシーを起こした食物による明らかな症状があれば，注射可能であるとされており，注射することを必要以上に恐れる必要はない．アメリカでは病院受診前のアドレナリン筋肉注射が入院率を減らすとも報告されている[8]．

具体的な対応の手順を図6に示す．

1）状況把握と連絡

①仰向けにして呼吸・循環の確認

息をしているか，呼吸の妨げ（吐いたものが詰まるなど）になることが起きていないか，心臓は動いているか，呼びかけや刺激（痛みなど）に対する反応はどうかなどについて確認する．口の中に原因の食物が入っていれば，嘔吐を誘発しない範囲で外に出す．

②助けを呼ぶ

一人では対応するのは難しい．周囲の人に助けを呼びかけ，救急車の出動やエピペン®を含

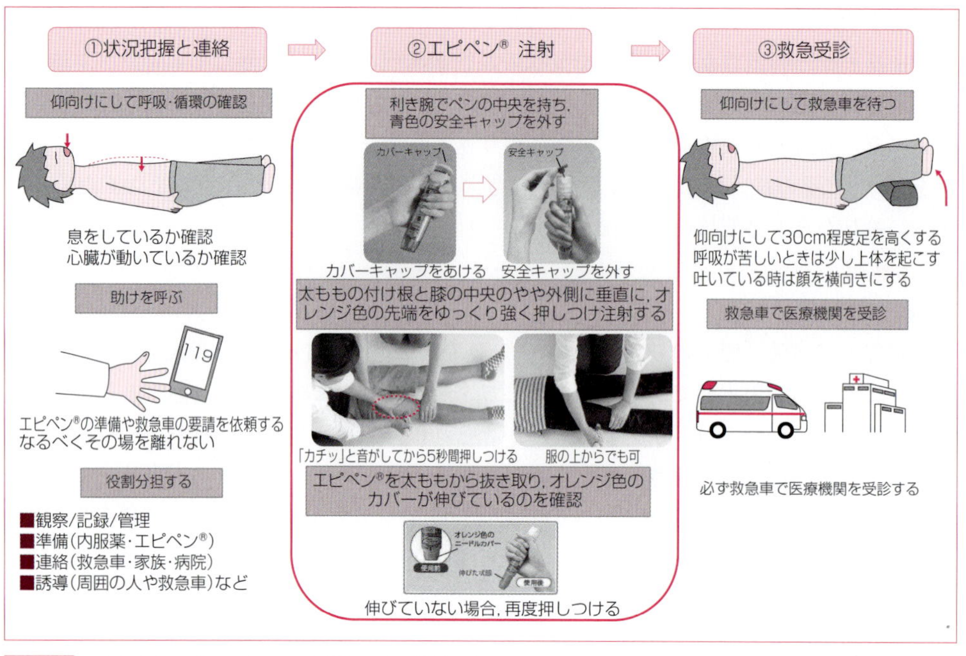

図6 アナフィラキシーへの対応（一般向け）
〔相模原病院小児科資料を元に作成〕

む薬剤の準備を要請する．その際，最初に対応した人は，なるべく患者から離れない．

③役割分担

人が集まったら，観察，記録，人の配置などの管理，内服薬やエピペン® の準備，救急車・家族・病院への連絡，周囲の人や救急車の誘導など役割分担を行う．

2）エピペン® を注射

エピペン® が手元にあれば，ただちに使用する．

3）救急受診

①仰向けにする

可能であれば，広い場所に患児を寝かせ安静を保つ．通常は仰向けにして，図6のように30 cmほど足を高くする．呼吸が苦しく仰向けになれない場合は，上体を起き上がらせ，呼吸苦を軽減し，吐いているかまたは吐きそうな場合には，顔を横向きにし，誤嚥を防ぐ．急に起こしたり動かしたりすると，急に容態が悪化することがあるので急な動きを避ける．症状によっては，心肺蘇生などの措置が必要になるため，患児に対して繰り返し声かけ・刺激を行い，慎重な観察を続ける．

②救急車で医療機関受診

救急車を要請し，医療機関を受診する．エピペン® を使って症状がよくなった場合でも，有効成分であるアドレナリンは15～20分程度で効果がなくなるため，必ず受診する．

2. 重症度と治療

「食物アレルギーハンドブック 2018」[9] に記載の患者，家族向けの症状への対応表を表3に示す．これは医師向けの重症度評価とほぼ同様であるが，家族向けに平易な言葉を用いている．家族向けの治療薬の説明に関しては図7を参照されたい．

表3 アレルギー症状の重症度評価と対処法

重症度	軽症（下記の1つでもあてはまる）	中等症（下記の1つでもあてはまる）	重症（下記の1つでもあてはまる）
皮膚	□部分的な赤み，ぼつぼつ □軽いかゆみ □くちびる・まぶたの腫れ	□全身性の赤み，ぼつぼつ □強いかゆみ □顔全体の腫れ	
消化器	□口やのどのかゆみ・違和感 □弱い腹痛 □吐き気 □嘔吐・下痢（1回）	□のどの痛み □強い腹痛 □嘔吐・下痢（2回）	□持続する強い（がまんできない）おなかの痛み □繰り返し吐き続ける
呼吸器	□鼻水，くしゃみ	□咳が出る（2回以上）	□のどや胸が締めつけられる □声がかすれる □犬が吠えるような咳 □持続する強い咳き込み □ゼーゼーする呼吸 □息がしにくい
全身		□顔色が悪い	□唇や爪が青白い □脈を触れにくい・不規則 □意識がもうろうとしている □ぐったりしている □尿や便を漏らす
エピペン®	□エピペン®を準備 悪化➡	□治療後も咳が続く・重症と迷うときはエピペン®を使用 悪化➡	□すぐにエピペン®を使用
薬	□30分続けば薬を飲ませる	□薬を飲ませる □呼吸器の症状があれば気管支拡張薬を吸入する（処方がある場合）	
受診対応	□5分ごとに症状を観察 □1時間続けば医療機関を受診	□5分ごとに症状を観察 □医療機関を受診	□あおむけの姿勢にする □救急車で医療機関を受診

〔日本小児アレルギー学会：食物アレルギーハンドブック2018—子どもの食に関わる方々へ—．2018〕

1）軽　症

「軽症」の場合，原則として治療は不要であるが，症状が長引く場合に抗ヒスタミン薬を用いる．

2）中等症

「中等症」の場合，原則として抗ヒスタミン薬を使用する．事前の処方があれば，気管支拡張薬の吸入やステロイドの内服を行う．中等症では原則としてエピペン®の筋肉注射は必要ないが，気管支拡張薬の吸入後も呼吸器の症状が改善しない場合や重症の症状と見分けがつかない場合は，「重症」に準じてエピペン®の筋肉注射を行う．

3）重　症

「重症」の場合，原則として他の治療よりもエピペン®の筋肉注射を優先して行い，その後，抗ヒスタミン薬やステロイド薬（処方されている場合）を内服する．必ず救急車で医療機関を受診する．「重症」の症状は日本小児アレルギー学会のアナフィラキシー対応ワーキンググループが決定，公表した「一般向けエピペン®の適応」（http://www.jspaci.jp/）に相当する．

抗ヒスタミン薬の使い方（ほぼ全員に処方されます）

薬品名	クラリチン®	アレジオン®	アレロック®	ジルテック®	ザイザル®
ドライシロップ シロップ					
錠剤					
作用	アレルギーの原因となる物質の作用を抑え，症状を改善させる飲み薬				
使い方	中等症以上の症状または軽症でも症状が続くときに飲ませる				

ステロイド薬の使い方

薬品名	プレドニン®	リンデロン®
作用	炎症やアレルギー症状をゆっくり抑える副腎皮質ホルモン（ステロイド）の薬	
使い方	中等症以上の症状に用いる	

気管支拡張薬の使い方

薬品名	メプチン®	サルタノール®	アイロミール®
作用	気管支を広げ呼吸を楽にする吸入薬 補助具（右図）を用いる場合がある		
使い方	中等症以上の呼吸の症状がある時に使う		

図7 症状が出たときに使う薬
〔相模原病院小児科資料を元に作成〕

3．園，学校での社会的対応

1）事前の情報提供

生活管理指導表などで，医療機関から情報提供を受け，患児の情報を共有する．アナフィラキシーの既往の有無はリスク評価に有用である．食物アレルギーの症状は毎回同じ症状が出るとは限らず，一部の園や学校が独自に設定している「出る可能性がある症状」という設問は「不明」もしくは「全ての症状」が正しい回答であり，設問自体が不適切である．保育所におけるアレルギー対応ガイドラインなどに準拠した生活管理指導表の使用が望まれる．

2）緊急時の役割分担

緊急時の役割には観察，管理，準備，連絡，記録，その他に分けられる（http://www.mext.go.jp/a_menu/sports/syokuiku/1355536.htm）[10]．「観察」は子どもから離れず観察し，助けを呼び，人を集める．「管理」はそれぞれの役割の確認および指示，「準備」はエピペン®などの準備や解除，「連絡」は救急車の要請，「記録」は観察を開始した時間やエピペン®，内服薬を使用した時間を記録し，5分ごとに症状を記録する．「その他」の仕事にはほかの子どもへの対応や，救急車の誘導などの役割がある．エピペン®の投与の練習も含めて，役割分担について年に1回はシミュレーションなどを行っておくとよい．

4 エピペン®の処方と使い方

1．処方の対象（説明義務を含む）

アドレナリン自己注射薬の処方の対象は，エピペン®の添付文書によれば，「アナフィラキシーの既往のある人またはアナフィラキシーを発現する危険性の高い人」とされている．それ以外にもピーナッツ，牛乳などのショックを誘発させやすい食品がアレルゲンの場合，医療機関へのアクセスに時間がかかる（旅行含む），気管支喘息の合併などがあげられている[11]．

エピペン® が処方されている患者でアナフィラキシーショックを疑う場合，
下記の症状が 1 つでもあれば使用すべきである．

⬇

消化器の症状	呼吸器の症状	全身の症状
・繰り返し吐き続ける ・持続する強い（我慢できない）腹痛	・のどや胸が締めつけられる ・声がかすれる ・犬が吠えるような咳 ・持続する強い咳込み ・ゼーゼーする呼吸 ・息がしにくい	・唇や爪が青白い ・脈を触れにくい･不規則 ・意識がもうろうとしている ・ぐったりしている ・尿や便を漏らす

図8 一般向けエピペン® の適応（日本小児アレルギー学会）
エピペン® 適応の患者・保護者への説明，今後作成される保育所（園）・幼稚園・学校などのアレルギー・アナフィラキシー対応のガイドライン，マニュアルはすべてこれに準拠することを基本とする

2. 処方の仕方と説明義務

エピペン® は処方医師登録講習（20 分程度のオンライン講習も可能）を受け，処方医師として登録された医師が処方できる．エピペン® の正しい使い方，使用時に発現する可能性のある副作用，保存方法などの注意事項を DVD，説明パンフレット，練習用エピペン® トレーナーなどを用いて患者に説明，指導する．説明の内容を患者が理解したことを「適正使用のための理解確認事項」で確認し，適正使用同意書に署名を得る．有効期限の関係で在庫がない薬局もあるため，事前に処方箋を持って行く予定の薬局に患者が連絡しておくとよい．

3. 製剤の選択

エピペン® には 0.15 mg 製剤と 0.3 mg 製剤がある．推奨用量は 0.01 mg/kg であり，日本のエピペン® の添付文書では体重 15～29 kg 用は 0.15 mg 製剤，30 kg 以上であれば 0.3 mg 製剤を用いるとされる．ヨーロッパのガイドラインでは体重 7.5～25 kg では 0.15 mg，25 kg 以上では 0.3 mg を使用すると記載されている[12]．

4. エピペン® を使用すべき症状

エピペン® の添付文書には，注射時期の目安として「1）初期症状が発現し，ショック症状が発現する前の時点．2）過去にアナフィラキシーを起こしたアレルゲンを誤って摂取し，明らかな異常症状を感じた時点」との記載があり，注射時期を逸失しないよう注意するように注意喚起がなされている．日本小児アレルギー学会では，エピペン® の使用についての考え方をまとめた「一般向けエピペン® の適応」という資料を Web サイト（http://www.jspaci.jp/）で公表し，エピペン® の使用の目安を示している（図 8）．入院負荷試験症例での検討では，この基準を満たした場合，85% にアドレナリンが実際に投与されており，98% は病院外ではエピペン® 投与の適応と考えられ，この基準を満たしていない例へアドレナリンが投与された例はなかった[13]．このため，比較的妥当なエピペン® 筋注の基準であると考えられる[13]．

5. 使用方法

食物によりアナフィラキシーを起こす可能性がある患児は，エピペン® を常に携帯する．

図 6 中央にエピペン® の使い方を注射の準備，注射の仕方，注射後の対応の 3 つに分けて示す．エピペン® をケースから取り出したら，青色の安全キャップを外し，太ももの付け根と膝の中央のやや外側に注射する．注射後はオレンジ色のカバーが伸びていることを確認し，救急

車で医療機関を受診する．

6．効果と副反応

2003～2009年のエピペン®の使用成績調査によれば[14]，エピペンにより82.2%がアナフィラキシー症状の改善が得られた．一方，3.7%に有害事象（アドレナリン自体の副作用，針による外傷）が発生している．アドレナリン自体の作用に基づく副作用は全例回復している．エピペン®の副反応は一過性であることが多い．また，誤使用について，処方時に注意喚起が必要である[15]．

おわりに

アナフィラキシー治療の第一選択はアドレナリンの筋肉注射である．アドレナリンが適切なタイミング投与されたかどうかは生命予後に直結し，ショックに至る前に投与することが推奨される．ガイドラインの重症度分類においてグレード3（重症）の症状が1つでもあれば，速やかに投与すべきである．判断に迷うときは投与することが望ましい．

アナフィラキシーへの対応は誘発された症状の重症度を適切に評価し，重症度に合った治療を行うことが求められる．

文献

1）日本アレルギー学会（監修），Anaphylaxis対策特別委員会（編集）：アナフィラキシーガイドライン．日本アレルギー学会，2014
2）Cardona V, et al.：World allergy organization anaphylaxis guidance 2020. *World Allergy Organ J* **13**：100472, 2020
3）Tejedor Alonso MA, et al.：Epidemiology of anaphylaxis. *Clin Exp Allergy* **45**：1027-1039, 2015
4）Tanno LK, et al.：Critical view of anaphylaxis epidemiology：open questions and new perspectives. *Allergy Asthma Clin Immunol* **14**：12, 2018
5）Bock SA, et al.：Fatalities due to anaphylactic reactions to foods. *J Allergy Clin Immunol* **107**：191-193, 2001
6）Pumphrey RS：Lessons for management of anaphylaxis from a study of fatal reactions. *Clin Exp Allergy* **30**：1144-1150, 2000
7）Brown SG, et al.：Anaphylaxis：clinical patterns, mediator release, and severity. *J Allergy Clin Immunol* **132**：1141-1149. e1145, 2013
8）Huang F, et al.：Anaphylaxis in a New York City pediatric emergency department：triggers, treatments, and outcomes. *J Allergy Clin Immunol* **129**：162-168. e161-163, 2012
9）日本小児アレルギー学会：食物アレルギーハンドブック2018―子どもの食に関わる方々へ―．2018
10）文部科学省：アレルギー疾患対応資料（DVD）映像資料及び研修資料 学校生活上の留意点（食物アレルギー・アナフィラキシー）．日本学校保健会，2015
11）柴田瑠美子：食物アレルギー診療の基本的な考え方　食物アレルギー：急性反応の対応（アナフィラキシー，全身反応）．*J Visual Dermatol* **11**：260-265，2012
12）Muraro A, et al.：Anaphylaxis：guidelines from the European Academy of Allergy and Clinical Immunology. *Allergy* **69**：1026-1045, 2014
13）柳田紀之，ほか：日本小児アレルギー学会アナフィラキシー対応ワーキンググループが決定・公表した「一般向けエピペンの適応」の評価．日本小児アレルギー学会誌 **28**：329-337，2014
14）海老澤元宏，ほか：アナフィラキシー対策とエピペン．アレルギー **62**：144-154，2013
15）Sasaki K, et al.：Accidental usage of an adrenaline auto-injector in Japanese children with a food allergy. *Allergol Int* **65**：349-350, 2016

食物依存性運動誘発アナフィラキシー (FDEIA)

福冨友馬
(国立病院機構 相模原病院 臨床研究センター アレルゲン研究室)

1 概 念

食物依存性運動誘発アナフィラキシー（food-dependent exercise-induced anaphylaxis：FDEIA）とは特定の食物摂取後の運動負荷によってアナフィラキシーが誘発される病態である．1979年にMaulitzらにより甲殻類摂取後に激しい運動をしたときのみアナフィラキシーをきたす症例が初めて報告され[1]，1983年にKiddらによりFDEIAの用語が初めて使用された[2]．

その後，食後の運動のみならず非ステロイド性抗炎症薬（non-steroidal anti-inflammatory drugs：NSAIDs）の摂取，アルコール，ひどい疲れ，感染性胃腸炎，月経周期との関係などでも症状が誘発され得ることが明らかになっており，症状を誘発する二次的要因は必ずしも運動であるとは限らず，また運動の強度としても必ずしも激しいものであるとは限らない．FDEIAの病歴を持つ患者が，原因食物摂取後安静にしていてもアナフィラキシーをきたすエピソードを持つこともあり，経口免疫療法により寛解したと思われていた乳幼児発症の食物アレルギー患者がFDEIA症状のみ示すこともあるため，FDEIAと通常の即時型アレルギーを明瞭に区別するのは困難で，両概念にある程度の連続性も認められる．

そのような視点からみたら，運動は即時型食物アレルギー症状を起こしやすくする（症状誘発閾値を低下させる）誘因の1つであるともいえる[3]．近年，augmentation factor-triggered food allergyという呼称も提唱されている[3]．

厚生労働科学研究班（研究代表者：森田栄伸）の調査に基づく，FDEIAの原因食物の分布を図1[4]に示す．この統計には，2011年に社会問題となった「茶のしずく石鹸」による小麦アレルギー症例は含まれていないが，それでも原因食品としては小麦が圧倒的に多い．小麦と甲殻類や梅干しなどの食品の組み合わせで症状が惹起される事例の報告もある[5,6]．相原らの横浜での学童を対象とした疫学調査で有病率は0.0085%と報告され，男女比4：1で男子に多いとされている[7]．

2 病 態

基本的な病態は通常の即時型食物アレルギーに類似しているが，症状の惹起に運動などの二次的な要因が必要であるという点が異なる．患者は通常，非運動時であっても，原因抗原に対して血中抗原特異的IgE抗体と皮膚プリックテストが陽性を示す．しかしながら，安静時や二次的要因がないときに，感作食物を摂取しても症状はきたしにくい．原因食物摂取後運動などの二次的要因により症状誘発閾値が低下したときのみ，即時型アレルギー（Ⅰ型アレルギー）反応が起こり，アナフィラキシーをきたす．

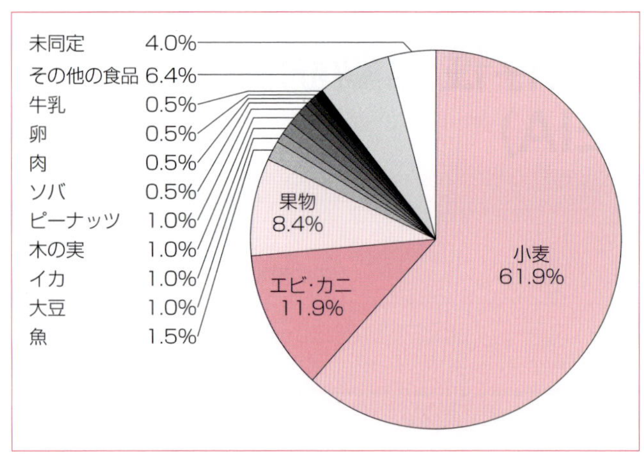

図1 192症例（成人143例，小児49例）のFDEIAにおける原因食品の内訳

〔厚生労働科学研究費補助金：生命予後に関する重篤な食物アレルギーの実態調査・新規治療法の開発および治療方針の策定（研究代表者：森田栄伸）：特殊型食物アレルギーの診療の手引き2015．島根大学医学部皮膚科，2015 https://shimane-u-dermatology.jp/theme/shimane-u-ac_dermatology/pdf/special_allergies.pdf（参照2021-08-03）〕

症状惹起時の血液中からは通常のアナフィラキシーと同様にヒスタミン，トリプターゼなどのケミカルメディエーターが検出されうる．運動により症状誘発閾値が低下する機序に関しては，いまだすべては明らかになってはいないが，運動によって腸管の透過性が亢進し，未消化の食物抗原が吸収され循環血液に流入することが最も大きな要因であると考えられている[8]．

3 症状惹起の誘因

FDEIA惹起に関与しうる食物以外の誘因，二次的要因をここに示す．ただし，これらの二次的要因はFDEIAに限らず，一般に食物アレルギーの症状誘発閾値を低下させる要因としても知られる．

1．運　動

前述のとおり，運動により腸管の透過性が亢進し，症状誘発閾値の低下に至ると考えられている．運動の強度が発作誘発閾値低下の程度に関与する．通常食後2時間以内の運動が症状誘発に寄与するが，まれに，特に原因食物を大量に摂取したときなどは食後4時間程度の運動でも症状を誘発することがあるため，運動前4時間は原因食物を摂取しないように指導する必要がある．

まれに激しい運動の直後に原因食品を摂取して症状が誘発されるエピソードを有する症例も認める．明確なエビデンスはないが，腸管を振動させるような運動のほうが症状を誘発しやすい．

2．NSAIDs

NSAIDsの内服は症状誘発閾値を低下させる強力なリスク因子であることが知られている．その機序に関しては議論が多いが，NSAIDsのcyclooxygenase（COX）-1の阻害によるプロスタグランジン産生抑制作用によりtight junctionの透過性亢進が起こりアレルゲンの腸管からの吸収量増加が関与しているためとする考え方が最も一般的である[9]．NSAIDs以外の鎮痛薬（アセトアミノフェン，ペンタゾシンなど）は安全に使用できると理論的には考えられる（ただし臨床データでの十分な裏づけはないので注意が必要）．

COX-2 選択性の高い NSAIDs のほうが腸管 tight junction の透過性亢進作用が比較的弱い可能性が示唆されているため，FDEIA 患者に NSAIDs を処方するのならアスピリンやジクロフェナクなど COX-1 阻害作用を有している薬剤よりも，セレコキシブ，メロキシカム，エトドラクなど COX-2 選択性の高い薬剤のほうが無難である．NSAIDs の貼付薬でもある程度の血液中の薬剤濃度の上昇をきたすために注意を要する．NSAIDs がマスト細胞・好塩基球の抗原依存性の反応を直接的に増強する可能性も指摘されている[10]．

3．アルコール

腸管の透過性の亢進に寄与すると考えられている．ただし，その効果としては，おそらく運動や NSIADs 内服よりも弱い．

4．寒冷や温暖環境

寒冷環境下もしくは逆に温暖湿潤環境下で FDEIA 発作が起こりやすい事例が存在する．寒冷と温暖のどちらがきっかけになるかは患者によって異なる．

5．極度の疲れ，ストレス

機序は不明であるが，睡眠不足，強い精神的・肉体的ストレスがあると，原因食物摂取後の運動の組み合わせがなくても症状が惹起されることがある．

6．女性ホルモン

アナフィラキシーエピソードと生理周期との関連を認める女性患者が存在するため，エピソードと生理周期との関係を問診する必要はある．低用量ピルなどの女性ホルモン薬の内服と症状誘発閾値の低下の関係が認められる症例も存在する．

7．感染性胃腸炎

感冒，特に感染性胃腸炎罹患時は，症状をきたしやすい．

8．花粉の季節性曝露

花粉-食物アレルギー症候群として FDEIA 症状を有している場合には，花粉飛散時期に FDEIA エピソードも起こりやすい．

4 臨床亜型ごとの原因抗原と発症機序

FDEIA の発症機序や臨床的特徴は，その原因食物などにより規定される臨床亜型ごとに異なっている．ここでは臨床亜型ごとにその病態と特徴を解説する．

1．conventional WDEIA

FDEIA のなかで最も多い臨床亜型である．通常，小麦依存性運動誘発アナフィラキシー（wheat-dependent exercise-induced anaphylaxis：WDEIA）といえばこの病態を示すが，次項の「茶のしずく石鹸」による WDEIA との違いを強調するために conventional WDEIA と称することもある．約 80% は ω-5 グリアジン特異的 IgE 抗体が陽性であるが，20 歳以下の WDEIA 症例では ω-5 グリアジン特異的 IgE 抗体陰性例が多く，この群では HMW-グルテニン IgE 抗体が陽性となりやすい[11,12]．

ω-5 グリアジン・HMW-グルテニンの両アレルゲンいずれか陽性の者は conventional WDEIA 症例全体の 90% 以上とされる．ω-5 グリアジン IgE 抗体価陽性の WDEIA 症例の典型的な症例像を p.218 症例に示す．ω-5 グリアジン IgE 抗体価陽性の WDEIA 症例は FDEIA の誘発症状として全身性の膨疹をきたしやすいことが重要な臨床的特徴である．

誘発症状が重篤な場合は，全身性膨疹が進行して地図状に融合し，最終的に血圧低下をきたすという経過をとるケースが多い．呼吸器症状や消化器症状の合併はあり得るが頻度は低く，認める場合でも重篤なアナフィラキシー症状の経過の最終段階で全身のアレルギー症状の1つとして認める．症例に示したように，必ずしも食後の運動は強度が高いものでなくてもよい．この亜型は成人では比較的頻度が高く，島根県の住民健診では成人での小麦アレルギーの有病率は0.2%と報告されている[13]．若年者に多いHMW-グルテニン感作型のWDEIA症例の臨床像はω-5グリアジン感作型のWDEIAと若干臨床像が異なる可能性がある．

この病態の発症機序は不明であるが，多くの患者は発症前に小麦製品が好きで多量に摂取していた病歴を有するものが多く，通常は職業性の小麦アレルゲン曝露などもないため，小麦アレルゲンの経腸管的な曝露が発症の原因ではないかと推測されている．

診断には小麦タンパクに対するIgE感作の証明が必要となる．小麦やグルテンIgE抗体価の感度は50%程度であるが，前述のとおりω-5グリアジンIgE抗体検査（保険収載あり）は感度・特異度が高く，臨床検査としてきわめて有用である．原則として診断には後述の負荷試験を行うことが基本となるが，ω-5グリアジンIgE抗体陽性と，問診上の典型的な臨床像と病歴があれば，負荷試験を行わなくてもω-5グリアジン陽性型のWDEIAに関しては診断が可能になってきた．HMWグルテニンIgE抗体検査に関しては，現状では実地臨床では利用できない．

2．グルパール19S含有石鹸使用者に発生したWDEIA

2009年以降，（旧）茶のしずく石鹸®（悠香）に含有されていたグルパール19S®（片山化学工業研究所）という加水分解コムギ（hydrolyzed wheat protein：HWP）使用者に小麦アレルギーが発症するという事故事例が多発し，2011年頃から社会問題となった．最終的に確定診断に至った患者は2,000例を超えた[14]．この石鹸はおもに洗顔石鹸として利用されており，多くの患者

症例

50歳，男性

【既往歴】 なし，運動習慣なし．

【現病歴】 数年前から麺類やパンなど小麦製品を食べたあと，ときどき全身にかゆみを伴う蕁麻疹が出現することに気づいていた（年に2回くらいの頻度）．

20XX年X月X日．昼食にラーメンを一杯摂取後すぐに急ぎ足で30分歩行したところ，全身にかゆみと膨疹が出現し，その後全身の膨疹は地図状に融合し著明な腫脹をきたし，意識を失って倒れた．救急車で病院に搬送され加療された．収縮期血圧は60 mmHgであった．その2週間後，昼食にカツサンドを摂取し20分歩行したときに，全身性蕁麻疹を認めた．その後も，食物は制限なく摂取している．ときどき食後に蕁麻疹が出現する．精査加療目的で紹介受診．

【身体所見】 初診時に特記すべきことなし．

【検査所見】 総IgE値：172 IU/mL，血液特異的IgE抗体価：小麦0.39 UA/mL，グルテン2.57 UA/mL，ω-5グリアジン8.12 UA/mL．

プリックテスト（トリイスクラッチエキス）：パン陽性，小麦陽性．

【初診後の経過】 反復する小麦摂取＋運動後の全身性膨疹＋ショックに加え，ω-5グリアジンIgE抗体陽性であるためconventional WDEIAと診断した．アドレナリン自己注射液（エピペン®）を処方し，携行を指示し，小麦摂取後の運動を禁止したが，その後も小麦製品摂取後の軽労作でも時折軽度の蕁麻疹が出現するため，現在は完全に安静が保てるときのみ以外，小麦摂取は禁止としている．

表 1　“（旧）茶のしずく石鹸®”により発症した小麦アレルギー（HWP-WDEIA）と通常型の WDEIA（conventional WDEIA）との臨床像の違い

	HWP-WDEIA	conventional WDEIA
男女比	女性>>>男性	男性>女性
年齢	20～60 代に多い	若年～高齢
“茶のしずく石鹸®”の使用歴	+	−
“茶のしずく石鹸®”使用時のアレルギー症状	眼の痒み くしゃみ　鼻みず 顔面皮膚の痒み	—
アナフィラキシーの初期症状	眼・顔面の痒み・腫脹	全身の痒みと膨疹
アナフィラキシーの進行症状	消化器・呼吸器症状 血圧低下	血圧低下

WDEIA：wheat-dependent exercise-induced anaphylaxis
〔筆者作成〕

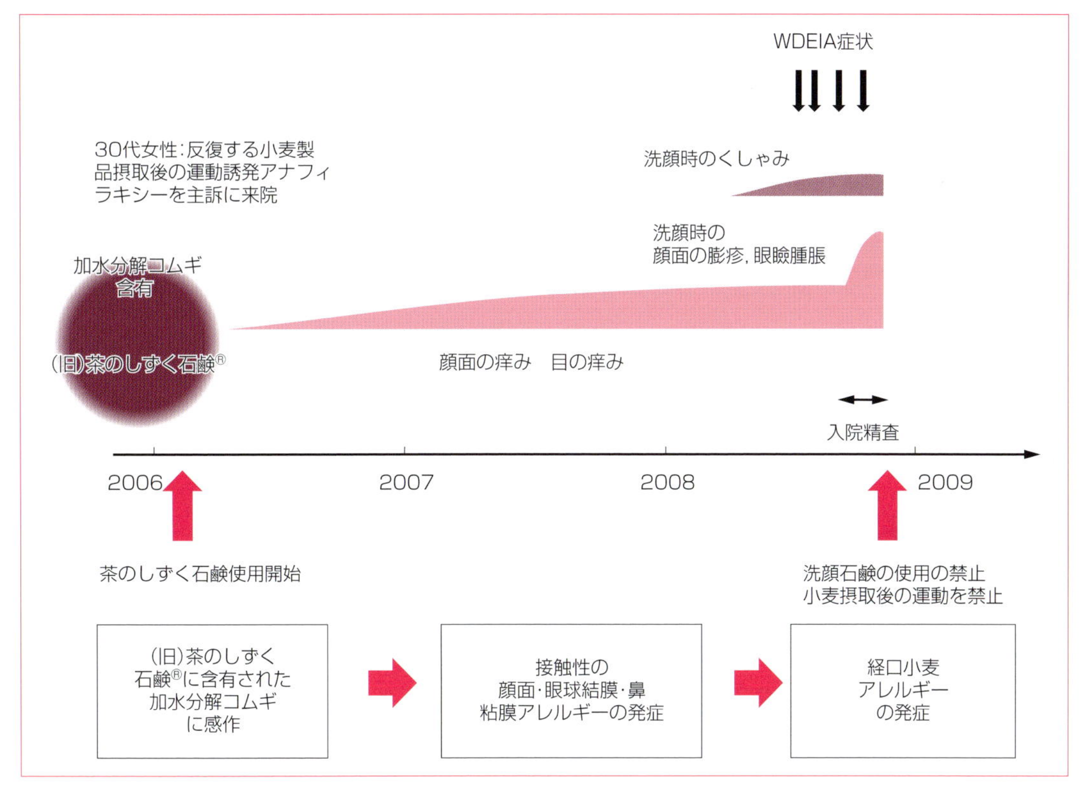

図 2　洗顔石鹸中の加水分解コムギへの経皮経粘膜感作により発症する小麦アレルギー

が眼球結膜や顔面の皮膚を介して小麦抗原に感作されたため，小麦摂取時の誘発症状としても眼瞼腫脹を主要な症状としたことが，conventional WDEIA が全身性膨疹を主要症状としたことと比較して大きな相違点であった（表 1）．多くの症例が石鹸使用開始後，まず眼瞼結膜や顔面の皮膚の接触性蕁麻疹を発症し，その臨床症状が増悪してゆく経過の中で経口小麦アレルギー症状をきたすようになった（図 2）が，石鹸使用時の接触性蕁麻疹症状を合併しない症例も存在した．

この病態の特徴として，原因抗原であるグルパール 19S® に対して強く IgE 感作され，ω-5 グリアジンに関しては陰性か低力価陽性となる傾向があることがあげられる．本疾患の診断にはグルパール 19S® への IgE 機序の反応の証明が必要条件となる（表 2）[15]．現在グルパール 19S®

表2 茶のしずく石鹸等に含まれた加水分解コムギ（グルパール 19S）による即時型コムギアレルギーの診断基準（化粧品中のタンパク加水分解物の安全性に関する特別委員会作成 2011.10.11）

【確実例】以下の 1，2，3 をすべて満たす．

1．加水分解コムギ（グルパール 19S）を含有する茶のしずく石鹸等を使用したことがある．
2．以下のうち少なくとも 1 つの臨床症状があった．
　2-1）加水分解コムギ（グルパール 19S）を含有する茶のしずく石鹸などを使用して数分後から 30 分以内に，痒み，眼瞼浮腫，鼻汁，膨疹などが出現した．
　2-2）小麦製品摂取後 4 時間以内に痒み，膨疹，眼瞼浮腫，鼻汁，呼吸困難，悪心，嘔吐，腹痛，下痢，血圧低下などの全身症状がでた．
3．以下の検査で少なくとも 1 つ陽性を示す．
　3-1）グルパール 19S 0.1% 溶液，あるいは，それより薄い溶液でプリックテストが陽性を示す．
　3-2）ドットブロット，ELISA，ウエスタンブロットなどの免疫学的方法により，血液中にグルパール 19S に対する特異的 IgE 抗体が存在することを証明できる．
　3-3）グルパール 19S を抗原とした好塩基球活性化試験が陽性である．

【否定できる基準】4．グルパール 19S 0.1% 溶液でプリックテスト陰性

【疑い例】

1，2 を満たすが 3 を満たさない場合は疑い例となる．
＊ただし 1，2 を満たすが 3 を満たさない場合でも，血液特異的 IgE 抗体価検査やプリックテストでコムギまたはグルテンに対する感作が証明され，かつ ω-5 グリアジンに対する過敏性がないか，コムギおよびグルテンに対する過敏症よりも低い場合は強く疑われる例としてよい．

〔日本アレルギー学会：茶のしずく等に含まれた加水分解コムギ（グルパール 19S）による即時型コムギアレルギーの診断基準．化粧品中のタンパク加水分解物の安全性に関する特別委員会作成，2011　http://www.fa.kyorin.co.jp/jsa/jsa_0528_09.pdf（参照 2016-05-16）〕

含有製品は市場にはなく，ほかの HWP 含有製品での類似症例の発症はまれであるため，今後の新規発症例は限られると推測される．

3．甲殻類による FDEIA

甲殻類による FDEIA は頻度が高いが，その発症機序や病態に関してはまとまった報告がなく不明な点が多い．通常の甲殻類の血中特異的 IgE 抗体検査では，陰性となる事例が多い可能性が指摘されている[16]．

4．果物による FDEIA

果物が FDEIA の原因となることは決してまれではない．近年，モモの新規アレルゲンとして Pru p 7 が同定され，わが国の症例でこのアレルゲンと FDEIA の関与も報告されている[17]．果物に対する口腔アレルギー症候群の主要原因アレルゲンである PR-10 や profilin は，FDEIA 型症状の原因アレルゲンにもなりうるが，頻度は高くはない．

5．化粧品関連病態

茶のしずく石鹸®の事例以外でも化粧品・ヘアケア製品中の食物由来タンパクアレルゲン（魚コラーゲンなどが多い）への経皮経粘膜感作が原因となり食物アレルギーを発症する事例が存在する．このような事例では，経腸管的に吸収された食物アレルゲンが感作部位である眼瞼や顔面の皮膚に運ばれて初めて症状が惹起される事例が多いため，FDEIA として発症することが多い．やはり，誘発症状としても，茶のしずく石鹸®の事例と同様，眼瞼腫脹や顔面の症状が主体となる．

5 診 断

「特殊型食物アレルギーの診療の手引き 2015」では，小麦による FDEIA の診断基準として以下が提唱されている[5]．

以下の①と②を満たす，または①を複数回繰り返し，③または④，あるいは両者を満たす場合を FDEIA とする．

①小麦製品摂取後に，運動などの二次的要因により蕁麻疹などの即時型アレルギー症状を生じる．

②経口小麦負荷試験（小麦摂取＋運動負荷，アスピリン＋小麦摂取あるいはアスピリン＋小麦摂取＋運動負荷）で即時型アレルギー症状が誘発される．

③血清中に小麦タンパク質（ω-5 グリアジンを含む）特異的 IgE が証明される．

④小麦タンパク質のプリックテストが陽性を示す．

小麦以外の FDEIA の診断においても，基本的な考え方としては上記診断基準の小麦をほかの食物抗原に置き換えることによって診断してもよいが，③④に関しては原因食物抗原に応じて最も適切な検査手法，項目が異なるため注意を要する．

食物経口負荷試験は，アレルギー診療に精通した臨床医によって実施されるべきである．負荷試験は結果が陽性となれば診断に特異性が高いが，感度は低く，負荷試験陰性でも診断は否定できない．負荷試験の手法は，国際的にもわが国においても標準化されていない．通常，運動負荷試験のみ，被疑食物摂取のみでは誘発されないことを確認したのちに，別の日に被疑食物摂取後 15～30 分後に運動負荷を行う．

運動強度はトレッドミルでは Bruce 法 5～6 段階で 15～20 分行うが，患者の状態に応じて適宜増減する．負荷試験中に臨床症状が誘発されたら直ちに試験を中断して，治療を行う．決してアナフィラキシー症状が完成するまで運動を継続して経過をみてはならない．摂取する食物は 100 g 以上摂取することが望ましい．

症状が誘発されない場合は，摂取する食物の形態を変えてみるのも有効である．過去に症状が誘発されている病歴を有する食形態で負荷試験を行うと誘発率が高い．食物運動負荷試験で誘発されない場合は，アスピリン投与後の食物運動負荷を考慮してもよい．この場合はアスピリン投与（5～10 mg/kg，最大 500 mg）のみでは症状が誘発されないことを確認したのち，アスピリン内服 30 分後に同様の食物運動負荷を行う（負荷試験の詳細に関しては，「食物アレルギー診療ガイドライン 2021」[18]や「特殊型食物アレルギーの診療の手引き 2015」[4]を参照のこと）．小児から思春期発症例では血中特異的 IgE 抗体価やプリックテストが陰性になる事例が多いことも報告されている[6]．

鑑別診断としては，コリン性蕁麻疹，寒冷蕁麻疹，運動誘発喘息などがあげられる．重症の花粉アレルギー患者は，花粉大量飛散時期に，屋外で運動することによって，花粉吸入によりアナフィラキシーをきたすことがあり，この病態と FDEIA の鑑別に苦慮することがある[19]．誘発症状の面からは FDEIA と全く同一であるので，FDEIA を疑う患者で原因食物が不明であるとき，花粉抗原への感作状況評価や FDEIA エピソードを有している季節や，運動の場所，天候などの問診も必要となる．カモガヤ花粉吸入によるアナフィラキシーは初夏から秋の雨上がりの晴れた日や風の強い日に土手などの雑草群生地でジョギングした場合などに起こりやすい．アレルゲン曝露に依存せず運動のみにより誘発される（狭義の）運動誘発アナフィラキシー症例も報告されているが，きわめてまれである．

6 長期管理

原因食物摂取後4時間程度は運動を避けることが，長期管理の原則である．しかしながら，症状誘発に必要な原因食物の摂取量や運動の強度は患者ごとに大きく異なっており，長期管理指導も個々の患者の重症度に応じて対応しなければいけない．FDEIAの病態は即時型食物アレルギーと基本的に大きく異なっているわけではなく，運動の組み合わせがなくても症状が誘発されるエピソードを有する患者は決してまれではない．

患者が経験した可能な限りすべてのエピソードに関して，食事内容とその後の運動などの二次的要因の有無に関して問診し，過去に二次的要因なく食事摂取のみで症状が誘発されているエピソードがあれば，運動前の摂取のみならず安静・平常時の原因食物摂取も制限したほうが無難である．WDEIAの場合は，ハンバーグ，カレー，シチュー，ソバ，から揚げのころもなどにつなぎとして含まれる程度の量の小麦を摂取後に運動して症状が誘発されることもまれではないので，これらの食品にも具体的に言及して注意を促す必要がある．

小麦などの誤食のリスクが高い食物が原因である場合は，症状誘発時に備えて，積極的に患者にエピペン® の携行を勧めるべきである．症状誘発時の対応として，まずは，症状が始まったら即座に運動を中止するように指導する必要がある．症状発現後も運動を継続すると，症状がさらに進行する．薬剤による発症予防に関しては，評価が定まっていない．イベント前の抗ヒスタミン薬*，クロモグリク酸ナトリウム*〔インタール®（2020年12月に販売中止され，現在処方できない）〕[20]，プロスタグランジン E_1製剤*[21]の内服の効果の報告があるが，少なくともこれらの前投薬を行ってもその予防効果は100%ではないので，効果を過信すべきではない．

長期管理には患者の合併症に対する配慮も必要となる．合併する心筋梗塞などの治療の目的で，低用量アスピリン（アスピリン腸溶錠100 mg）を内服中の患者や，関節リウマチなどの基礎疾患のために常時NSAIDsを内服している患者は，常時症状誘発閾値が低下していると考えられるため，原因食物を一切摂取しないように指導せざるを得ないことが多い．

7 長期予後

ω-5グリアジン感作型のWDEIAに関しては，長期予後は良好ではない[22]．何十年という長い病歴を有するWDEIA患者が存在する．一方，新規に発症したWDEIA患者に関しては，発症後数年は病勢が進行することもあり，経年的にω-5グリアジンIgE抗体価が上昇して，発作誘発閾値が低下し，安静時にも症状を経験するようになるWDEIA患者も存在する．新規発症患者に関しては，年に1回程度ω-5グリアジン抗体価を測定し，病勢の経年変化を数年は観察したほうがよい可能性がある．

茶のしずく石鹸® を含む化粧品・ヘアケア製品などの経皮経粘膜曝露で発症した患者の場合は，発症の原因となった化粧品などの使用の中止で予後が改善することが知られている[23]．しかしながら，経年的に病態が改善しない症例の存在も知られている．このような病態の改善は血中抗原特異的IgE抗体価の推移である程度はモニターできるが，IgE抗体価の推移と臨床症状が相関しない症例も存在するため注意が必要である．また，このような患者に対しては，今後も原因アレルゲン類似の抗原性を有する化粧品添加物を含有した化粧品などを決して使用しないように指導する必要がある．再度同様成分を含有した化粧品・ヘアケア製品を使用して，寛解傾向にあった食物アレルギー症状が再度悪化する事例も存在する．

その他の病態に関して長期予後は不明であるが，一般的に良好であるとは考えられていない．

文献

1） Maulitz RM, et al.：Exercise–induced anaphylactic reaction to shellfish. *J Allergy Clin Immunol* **63**：433–434, 1979
2） Kidd JM 3rd, et al.：Food–dependent exercise–induced anaphylaxis. *J Allergy Clin Immunol* **71**：407–411, 1983
3） Brockow K, et al.：Using a gluten oral food challenge protocol to improve diagnosis of wheat–dependent exercise–induced anaphylaxis. *J Allergy Clin Immunol* **135**：977–984, 2015
4） 厚生労働科学研究費補助金：生命予後に関する重篤な食物アレルギーの実態調査・新規治療法の開発および治療方針の策定（研究代表者：森田栄伸）：特殊型食物アレルギーの診療の手引き 2015．島根大学医学部皮膚科，2015　https://shimane-u-dermatology.jp/theme/shimane-u-ac_dermatology/pdf/special_allergies.pdf（参照 2021–08–03）
5） Aihara Y, et al.：The necessity for dual food intake to provoke food–dependent exercise–induced anaphylaxis（FEIAn）：a case report of FEIAn with simultaneous intake of wheat and umeboshi. *J Allergy Clin Immunol* **107**：1100–1105, 2001
6） Asaumi T, et al.：Provocation tests for the diagnosis of food–dependent exercise–induced anaphylaxis. *Pediatr Allergy Immunol* **27**：44–49, 2016
7） 相原雄幸：食物依存性運動誘発アナフィラキシー．アレルギー **56**：451–456，2007
8） Matsuo H, et al.：Exercise and aspirin increase levels of circulating gliadin peptides in patients with wheat–dependent exercise–induced anaphylaxis. *Clin Exp Allergy* **35**：461–466, 2005
9） 森田栄伸：アスピリンによるアレルゲンの吸収促進．臨床免疫・アレルギー科 **55**：676–680，2011
10） Aihara M, et al.：Food–dependent exercise–induced anaphylaxis：influence of concurrent aspirin administration on skin testing and provocation. *Br J Dermatol* **146**：466–472, 2002
11） Morita E, et al.：Food–dependent exercise–induced anaphylaxis–importance of omega–5 gliadin and HMW–glutenin as causative antigens for wheat–dependent exercise–induced anaphylaxis. *Allergol Int* **58**：493–498, 2009
12） Takahashi H, et al.：Recombinant high molecular weight–glutenin subunit–specific IgE detection is useful in identifying wheat–dependent exercise–induced anaphylaxis complementary to recombinant omega–5 gliadin–specific IgE test. *Clin Exp Allergy* **42**：1293–1298, 2012
13） Morita E, et al.：Prevalence of wheat allergy in Japanese adults. *Allergol Int* **61**：101–105, 2012
14） Fukutomi Y, et al.：Epidemiological link between wheat allergy and exposure to hydrolyzed wheat protein in facial soap. *Allergy* **69**：1405–1411, 2014
15） 日本アレルギー学会：茶のしずく等に含まれた加水分解コムギ（グルパール 19S）による即時型コムギアレルギーの診断基準．化粧品中のタンパク加水分解物の安全性に関する特別委員会作成，2011　http://www.fa.kyorin.co.jp/jsa/jsa_0528_09.pdf（参照 2016–05–16）
16） 足立厚子，ほか：エビアレルギーにおける 70 kDa 蛋白の新規アレルゲンとしての可能性について．アレルギー **62**：960–967，2013
17） Hotta A, et al.：Case of food–dependent exercise–induced anaphylaxis due to peach with Pru p 7 sensitization. *J Dermatol* **43**：222–223, 2016
18） 海老澤元宏，ほか（監修），日本小児アレルギー学会食物アレルギー委員会（作成）：食物アレルギー診療ガイドライン 2021．協和企画，2021
19） Tsunoda K, et al.：Anaphylaxis in a child playing in tall grass. *Allergy* **58**：955–956, 2003
20） Sugimura T, et al.：Effect of oral sodium cromoglycate in 2 children with food–dependent exercise–induced anaphylaxis（FDEIA）. *Clin Pediatr*（*Phila*）**48**：945–950, 2009
21） 井上友介，ほか：小麦依存性運動誘発アナフィラキシー患者におけるアスピリン食前投与誘発に対するプロスタグランディン E1 製剤の抑制効果について．アレルギー **58**：1418–1425，2009
22） Hamada Y, et al.：Long–term dynamics of omega–5 gliadin–specific IgE levels in patients with adult–onset wheat allergy. *J Allergy Clin Immunol Pract* **8**：1149–1151, 2020
23） Hiragun M, et al.：Remission rate of patients with wheat allergy sensitized to hydrolyzed wheat protein in facial soap. *Allergol Int* **65**：109–111, 2016

C 新生児・乳児食物蛋白誘発胃腸症，好酸球性消化管疾患

鈴木啓子・野村伊知郎
（国立成育医療研究センター研究所 好酸球性消化管疾患研究室）

1 新生児・乳児食物蛋白誘発胃腸症とは

新生児・乳児食物蛋白誘発胃腸症は，主に非IgE依存性の免疫学的機序により，嘔吐や血便，下痢などの消化器症状を引き起こす疾患である．わが国において1990年代の終わり頃から急激に患者数が増加しているが，IgE依存性食物アレルギーの1/30程度の発症率である．6%の患者は重症であり，イレウス，発達障害などを起こすことがある．しかし，その病態には不明な点が多い．新生児・乳児食物蛋白誘発胃腸症は，治療により症状の改善が見込まれる疾患であり，早期診断・早期治療が重要であると考えられる．

日本における年間の発症率はMiyazawaら[1]の報告では0.21%であり，Yamamotoらの報告では1歳半までに医師の診断を受けた症例が0.5%とされている[2]．原因食物としては，牛由来ミルク95%，母乳20%，米10%，大豆10%，鶏卵5%，それ以外は1%以下である．

食物アレルギーには，原因食物摂取からの時間経過により，即時型アレルギーと非即時型アレルギーに分類され，本疾患の病型は，非即時型アレルギーと考えられているが，病因に関してはいまだ不明である．

1．症状・分類

1）症　状

急性期には原因食物を摂取後1〜4時間で嘔吐，その後下痢，血便，不活発，脱水，腹部膨満，無呼吸発作，発熱，肝障害などさまざまな症状を呈する．慢性の経過では体重減少，体重増加不良を呈する．一部の患者は重症であり（10%），深刻な合併症を起こす可能性がある．重症合併症としては，壊死性腸炎，大量の下血，消化管閉鎖，消化管破裂，播種性血管内凝固（disseminated intravascular coagulation：DIC），発達障害などがあげられる．

2）分　類

まず，症状から，急性反復性嘔吐または下痢が中心のfood protein-induced enterocolitis syndrome（FPIES），体重増加不良，慢性下痢を主徴とするfood protein-induced enteropathy（FPE），体重増加不良はなく，血便のみを呈するfood protein-induced allergic proctocolitis（FPIAP）に分類される[3]（表1）．日本では血便・嘔吐を同時に呈する症例が多く，海外の報告例と比較すると臨床像が大きく異なっており，これらの分類には当てはまらない患者も多い．

また，初発症状の症状出現までの時間で，acute FPIESとそれ以外に分類することができる（図1）．acute FPIESは原因食物摂取後に1〜4時間以内に嘔吐を認め，IgE依存性のアレルギーによる皮膚・呼吸器症状を認めない症例である．原因食物を摂取した際に症状をきたすが，症状が速やかに出現するため，原因食物を同定しやすく，摂取を中止することにより速やかに症状の消失を認める．それ以外のサブグループとして，chronic FPIES，FPE，FPIAPがある．原

表1 新生児・乳児食物蛋白誘発胃腸症の疾患概念，それぞれの特徴

	FPIES	FPIAP	FPE	eosinophilic gastroenteropathies
発症時期	生後1日〜1歳	生後1〜4週から6か月まで	〜2歳	乳児期〜学童期
原因抗原（主要）	牛乳・大豆	牛乳・大豆	牛乳・大豆	牛乳・大豆・卵白・小麦・ピーナッツ
発症時の栄養法	人工乳	母乳	人工乳	人工乳
アレルギーの家族歴	40〜70%	25%	不明	〜50%
アレルギーの既往歴	30%	20%	22%	〜50%
症状				
嘔吐	顕著	なし	間欠的	間欠的
下痢	重度	軽度	中等度	中等度
血便	重度	顕著	まれ	中等度
浮腫	急性期のみ，重度	軽度	中等度	中等度
ショック	15%	なし	なし	なし
体重増加不良	中等度	なし	中等度	中等度
検査所見				
貧血	中等度	軽度	中等度	軽度〜中等度
メトヘモグロビン血症	認めることがある	なし	なし	なし
アシドーシス	認めることがある	なし	なし	なし
プリックテスト	陰性	陰性	陰性	〜50%　陽性
特異的 IgE	正常〜上昇	正常〜上昇	正常	正常〜上昇
末梢血好酸球数増加	なし	時折	なし	〜50%　あり
食物負荷試験時の症状	嘔吐（3〜4時間） 下痢（5〜8時間）	血便（6〜72時間）	嘔吐・下痢 （40〜72時間）	嘔吐・下痢 （数時間〜数日）
治療	加水分解乳で80%改善	母乳（母の乳除去） 加水分解乳 10%でアミノ酸乳が必要となる	加水分解乳 アミノ酸乳	加水分解乳 アミノ酸乳
症状消失	除去後3〜10日で症状消失 1.5〜2歳で負荷試験	除去後3日以内に症状消失 生後12か月以降に負荷試験	除去後1〜3週間で症状消失	除去後2〜3週間で症状消失
予後	牛乳：60%が2歳までに治癒 大豆：25%が2歳までに治癒	大半が12か月までに治癒	2〜3歳までに治癒	遷延する

〔Nowak-Węgrzyn A：Food protein-induced enterocolitis syndrome and allergic proctocolitis. *Allergy Asthma Proc* **36**：172-184, 2015 を元に作成〕

因食物の常時・反復摂取により，嘔吐，下痢，血便，体重増加不良などを慢性の経過で認める症例である．原因食物を常時摂取しており，症状出現にも時間がかかることが多く，原因食物の同定が難しい場合が多い．

3) acute FPIES について

日本では鶏卵による acute FPIES が 2018 年頃から劇的な増加傾向にあり，牛由来ミルクを抜いて原因の1位となっている[4]．また，大半が卵白ではなく卵黄に反応している[5,6]．鶏卵に関しては，即時型の皮膚感作を防ぐためのスキンケアの早期導入，離乳食における鶏卵の早期導入が進められ，近年，即時型は減少傾向となったが，卵黄の FPIES の発症が増えた可能性があ

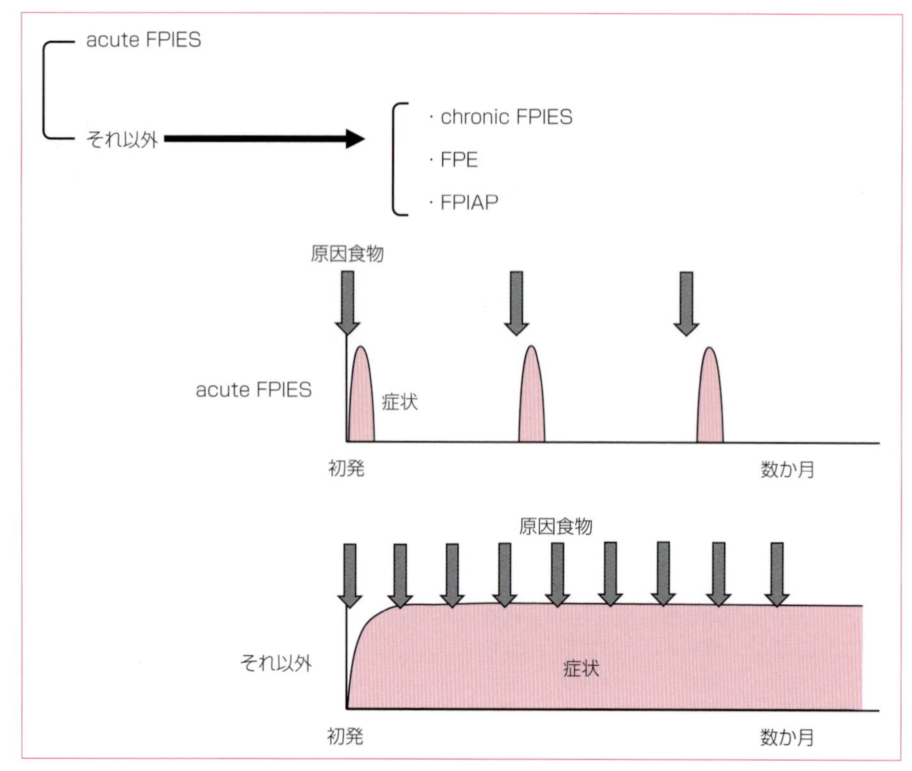

図1　新生児・乳児食物蛋白誘発胃腸症の分類
初発症状の症状出現までの時間により，acute FPIESとそれ以外のサブグループ（chronic FPIES，FPE，FPIAP）にわかれる．acute FPIESは，原因食物を摂取した際に速やかに症状をきたすが，それ以外のサブグループでは，原因食物の常時・反復摂取により症状をきたす

る．小児科医および保護者が卵黄によるFPIESの病態を認知することで，早期発見，早期の治療導入につなげていく必要がある．

病態に関して最近では，acute FPIESの発作時にIL-17のサイトカインファミリーの上昇を認め，自然免疫の活性化により炎症が引き起こされていると考えられている[7]．

2. 診断から治療への流れ

acute FPIESについては，2017年にNowak[8]らにより，ガイドラインが作成された．診断基準を表2に示す．acute FPIES以外のサブグループについては，明確な診断基準が定められていないので，Powell[9]，Leonard[10]，Miceli Sopo[11]の診断基準をもとに，表3に示すような5つのステップに従い診断・治療を行うとよい[12]．

Step 5，つまり負荷試験を施行し陽性であった場合，食物蛋白誘発胃腸症と診断してよいと思われる．また消化管組織検査で多数の好酸球を認めた場合も好酸球性胃腸炎の病理診断としてよい．

3. 検　査

1）末梢血好酸球数

acute FPIESでは慢性炎症が起きづらいため，好酸球数に変化がみられないことが多いが，それ以外のサブグループでは上昇を認めることがある．新生児では高値をとる場合が多いが，20％以上を一度でも示す場合には明らかな増加と考えてよい．われわれは生後14日以内に発症したchronic FPIES患者6名の臍帯血好酸球数を検討した結果，コントロール群と比べ，高値

表2 FPIESの診断基準

acute FPIES	
大基準	小基準
原因と疑われる食物摂取後1～4時間以内の嘔吐 IgE依存性のアレルギーによる皮膚・呼吸器症状を認めない	1. 原因と疑われる食物摂取後に嘔吐を認めるエピソードが2回以上ある 2. 異なる食物（注）を摂取後1～4時間以内の繰り返す嘔吐 3. 活気低下 4. 顔面蒼白 5. 救急外来への受診の必要性がある 6. 輸液が必要である 7. 24時間以内に出現する下痢（通常は5～10時間で出現） 8. 低血圧 9. 低体温

＊大基準＋小基準3項目以上で診断
（注）大基準，小基準1の原因食物とは別の食物を指す（たとえば卵黄が原因の症例で，大豆でも症状を認めた場合など）

chronic FPIES
重症：原因食物の常時摂取により，嘔吐・下痢・血便をきたす．時に脱水・代謝性アシドーシスを起こす． 中等症：固形の食物あるいは母乳中の食物抗原により，間欠的な嘔吐・下痢・体重増加不良をきたす．脱水・代謝性アシドーシスは起こさない．

〔Nowak-Węgrzyn A, et al.：International consensus guidelines for the diagnosis and management of food protein-induced enterocolitis syndrome：Executive summary-Workgroup Report of the Adverse Reactions to Foods Committee, American Academy of Allergy, Asthma & Immunology. *J Allergy Clin Immunol* **139**：1111-1126, 2017 を元に作成〕

表3 診断と治療のステップ

Step 1：症状から本症を疑う
Step 2：検査による他疾患との鑑別
Step 3：治療乳へ変更し症状消失を確認
Step 4：1か月ごとに体重増加の確認（体重曲線を描くこと）
Step 5：確定診断および離乳食開始のための負荷試験

であった[13]．新生児期早期に発症した症例では，胎内で好酸球産生を亢進させる病態が存在する可能性が示唆された．

2）牛乳特異的IgE抗体

本症は非IgE依存性のアレルギーと考えられており，初発時は陰性であることが多い．初発時の陽性率（クラス1以上）は33.8%であった．陽性であった場合は，寛解が得られにくくなるとの報告もある[14]．

3）ミルク特異的リンパ球刺激試験（ALST）

即時型ミルクアレルギーでも陽性となるため，注意が必要である．食物抗原にはリポ多糖（lipopolysaccharide：LPS）が含まれているため偽陽性となることも多く，厳密にLPSを除去した抗原を用いる必要がある．即時型アレルギーでも陽性となることがある．あくまでも補助診断でしかないことを銘記すべきである．

4）血清thymus and activation-regulated chemokine（TARC）

Th2細胞を組織に呼び寄せるケモカインである．acute FPIESの患者では，発作時にコントロール群に比しTARCが高値であり，また重症度とTARCが正の相関関係を示すとの報告がある[15]．TARCは原因食物の摂取後24時間でピークとなっていたため，この時間帯に検査を施行するとよいと述べられている．慢性的な症状を示す本症患者においても，アトピー性皮膚炎が

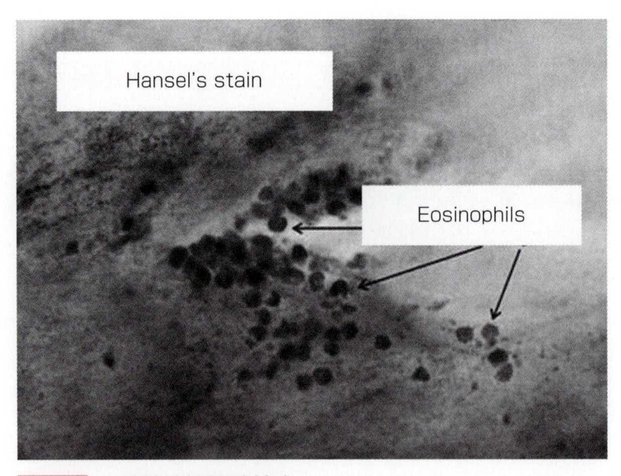

図2 便粘液好酸球検査
石垣状に集簇した多数の好酸球を認める. 66.7%の患者で便中好酸球の集塊がみられた

ない, もしくは寛解しているにもかかわらずTARCが高値を示した場合は, 消化管のTh2炎症を反映していることがある. 治療による症状の改善により, 低下傾向となり, 治療効果の判定にも有用である.

5) C-reactive protein (CRP)

CRP陽性となることが少なくない (CRP 0.5以上の陽性者は37.1%). 細菌感染と間違えられやすく, 鑑別診断が重要である.

6) 便粘液細胞診

石垣状に集まった多数の好酸球や, シャルコーライデン結晶を認める (図2). 便の粘液部分を採取することが重要である. 特に血便を認める症例で診断的価値が高い.

＜便粘液好酸球の評価方法＞

スライド上の最多部分の1視野をカウントする.

以下のうち, ③～⑤であれば診断の確からしさは高まる.

①スライド上に好酸球を認めない.

②少ない. スライド上の最多部位の200倍1視野に1～5個.

③中程度. 最多部位の200倍1視野に6～19個.

④多い. 最多部位の200倍1視野に20個以上.

⑤多数の好酸球が石垣状に密集している部分がある.

7) 消化管内視鏡検査, 組織検査

確定診断のために非常に重要な検査である. 重症者や体重増加不良や難治血便の患者で必要となることがある. 慢性的に経過した症例の消化管の組織検査では多数の好酸球を認めることがある (400×で20個以上) (図3). 原因食物が除去されてから2週間以内に実施すべきである. 内視鏡のマクロの所見は, 血便を認める症例では表面のびらん, 出血点をみることが多いが, 体重増加不良や下痢のみで嘔吐・血便を認めない症例では軽度の炎症やリンパ濾胞が目立つなどの所見にとどまることも多く, 必ず組織を採取して評価すべきである.

8) 画像診断

腹部X線検査, 超音波検査, 上部下部消化管造影, CT, MRIなどがあげられる. イレウス

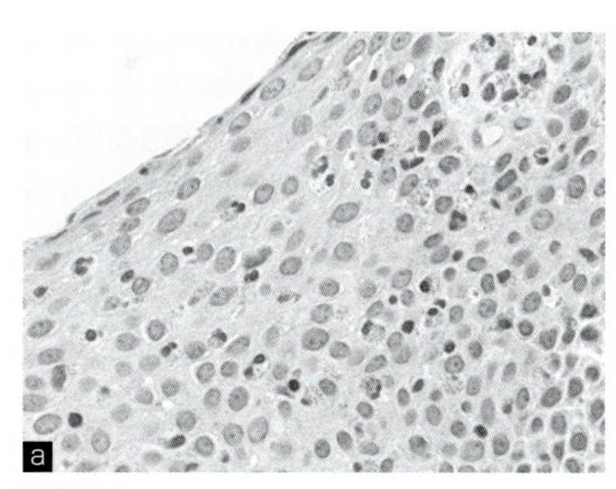

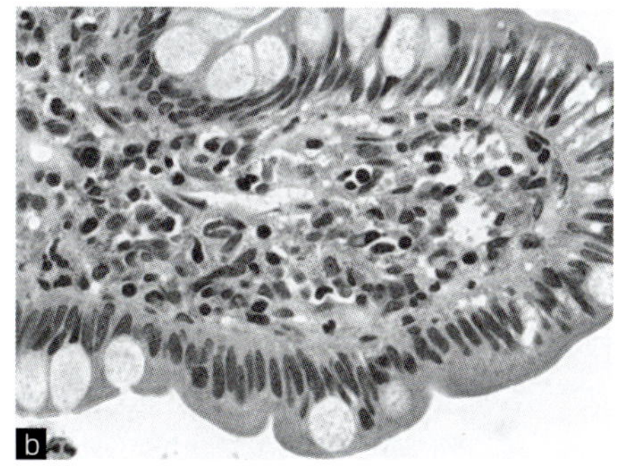

図3 本症患者の食道（左）および十二指腸（右）の粘膜所見
a：食道，b：十二指腸
食道の重層扁平上皮内に，多数の好酸球浸潤を認める．また，十二指腸固有粘膜層に多彩な炎症細胞の浸潤がみられる

像，腸管拡張像，腹水，腸粘膜の血流の増加および浮腫像[16]を呈することがある．

4. 負荷試験

1）負荷試験の実施時期

症状寛解後 2 週間～5 か月で確定診断のための負荷試験を行う．発症時の症状が重症である場合，保護者が希望しない場合は，負荷を延期したり，施行しないこともある．2～3 歳まで待って自然寛解を待つことも選択肢の 1 つである．3 週間連日負荷を行い，症状を認めない場合には陰性と判断する．負荷試験の実際の方法を表 4 に示す．負荷試験はリスクがあるため，体力が十分にあり，心肺機能に問題がない場合にのみ施行されるべきである．

2）負荷試験の陽性の判定基準

負荷試験の陽性の判断としては，病的な嘔吐，血便，下痢，発熱，活動低下，血圧低下などの症状が再現された場合，陽性と考える．

acute および chronic FPIES における負荷試験の陽性判断基準は以下のとおりである[8]．

＜大基準＞

原因と考えられる食物を摂取後 1～4 時間で嘔吐を認める．

IgE 依存性のアレルギーによる皮膚・呼吸器症状は認めない．

＜小基準＞

1. 活気低下
2. 顔色不良
3. 食物摂取後 5～10 時間後の下痢
4. 低血圧
5. 低体温
6. 好中球数が負荷前より 1,500/μL 以上増加

大基準に加え，小基準の 6 項目のうち，2 項目以上を満たすものが負荷試験陽性と判断される．

3）負荷試験の判定までの期間

acute および chronic FPIES に対する負荷試験は負荷後 1～2 日の反応をみるのに対し，それ以外の FPE，FPIAP では 2～3 週間程度摂取し続けて症状を認めないか確認をする長期負荷試験（表 4）を行う必要がある．これで反応を認めなかった場合は，陰性もしくは寛解したと判断で

表4 長期食物負荷試験の方法

ミルクなどの負荷スケジュール案

	月	火	水	木	金
1週目	0.5 mL/kg	1 mL/kg	2 mL/kg	4 mL/kg	4 mL/kg
2週目	8 mL/kg	16 mL/kg	20 mL/kg	20 mL/kg	20 mL/kg

・先行してIgE CAP-RASTを測定もしくはプリックテストを行い，即時型反応の危険性を評価する
・負荷は原則として表記の量を1日1回摂取とするが，即時型反応が予測されるときは，3分割し15分ごとに摂取
・負荷は必ず平日の朝に行う．深夜帯の発作は非常に危険であり，避ける必要がある
・初回量に関しては初発症状があったときの摂取量から決定する（0.5〜4 mL/kg)
・表の負荷後14日間まで症状がなければ，寛解しているあるいは消化管アレルギーでなかったと考え，14日目以降も量を増量
・陽性症状：嘔吐，下痢，血便，活気不良，発熱，血圧低下等
・摂取開始後6時間は特に注意して観察する

きる．

4）離乳食開始に際して行う負荷試験

新生児・乳児食物蛋白誘発胃腸症は，米，大豆でもそれぞれ10％程度症状を認めることがある．そこで，特に米，大豆についてはそれぞれ2〜3週間程度かけて症状を認めないかどうかを確認する長期負荷試験を施行する．自宅で行うことが多いが，最初はごく少量から開始し，徐々に増やす．3週間連続して摂取を行い症状を認めなければ，アレルギーを起こさないと考えてよい．

5）負荷試験で誘発された症状への対応

負荷試験にて低血圧や頻回の嘔吐など認めた場合には，細胞外液のボーラス静脈注射（15 mL/kg)，ステロイド静脈注射が有効である．アドレナリンの筋肉注射は効果が低い場合が多い．

適用外使用ではあるが，Nowakらのガイドライン[8]には，オンダンセトロンの投与が有効であると記載されている．ステロイドもある程度有効とされているが，効果出現までの時間がオンダンセトロンに及ばない可能性がある．今後の保険収載が望まれる．

5. 治　療（表5）

症状が重症の場合は，絶食・輸液で治療を開始し，症状が治まってから栄養を開始する．治療乳には，母乳・加水分解乳・アミノ酸乳がある．

1）母　乳

可能であれば治療乳として使用する．母がまず乳製品を除去し，3日後からの母乳を与えて反応をみる．児に何も症状を認めなければ母乳を使用できるが，母が摂取した米や大豆，その他に反応してしまい症状を呈してしまう場合は，母乳を中断するほうがよいと思われる．母が乳製品を除去する場合は，カルシウムのサプリメントの摂取が必要である．

2）加水分解乳

中等度加水分解乳にミルフィー®，E赤ちゃん®など，高度加水分解乳にニューMA-1®などがある．中等度加水分解乳は反応する症例が多く，勧められない．高度加水分解乳は有効である場合が多いが，反応する症例もある．

3）アミノ酸乳

エレンタールP®，エレメンタルフォーミュラ®などがある．エレンタールP®に反応し効果

表5 新生児・乳児食物蛋白誘発胃腸症の治療

1 母乳	母が乳製品除去をした後，3日後からの母乳を使用
2 加水分解乳	中等度加水分解乳：ミルフィー®，E赤ちゃん® 高度加水分解乳：ニューMA-1®
3 アミノ酸乳*	エレンタールP® エレメンタルフォーミュラ®

*アミノ酸乳のみで治療する際に付加したい栄養素など：

・セレン	6〜8 μg/日 テゾン® アップル風味（サプリメント）を使用してもよい
・L-カルニチン（エルカルチン製剤）	20〜30 mg/kg/日 エレメンタルフォーミュラ® には添加されている
・脂肪付加	MCTオイルやしその実オイルを1日2回，1〜2 mL程度付加

が得られない場合は，エレメンタルフォーミュラ® へ変更する．W/V% で 10〜13% 程度で開始し，最終的に 17% 程度とする（17 g のミルクに微温湯を加え 100 mL とする）．アミノ酸乳のみで栄養する場合は，エレンタール P® に関してはカルニチン・セレン・脂質，エレメンタルフォーミュラ® に関してはセレン・脂質を内服させることが望ましい．

6. 予　後

成長障害や重症合併症を起こさなければ，3 歳までに寛解することが多い．1 歳までに 52% が寛解，2 歳までに 88%，3 歳までに 94% で寛解を認めたとの報告がある．

2 好酸球性消化管疾患

1. 概念・分類

好酸球性消化管疾患（eosinophilic gastro-intesinal disorders：EGID）は，好酸球の消化管局所への異常な集積から好酸球性炎症が生じ，消化管組織が障害され，機能不全を起こす疾患の総称である．炎症と好酸球の集積を認める部位により，食道のみに限局した好酸球性食道炎（eosinophilic esophagitis：EoE）とそれ以外の non-EoE EGID に分類される．non-EoE EGID のうち，胃のみに限局した場合を好酸球性胃炎（eosinophilic gastritis：EoG），小腸のみに限局している好酸球性小腸炎（eosinophilic enteritis：EoN），大腸のみに限局していれば好酸球性大腸炎（eosinophilic colitis：EoC）に分類される．診断は消化管内視鏡検査と組織検査が主体であり，組織での好酸球増加が診断根拠の 1 つとなる．特異的 IgE 抗体は陽性であったとしても，原因食物抗原の特定には役立たないことが多い．

欧米との違いとしては，欧米では EoE の割合が高いが，わが国では EoE に比べ non-EoE EGID の報告が多い．わが国では EGID のうち 15% が EoE であり，85% が non-EoE EGID であった[17]．欧米では EoE が急激に増加していることもあり，EoE の研究・診断治療が進んでいるが[18,19]，non-EoE EGID の患者数は少なく研究は遅れている．

2. 症　状

症状が慢性的に持続する continuous type と，一時的な症状があり間歇期は健康な intermittent type，発作が 1 回だけの単発型の single-flare type に分けられる．continuous type は，EoE 全体の 66%，non-EoE EGID 全体の 64% であり，5〜17 歳では 80% 近くを占めていた[20]．

EoE は，成人では胸のつかえ感が多いが，小児ではつかえ感を訴えにくい．乳幼児は哺乳障害，幼児から学童は嘔吐，学童から 10 代前半は腹痛，嚥下障害，10 代以降では嚥下障害，つかえ感，食物嵌頓が主要症状となる．non-EoE EGIDでは，下痢と腹痛の症状が多い．

重症例では，消化管穿孔，イレウス，消化管出血，蛋白漏出胃腸炎，低蛋白血症，腹水，小児における低栄養・脳神経発達障害の報告がある．

3．検査・診断

1）検　査

新生児・乳児食物蛋白誘発胃腸症の検査項目を参照していただきたいが，特にEGIDで注目したい所見を述べる．

①血液検査：下血，低タンパク血症，トランスフェリンの欠乏により貧血を呈する．また末梢血好酸球増多を認めることが多い（EoEでは末梢血好酸球増多を認めないことが多いが，non-EoE EGIDでは80％で増多を認める）．TARCは一部のEGID患者で高値を認め，診断および病勢を反映するマーカーとして有用となる場合がある．

②腹水好酸球：腹水中に好酸球を認める．

③消化管内視鏡検査・消化管組織検査：最も重要な検査である．内視鏡所見は，EoEでは食道粘膜に縦走溝，輪状の多発収縮輪，狭窄，白斑などが認められることが多い．non-EoE EGIDでは，浮腫，発赤，びらん，消化性潰瘍など非特異的とされている．一見正常にみえることもあり，正確な診断には数か所の生検が必要である．

病理組織所見では，EoEは食道の重層扁平上皮内に好酸球が15個/HPF以上が存在した場合に診断する．なお食道の上皮内には通常好酸球は存在しない．non-EoE EGIDに関しては，胃，小腸，大腸の生検で粘膜内に20個/HPF以上の好酸球浸潤が存在した場合に診断する．

④computed tomography（CT）：EoEは53％に食道壁の肥厚があり，non-EoE EGEには75％に消化管壁の肥厚を認める．non-EoE EGEの56％に腹水が検出される．

2）診　断

表6にEoE，表7にnon-EoE EGIDの診断指針を示す[21]．まず，症状から疑い，内視鏡検査以外の検査で鑑別をある程度行った後，消化管組織検査で明らかな組織の好酸球増加を証明する[15]．

4．治　療

治療を行う場合は，必ず幼児・成人好酸球性消化管疾患診療ガイドライン[22]を参照して行ってほしい．

1）EoEに対する治療

第一選択薬は，プロトンポンプ阻害薬（PPI）である．EoE患者のうち，約半数がPPIの投薬によって症状，内視鏡および病理組織所見改善がみられる．PPIが有効でない場合は，局所ステロイド療法が行われる．フルチカゾン，ブデソニドなどの気管支喘息治療薬である局所作用ステロイドの口腔内噴霧とその嚥下である．

これらの治療に反応しない場合は，4種あるいは6種食物除去（経験的食物除去），アミノ酸成分栄養食だけを摂食させる成分栄養療法，また食道の線維性狭窄が進行した症例ではバルーン拡張術が施行される．

2）non-EoE EGIDに対する治療

治療の中心となるのは，全身性ステロイドの投与である．症状改善の効果が高く，特に間歇型の患者では短期間の使用で効果が得られるため副作用を最小限にすることができるが，持続型で治療が長期にわたる場合はステロイドによる副作用が問題となってくる．投与後数日～数週間で症状改善を認めるが，再発例も多く，持続型の患者においては寛解状態の維持は困難な

表6 EoE の診断

必須項目
1. 食道機能障害に起因する症状（嚥下障害，つかえ感等）の存在.
2. 食道粘膜の生検で上皮内に好酸球数 15/HPF 以上が存在（数か所の生検が望ましい）.
参考項目
1. 内視鏡検査で食道内に白斑，縦走溝，気管様狭窄を認める.
2. プロトンポンプ阻害剤（PPI）に対する反応が不良である.
3. CT スキャンまたは超音波内視鏡検査で食道壁の肥厚を認める.
4. 末梢血中に好酸球増多を認める.
5. 男性.

〔難病情報センター：好酸球性消化管疾患（指定難病 98）.（https://www.nanbyou.or.jp/entry/3935）より改変〕

表7 non-EoE EGID の診断

必須項目
1. 症状（腹痛，下痢，嘔吐等）を有する.
2. 胃，小腸，大腸の生検で粘膜内に好酸球主体の炎症細胞浸潤が存在している. （20/HPF 以上の好酸球浸潤，生検は数か所以上で行い，また他の炎症性腸疾患，寄生虫疾患，全身性疾患を除外することを要する終末回腸，右側結腸では健常者でも 20/HPF 以上の好酸球浸潤をみることがあるため注意する.）
3. あるいは腹水が存在し，腹水中に多数の好酸球が存在している.
参考項目
1. 喘息などのアレルギー疾患の病歴を有する.
2. 末梢血中に好酸球増多を認める.
3. CT スキャンで胃，腸管壁の肥厚を認める.
4. 内視鏡検査で胃，小腸，大腸に浮腫，発赤，びらんを認める.
5. グルチココルチコイドが有効である.

1 と 2，または 1 と 3 は必須
これ以外の項目も満たせば可能性が高くなる
〔難病情報センター：好酸球性消化管疾患（指定難病 98）.（https://www.nanbyou.or.jp/entry/3935）より改変〕

場合が多い．抗アレルギー薬（特にロイコトリエン受容体拮抗薬）は，副作用が少なく，有効な症例もあるため，しばしば使用されている．経験的食物除去も行われる．

文献

1）Miyazawa T, et al.：Management of neonatal cow's milk allergy in high-risk neonates. *Pediatr Int* **51**：544-547, 2009
2）Yamamoto-Hanada K, et al.：Allergy and immunology in young children of Japan：The JECS cohort. *World Allergy Organ J* **13**：100479, 2020
3）Nowak-Węgrzyn A：Food protein-induced enterocolitis syndrome and allergic proctocolitis. *Allergy Asthma Proc* **36**：172-184, 2015
4）Akashi M, et al.：Recent dramatic increase in patients with food protein-induced enterocolitis syndrome（FPIES）provoked by hen's egg in Japan. *J Allergy Clin Immunol Pract* **10**：1110-1112.e2, 2022
5）Toyama Y, et al.：Multicenter retrospective study of patients with food protein-induced enterocolitis syndrome provoked by hen's egg. *J Allergy Clin Immunol Pract* **9**：547-549, 2021
6）Nishino M, et al.：Food protein-induced enterocolitis syndrome triggered by egg yolk and egg white. *Pediatr Allergy Immunol* **32**：618-621, 2021
7）Berin MC, et al.：Acute FPIES reactions are associated with an IL-17 inflammatory signature. *J Allergy Clin Immunol* **148**：895-901, 2021
8）Nowak-Węgrzyn A, et al.：International consensus guidelines for the diagnosis and management of food protein-induced enterocolitis syndrome：Executive summary-Workgroup Report of the Adverse Reactions to Foods Committee, American Academy of Allergy, Asthma & Immunology. *J Allergy Clin Immunol* **139**：1111-1126, 2017
9）Powell GK：Food protein-induced enterocolitis of infancy：differential diagnosis and management. *Compr Ther* **12**：

28-37, 1986
10）Leonard SA, et al.：Clinical diagnosis and management of food protein-induced enterocolitis syndrome. *Curr Opin Pediatr* **24**：739-745, 2012
11）Miceli Sopo S, et al.：Food protein-induced enterocolitis syndrome, from practice to theory. *Expert Rev Clin Immunol* **9**：707-715, 2013
12）厚生労働省好酸球性消化管疾患研究班，ほか（作成）：新生児・乳児食物蛋白誘発胃腸症診療ガイドライン（実用版），2019 年 2 月 6 日改訂．https://minds.jcqhc.or.jp/docs/gl_pdf/G0001047/4/non-IgE-mediated_gastrointestinal-food-allergy.pdf（参照 2022-2-11）
13）Suzuki H, et al.：Cord blood eosinophilia precedes neonatal onset of food-protein-induced enterocolitis syndrome（FPIES）. *Allergol Int* **70**：262-265, 2021
14）Caubet JC, et al.：Clinical features and resolution of food protein-induced enterocolitis syndrome：10-year experience. *J Allergy Clin Immunol* **134**：382-389, 2014
15）Makita E, et al.：Usefulness of thymus and activation-regulated chemokine（TARC）for FPIES diagnosis. *Pediatr Allergy Immunol* **33**：e13649, 2022
16）Jimbo K, et al.：Ultrasonographic study of intestinal Doppler blood flow in infantile non-IgE-mediated gastrointestinal food allergy. *Allergol Int* **68**：199-206, 2019
17）Kinoshita Y, et al.：Clinical characteristics of Japanese patients with eosinophilic esophagitis and eosinophilic gastroenteritis. *J Gastroenterol* **48**：333-339, 2013
18）Liacouras CA, et al.：Eosinophilic esophagitis：updated consensus recommendations for children and adults. *J Allergy Clin Immunol* **128**：3-20, 2011
19）Dellon ES, et al.：ACG clinical guideline：Evidenced based approach to the diagnosis and management of esophageal eosinophilia and eosinophilic esophagitis（EoE）. *Am J Gastroenterol* **108**：679-692, 2013
20）Yamamoto M, et al.：Comparison of Nonesophageal Eosinophilic Gastrointestinal Disorders with Eosinophilic Esophagitis：A Nationwide Survey. *J Allergy Clin Immunol Pract* **9**：3339-3349, 2021
21）難病情報センター：好酸球性消化管疾患（指定難病 98）．https://www.nanbyou.or.jp/entry/3935（参照 2022-2-11）
22）厚生労働省好酸球性消化管疾患研究班（編集）：幼児・成人好酸球性消化管疾患診療ガイドライン，2020 年 9 月 14 日改訂．https://www.ncchd.go.jp/hospital/sickness/allergy/EGIDs_guideline.pdf（参照 2022-2-11）

D 成人の食物アレルギー

中村陽一・橋場容子
(横浜市立みなと赤十字病院 アレルギーセンター)

1 成人の食物アレルギーの特徴

成人の食物アレルギーは，IgE 依存性食物アレルギーの臨床病型（表 1）のうち，即時型症状（蕁麻疹，アナフィラキシーなど），食物依存性運動誘発アナフィラキシー（food-dependent exercise-induced anaphylaxis：FDEIA），口腔アレルギー症候群（oral allergy syndrome：OAS）のいずれかに分類される[1]．FDEIA と OAS は以前，「特殊型」として扱われたが，実際は頻度が高いことからその枠は取り外された．一般に，OAS 以外は重症化しやすく，筆者らの施設における初診の成人食物アレルギー症例[2]でも半数以上が中等症以上であり（Sampson 分類[3]グレード 3 以上），アナフィラキシーで受診あるいは過去にアナフィラキシーを経験していた（図 1）．成人の食物アレルギーには小児期発症の持続例と成人期発症の両者が存在するが，医療機関を受診する成人食物アレルギー患者の多くは後者である．それらの症例の多くは，小児期発症の

表 1 食物アレルギーの臨床型分類

臨床型	発症年齢	頻度の高い食物	耐性獲得（寛解）	アナフィラキシーショックの可能性	食物アレルギーの機序
食物アレルギーの関与する乳児アトピー性皮膚炎	乳児期	鶏卵，牛乳，小麦など	多くは寛解	(+)	主に IgE 依存性
即時型症状（蕁麻疹，アナフィラキシーなど）	乳児期～成人期	乳児～幼児：鶏卵，牛乳，小麦，ピーナッツ，木の実類，魚卵など 学童～成人：甲殻類，魚類，小麦，果物類，木の実類など	鶏卵，牛乳，小麦は寛解しやすいその他は寛解しにくい	(++)	IgE 依存性
食物依存性運動誘発アナフィラキシー（FDEIA）	学童期～成人期	小麦，エビ，果物など	寛解しにくい	(+++)	IgE 依存性
口腔アレルギー症候群（OAS）	幼児期～成人期	果物・野菜・大豆など	寛解しにくい	(±)	IgE 依存性

成人の食物アレルギーは，即時型症状（蕁麻疹，アナフィラキシーなど），食物依存性運動誘発アナフィラキシー（FDEIA），口腔アレルギー症候群（OAS）のいずれかに分類される
〔日本医療研究開発機構（AMED）免疫アレルギー疾患実用化研究事業 重症食物アレルギー患者への管理および治療の安全性向上に関する研究：食物アレルギーの診療の手引き 2020（研究開発代表者：海老澤元宏）．2021 https://www.foodallergy.jp/wp-content/themes/foodallergy/pdf/manual2020.pdf（参照 2022-2-11）〕

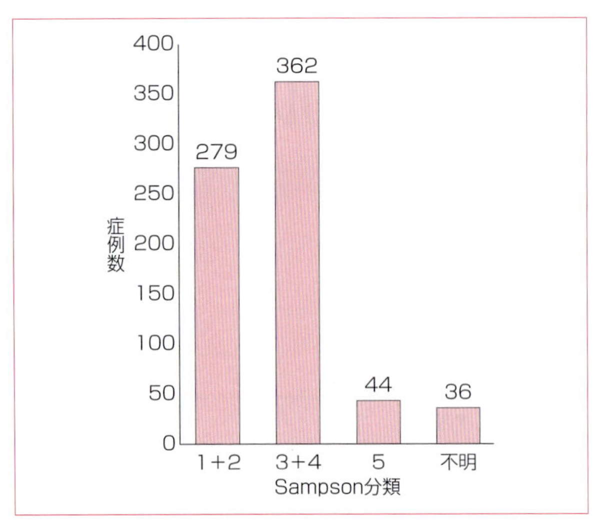

図1 成人食物アレルギーの受診者721例の重症度
初診の成人食物アレルギー症例の半数以上が中等症以上であり(Sampson分類[3]のグレード3以上)，アナフィラキシーで受診あるいは過去にアナフィラキシーを経験していた
〔筆者施設データ〕

それとは異なり自然寛解がなく，加水分解小麦によるアナフィラキシーのような例外を除いて，通常は過敏状態が生涯持続する．

2 発症頻度

わが国における成人の食物アレルギー有症率は，小児の場合と異なり厳密な疫学調査が存在しないため不明であり，「全年齢」でおおよそ1〜2%程度と考えられている[1]．海外の報告では，食物アレルギーの有病率は上昇傾向にあり，小児で8%，成人で5%に達するとされる[4]．今後はわが国においても厳密な疫学調査が必要である．同様に，成人食物アレルギーの「発症年齢」に関する報告は存在しないが，参考のために2005年からの10年間に筆者らの施設を受診した成人食物アレルギー症例の年齢・性別構成を示す（図2）．30歳代を中心にあらゆる年齢で食物アレルギーが発症し得ると推定される．いずれの年齢でも受診者数は女性が多いが，この結果が発症率を反映しているか否かは不明である．

3 原因食品の頻度

わが国の食物アレルギーの原因食品[1]は，小児では鶏卵，牛乳，小麦，木の実，ピーナッツなどが多いのに対して，成人では小麦，甲殻類，魚類，果物が多いことが知られ，筆者の施設[2]も同様である（図3）．小麦，甲殻類でみられるFDEIAは成人においてはかなりの頻度で存在するものと考えられ，筆者の施設においては（負荷試験による確定ではないが）小麦アレルギーの66%に運動，入浴，非ステロイド性抗炎症薬（non−steroidal anti−inflammatory drugs：NSAIDs）服用などの関与がみられた．また，初診時に問診から魚類アレルギーが疑われた症例の多くはアニサキスアレルギー（p.184，「アニサキス」参照）と診断されていることにも注目すべきで

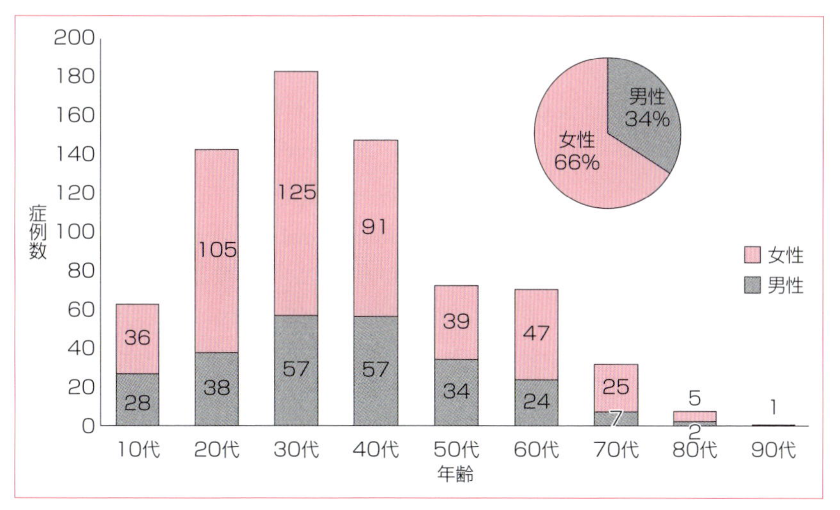

図2 成人食物アレルギーの受診者の年齢と性別
全症例数：721 例，平均年齢：40.2 歳（16〜96 歳，中央値 38 歳）
30 歳代を中心にあらゆる年齢で食物アレルギーが発症し得ると考えられる
〔筆者施設データ〕

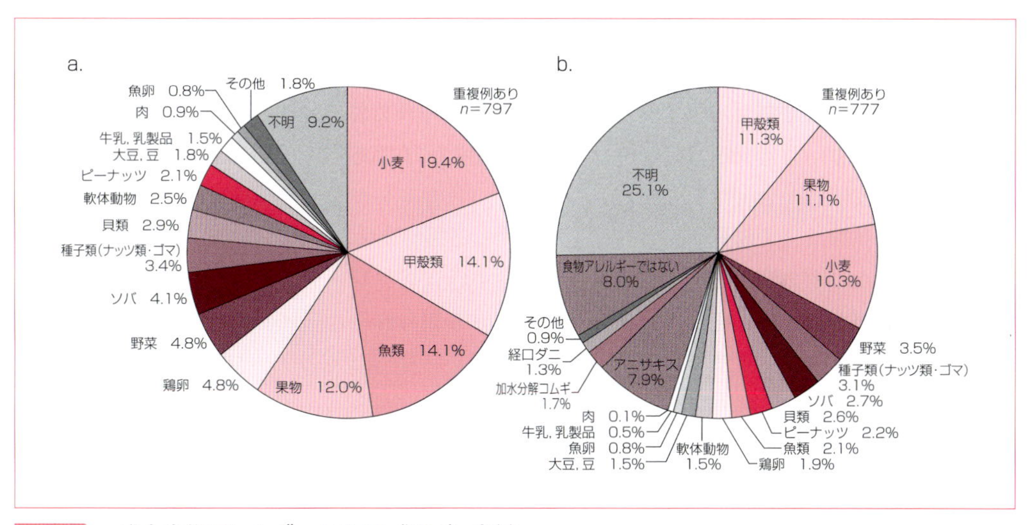

図3 成人食物アレルギーの原因（疑い）食材
(a) 成人食物アレルギー疑い症例の初診時の疑い食材初診時の問診のみからの推定食物アレルゲンは，小麦，甲殻類，魚類，果物などが多い
(b) 成人食物アレルギーの最終的な疑い原因食材各種アレルギー検査の実施後，最終的な被疑食物のうち，甲殻類，果物，小麦は問診時と同様に主なアレルゲンと考えられてきたが，魚類が原因と推定された症例の多くはアニサキスアレルギーであると推定された
〔筆者施設データ〕

ある．そのほか，お好み焼き粉やたこ焼き粉に混入したダニにより生じる「oral mite anaphylaxis」も食物アレルギーとの鑑別が必要な病態である（p.159，「経口ダニアナフィラキシー」参照）．なお，食物アレルギーの原因食品については，食生活の違いから海外の報告はほとんど参考にならない．

4 症状の特徴

成人食物アレルギーの症状は基本的に小児のそれと同様であり，皮膚・粘膜症状が最も多く，そのほかに呼吸器症状，消化器症状，ショック症状が起こりうる．OASでは症状が口腔内にとどまり，口腔粘膜・口唇・舌の違和感・痒み・腫脹が生じる．そのほか，最近知られるようになった好酸球性消化管疾患（eosinophilic gastrointestinal disorders：EGIDs）も食物アレルギーが関与した病態と考えられている．比較的調査が進んでいる好酸球性食道炎（eosinophilic esophagitis：EoE）は，中年男性に多くみられ，嚥下困難，食物のつかえ，呑酸，胸焼け，腹痛などの症状が主訴となりうる．被疑食材の除去により過半数の症例で症状や組織像の改善がみられる．

IgE依存性の即時型アレルギーでは，食物摂取から症状発現までの時間が数分〜数時間とされ，筆者の自施設データでも，約7割の症例が3時間未満であった（図4）．それ以上の時間を要した症例には，運動誘発アナフィラキシーなどが多く含まれ，納豆アレルギー[5]は12時間以上の症状発現の遅れがみられた．

症状の重症度に関しては，一般に成人は小児に比べて重症化する場合が多い．たとえば，高齢者は食物によるアナフィラキシーの重症化因子を有する頻度が高く，心血管疾患や慢性呼吸器疾患の合併，あるいはそれらの治療薬としてのβアドレナリン遮断薬，ACE阻害薬などの使用などがあげられる．高齢者に限らず，妊娠や精神疾患の合併，飲酒，NSAIDs，鎮静薬，睡眠薬，抗うつ薬などの使用はすべて成人食物アレルギーで注意すべき重症化因子である[6]．年齢にかかわらず，気管支喘息の合併は最たる重症化因子であり，しかも食物アレルギー患者における気管支喘息の合併は5〜10%にものぼる[7]．食物アレルギーで喘息様症状が著明な症例は気道過敏性試験などで喘息病態の存在を確認する必要がある．

そのほか，木の実類など症状が重症化しやすい原因アレルゲンには特に注意が必要である．また，皮膚症状を欠く症例に重症者が多いことも知られる．忘れてはならないのは，食物アレルギーとして一度も重篤な症状を経験していなくても，「次回はアナフィラキシー」に至る可能

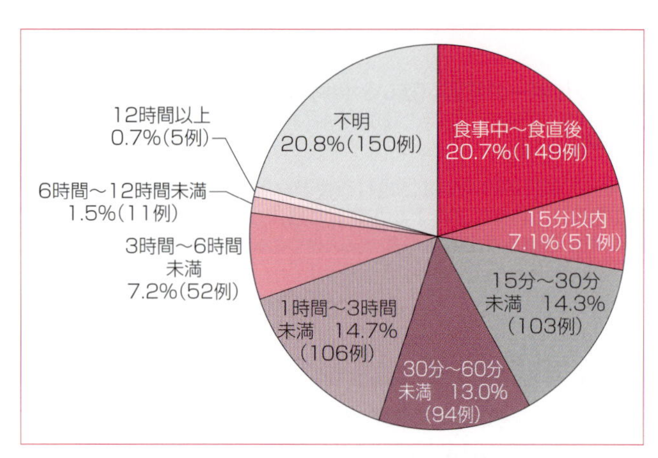

図4 成人食物アレルギーにおける食物摂取から症状発現までの時間
成人の食物アレルギーの約7割では，食物摂取から症状発現までの時間が3時間未満であった
〔筆者施設データ〕

性があるということである．食物アレルギーあるいはその疑いと診断された患者にこれらの情報を伝えて十分な教育・啓発をしなくてはならない．

5 診断の実際

成人における食物アレルギーの診断手順の要は詳細な問診であり，①問題となる症状が食物アレルギーの病態により誘発されていることの確認（食物摂取と症状発現の時間的関係，再現性など），②被疑食物の推定，③修飾因子の確認（運動，入浴，服薬など），④鑑別診断（他疾患の可能性）を行う．その後に実施するアレルギー学的検査（皮膚テスト，特異的 IgE 抗体の測定，ヒスタミン遊離試験，好塩基球刺激試験など）の結果を鑑みて，必要に応じて直接負荷試験を施行する．成人の場合は食事摂取と同時に何らかの薬物を服用している場合もあり，その薬物による有害反応との鑑別も必要になる．食物摂取との関連で症状を繰り返すが，被疑食材が不明の場合は厳密な食物日誌の記載を開始する．症状が複数臓器に出現し，アナフィラキシーと考えられる場合は，ほかの病態（急性全身性蕁麻疹，ほかの原因によるショック，パニック発作，ヒスタミン中毒など）との鑑別診断も必要となる[6]（p.202，「アナフィラキシー」を参照）．

成人の OAS は，花粉症に合併する pollen-food allergy syndrome（PFAS）すなわち花粉アレルゲンと果物・野菜に含まれるタンパク質の交差反応により生じることが多い．したがって，その診断にはこれらに共通のアレルゲンコンポーネントを同定することが有用である（p.127 参照）．果物や野菜を摂取することによって生じるアレルギー症状で，もう 1 つ忘れてならないのは「仮性アレルゲン」である．果物や野菜の中にはさまざまな薬理活性物質を含んでいるものがあり，これらの摂取によりアレルギー様症状が起こることがある[8]．ホウレンソウ，トマト，トウモロコシに含まれるヒスタミンやトマト，バナナ，キウイフルーツ，パイナップルに含まれるセロトニンなどが知られている（表 2）．また，アレルギー以外の機序による食物不耐症（図 5）との鑑別が必要な症例もあり注意を要する[9]．

一方，食物に限らないが，成人アレルギーの診断で問題となるのは，「思い込み，勘違い」である．最も多いのは特発性蕁麻疹であり，多くの患者が蕁麻疹発現の原因として何らかの食物を見い出したいと考える傾向があるが，蕁麻疹というだけで，安易にスクリーニング的な検査を行うことは慎まねばならない[10]．そのほか，極端な場合は，体調不良や疲労感などをすべてアレルギー症状と捉えてしまう患者にもしばしば遭遇するが，時間をかけた説明により理解を得るしかない．なお，一部の無責任なマスコミなどで紹介されている「IgG 抗体による遅延型食物アレルギー」については，食物関連の IgG（IgG_4）抗体価測定が特異抗体の存在を確認す

表 2　野菜・果物中の薬理活性物質の例

ヒスタミン	ホウレンソウ，トマト，トウモロコシ　など
セロトニン	トマト，バナナ，キウイフルーツ，パイナップル　など
アセチルコリン	なす，トマト，たけのこ，里いも，大和いも，クワイ　など
ニコチン	じゃがいも，トマト　など
サリチル酸化合物	トマト，きゅうり，じゃがいも，いちご，りんご　など

果物や野菜の中にはさまざまな薬理活性物質を含んでいるものがあり，これらの摂取によりアレルギー様症状が起こることがある

〔中村　晋，ほか（編）：最新食物アレルギー．永井書店，291-295，2002 を元に作成〕

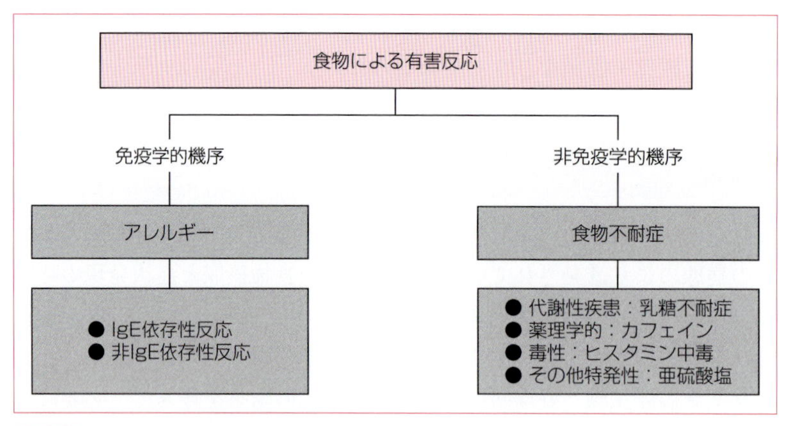

図5　食物による不利益な反応のタイプ

食物アレルギーは，「食物によって引き起こされる抗原特異的な免疫学的機序を介して生体にとって不利益な症状が惹起される現象」と定義される．免疫学的機序にはIgE 依存性反応と非 IgE 依存性反応がある．免疫学的機序によらないものを「食物不耐症」と総称する

〔海老澤元宏，ほか（監修），日本小児アレルギー学会食物アレルギー委員会（作成）：食物アレルギー診療ガイドライン 2021．協和企画，2021〕

るだけであり，対照研究に基づいたエビデンスが存在しないため診断的価値はない[11,12]．

6　社会生活上の注意と予後

前述のように，成人発症の食物アレルギーは小児期発症と異なり，通常は自然寛解がなく感作状態が生涯持続するため，原因食物の完全除去が原則であり，通常は特異的免疫療法を実施しない．成人の場合は外食も多く，原因食材が目に見えない形で食品に含まれる場合は誤食の原因となるため，重症度の高い症例においては，アドレナリン自己注射薬（エピペン®）の携帯は必須である．運動誘発の可能性がある場合は，原因食物を避けているつもりでも外食後は運動，入浴，NSAIDs 服用などを控え，外出時は常に救急要請のための携帯電話やスマートフォンを携帯することも勧められる．

成人特有の特殊性として，職業性曝露による食物アレルギーがある．職業性曝露による症状は，接触性皮膚炎，蕁麻疹，呼吸器症状にとどまることが多く，食物による職業性アナフィラキシーの報告は少ない．たとえば，海産物加工の従事者における職場での喘息発作や接触性皮膚炎の発症率は各々 7～36%，3～11%[13]にも達するが，職業性アナフィラキシーの報告はわずかである．これは，職場における食物への主な曝露の経路が吸入や経皮吸収によるものであり，経口摂取ではないためかもしれない．パン製造業の喘息発作や調理師の接触性蕁麻疹がその代表である．一方，職場で感作された食物アレルゲンの多くは通常の食生活で経口摂取することがあり，感作食物によるアナフィラキシーが職場以外で起こった場合には職業関連と認識されないことが理由と考えられる．

予後については，既往の症状による重症度やアレルギー学的検査成績の評価から予後を推測することは困難であり，現時点では，根拠のない推定は控えるべきである．

7 問題点

成人の食物アレルギー領域はいくつかの問題を包含している．小児の食物アレルギーの場合は保護者が患児を連れて専門医を訪れるのが通常であるが，成人の場合は患者が自己判断で問題解決をはかる傾向があり，最終的に原因アレルゲンにたどり着かぬままで日常生活を送っているケースが多い．もちろん，アナフィラキシーを経験した場合はさすがに専門施設を受診する場合が多いと思われるが，それでもなお「喉もと過ぎれば」で放置されることもあり，アナフィラキシーで救急搬送された医療機関でも，処置後の帰宅時に原因検索を勧められていないケースも存在する．いずれにしても，成人のアレルギー疾患に対処できる専門機関を増やすことが最重要課題である．

また，昨今のCOVID-19禍における問題の1つとして，外来を訪れる食物アレルギーや薬物過敏症の患者が必要以上に同ウイルスに対するワクチン接種を敬遠することがあげられる．アナフィラキシー歴のある患者が「アレルギー」そのものを畏怖することは理解できるが，少なくとも食物アレルギーがワクチンアレルギーとは無関係であることを丁寧に説明することがアレルギー専門医の義務と考える．

文献

1）日本医療研究開発機構（AMED）免疫アレルギー疾患実用化研究事業 重症食物アレルギー患者への管理および治療の安全性向上に関する研究：食物アレルギーの診療の手引き2020（研究開発代表者：海老澤元宏）．2021　https://www.foodallergy.jp/wp-content/themes/foodallergy/pdf/manual2020.pdf（参照 2022-2-11）
2）橋場容子，ほか：当センターにおける約10年間の成人食物アレルギー症例の検討．アレルギー **64**：620, 2015
3）Sampson HA：Anaphylaxis and emergency treatment. *Pediatrics* **111**：1601-1608, 2003
4）Sicherer SH, et al.：Food allergy：Epidemiology, pathogenesis, diagnosis, and treatment. *J Allergy Clin Immunol* **133**：291-307, 2014
5）鈴木慎太郎，ほか：納豆による遅発性アナフィラキシーを繰り返した1例．アレルギー **5**；832-836，2006
6）日本アレルギー学会（制作）：アナフィラキシーガイドライン．第1版，クニメディア，2，2014
7）中村　晋，ほか（編）：最新食物アレルギー．永井書店，291-295，2002
8）環境再生保全機構：ぜん息予防のための食物アレルギー対応ガイドブック2021改訂版　https://www.erca.go.jp/yobou/pamphlet/form/00/pdf/archives_31321.pdf（参照 2022-2-11）
9）海老澤元宏，ほか（監修），日本小児アレルギー学会食物アレルギー委員会（作成）：食物アレルギー診療ガイドライン2021．協和企画，2021
10）日本皮膚科学会蕁麻疹診療ガイドライン改訂委員会：蕁麻疹診療ガイドライン2018　https://www.dermatol.or.jp/uploads/uploads/files/guideline/urticaria_GL2018.pdf（参照 2022-2-11）
11）Stapel SO, et al.：Testing for IgG4 against foods is not recommended as a diagnostic tool：EAACI Task Force Report. *Allergy* **63**：793-796, 2008
12）Bock SA：AAAAI support of the EAACI Position Paper on IgG4. *J Allergy Clin Immunol* **125**：1410, 2010
13）Jeebhay MF, et al.：Occupational seafood allergy：a review. *Occup Environ Med* **58**：553-562, 2001

E 栄養・食事指導

椙村春江
（名古屋学芸大学 管理栄養学部）

1 食物アレルギーの栄養・食事指導とは

食物アレルギーの原因抗原は，鶏卵・牛乳・小麦が全体の70%を占めている[1]．その多くは乳幼児期に発症し，6歳までに60～90%が耐性獲得する[2～4]．よって，食物アレルギーの食事指導は，乳児期の離乳食指導，幼児期の除去食指導，および不足する栄養素を補う代替食指導，最終的には摂取可能なアレルゲン量を指導する解除指導がある．

このように，成長過程での年齢別ステージに合わせた介入，食事指導が必要であり，子どもたちへの食教育や，家族全体のQOLの向上を目指した指導を行う必要がある．本項では，その一連の食事指導を実践するためのポイントについて解説する．

2 離乳食指導

1．離乳食開始月齢

食物アレルギーと診断された保護者にとって，母乳以外の食品を与える行為には不安や悩みがつきまとい，離乳食を遅らせてしまうケースが散見される．それらを解消するためには，正しい知識と理解が必要であり，今後の離乳食を進めるうえでも重要な指導介入ポイントといえる．

保護者が安心して離乳食をスタートさせるためには，「授乳・離乳の支援ガイド」[5]に準拠し，正しい診断のもと，食物アレルギー児でも安全に食べられる食品，与える量，タイミング，調理方法を指導する．開始時に利用される米，イモ類（じゃがいも，さつまいも），野菜類（大根，にんじん，かぼちゃなど）がアレルゲンとなることは少ない．はじめて与えるときは，体調のよいときに，十分に加熱調理したものを少量から与える．さらに，味覚の発達が顕著なこの時期には，児が「おいしく，喜んで，もっと食べたい」意欲を引き出すため，「甘味・旨味」を効かせた調理方法が有効である．

食物アレルギーであっても，離乳食の開始や進行を遅らせる必要はなく，遅くとも生後6か月までには開始したい．離乳食開始の方法を図1に示す．

2．卵・乳・小麦除去の離乳食指導

この時期は食物経口負荷試験（oral food challenge：OFC）での確定診断が難しいが，症状誘発を認めたり，特異的IgE値が高値を示す食品の開始は見合わせる必要がある．あいち小児保健医療総合センターでは，卵・乳・小麦を使わない離乳食資料を作成し，指導に用いている．月齢に見合った食材，1回に与える量，おいしく作る調理法，水分補給，調味に至るまで，詳しく解説している．特に，調理スキルの低い現代の母に向けて，簡単で実行可能な調理指導に

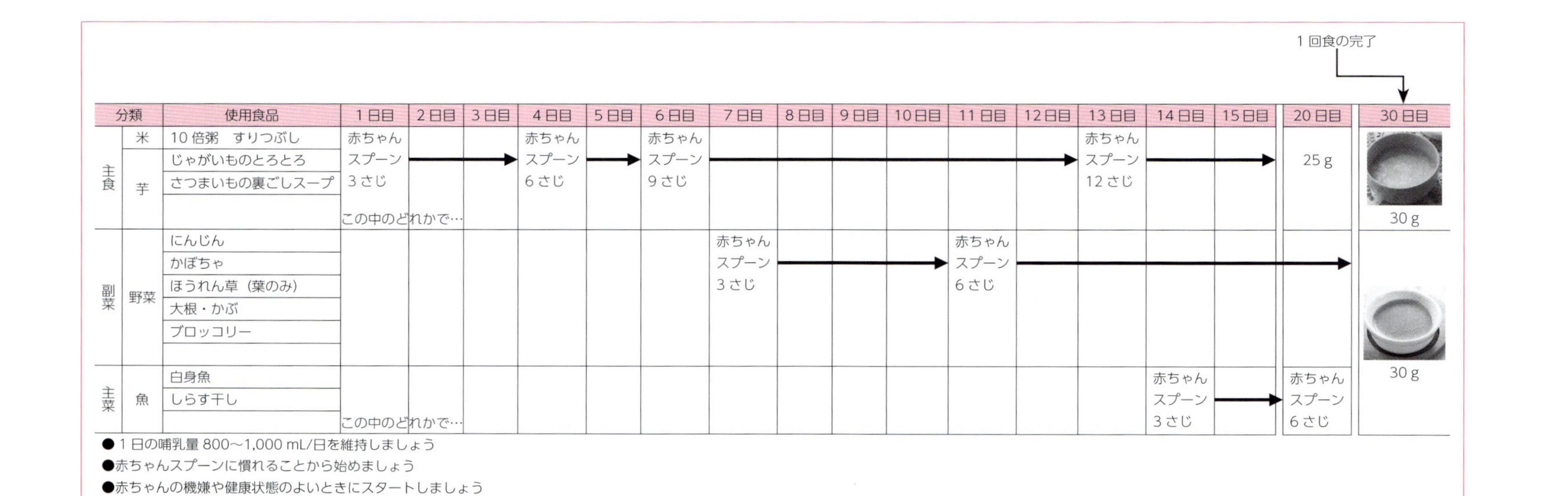

分類		使用食品	1 日目	2 日目	3 日目	4 日目	5 日目	6 日目	7 日目	8 日目	9 日目	10 日目	11 日目	12 日目	13 日目	14 日目	15 日目	20 日目	30 日目
主食	米	10 倍粥　すりつぶし	赤ちゃんスプーン 3 さじ	→	→	赤ちゃんスプーン 6 さじ	→	赤ちゃんスプーン 9 さじ	→	→	→	→	→	→	赤ちゃんスプーン 12 さじ	→	→	25 g	30 g
	芋	じゃがいものとろとろ																	
		さつまいもの裏ごしスープ																	
			この中のどれかで…																
副菜	野菜	にんじん							赤ちゃんスプーン 3 さじ	→	→	→	赤ちゃんスプーン 6 さじ	→	→	→	→	→	30 g
		かぼちゃ																	
		ほうれん草（葉のみ）																	
		大根・かぶ																	
		ブロッコリー																	
主菜	魚	白身魚														赤ちゃんスプーン 3 さじ	→	赤ちゃんスプーン 6 さじ	
		しらす干し																	
			この中のどれかで…																

● 1 日の哺乳量 800～1,000 mL/日を維持しましょう
●赤ちゃんスプーンに慣れることから始めましょう
●赤ちゃんの機嫌や健康状態のよいときにスタートしましょう
●甘み（いも，かぼちゃなど），旨味（昆布，かつおだし）を効かせましょう
●お腹をすかせた状態の授乳前に 1 日 1 回与えましょう
● 6 か月までには開始しましょう

図 1 離乳食開始 1 か月の進め方

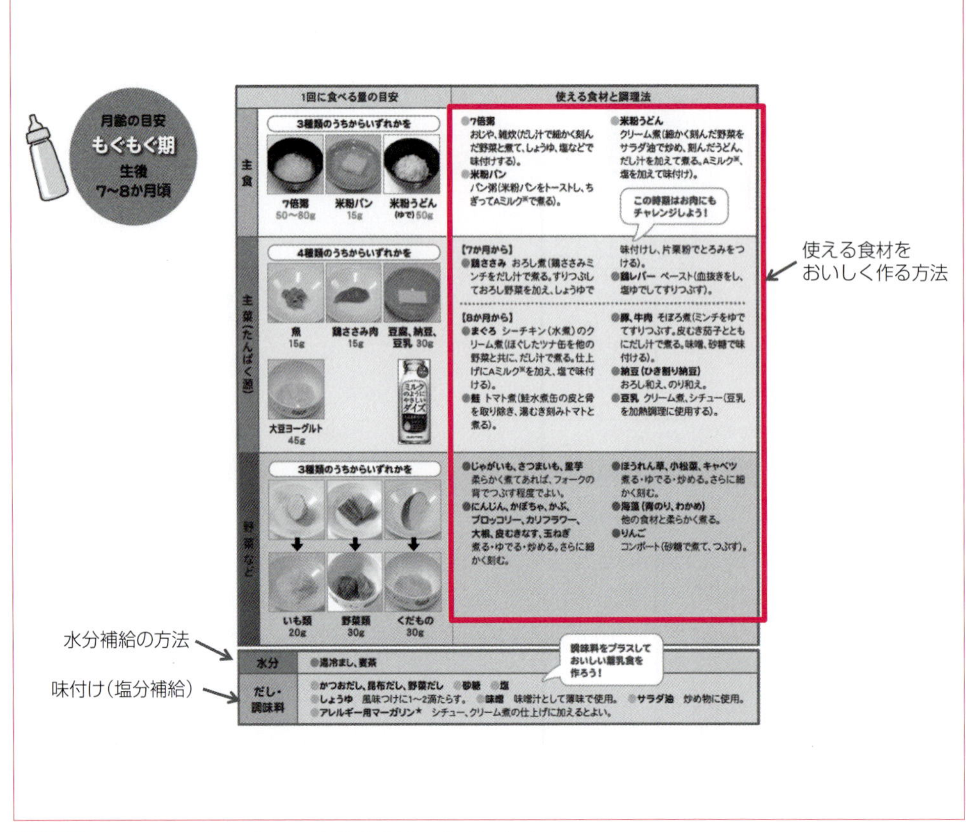

図2 卵・乳・小麦除去の離乳食指導用資料（1 例）
〔伊藤浩明（監修），あいち小児保健医療総合センターアレルギー科（作成）：おいしく治す食物アレルギー攻略法．改訂第 2 版．2018〕

重点をおいて指導している（図 2）[6]．

同時に，摂取開始の可否を判定するための血液検査や OFC を行う時期の目安をあらかじめ伝えて，いつまでも除去が続くわけではないという見通しを伝えておくことも大切である．

3. 体重増加不良児への対応

乳児期の体重増加不良の多くは，アトピー性皮膚炎の悪化や，母乳不足が原因で起こる．焦って離乳食を進めることは，児の受け入れが悪く直接的な体重増加には繋がらない．指導プランの作成に向けて，下記の栄養アセスメントをすることが重要となる．

- 身体計測（パーセンタイル成長曲線）→体重増加不良の時期を探る
- 運動発達の評価（定頸，お座り，ハイハイ）
- 乳歯萌出と摂食機能
- 生活リズム（睡眠時間，覚醒回数，授乳頻度）
- 栄養量（哺乳量の調査）
- 母の家事，育児能力
- その他の疾患（湿疹）コントロール

これらの評価・モニタリングを繰り返し，患児個々に合った指導法を探る．離乳食が進まない原因としては，児の摂食機能の発達に見合った離乳食が与えられていないことが多い．

体重を増やすための栄養量の確保は，哺乳量を増やすことが最優先となる．母の母乳不足原因といえる疲労やストレスを考慮し，授乳時間や回数を調整する．育児用調製粉乳，またはアレルギー用ミルク※1（図 3）[6] の併用も考慮する．アレルギー用ミルクはアミノ酸臭が強くて飲みにくく，ビオチンやカルニチンが添加されているが，一部のミルクにはセレンが添加されていない．そのため，乳児期早期に導入する場合は微量元素の補充も考慮し，適切な時期の離乳食開始を心がける．

牛乳アレルギー児の離乳食にアレルギー用ミルクを使用することは，カルシウム不足を補うための重要な手段となる．おいしく作るための調理のポイントを工夫して，具体的に指導することが求められる（図 4）[6]．

3 除去・代替食指導

アレルゲン除去が必要な患児に対しては，誤食を起こさない安全な食生活と，栄養摂取を充足させて，豊かな食生活を送るための指導が求められる．しかし現状は，不必要な食物除去でQOL 低下を招いたり[7]，成長上の問題も報告されている[8]．

除去食生活を豊かに過ごすためには，まず不必要な食物制限を排除して，代替食品を利用した調理上のスキルが求められる[9]．幼児期は好き・嫌いが急激に増加する時期であり，また，味覚の発達や食習慣を形成する時期でもあるため，栄養食事指導においても「確実に除去する」だけでなく，「おいしく，楽しく食べる」，「食経験を豊かにする」といった大原則に立って，患児，保護者とかかわっていく必要がある．

1. アレルギー表示

アレルゲン食品の表示は，特定原材料として 7 品目の表示を義務づけており，特定原材料に準ずるものとしては，21 品目の表示が推奨されている．詳細については，第Ⅴ部 E「アレルゲンを含む加工食品の表示」（p.301）を参照されたい．

2. 誤食防止

誤食は，食品の購入から調理，配膳，後片づけのあらゆる場面で発生する．さらに，外食や旅行など，社会生活の中でも生じ得る．安全な対策をアドバイスするとともに，過剰な不安に陥らないようにカウンセリングを行う．詳細については，第Ⅴ部 B「患児・保護者への生活指導」（p.278）を参照されたい．

3. 食事との栄養アセスメント

食物除去中の栄養問題として，離乳期の鉄欠乏性貧血[10]，牛乳アレルギー児のカルシウム不足[11]，魚アレルギー児のビタミン D 不足[12,13] が指摘されている．どれも乳幼児期には必要不可欠な栄養素で，原因食物が特定の栄養素を多く含有することで，慢性的な摂取量不足を引き起こす．

これを補うためには不必要な食物除去をなくし，日々，バランスよく摂取することが基本となる．さらに，実際の指導プランへ繋げるため，以下の栄養アセスメントを行う．

【栄養アセスメント】

・家庭における食生活の状況調査（嗜好・食習慣・保護者のこだわり，料理スキルなど）

※1 アレルギー用ミルク：正式名称は，牛乳アレルゲン除去調製粉乳．加水分解乳とアミノ酸乳，調製粉末大豆乳がある．

		大豆乳	加水分解乳		アミノ酸乳
商品名		 ボンラクト（アサヒグループ食品）	 ミルフィー®HP（明治）	 ニューMA-1®（森永乳業）	 エレメンタルフォーミュラ®（明治）
組成	タンパク質源（分解物）	分離大豆タンパク	乳清	カゼイン	アミノ酸
	乳糖	（－）	（－）	（－）	（－）
	大豆成分	（＋）	（－）	（－）	（－）
最大分子量		―	3,500 以下	1,000 以下	―
安全性		軽症者に適応 ⟷			重症者に適応
飲みやすさ		飲みやすい ⟷			飲みにくい

- ●アレルギー反応を起こしにくい状態まで低分子化されている
- ●患児の重症度により商品選択が必要
- ●低分子化されているものほど飲みにくい
- ●ビオチン，セレンなどの栄養素が少なく，欠乏症に注意

図3 アレルギー用ミルクの特徴（資料）
〔伊藤浩明（監修），あいち小児保健医療総合センターアレルギー科（作成）：おいしく治す食物アレルギー攻略法．改訂第2版．2018より一部改変〕

図4 体重増加を目的とした離乳食レシピ（資料）
〔伊藤浩明（監修），あいち小児保健医療総合センターアレルギー科（作成）：おいしく治す食物アレルギー攻略法．改訂第2版．2018〕

・食事調査（栄養摂取量の評価）
・自己判断による過剰な食物制限の確認
・身体計測，血液検査（栄養状態の評価）

【指導プラン】

・栄養素を多く含んだ食品や強化食品の紹介
・食材や食品の具体的な取り入れ方
・簡単な調理加工方法
・除去食品に関する正しい知識と理解の習得

4. 精度の高い食事調査の重要性

食物アレルギー児の栄養状態を把握するための食事調査は重要である．指導時間や保護者の負担を考慮して，問診（24 時間思い出し法）が多く行われている．しかし，その精度は低く，問診者（栄養士）個々の判定誤差が生じやすい．

適格な指導方針を導き出すためには，食事記録法＋写真法による調査（図 5）が望ましい．食事記録法は，記録用紙を配布し，料理名，材料名，使用量（g）または目安量（杯，枚，個など）を朝食，昼食，夕食，間食に分けて，3 日間分（連日でなくてもよい）の記入を依頼する．その際，日常のありのままの食生活を記録するよう依頼する．記入された内容は必ず問診で再確認し，記入漏れや，摂取量が正しく書かれているかチェックする．市販の加工品をはじめ，通信販売で入手する強化食品，機能性食品，アレルギー対応食品などは，商品名を記載してもらい，後日インターネットなどで原材料，栄養成分情報を検索する．

写真法は，摂取前後の食事全体を携帯カメラなどで撮影し，指定のアドレスへ送信してもうとよい（図 5）．この方法は，食事記録と写真の照合で，正確な摂取量が算出できる．料理スキルが評価できるとともに，摂取後の残食写真で児の嗜好も把握しやすいといったメリットがある．特に，早期改善が必要な低栄養状態の患児の場合，予想を超えた食事をしていることも多く，この方法が最も適切である．

図 5　食事調査例（写真法：スマートフォンカメラよりデータ送信）

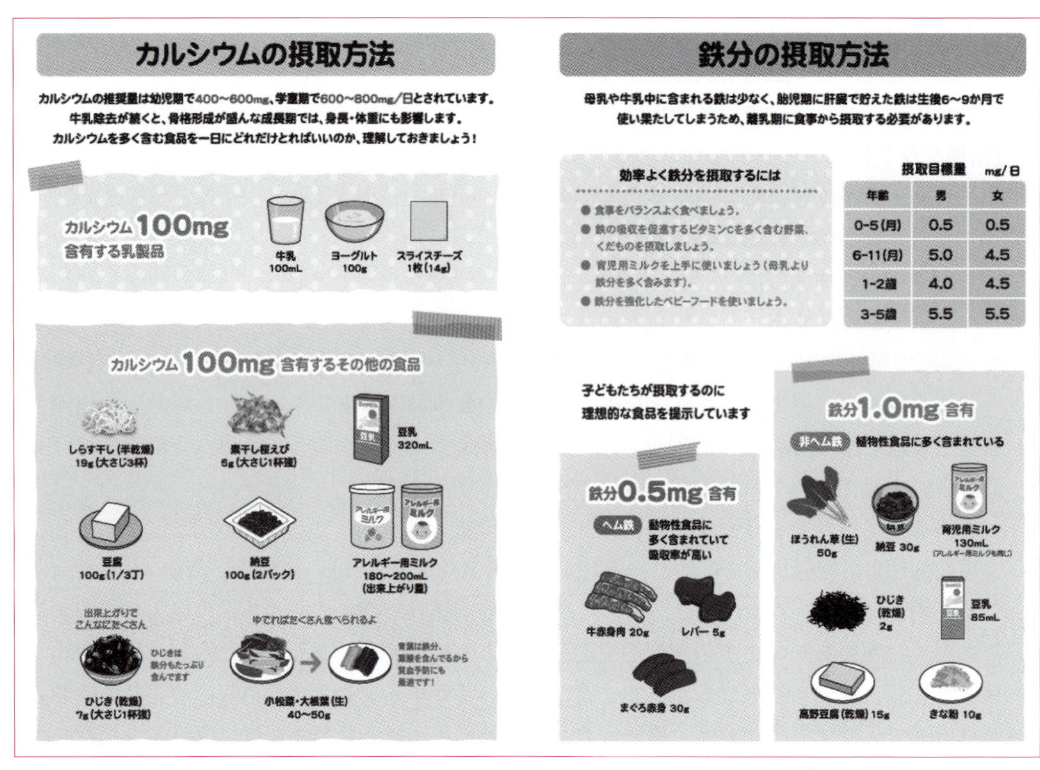

年齢	男	女
0-5(月)	0.5	0.5
6-11(月)	5.0	4.5
1-2歳	4.0	4.5
3-5歳	5.5	5.5

図6 カルシウム，鉄分の多い食品（資料）

〔伊藤浩明（監修），あいち小児保健医療総合センターアレルギー科（作成）：おいしく治す食物アレルギー攻略法．改訂第2版．2018〕

5．自己判断による食物制限への対応

食物アレルギーと診断された児の保護者は，はじめて与える食物に恐怖心を抱き，自己判断で制限食物を増やしていく傾向にある．これらの原因は，過去の誤った医師の指示や，疑わしい症状の既往が放置されていること，一般的に「アレルギーが強い」と知られている食品（ソバ，木の実類，甲殻類，青背魚，キウイ，ヤマイモ），交差抗原性に関する誤解（鶏卵：魚卵，鶏肉，ピーナッツ：すべての木の実類，大豆：ほかの豆類など），アレルギー表示の誤解（牛乳：乳化剤，乳酸，ピーナッツバター，乳糖），保護者の食事歴（料理したことがない）など食物アレルギーへの知識不足が原因で起きている．

これら制限食物を減らすための食事指導には，保護者への食品学的教育ができるよう，指導者（栄養士）は理解をしておく必要がある．

6．代替食の指導

食事調査にて，実際に不足している栄養素が確認できたら，その栄養素はどのような食品に多く含まれるかを指導する（図6）[6]．また，食事摂取基準[14]から，対象年齢の食品構成（図7）[6]を提示し，具体的にどのような食品へ置き換えるかを一緒に検討するとよい．保護者自らが，児の嗜好面や，調理のしやすさなどを考えて食品を選択することで，実行可能で継続的な方法が発見できる．

7．調理指導の必要性

働く女性が増え，家事，調理スキルの低い現代の母へ向けた指導として，調理の指導は不可欠である．特に小麦除去の場合，小麦粉を米粉や片栗粉で代用するなどの調理技術が日常生活の中で必要となるため，母のストレス，負担は大きい．市販されているアレルギー対応商品（図

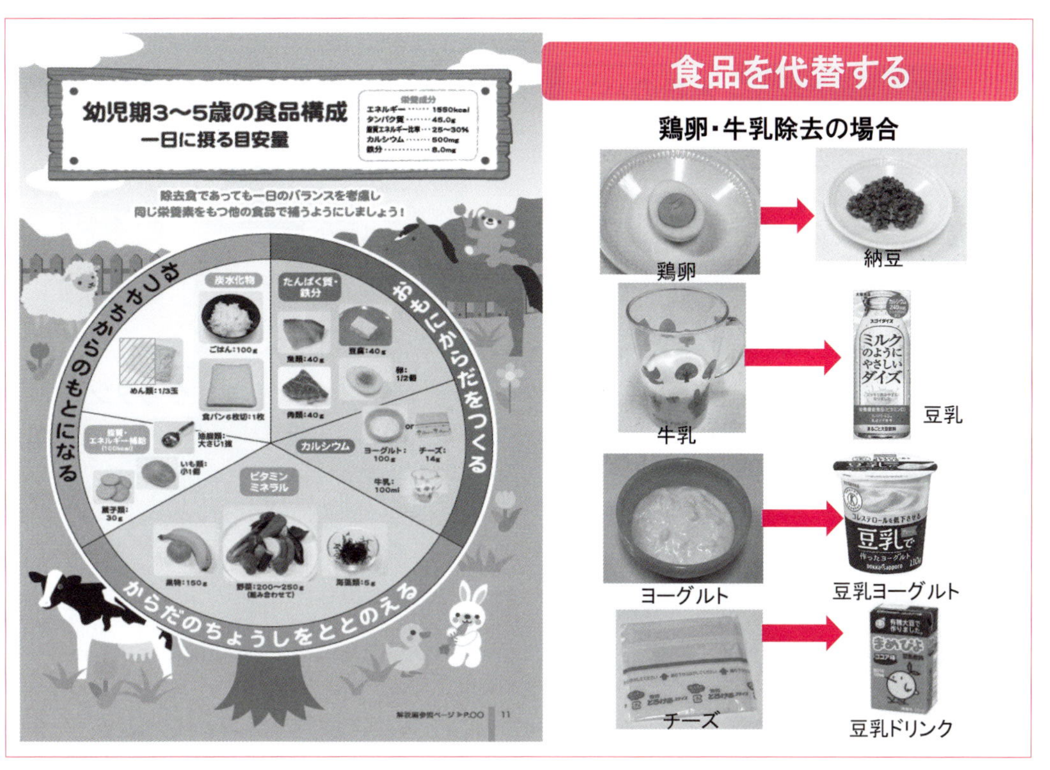

図7　食品構成と代替食品（資料）
〔伊藤浩明（監修），あいち小児保健医療総合センターアレルギー科（作成）：おいしく治す食物アレルギー攻略法．改訂第2版．2018より一部改変〕

図8　アレルギー対応商品

図9 小麦除去に対応した調理指導

8）の紹介や調理教室への参加，短時間で簡単にできるレシピの提供（図9）は，保護者のニーズも高い．

4 除去解除指導

食物アレルギーの治療方針として，診療ガイドライン[15]には「正しい診断に基づく必要最小限の除去」と表現されている．さらに，症状が誘発されない「食べられる範囲」までは食べる[16]，という基本姿勢が定着化し，「避ける指導」から「おいしく食べる指導」へのニーズが高まっている．それには，患児，保護者の食生活QOL改善のみでなく，完全除去をできる限り避けて，少量でもアレルゲンを積極的に摂取することで早期の耐性獲得を目指す意が込められている[17]．

以下に，当科で実施しているOFC結果をもとに確認された安全量を開始し，摂取量を徐々に増やしながら完全解除を目指していく除去解除のための食事指導（鶏卵・牛乳・小麦）を紹介する[18〜21]．

1．食物経口負荷試験の結果に基づく摂取開始量の設定

当科では，加熱卵白，牛乳，うどんを用いたOFCにおいて，症状が誘発された最終負荷量と誘発症状のグレードによって，摂取開始量を定量的に設定している（図10）．たとえば，最終負荷量10 gでグレード2の症状が誘発された場合，摂取開始量は最終負荷量から2段階減らした2 gとなる．

当科で除去解除を指導する対象者は，OFC陰性者と，この基準に従って負荷食品を2 g以上

負荷試験結果 ＼ 最終負荷量	摂取を開始する量				
	陰性	グレード 1	グレード 2	グレード 3	グレード 4
20 g	20 g	10 g	5 g	2 g	完全除去の継続
10 g	10 g	5 g	2 g	完全除去の継続	完全除去の継続
5 g	5 g	2 g	完全除去の継続	完全除去の継続	完全除去の継続
2 g	2 g	完全除去の継続	完全除去の継続	完全除去の継続	完全除去の継続

・負荷陰性：最終負荷量（総負荷量の半分）から摂取開始
・負荷陽性：症状グレードに応じて 1～2 段階落とした量から開始

図10 負荷試験結果に基づく摂取開始指示量（ゆで卵白・牛乳・うどん）
〔あいち小児保健医療総合センター　アレルギー科〕

摂取可能と判定された負荷陽性者である．それら対象者が外来診察と食事指導を繰り返し，自宅にて，定量期→応用期→仕上げ期→完全解除を迎える過程を解説する．

2. 定量期の摂取指導ポイント

当科では，“食べられる範囲”を明確に把握しながら食事指導を進めるために，あえてアレルゲン食品そのものを用いた摂取指導を行っている．

鶏卵については，ゆで卵・いり卵・薄焼き卵を基本とする．いり卵と薄焼き卵は，加熱調理の方法を具体的に示し（図 11），加熱による水分蒸散のために摂取できる重量が約 40% 減少することも考慮する．

牛乳については牛乳またはヨーグルト，小麦についてはゆでうどんを基本とする．定量期は，指定された食品のみを定量的に食べるといった安全性を評価する重要な期間である．日々，アレルゲンを薬のように食べ続ける必要があるため，児の拒否感を強くしないよう，摂取時の工夫やマスキングの方法などを指導し，また保護者の負担も考慮し，冷凍保存などで手軽に利用，継続できる方法を伝授する．

3. 応用期の摂取指導ポイント

摂取可能な量を他の食品に応用する場合は，摂取しようとする食品の栄養表示，または食品成分表を参考として，タンパク質含有量に基づいて計算する．たとえば，標準的なうどん（ゆであがり）は小麦タンパク質を 2.3% 含有するが，マカロニ（ゆであがり）は 5.3% のタンパク質含有量であるため，うどん 20 g の摂取は，マカロニ 8.6 g の摂取に相当する（表 1）[22]．乳製品のタンパク質含有量は，牛乳（3.0%），ヨーグルト（3.3～4.0%）に対し，バターは 0.5%（約 1/5 量），プロセスチーズは 21.6%（約 7 倍）と大きく異なることを知っておく必要がある．ヨーグルトやチーズは，商品による含有量の違いがあるので，商品の栄養表示に記載されているタンパク質含有量を参考に換算すると正確である．

加工食品の摂取解除に関しては，多くの食品メーカーに加工食品に含有する鶏卵タンパク質の量を問い合わせて，図 12 のような資料を作成した．この資料には，確認された各商品の中で鶏卵含有量の多いものを基準として，全卵 1/40 個（卵白として約 1 g）以下の摂取量となる目安を示している．調理については，実際に調理して鶏卵の含有量を推定した．これら加工食品は，原則として卵白 2 g 以上安全に食べられることを確認してから摂取を許可する．

その後，上記の指導によって一定量の摂取が繰り返し問題なくできた患児に対して，約 10～20% ずつの増量を指導する．加工食品に関しては，摂取量の誤差を想定して，確認された許容量より少なめの摂取を許可し，日常の食事の中に少量でもアレルゲン含有食品を取り入れるよ

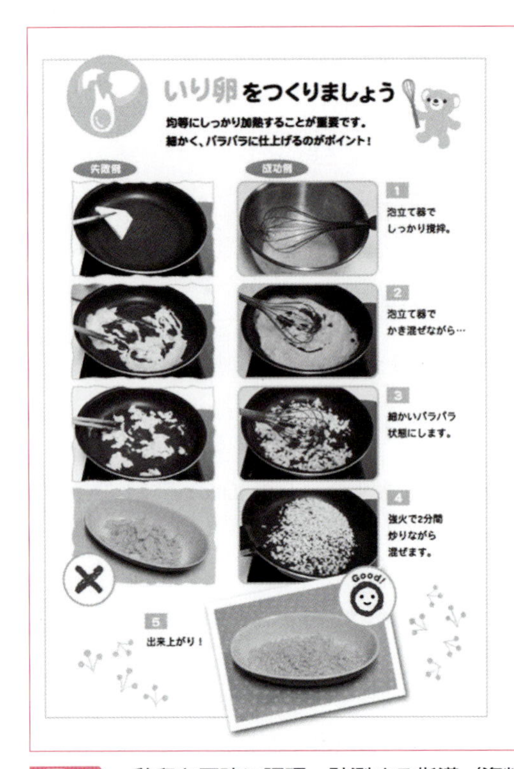

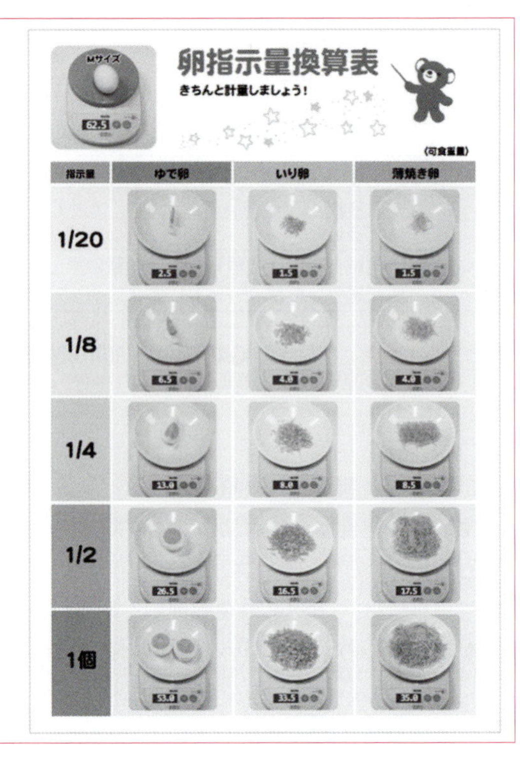

図11　鶏卵を正確に調理・計測する指導（資料）
〔伊藤浩明（監修），あいち小児保健医療総合センターアレルギー科（作成）：おいしく治す食物アレルギー攻略法．2018〕

表1　小麦加工食品中のタンパク質含有濃度（%）

食品の種類	食品	タンパク質含有量(%)	食品の種類	食品	タンパク質含有量(%)
パン	食パン	7.4	中華めん	ゆであがり	4.8
	ロールパン	8.5		生めん	8.5
	クロワッサン	5.9		即席中華めん(油揚げ)	8.2
うどん	生うどん—生めん	5.2	マカロニ・スパゲッティ	ゆであがり	5.3
	生うどん—ゆでめん	2.3		乾めん	12.0
	干しうどん—乾めん	8.0	ぎょうざ	ギョウザの皮	8.4
	干しうどん—ゆでめん	2.9	小麦粉	薄力粉・1等	7.7
	沖縄そば—ゆでめん	5.1		中力粉・1等	8.3
そうめん・ひやむぎ	乾めん	8.8		強力粉・1等	11.0
	ゆでめん	3.3			

(一部は小麦以外のタンパクを含む)
〔文部科学省科学技術学術審議会資源調査分科会：日本食品標準成分表（八訂）．文部科学省，2021〕

うに指導する．

しかし，摂取時に感じる口腔内の痒みや違和感，まれに経験する口周囲の発赤など軽微な症状のために，継続的な摂取や増量に不安を感じる症例もある．その場合は，必ずしも摂取や増量を強制せず，違和感なく摂取できる調理方法や加工食品の工夫をして，まずは少しでも食生活を広げることを優先する．

この応用期は，これまで除去していた食品を“食べても大丈夫”といった安心感と，食育として“おいしく食べる”，“みんなで食べる”，“楽しく食べる”といった食環境を獲得していく

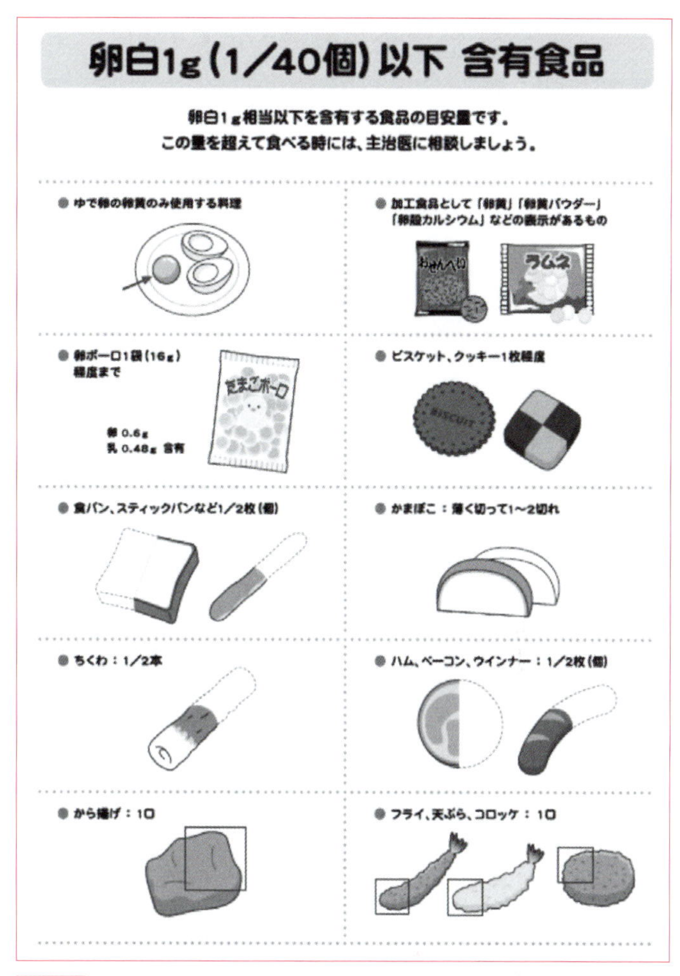

図12 全卵1/40個以下（卵白1g以下）の含有加工品目安（資料）
〔伊藤浩明（監修），あいち小児保健医療総合センターアレルギー科（作成）：おいしく治す食物アレルギー攻略法．2018〕

時期である．これには保護者の理解とスキルが不可欠である．決められたアレルゲン量を料理に応用できているか，おいしく食べることができているか，摂取頻度を増やせるか，保護者自身が除去していた食品を日常的に躊躇なく使うことができるか，などが重要なポイントとなる．

4. 医師と管理栄養士の連携の重要性

指示された量を安全に正確に摂取できているかを確認するために，毎回の摂取量，摂取時間，誘発症状などを食物日誌に記録する．この日誌を栄養士が診察前に確認し，保護者の心配事や質問などを整理して主治医に伝達する．主治医は，この記録から安全性と継続性が確認できれば，その後の摂取回数や増量を含めた摂取プランを指示し，栄養士はそれを受けて再度具体的な食事指導を行う．こうした医師と管理栄養士の連携は，保護者に対してより具体的な食事指導が実施できると同時に，医師の診療の効率化にもつながる．また，医師が摂取可能なアレルゲン量を明確に指示して安全性に責任を持つことにより，栄養士はそれを超えない範囲で，加工食品や調理法の工夫について安心して指導することができるなど，診療の質向上に向けてのメリットも大きい．

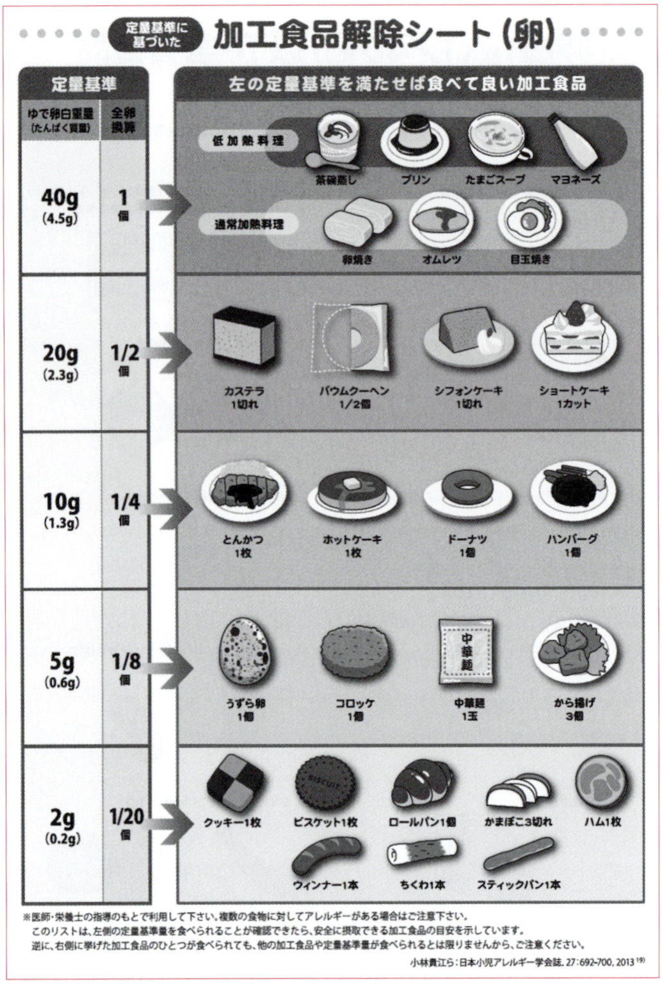

定量基準に基づいた 加工食品解除シート（卵）

定量基準 ゆで卵白重量（たんぱく質量）	全卵換算	左の定量基準を満たせば食べて良い加工食品
40g（4.5g）	1個	低加熱料理：茶碗蒸し、プリン、たまごスープ、マヨネーズ 通常加熱料理：卵焼き、オムレツ、目玉焼き
20g（2.3g）	1/2個	カステラ1切れ、バウムクーヘン1/2個、シフォンケーキ1切れ、ショートケーキ1カット
10g（1.3g）	1/4個	とんかつ1枚、ホットケーキ1枚、ドーナツ1個、ハンバーグ1個
5g（0.6g）	1/8個	うずら卵1個、コロッケ1個、中華麺1玉、から揚げ3個
2g（0.2g）	1/20個	クッキー1枚、ビスケット1枚、ロールパン1個、かまぼこ3切れ、ハム1枚、ウィンナー1本、ちくわ1本、スティックパン1本

※医師・栄養士の指導のもとで利用して下さい。複数の食物に対してアレルギーがある場合はご注意下さい。
このリストは、左側の定量基準量を食べられることが確認できたら、安全に摂取できる加工食品の目安を示しています。
逆に、右側に挙げた加工食品のひとつが食べられても、他の加工食品や定量基準量が食べられるとは限りませんから、ご注意ください。

小林貴江ら：日本小児アレルギー学会誌，27：692-700，2013[19]

図13 鶏卵加工食品解除シート（資料）
〔伊藤浩明（監修），あいち小児保健医療総合センターアレルギー科（作成）：おいしく治す食物アレルギー攻略法．2018〕

5．仕上げ期の摂取指導ポイント

継続的な定量摂取で主食，主菜となるような1食量（鶏卵1個，牛乳200 mL，うどん200 g）にまで到達していることが確認されれば，日常の食生活の中で一般的な食べ方ができるよう指導を行う．鶏卵であれば加熱レベルを徐々に落とし，プリン，茶碗蒸し，マヨネーズなどをステップごとにチャレンジする（図13）．牛乳であればシチュー，ピザ，グラタンなど，小麦であればルー，パスタ，パンなどいろいろな食べ方ができることを実感してもらう．

摂取後に運動するとアレルギー症状が誘発される場合があるため，食後の運動に伴う症状の有無を確認しながら，完全解除へ向けた指導を継続する．

5 除去食解除のゴール設定

完全解除の判断基準として，多くの患児や保護者が期待するゴール設定は，給食を安全に全量摂取できることである．しかし，特に牛乳，小麦の給食でのハードルは高く，アレルゲンを含有するメニューの組み合わせ（牛乳＋パン＋シチュー，カレー＋ソフトめんなど）によっては，牛乳 400 mL 以上，うどん 300 g 以上一度に摂取できなくてはならない．しかし，自宅でそこまで摂取する場面は，意識的に行わなければ必ずしも多くない．

解除のゴールは，保護者の思いと患児本人の気持ちが必ずしも一致していないことも多い．特に小学校高学年以上の患児の場合は，本人が何を望むか，どのような生活をしたいか，将来の目標は，などについて本人の意見を聞き，一緒に決めることが望ましい．

牛乳は 100 mL 相当摂取できれば，パン，シチュー，チーズなど，ほとんどの乳加工品，料理が摂取できる．また牛乳は，200 mL 以上飲めても直接大量摂取することを好まない患児が多く，心理的な事情を考えると，必ずしも通常の 1 食摂取量（200 mL）を目指す必要もない．一方で，皆と同じ給食を食べること，栄養面でのカルシウム充足率を考えると，牛乳 200 mL 以上の摂取が可能になることが求められる．

小麦は，主食として摂取できることを目指したい．小麦はほかの食物に比べて，使用頻度が高く，摂取を嫌がる患児も少ない．しかし，パスタやパンを好きなだけ食べるためには，うどん換算で 400 g 近いタンパク質摂取量の安全性を確認しておく必要がある．

卵は，量的に，つなぎ料理や加工食品として摂取するには 1/2 個相当食べられれば十分であり，質的には，加熱を緩めたプリン，マヨネーズ，卵とじなどを食べることができればよい．

食事指導を終了するポイントとして，「安心して食べられる」＝年齢相当の 1 食分を食べても症状が出ない，と確認されていることが望ましい．その後も，「食べない」方向に戻ってしまうことのないよう「意識的に一定量を食べる」ことの継続は必要である．なぜなら，完全解除後の食生活の実態を調査すると，1 食量を食べている子どもは，半減していたからである[23]．こうしたゴールをどこに設定するのかについては，患児の個別性に配慮することになるが，管理栄養士としての最低限のコンセンサスとしては，家庭外での集団生活において，自己判断で食べられるものを容易に選べるレベルを維持してもらいたい．

おわりに

食物アレルギーの栄養食事指導は，離乳期〜幼児期〜学童期と，身体面，精神面におけるこころとからだの成長期であることを忘れてはならない．

患児と家族の除去食生活は，患児のみでなく，家族全員が除去をし，誤食を防止してきた背景がある．その長期化から，食べられることが確認されても，「児が食べたがらない」，「食べさせ方がわからない」などの意見もある．また，原因食物を未摂取のまま除去を継続してきた患児も多く，生まれてはじめて食べる場面が病院での負荷試験となるケースもまれではない．食物アレルギー児への食事指導を行う際には，このような食形成期における食経験の乏しさを前提とすることが求められる．

幼児期にいたずらに除去を継続するのではなく，早期に介入し，少量からでも摂取を試みる重要性を痛感する．食物アレルギーの食事指導で重要なことは，アレルゲンである食物を「悪者にしない」，「おいしく楽しく食べられる生活を取り戻すこと」である．そのことが解除への意欲となり，抵抗感なく摂取できてこそ，はじめて真のゴールというべきであろう．

文献

1）今井孝成，ほか：消費者庁「食物アレルギーに関連する食品表示に関する調査研究事業」平成 29（2017）年

即時型食物アレルギー全国モニタリング調査結果報告．アレルギー **69**：701-705，2020
2）Ohtani K, et al.：Natural history of immediate-type hen's egg allergy in Japanese children. *Allergol Int* **65**：153-157, 2016
3）Koike Y, et al.：Predictors of Persistent Milk Allergy in Children：A Retrospective Cohort Study. *Int Arch Allergy Immunol* **175**：177-180, 2018
4）Koike Y, et al.：Predictors of Persistent Wheat Allergy in Children：A Retrospective Cohort Study. *Int Arch Allergy Immunol* **176**：249-254, 2018
5）厚生労働省：授乳・離乳の支援ガイド（2019 年改訂版）．2019
6）伊藤浩明（監修），あいち小児保健医療総合センターアレルギー科（作成）：おいしく治す食物アレルギー攻略法．改訂第 2 版．2018
7）長谷川実穂，ほか：不適切な食物除去が食物アレルギー患者と保護者に与える影響．日本小児アレルギー学会誌 **25**：163-173，2011
8）柳田紀之，ほか：多品目の食物除去が身長に及ぼす影響．日本小児アレルギー学会誌 **27**：721-724，2013
9）伊藤浩明：食物アレルギー診療のエンドポイント．アレルギー **58**：1557-1566，2009
10）木村正彦：乳幼児の鉄欠乏性貧血と母乳栄養．小児科臨床 **67**：2401-2406，2014.
11）楳村春江，ほか：遷延する牛乳アレルギー患者のカルシウム摂取量と骨密度の調査．小児科臨床 **73**：1541-1547，2020
12）森川みき，ほか：魚肉アレルギー患児におけるビタミン D およびカルシウム摂取についての検討．日本小児アレルギー学会誌 **23**：287-294，2009
13）横山忠史，ほか：不適切な食事環境により発症したビタミン D 欠乏性くる病の 2 例．小児科臨床 **62**：277-282，2009
14）厚生労働省「日本人の食事摂取基準」策定検討会報告書：日本人の食事摂取基準（2020 年版）．2019
15）海老澤元宏，ほか（監修）日本小児アレルギー学会食物アレルギー委員会（作成）：食物アレルギー診療ガイドライン 2021．協和企画，2021
16）厚生労働科学研究班，海老澤元宏（研究代表者）：食物アレルギーの栄養指導の手引き 2017．厚生労働省，2017
17）Itoh N, et al.：Rush specific oral tolerance induction in school-age children with severe egg allergy：one year follow up. *Allergology Int* **59**：43-51, 2010
18）小林貴江，ほか：食物経口負荷試験の結果に基づくアレルゲン食品摂取指導（第 1 報）．日本小児アレルギー学会誌 **27**：179-187，2013
19）小林貴江，ほか：鶏卵経口負荷試験陽性者に対する除去解除を目指した食事指導（第 2 報）．日本小児アレルギー学会誌 **27**：692-700，2014
20）小田奈穂，ほか：牛乳アレルギーにおける除去解除のための食事指導（第 3 報）．日本小児アレルギー学会誌 **27**：701-709，2014
21）楳村春江，ほか：タンパク質換算を用いた小麦アレルギー患者への除去解除指導（第 4 報）．日本小児アレルギー学会誌 **27**：710-720，2014
22）文部科学省科学技術学術審議会資源調査分科会：日本食品標準成分表（八訂）．文部科学省，2021
23）楳村春江，ほか：鶏卵・牛乳アレルギー児における除去解除後の食生活実態調査（第 5 報）．日本小児アレルギー学会誌 **29**：691-700，2015

F 経口免疫療法

佐藤さくら
（国立病院機構 相模原病院 臨床研究センター アレルギー性疾患研究部）
海老澤元宏
（国立病院機構 相模原病院 臨床研究センター）

1 経口免疫療法の方法

1．定義と概要

「食物アレルギー診療ガイドライン 2021」（以下，ガイドライン）では，経口免疫療法（oral immunotherapy：OIT）とは「自然経過では早期に耐性獲得が期待できない症例に対して，事前の食物経口負荷試験（oral food challenge：OFC）で症状誘発閾値を確認した後に原因食物を医師の指導のもとで継続的に経口摂取させ，脱感作状態や持続的無反応の状態とした上で，究極的には耐性獲得を目指す治療」と定義されている[1)]．

OIT の方法は標準化されておらず，治療期間，増量の方法，使用する食品などは多様であるが，一般的には図 1 に示すような 3 つの段階で構成される[1)]．

1）適用判定のための負荷試験

OFC で症状が誘発される食物抗原の量（閾値）を確認する．OFC の方法は施設やプロトコルにより異なり，標準的な施行方法はない．

2）増量期（初期導入・増量）

OFC で確認した症状誘発閾値よりも少ない量から摂取を開始し，その後目標量（維持量）を目指して，徐々に摂取する抗原量を増やす．増量方法は入院管理下で急激に摂取量を増量する方法や，自宅でゆっくりと摂取量を増量する方法，外来通院しながら段階的に病院で増量する方法などがある．

当院で実施しているアナフィラキシー既往例を含む重症な食物アレルギー児に対する OIT で

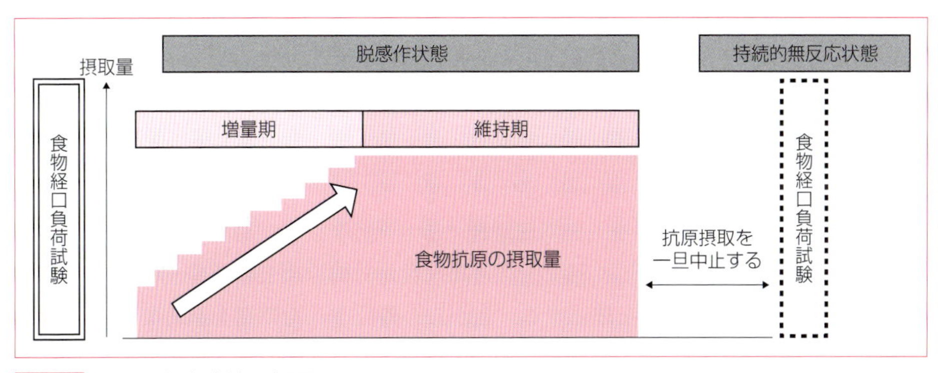

図 1 経口免疫療法の概要
適応判定の負荷試験，増量期（初期導入・増量），維持期，治療効果の判定から構成されることが多い．治療効果の判定は除去負荷試験により行うことも多い．
〔海老澤元宏，ほか（監修），日本小児アレルギー学会食物アレルギー委員会（作成）：食物アレルギー診療ガイドライン 2021，協和企画，2021〕

は，初期導入を入院管理下（3～5日間）で行い，自宅で摂取する量を決定する．退院後1か月間，摂取量は増量せずに自宅で食物抗原を毎日摂取し，1か月後の外来受診時に誘発症状の有無を確認した後，維持量に向け7日ごとに少量ずつ増量する．

3）維持期

増量期終了後，維持期に移行し，多くは維持量の食物を1日1回摂取する．症状が誘発された場合には一時的に摂取量を減量し，再び増量して維持量に戻す．維持量に到達後，その量を長期間摂取し，原因食物を摂取し続けていれば症状が現れない状態（脱感作状態）を維持する．維持量は少量から日常摂取量（鶏卵1個，牛乳150～250 mL，ピーナッツ10～20粒など）までと幅広い．効率的に治療効果の得られる維持量は確立されていないが，中等量と日常摂取量で治療効果に有意な差はないことや，少量の維持量でも，維持量を超えた量の摂取が可能となることが報告されている．

当院では，維持量に到達した後，維持量を毎日摂取し続ける．その後，無症状で一定期間を過ごせた場合には，治療を2週間中止した後に治療効果を判定するためのOFCを行っている．維持期は短いものでは数か月，長いものでは数年となる．

2．治療効果の判定

治療効果の判定方法は報告により異なる．ただし，治療を一端終了し再び治療食物を摂取させると一部の症例では症状が誘発されることから，脱感作状態を一定期間継続した後に，数週～数か月の除去後に摂取しても症状が現れない状態（持続的無反応：sustained unresponsiveness：SU）を負荷試験で確認する．

3．症状誘発への準備と対応

OITでは治療中の症状誘発はまれでないため，自宅での症状誘発に対する対応の準備が必要である．OITを開始する前に本人や保護者に対して症状誘発時の対応方法を十分に説明する．食物アレルギー症状の重症度について理解してもらい，必要な薬剤（抗ヒスタミン薬，経口ステロイド薬，吸入・経口$\beta 2$刺激薬，アドレナリン自己注射薬）をあらかじめ処方する．また保育所・園・学校で症状が出現した例も経験するため，OITを始める際には保護者から事前に説明してもらうことも考慮する．また症状誘発時には近隣の医療機関に対応をお願いする場合もあるため病診連携も必要である．

4．治療効果に関する用語の定義

1）脱感作

原因食物を継続的に摂取することにより反応閾値が上昇し，一定の量を症状なく摂取可能な状態を指す．ただし，原因食物の継続的な摂取が必要であり，摂取頻度の低下，運動，体調不良などの要因が加わると症状が誘発されることがある．脱感作状態に到達することにより，誤食など予期しない原因食物の摂取時の症状誘発の予防や軽症化への効果が期待される．

2）持続的無反応

SUは，脱感作状態での摂取を一定期間継続すると，摂取を一定期間中止した後に再開しても症状の誘発がない状態である[2,3]．通常，数週間～数か月間原因食物を完全除去したうえで，負荷試験による症状誘発の有無を確認する．しかし，確認された期間を超えて除去が続いた場合の安全性は担保できない．原因食物を断続的に摂取すればSUの状態を維持できると考えられているが，長期経過の中では，摂取頻度の低下，運動，体調不良などに伴って症状が誘発される可能性がある[4]．

表1 経口免疫療法実施施設および医師に求められる条件

実施施設の条件	医師の条件
1）経口免疫療法により発生する重篤な症状に24時間速やかに対応可能である. 2）日常的に食物経口負荷試験を実施している. 3）臨床研究として倫理委員会の承認を得ている.	1）誘発症状に迅速に対応できる. 2）食物アレルギー診療を熟知し，経口免疫療法について知識・経験がある. 3）患者および保護者に副反応のリスクや緊急時の対応を含む十分な説明ができる.

〔海老澤元宏，ほか（監修），日本小児アレルギー学会食物アレルギー委員会（作成）：食物アレルギー診療ガイドライン2021，協和企画，2021〕

3）耐性獲得

原因食物の摂取状況によらず，症状の誘発が完全に消失した状態を指す[2]．この状態では，原因食物を頻度，量，運動，体調などに関係なく，制限なく摂取可能である．

2 対象と実施条件

1．対 象

ガイドラインでは，わが国のOITの対象者を①OFCで診断された即時型食物アレルギーで，②自然経過で早期に耐性獲得が期待できない症例としている[1]．一方，感作のみで診断が確定していない症例や中等量以上を摂取できる症例は対象とならない．乳幼児期発症の多くの食物アレルギーは安全摂取可能量を確認するためのOFCを実施し，その結果に基づく食事指導を適切に行うことで，予後の改善が期待できる．諸外国のガイドラインにおいても，OITは自然に耐性獲得しにくいIgE依存性食物アレルギー患者に対して，家族や医師の適切なサポートを得て，十分な説明と同意のもとで実施するべきとされている．そのため，すべての食物アレルギー患者に安易にOITを実施することのないようにOITの対象者は適切に選択する必要がある．

2．実施条件（表1）

OITを実施する場合，医師および実施施設は一定の条件を満たすことが求められる．施設の条件としては，臨床研究として倫理委員会の承認を得られること，日常的にOFCを実施し，重篤な症状に速やかに救急対応できることである．一方，医師の条件としては患者および保護者に副反応のリスクやその回避方法，緊急時の対応を含む十分なインフォームドコンセントを行えること，OITに関する知識も含めて食物アレルギー診療を熟知していることである．

3 治療効果

これまでの臨床研究により得られた結果から，OITにより多くの患者は症状誘発の閾値を上昇させることができ，脱感作状態に到達できる．海外のメタ解析では，OITの脱感作に対する効果が示されている[5,6]．

わが国のガイドラインでは，鶏卵および牛乳のOITの治療効果に関してシステマティックレビューを行った．鶏卵については，12のランダム化比較試験について系統的レビューを行い，OITを実施した群は，対照とした完全除去（またはプラセボ）群と比較して，介入後に摂取可能な量が増加した人数の割合や，SUが得られた人数（図2），日常摂取量まで到達した人数の割合が高かった[7]．一方，牛乳については，8のランダム化比較試験について系統的レビューを

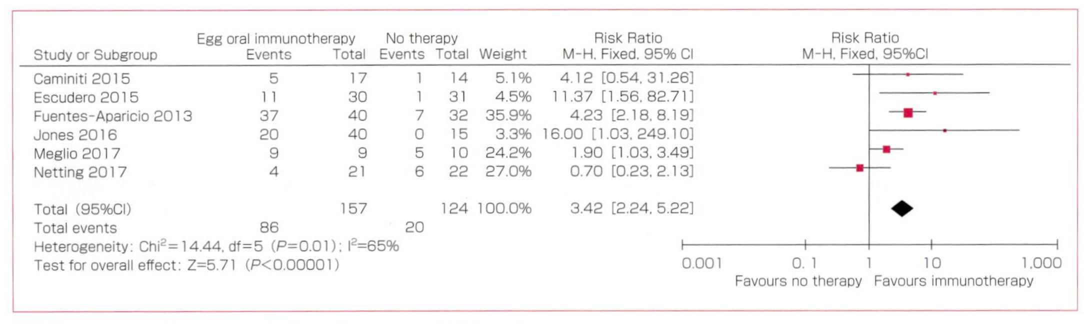

図2 SU が得られた人数に関するメタ解析結果
〔北沢 博，ほか：CQ1 IgE 依存性鶏卵アレルギー患者において，経口免疫療法は完全除去の継続と比較して有用か？ 日本小児アレルギー学会誌 35：279-303，2021〕

図3 日常摂取量まで到達した人数に関するメタ解析結果
〔川本典生，ほか：CQ2 IgE 依存性牛乳アレルギー患者において，経口免疫療法は完全除去の継続と比較して有用か？ 日本小児アレルギー学会誌 35：304-318，2021〕

行い，介入後に摂取可能な量が増加した人数の割合や，日常摂取量まで到達した人数の割合が高かった（図3）[8]．これらの結果から，完全除去と比較して鶏卵と牛乳の OIT は有用であることが示された．しかし今回検討した介入試験における OIT のプロトコルは統一されておらず，対象年齢，介入に用いた食品，併用薬，治療期間などはばらつきがあり，本解析結果は慎重に評価する必要がある（表2，3）．

主要な報告について，以下に抗原別に記載する．

1．鶏　卵

Burks らの即時型鶏卵アレルギー 55 名を対象とした研究では，OIT 施行例は治療開始 10 か月後に 55% が脱感作状態に到達した[9]．24 か月後に 2 か月間の鶏卵完全除去後に施行した OFC では，28% が症状を認めず SU に達していた．一方，プラセボ群では治療開始 10 か月後の OFC ですべての症例に症状を認めた．Camitini らの報告でも，OIT 施行例は治療開始 4 か月後には 94% が脱感作状態に到達し，13 か月後に 3 か月間の鶏卵完全除去後に施行した OFC では，31% が症状を認めず SU に達していた[10]．一方，プラセボ群では治療開始 4 か月後の OFC ですべての症例に症状を認めたが，13 か月後には 1 例が OFC で症状を認めなかった．2018 年のコクランのシステマティックレビューでは，10 の研究（対象 439 名）について系統的レビューが行われ，日常摂取量を摂取できる人数は OIT 群で有意に高いことが示された[11]．2018 年のヨーロッパ免疫アレルギー学会のガイドラインにおいても，症状の誘発閾値の上昇という点においては，OIT を鶏卵アレルギーの治療のオプションとして認めている[3]．

表2 鶏卵のOITに関するCQと推奨文

CQ 1	IgE依存性鶏卵アレルギー患者において，経口免疫療法は完全除去の継続と比較して有用か？	
推奨	完全除去の継続と比較して，経口免疫療法は有用であり提案される．ただし経口免疫療法に精通した医師が実施し，安全性に十分配慮する必要がある．	
推奨度	エビデンスレベル	投票結果
2	D（非常に弱い）	1. 経口免疫療法を推奨 (2/19) 2. 経口免疫療法を提案 (17/19) 3. 完全除去継続を提案 (0/19) 4. 完全除去継続を推奨 (0/19)

〔海老澤元宏，ほか（監修），日本小児アレルギー学会食物アレルギー委員会（作成）：食物アレルギー診療ガイドライン2021，協和企画，2021〕

表3 牛乳のOITに関するCQと推奨文

CQ 2	IgE依存性鶏卵アレルギー患者において，経口免疫療法は完全除去の継続と比較して有用か？	
推奨	完全除去の継続と比較して，経口免疫療法は有用であり提案される．ただし経口免疫療法に精通した医師が実施し，安全性に十分配慮する必要がある．	
推奨度	エビデンスレベル	投票結果
2	B（中）	1. 経口免疫療法を推奨 (2/19) 2. 経口免疫療法を提案 (17/19) 3. 完全除去継続を提案 (0/19) 4. 完全除去継続を推奨 (0/19)

〔海老澤元宏，ほか（監修），日本小児アレルギー学会食物アレルギー委員会（作成）：食物アレルギー診療ガイドライン2021，協和企画，2021〕

2. 牛　乳

Longoらの重症牛乳アレルギー60名を対象とした研究では，OIT施行例は治療開始1年後には36%が脱感作状態に到達したが，除去継続群では1年後のOFCですべての例に症状を認めた[12]．またPajnoらの報告でも，OIT施行例は治療開始18週後には67%が脱感作状態に到達したが，除去継続例は全例OFCで症状が誘発され，症状誘発の閾値も上昇していなかった[13]．2012年の5つの無作為化比較対照研究（対象196名）に関してのシステマティックレビューが報告されている[14]．その結果，約200 mLの牛乳の摂取が可能になったのはOIT群では62%，コントロールでは8%であり，OITの有効性が示された．鶏卵同様にヨーロッパ免疫アレルギー学会のガイドラインで，症状の誘発閾値の上昇という点においては，OITを牛乳アレルギーの治療のオプションとして認めている[3]．

3. ピーナッツ

Varshneyらは，ピーナッツOITにより約1年で84%の症例が脱感作状態に到達したが，対照群では0%であったことを報告している[15]．Anagnostouらの無作為化対照クロスオーバー試験では，治療開始6か月後にOIT群の62%が脱感作状態に到達したが，対照群では0%であった[16]．その後対照群に対しOITを開始したところ，6か月後に54%が脱感作状態に到達したことが報告されている．最近の報告でもSUに到達する人数の割合はOIT群で有意に高いことが示されている．ヨーロッパ免疫アレルギー学会のガイドラインにおけるOITの位置づけは，鶏卵，牛乳と同様である[3]．

4. 小　麦

われわれのグループは，2015年に小麦アナフィラキシーへのOITで，治療開始2年後にはOIT群の61%が日常摂取量（ゆでうどん200 g）に対するSUに到達していたが，ヒストリカルコントロール群では9.1%であったことを報告した[17]．また維持量を少量にしたOITにおける治療効果についても最近報告した．またNowakらは，日常摂取量に対する脱感作状態に到達する人数の割合は，低用量の維持量（小麦タンパク1,445 mg）より高用量の維持量（小麦タンパク2,748 mg）のほうが有意に高いと報告している[18]．これらの結果から，小麦についても鶏卵，牛乳，ピーナッツと同様の治療効果が得られる可能性が示唆されるが，今後，メタ解析による検証が必要である．

5. その他

リンゴの口腔アレルギー症候群40例での無作為比較対照試験が報告されている[19]．治療した27例のうち17例は約8か月後にリンゴ128 gの摂取が可能となったが，除去継続していた13例では1人も摂取可能とならなかった．また症例数は少ないが，クルミ，カシューナッツ，複数の食物抗原に対するOITを行った報告もある[20〜22]．

4 安全性

OITでは多くの症例が治療食物の摂取により何らかの誘発症状を認める．誘発症状は主に軽度〜中等度であるが，アドレナリン筋肉注射を必要とするような重篤な症状を引き起こすこともある[12]．これらの症状の多くは増量期に認められるが，自宅で同じ量を摂取し続ける維持期に症状を認めることもある．また鶏卵のOITの報告では，OIT実施群のほうがプラセボ群と比較して誘発症状の頻度が有意に高く，食物除去による治療より症状誘発のリスクが高くなることも指摘されている．2019年のシステマティックレビューでは，有害事象の報告がある介入試験のみでの検討ではあるが，OIT実施群のアナフィラキシーの発生リスク（リスク比3.12），アドレナリン使用のリスク（リスク比2.21），重篤な有害事象のリスク（リスク比1.92）は，完全除去（またはプラセボ）群と比較して有意に高いことを報告している[5]．また，薬物療法を必要とした有害事象，アドレナリン筋肉注射を要する有害事象についても，OIT実施群で有意に多く発生していた．

即時型の副反応に関するリスクは治療を行う患者の重症度によって変化すると考えられている．重症牛乳アレルギー児（牛乳特異的IgE値85 kUA/L以上）を対象とした検討では，入院管理下で実施した急速増量の期間には誘発症状を30名すべてに認め，自宅でも57%の症例に認めている．アドレナリン筋肉注射は入院期間中に4名，自宅で1名に使用されている．一方，牛乳アレルギー児13名〔牛乳特異的IgE値32.7 kUA/L（中央値）〕を対象にした検討では，2名はアドレナリン筋肉注射を使用しているが，10名は治療を必要としていない．またアナフィラキシー例を除外した鶏卵アレルギー児を対象とした検討では，副反応の頻度は摂取回数当たり約25%で，軽度〜中等度の症状しか誘発されずアドレナリン使用例も認めていない．2015年に実施した日本小児科学会研修指導施設を対象にしたOITの実施状況調査（以下，全国調査）においても，より重症例に対し実施していると考えられる入院管理下でのOITでは副反応を症例の約60%に認め，外来OITでは約10%に認めている．これらのことから，アナフィラキシー既往例や特異的IgE高値例ではより慎重にOITを実施すべきと考えられる．ただし，これらの症例以外でもアナフィラキシーなど重篤な症状の誘発は完全には回避できないことを十分に理解し安全性には留意すべきである[23]．

OITでは，好酸球性食道炎・腸炎など非即時の副反応も報告されている．Lucendoらのシステマティックレビューによると OIT後に好酸球性食道炎を発症した患者は2.7%で，鶏卵，牛乳，ピーナッツいずれのOITにおいても発症していた[24]．非即時反応合併に関するリスク因子は今のところ明らかではなく，事前に防ぐことは難しい．

5 経口免疫療法の現状と問題点（表4）

全国調査では，入院管理によるOITは27施設1,544名，外来管理のみでのOITは93施設6,429名に実施されており，わが国では諸外国と比較してOITが広く実施されていた[23]．しかし，OIT自体の問題点と診療体制の問題点が存在する．OITは重篤な副反応も多く，全国調査でも自宅で薬物治療を要した即時型症状を認めた症例は，入院OITで80%，外来OITが17%，アドレナリン使用を経験した施設は，入院OITで45%，外来OITで21%と高頻度であった．また，SUが確認されても，2年以内に42%がアレルギー症状を経験し[25]，約4年の観察期間中に8%が重篤なアレルギー症状を経験したとされる[4]．自然経過による耐性獲得とは異なり，SU確認後も慎重な経過観察が必要である．

診療体制の問題点は，OITを行う十分な体制が整備されていないことである．全国調査では入院管理によるOIT実施施設の11%，外来管理のみのOIT実施施設の61%が倫理委員会の承認なしに行われており，OITが研究的段階の治療であるという認識は低い[23]．また症状の誘発閾値が不明，もしくは症状の誘発閾値が低い症例に「食事指導」として自宅で増量を進める施設がある．このような指導はOITと同様の症状誘発リスクがあるため，実施体制を整備しない中での指導は行うべきではない．

6 一般診療における位置づけ

これまで述べてきたように，OITの治療効果については，症状の誘発閾値の上昇や脱感作状態への到達といった効果を期待できるものの，短期間で耐性獲得に至る可能性は低い．一方で，安全性については，OITに伴う症状誘発のリスクは高く，誘発症状にはアドレナリン筋肉注射を必要とする症状も含まれることから，患者や家族の負担も大きく，安易な実施はすべきではない．OITを実施する際には，患者および家族には十分に説明と指導を行い，その積極的な治

表4 経口免疫療法の問題点

経口免疫療法自体の問題点	診療体制の問題点
①標準的な治療法として確立していない． ②重篤な症状を含む副反応が多くの症例で起こり得る． ③経口免疫療法の終了後でも，摂取により症状が誘発される場合がある．	①倫理委員会未承認で実施する施設がある． ②安全対策が不十分な施設がある． ③経口免疫療法に該当する指導を，食事指導と称して行っている施設がある．

〔海老澤元宏，ほか（監修），日本小児アレルギー学会食物アレルギー委員会（作成）：食物アレルギー診療ガイドライン2021，協和企画，2021〕

療意欲を確認することが必要である．OIT の効果を示す研究結果は，いずれも熟練した専門施設で綿密な研究計画の元に倫理審査委員会の承認を得て慎重に行われたものであり，一般診療に求められる有効性と安全性を両立できる方法は確立していない．

このような背景から，ガイドラインでは，OIT は耐性獲得が難しい IgE 依存性食物アレルギーの治療選択の 1 つとして期待されることを示しながらも，OIT はその注意点や治療の限界，安全性への配慮などの専門的な知識を有する医師が臨床研究として実施することを提案し，食物アレルギーの一般診療としては推奨しない，としている．

7 経口免疫療法のメカニズム

OIT の機序は不明な点が多いが，特異的 IgE，IgG，IgG_4 抗体，マスト細胞，好塩基球，リンパ球の反応の変化が起こる（図 4）[26]．これらの変化は OIT を施行した患者にのみ認められることから，治療による免疫応答の変化と考えられる．

1．液性免疫応答

特異的 IgE 抗体価は，治療開始後に一時的に上昇する場合もあるが，治療開始 1 年以上経過すると治療開始前より低くなる．一方，特異的 IgG・IgG_4 抗体価は，治療開始 1 か月後には有意に上昇する．ピーナッツ OIT の報告では，治療開始 3 か月後でピーナッツ特異的 IgE 抗体価は約 3 倍に上昇し，その後は低下傾向となり 33 か月後まで低下し続けていた[27]（図 5）．特異的 IgG・IgG_4 抗体価は，治療開始 3 か月後には有意に上昇し，治療中は高値を維持していた．

2．マスト細胞・好塩基球

OIT では，マスト細胞や好塩基球の反応が抑制される．皮膚のマスト細胞については，皮膚プリックテストの膨疹径は，治療開始数か月～1 年後に縮小した[9,16]．末梢血好塩基球について

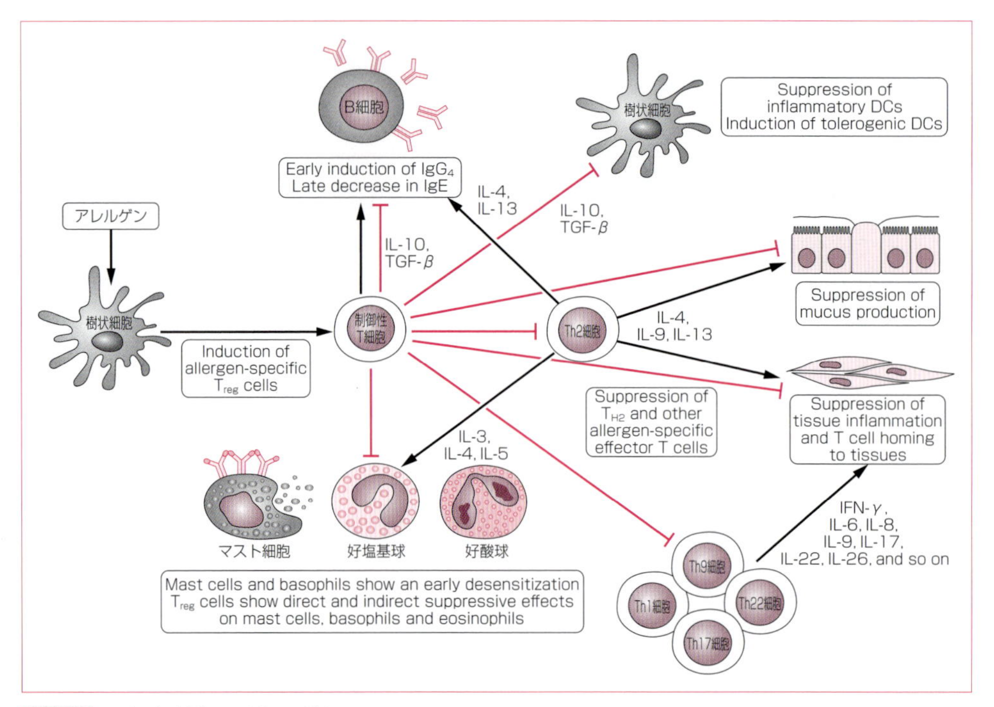

図 4 免疫療法のメカニズム

〔Akdis CA：Therapies for allergic inflammation：refining strategies to induce tolerance. *Nat Med* **18**：736-749, 2012 を元に作成〕

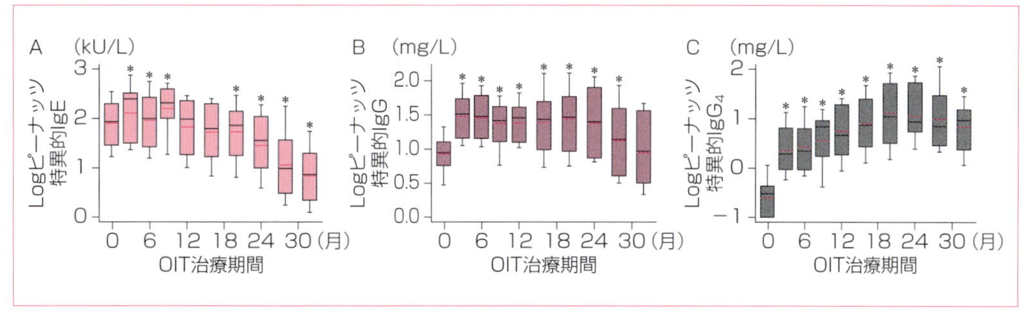

図5 ピーナッツOITによる特異的免疫グロブリンの経時的変化

〔Jones SM, et al.：Clinical efficacy and immune regulation with peanut oral immunotherapy. *J Allergy Clin Immunol* **124**：292-300. e1-97, 2009より一部改変〕

は，好塩基球上のCD63発現量[9,16]，およびCD203c発現量は，治療開始数か月後に低下し，自然遊離ヒスタミン量および抗原刺激によるヒスタミン遊離率も低下した．ただし，ヒスタミン遊離試験については自然遊離ヒスタミン量のみ低下したという報告もある．これらの細胞の反応抑制の機序は明らかではないが，特異的IgG抗体による阻害作用や好塩基球がアネルギーとなることなどが指摘されている．

3. 制御性リンパ球

Th2サイトカイン産生の低下およびIL-10，TGFβ産生の上昇，アレルゲン特異的T細胞の不応答性誘導，制御性T細胞，制御性B細胞が誘導されることも報告されている[15,27]．

8 今後の展望

1. 安全性の向上

現在のところ，OITは重篤な誘発症状のリスクが高いなどの問題が指摘されているため，安全性の向上に関する試みが行われている．

1）目標量の減量

少量を目標量とするOITでも，その維持量を超える閾値上昇やSUが得られることが報告されている[28,29]．少量を目標量とするOITは，日常摂取量を目指したOITと比較して，中等症以上の誘発症状の頻度が有意に低い[30]．ピーナッツのOITにおいて300 mg（タンパク量）の維持群は3,000 mg維持群と治療効果が同等であり，有意差はないものの脱落は少なかった[31]．鶏卵，牛乳，小麦のOITにおいて，患者の年齢に応じた日常摂取量の25%目標量と100%目標量で比較したランダム化比較試験（randomized controlled trial：RCT）では治療効果に統計学的有意差を認めなかった[32]．最近のわれわれのグループの研究では，少量を目標としたOITを継続することで，維持量を超える摂取量のSUが得られる人の割合が徐々に増えることが示され（図6）[33]，誤食によるアナフィラキシー症状誘発の予防にも効果があることが示唆されている[34]．

2）抗体製剤

抗ヒトIgE抗体（オマリズマブ）併用のOITは，牛乳に関して治療効果に有意差はないものの，副反応を減らすことが報告されている[35]．ピーナッツに関しては脱感作の割合を有意に増やすことが報告されている[36]．オマリズマブ併用のOITは有望な治療法であるが，薬剤のコストとオマリズマブ中止に伴う症状再燃が課題である．

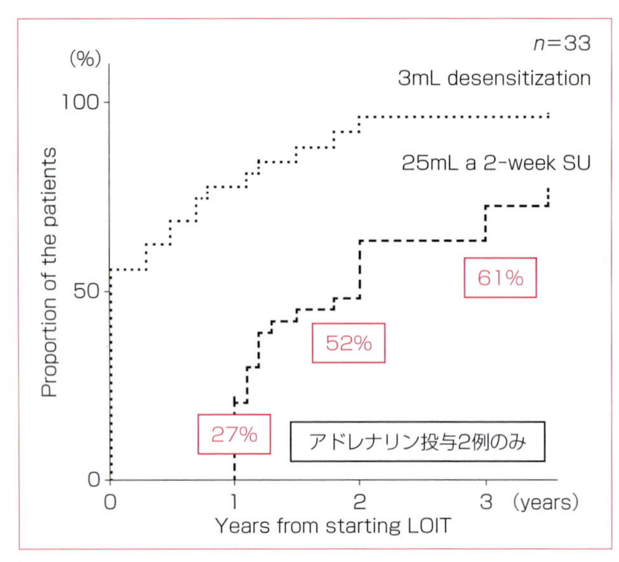

図6 少量を目標とした牛乳 OIT の長期経過

〔Miura Y, et al.：Long-term follow-up of fixed low-dose oral immunotherapy for children with severe cow's milk allergy. *Pediatr Allergy Immunol* **32**：734-741, 2021〕

抗ヒト IL-4/13 受容体抗体（デュピルマブ）による治療効果を示した症例報告があり，現在複数の臨床研究が行われている．さらに，他の生物学的製剤についても治験が行われている．

2. 製剤化

OIT に用いる食物の製品化が進んでいる．AR101（Palforzia®）は 2020 年 1 月にアメリカ食品医薬品局に承認された唯一の OIT 用の治療薬である[37]．ピーナッツにアレルギー反応がある小児，青年を対象に実施した OIT により，摂取可能なピーナッツタンパク量を増やし，ピーナッツ曝露時の症状の重症度を低下させた[38]．

文献

1）海老澤元宏，ほか（監修），日本小児アレルギー学会食物アレルギー委員会（作成）：食物アレルギー診療ガイドライン 2021，協和企画，2021
2）Burks AW, et al.：Treatment for food allergy. *J Allergy Clin Immunol* **141**：1-9, 2018
3）Pajno GB, et al.：EAACI Guidelines on allergen immunotherapy：IgE-mediated food allergy. *Allergy* **73**：799-815, 2018
4）Manabe T, et al.：Long-term outcomes after sustained unresponsiveness in patients who underwent oral immunotherapy for egg, cow's milk, or wheat allergy. *Allergol Int* **68**：527-528, 2019
5）Chu DK, et al.：Oral immunotherapy for peanut allergy（PACE）：a systematic review and meta-analysis of efficacy and safety. *Lancet* **393**：2222-2232, 2019
6）Nurmatov U, et al.：Allergen immunotherapy for IgE-mediated food allergy：a systematic review and meta-analysis. *Allergy* **72**：1133-1147, 2017
7）北沢　博，ほか：CQ1　IgE 依存性鶏卵アレルギー患者において，経口免疫療法は完全除去の継続と比較して有用か？　日本小児アレルギー学会誌 **35**：279-303，2021
8）川本典生，ほか：CQ2　IgE 依存性牛乳アレルギー患者において，経口免疫療法は完全除去の継続と比較して有用か？　日本小児アレルギー学会誌 **35**：304-318，2021
9）Burks AW, et al.：Oral immunotherapy for treatment of egg allergy in children. *N Engl J Med* **367**：233-243, 2012
10）Camitini L, et al.：Oral Immunotherapy for Egg Allergy：A Double-Blind Placebo-Controlled Study, with Postdesensitization Follow-Up. *J Allergy Clin Immunol Pract* **3**：532-539, 2015
11）Romantsik O, et al.：Oral and sublingual immunotherapy for egg allergy. *Cochrane Database Syst Rev* **4**：CD010638, 2018

12）Longo G, et al.：Specific oral tolerance induction in children with very severe cow's milk-induced reactions. *J Allergy Clin Immunol* **121**：343-347, 2008
13）Pajno GB, et al.：Oral immunotherapy for cow's milk allergy with a weekly up-dosing regimen：a randomized single-blind controlled study. *Ann Allergy Asthma Immunol* **105**：376-381, 2010
14）Yeung JP, et al.：Oral immunotherapy for milk allergy. *Cochrane Database Syst Rev* **11**：CD009542, 2012
15）Varshney P, et al.：A randomized controlled study of peanut oral immunotherapy：clinical desensitization and modulation of the allergic response. *J Allergy Clin Immunol* **127**：654-660, 2011
16）Anagnostou K, et al.：Assessing the efficacy of oral immunotherapy for the desensitisation of peanut allergy in children（STOP Ⅱ）：a phase 2 randomised controlled trial. *Lancet* **383**：1297-1304, 2014
17）Sato S, et al.：Wheat oral immunotherapy for wheat-induced anaphylaxis. *J Allergy Clin Immunol* **136**：1131-1133. e7, 2015
18）Nowak-Węgrzyn A, et al.：Multicenter, randomized, double-blind, placebo-controlled clinical trial of vital wheat gluten oral immunotherapy. *J Allergy Clin Immunol* **143**：651-661. e9, 2019
19）Kopac P, et al.：Continuous apple consumption induces oral tolerance in birch-pollen-associated apple allergy. *Allergy* **67**：280-285, 2012
20）Okada Y, et al.：Oral immunotherapy initiation for multi-nut allergy：A case report. *Allergol Int* **64**：192-193, 2015
21）Sasamoto K, et al.：Low-dose oral immunotherapy for walnut allergy with anaphylaxis：Three case reports. *Allergol Int* **70**：392-394, 2021
22）He Z, et al.：Identification of cross-reactive allergens in cashew- and pistachio-allergic children during oral immunotherapy. *Pediatr Allergy Immunol* **31**：709-714, 2020
23）Sato S, et al.：Nationwide questionnaire-based survey of oral immunotherapy in Japan. *Allergol Int* **67**：399-404, 2018
24）Lucendo AJ, et al.：Relation between eosinophilic esophagitis and oral immunotherapy for food allergy：a systematic review with meta-analysis. *Ann Allergy Asthma Immunol* **113**：624-629, 2014
25）Makita E, et al.：Long-term prognosis after wheat oral immunotherapy. *J Allergy Clin Immunol Pract* **8**：371-374.e5, 2020
26）Akdis CA：Therapies for allergic inflammation：refining strategies to induce tolerance. *Nat Med* **18**：736-749, 2012
27）Jones SM, et al.：Clinical efficacy and immune regulation with peanut oral immunotherapy. *J Allergy Clin Immunol* **124**：292-300. e1-97, 2009
28）Sugiura S, et al.：Slow low-dose oral immunotherapy：Threshold and immunological change. *Allergol Int* **69**：601-609, 2020
29）Nagakura KI, et al.：Low-dose-oral immunotherapy for children with wheat-induced anaphylaxis. *Pediatr Allergy Immunol* **31**：371-379, 2020
30）Yanagida N, et al.：New approach for food allergy management using low-dose oral food challenges and low-dose oral immunotherapies. *Allergol Int* **65**：135-140, 2016
31）Vickery BP, et al.：Early oral immunotherapy in peanut-allergic preschool children is safe and highly effective. *J Allergy Clin Immunol* **139**：173-181.e8, 2017
32）Ogura K, et al.：Evaluation of oral immunotherapy efficacy and safety by maintenance dose dependency：A multicenter randomized study. *World Allergy Organ J* **13**：100463, 2020
33）Miura Y, et al.：Long-term follow-up of fixed low-dose oral immunotherapy for children with severe cow's milk allergy. *Pediatr Allergy Immunol* **32**：734-741, 2021
34）Nagakura KI, et al.：Long-term follow-up of fixed low-dose oral immunotherapy for children with wheat-induced anaphylaxis. *J Allergy Clin Immunol Pract* **10**：1117-1119.e2, 2022
35）Wood RA, et al.：A randomized, double-blind, placebo-controlled study of omalizumab combined with oral immunotherapy for the treatment of cow's milk allergy. *J Allergy Clin Immunol* **137**：1103-1110.e11, 2016
36）MacGinnitie AJ, et al.：Omalizumab facilitates rapid oral desensitization for peanut allergy. *J Allergy Clin Immunol* **139**：873-881.e8, 2017
37）Bird JA, et al.：Efficacy and Safety of AR101 in Oral Immunotherapy for Peanut Allergy：Results of ARC001, a Randomized, Double-Blind, Placebo-Controlled Phase 2 Clinical Trial. *J Allergy Clin Immunol Pract* **6**：476-485.e3, 2018.
38）Investigators PGoC, et al.：AR101 Oral Immunotherapy for Peanut Allergy. *N Engl J Med* **379**：1991-2001, 2018

食物アレルギーに関連する社会的諸問題

A　給食・外食産業

B　患児・保護者への生活指導

C　保育所・幼稚園・学校に対する情報提供

D　インシデント（ヒヤリ・ハット）事例から学ぶ安全対策

E　アレルゲンを含む加工食品の表示

F　患者会・NPO 法人による地域づくり

G　食物アレルギーサインプレート

H　行政・専門学会の動向

医学の枠を越えて，社会全体の食物アレルギーへの取り込みについて解説する．

A 給食・外食産業

林　典子
（十文字学園女子大学 人間生活学部 健康栄養学科）

1 給食での食物アレルギー対応

1. 給食での食物アレルギー対応の必要性

食物アレルギーを持つ児童生徒に対しても，保育所，幼稚園，学校などでの集団給食の提供は基本的に必要である．そして，給食での食物アレルギー対応は安全性が最優先されなければならない．具体的な対応指針，対応方法などは「保育所におけるアレルギー対応ガイドライン」,「学校給食における食物アレルギー対応指針」に詳細が記されている[1,2]．これらは，それぞれ厚生労働省，文部科学省の Web サイトよりダウンロード可能である．

2. 食物アレルギー対応の申請

食物アレルギー患者は，集団給食でアレルギー対応をしてもらうためには，食物経口負荷試験の結果などに基づく食物アレルギーの適切な診断を医師より受け，「保育所におけるアレルギー疾患生活管理指導表」,「学校生活管理指導表（アレルギー疾患用)」(以下，これらを生活管理指導表とする）などの診断書を学校などの施設に提出する必要がある（p.330，333）.

学校などの施設への食物アレルギー対応申請（生活管理指導表提出）の時期は，新入園時または新入学時，進級時，新規発症・診断時，転入時である．保育所や学校などの施設は，この食物アレルギー患者からの申請にもとづき，食物アレルギー対応を行うこととなっている．

3. 給食での食物アレルギー対応の考え方

1）原因食物の完全除去か解除かの二者択一による対応が基本

集団給食での食物アレルギー対応では，誤食事故の発生を防ぐためにも安全性が最優先され，原則として原因食物の部分除去対応は行わない．つまり，自宅で症状なく食べられる範囲（量）までを食べ進めるように医師が指導している段階であっても，原則として給食では完全除去対応となる．なぜなら，自宅で食べられる範囲（量）までを食べ進めている段階では，それまで症状なく食べられていた量よりアレルゲン（原因食物）の量が少し増えただけでも症状が誘発されたり，摂取後に運動をすることによって症状が誘発されたりする可能性などがあり，安全性を確保できないからである．また，食品に含まれるアレルゲンの量は一定ではなく，アレルゲン性の換算は非常に難しい．さらに，集団給食の特性上，食物アレルギーを持つ児童生徒の摂取状況に合わせて個別に対応することは不可能である．これらの理由により，給食では原則として原因食物を提供するかしないかの二極化で対応することとされている．管理指導表（p.330，333）でも，部分除去（部分解除）を医師が指示するフォーマットにはなっていない．

食物アレルギーと診断されて，食物経口負荷試験の結果を受け，段階的に症状なく食べられる量の摂取を進め（部分解除），除去解除に至るまでのフローを図 1[3]に示す．給食で除去を解除するためには，食物アレルギーを持つ児童生徒の年齢に応じた 1 食で提供される量（原因食

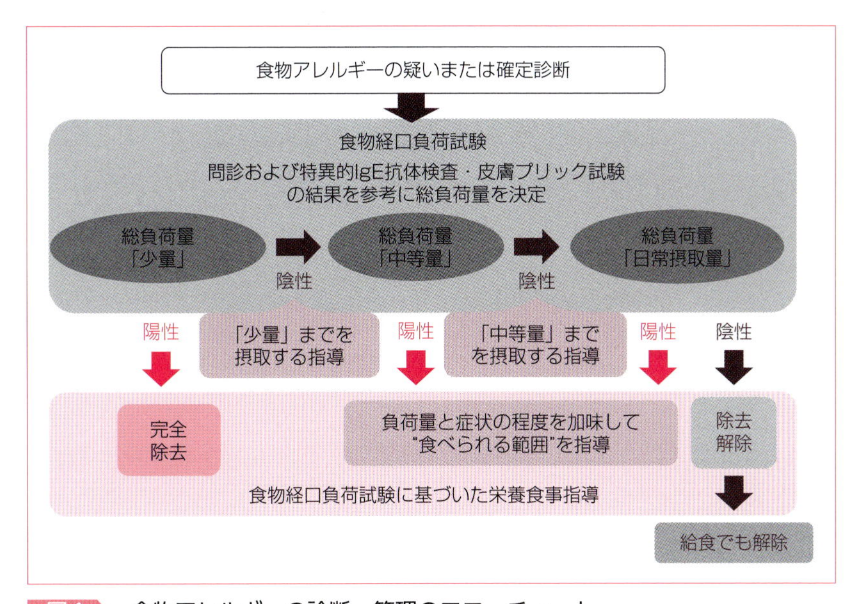

図1 食物アレルギーの診断・管理のフローチャート
〔「食物アレルギー栄養食事指導の手引き 2017」検討委員会（研究代表者：海老澤元宏）：厚生労働科学研究班による食物アレルギーの栄養食事指導の手引き 2017．2017 より一部改変〕

物の量）を症状なく摂取できるようになっている必要がある．

しかし，実際にはすでに給食で部分解除の対応を行っている施設も少なくない．そのような施設では，保護者に対して給食の安全な提供を目指すために完全除去・完全解除対応を行うことを説明して理解を得たうえで，ある程度時間をかけて移行していくことが望ましい．

どうしても給食で部分解除の対応を継続せざるを得ない場合は，給食現場の栄養士や調理師への食物アレルギーに関する研修を強化し，アレルゲンの特徴や調理工程におけるアレルゲン性の変化などの理解を深めてもらわなければならない．アレルゲンについて理解をしていない状態で部分解除の対応を行うと，誤食事故につながりかねない．たとえば，鶏卵アレルギーの部分解除を行おうとする場合に，鶏卵アレルギー児の給食対応を，「つなぎ程度は給食で提供しても可」，「少量なら給食で提供しても可」などとすることは，提供してよいアレルゲンの量やアレルゲン性が曖昧であり，指示として不適切である．

たとえばハンバーグ1個に使用される“卵のつなぎ”の卵の使用量は，鶏卵1/4個程度のものもあれば，鶏卵1/20個程度のものもある．また，調理方法には，フライパンで焼く，煮込む，オーブンで焼く，蒸し焼きをする，などがあり，調理温度は100℃程度（例：フライパンで焼くときの温度）のものから180℃程度（例：オーブンで焼くときの温度）のものまでさまざまで，その調理時間も数分から数十分にわたる．鶏卵のアレルゲン性（アレルギーを引き起こす強さ）は，タンパク質の量，調理温度，調理時間などによって異なるため，“卵のつなぎ”といってもそのアレルゲン性は一定ではない．したがって，“卵のつなぎ”の解釈が曖昧な状態で給食での部分解除対応を行うと，思わぬ事故につながりかねない．このように給食で部分解除対応を行う場合には，部分解除のアレルゲンの量が明確になっており，調理従事者のアレルゲンに関する知識が十分であるという前提条件が揃っていなければならない．

2）調味料などの提供

完全除去の場合であっても，アレルゲンの含有量がきわめて少ない調味料などは基本的に提

表1 除去の必要がないことが多い調味料など

原因食物	除去の必要がないことが多い調味料など
鶏卵	卵殻カルシウム
牛乳	乳糖，乳清焼成カルシウム
小麦	しょうゆ・酢・みそ
大豆	大豆油・しょうゆ・みそ
ゴマ	ゴマ油
魚類	かつおだし・いりこだし・魚しょう
肉類	エキス

〔文部科学省：学校給食における食物アレルギー対応指針. 2015〕

供してよいこととなっている（表1）．多くの患者は，表1に示す調味料などは症状なく摂取できるためである．

これらの調味料などについても完全除去が必要な児童生徒については，当該原因食物の重篤な食物アレルギーであると考えられ，安全に給食提供が行えない可能性も出てくるため，自宅からの弁当持参を考慮する．実際に弁当対応となる場合には，施設側と対象児童生徒の保護者が面談にて話し合った後に決定される．逆に考えると，給食提供を望む場合は，これらの調味料の摂取が可能かどうかを食物経口負荷試験などで確認しておく必要がある．

3）重篤な食物アレルギーを持つ児童生徒への対応

2）で述べたように，重篤な食物アレルギーを持つ児童生徒への安全な給食提供が難しい場合は，弁当対応となることがある．先述のような調味料の摂取が困難であるような児童生徒のほかに，極微量のアレルゲンが混入しているものを摂取して重篤な症状が出る児童生徒が対象となり，調理室のスペースの問題などでアレルゲンの混入の可能性が否定できない場合や，アレルギー対応の調理を担当する人員が十分に確保できない場合などに，弁当対応を考慮する．

給食の調理施設の状況は，施設ごとに異なり，非常に狭いスペースで食物アレルギー対応食を調理している施設や，栄養士のいない環境で食物アレルギー対応食を調理している施設などもあるのが現状である．無理に食物アレルギー対応を行うことは危険が伴うため，安全性を最優先して対応方法を検討することが必要である．

4. 食物アレルギーを持つ児童生徒の管理，情報共有

各施設に在籍する食物アレルギーを持つ児童生徒の情報を全職員で共有することが望ましい．そのためには，アレルギー対応一覧表（図2）を作成し，それぞれの児童生徒の原因食物，重症度（アナフィラキシー既往の有無），エピペン® 処方の有無，弁当対応の児童生徒などの情報を教職員で共有する．アレルギー対応一覧表は，厨房内だけでなく，職員室，教室などにも掲示しておくとよい．そのためにも，食物アレルギーを持つ児童生徒の情報共有については保護者からあらかじめ同意を得ておく．同姓同名の児童生徒がいる場合もあるため，ナンバリングをして食札と連動させることで誤配膳を防ぐことが可能となる．

5. 食材管理，献立作成管理

1）食材管理

給食に利用する食材は，詳細な原材料についての情報を業者から取り寄せて内容を確認したうえで利用の可否を判断する．業者に食物アレルギー対応で利用することを伝えておき，原材料が変更された場合に必ず施設側に連絡をもらえるようにしておく．食品のパッケージには変更がなく，原材料のみが変更になる場合などに，原材料変更の情報が業者から施設側に知らさ

年　月　日 現在

	年・組		氏名	性別	除去食物					アナフィラキシー	エピペン	備考
					鶏卵	乳	エビ	クルミ	キウイ			
1	△	△	△△△△	男		×						
2	△	△	△△△△	女	×		×			○	○	一部弁当
3	△	△	△△△△					×				
4	△	△	△△△△						×			
5												
	人数計				1	1	1	1	1	1	1	

図2　食物アレルギー対応一覧表（例）

れずに誤食につながることもあるため注意する．

食物アレルギー対応食に利用する食材の保管・管理については，可能であれば一般の食材とは別の専用の冷蔵庫や専用の棚などに保管しておくと取り違えなども起きにくい．利用頻度の低いものは，消費期限にも注意して管理する．

2）献立作成管理

自治体によっては特に重篤度の高い原因食物であるソバや落花生（ピーナッツ）を使用禁止食材としているところもあり，ガイドラインでもこれら2品目についての提供は極力減らすようにと記載がある．また，発症数の多い原因食物である鶏卵，牛乳，小麦，えび，かにについては，使用していることが明確な料理や料理名とし，1回の給食で複数の料理に同じ原因食物を使用しないように配慮することも検討する．また，練り製品や肉加工品などは特定原材料が使用されていないものをあらかじめ選定すると誤食事故防止にもなり，食物アレルギーの有無にかかわらずみんなで同じものを食べられる環境が整えられる．

献立は，除去食物ごとにメニューを変えて作成することは負担が大きいため，どの除去食物のアレルギー児でも食べられるようにアレルギー対応食は1種類または2種類程度にとどめるなど工夫をする．アレルギー対応食を1種類とし，食物アレルギーを持つ児童生徒は全員同じ献立のものを食べるようにすると誤配膳のリスクが下がる．平成27（2015）年度に行われた全国の保育所を対象とした調査によると，全国の約30%の施設で誤食事故が発生しており，その原因は「間違えて配膳してしまった」が最も多かった（表2）[4]．つまり，誤配膳を減らす工夫をすることが誤食事故の発生を減らすことにつながることがわかっている．また，原材料の見落としや職員間の情報共有がうまく行われていないことも原因としてあがっており，これらについて対策を行うことも重要である．

誤食事故を防止することを目的とした食物アレルギーに対応した献立作成ソフトウエアなどもあるため，予算が許せば利用を検討できる．そのようなソフトウエアの利用の有無にかかわらず，アレルギー対応食の献立は複数の目でアレルゲンが使用されていないかをチェックをする．献立を決定したら，原材料が詳細にわかる献立表を作成し，栄養士，調理担当者，保育士や担任，児童生徒および保護者などで共有する．

料理名にアレルゲンが記載されていると担任や食物アレルギー児本人への注意喚起になるため，誤配膳を防止できる．給食では，調理をする者（栄養士，調理員など）と喫食をする場所

表2 保育所での誤食事故原因

n=4,659

誤食事故の原因	割合
間違えて配膳してしまった	44.4%
他の園児・児童に配膳された食物を食べてしまった	16.9%
原材料の見落とし	13.7%
調理担当から保育士への伝達もれ	10.2%
園児・児童についての食物アレルギーに関する情報が職員間で共有されていなかった	8.1%
調理の段階で原因食材が混入してしまった	7.6%
保護者からの情報が足りなかった	5.2%

〔柳田紀之，ほか：厚生労働省「平成27年度子ども・子育て支援推進調査研究事業」保育所入所児童のアレルギー疾患罹患状況と保育所におけるアレルギー対策に関する実態調査結果報告．アレルギー **67**：202-210，2018より改変〕

で患児を管理する者（保育士，担任教諭など）が異なるため，調理担当者がどの料理にどのアレルゲンが利用されているかを把握していたとしても，保育士や教員にはその情報が伝わっていないことがある．そのような事態を防ぐために，料理名にアレルゲンが記載されていると情報が伝わりやすい．特に重篤な食物アレルギーを持つ児童生徒がいる場合には，そのアレルギーを持つ児童生徒の原因食物は献立名に入れることを検討されたい．たとえば，普通食の献立名が「卵入り肉団子」，「チーズ入りコロッケ」などとなっていれば，その料理に含まれている主要なアレルゲンがわかり，鶏卵アレルギーを持つ児童生徒や牛乳アレルギーを持つ児童生徒にこれらの料理が誤配膳されるリスクが軽減される．

いわゆるコピー食（一般食と見た目を似せたアレルギー対応食）は，取り違え，誤配膳の原因となって誤食事故につながりやすいため，集団給食でのアレルギー対応食としてはふさわしくない．たとえば，牛乳を利用したクリームシチューが一般食である場合に，アレルギー対応食は豆乳を利用したクリームシチューとすると，見た目の区別がつかず誤配膳のリスクが上がる．皆が食べられる豆乳のクリームシチューの1種類の料理にするか，アレルギー対応食は見た目の異なるトマトシチューにすると誤配膳が発生しにくくなる．

さらに，給食での新規発症を防ぐためには，家庭で摂取して症状の出なかった食材を利用することが望ましい．給食で使用する食材一覧を保護者に配付し，給食で喫食する前に家庭で食べておいてもらうように促す．しかし，家庭であまり使用することの少ないもの（高額なものなど）を強制的に家庭で食べてきてもらうことは難しい場合があるため，保護者の理解を得ながら給食で利用する食材を選択するとよい．

6. 調理から配膳までの管理

1）調理での管理

調理室は，食物アレルギー対応専用のスペースを確保できることが望ましいが，施設によっては困難な場合もあるため，そのような場合は，可動式のワゴンやパーテーションなどを利用して食物アレルギー対応調理用のスペースを確保するなど工夫が必要である．

調理器具や食器については食物アレルギー専用のものを用意したいが，予算などの事情により難しい場合もあるため，共用する場合には洗浄をしっかり行うなど対策をとる．専用のものを用意できる場合には，普通食と素材，形，色の異なるものにすると区別が容易である．

調理担当者は，食物アレルギー対応をする専任の者を配置できることが望ましい．また，その場合に，普通食の調理担当者と色の異なるエプロンを着用するなどの工夫も，安全対策のために有効である．

また，日々の調理作業前には，調理担当者全員で，その日の通常献立とアレルギー対応献立，アレルギー対応が必要な児童生徒および出欠状況，アレルギー対応食担当調理員，調理の手順などを確認する．調理の手順は，その日の作業の流れを記した作業工程表および作業動線図をもとに全員で共有しておく．

作業工程表には，いつ，どこで，誰が，何に気をつけて作業をするか，途中で取り分けを行う場合にはその点についても明記しておく．作業動線図には，普通食の作業動線とともに，アレルギー対応食は色分けをして明記しておき，混入（コンタミネーション）が心配される場所などについても注意を促す．学校給食調理従事者研修マニュアルには食物アレルギー対応作業工程表，食物アレルギー対応作業動線図が掲載されているため参照されたい[5]．

2）配膳での管理

食物アレルギー対応食が完成したら，食札（氏名，アレルゲン，献立名などが明記されたもの）を運用し，内容に問題がないかを確認しながら盛りつけを行う（図 3）．教室での盛りつけはアレルゲン混入のおそれがあるため，基本的には調理室で担当調理員がアレルギー対応食の盛りつけまで行うことが望ましい．また，盛りつけの際の内容確認は 1 人で行わず，複数で声を出しながら確認をする．

7．教室での喫食の管理

教室では，保育士や担任教諭が食札の内容と食事の内容に問題がないかを本人とともに確認し（乳児を除く），問題がないことを確認できたら，喫食を許可する．食札に顔写真を貼付して運用することも誤配膳防止の工夫の 1 つである．

本人がアレルゲンを取り除く方法を実施している施設もあるが，安全面から考えて本人がアレルゲンを取り除くという方法には問題がある．キウイなどの果物が単品で提供される場合には本人がキウイのみを取り除くことも可能であるが，ハンバーグなどに原材料として入っている鶏卵や小麦などは取り除くことは不可能であり，見た目でアレルゲンが入っているかの判断もできない．また，高学年の場合には本人がアレルゲンを含む料理を食べないという判断が可能であったとしても，低年齢の場合は，本人がアレルゲンを含む料理を食べない，それだけ残すといった対応をすることは難しい．そのような点から考えても，アレルギー対応食は，調理場でアレルゲンが除かれた状態で盛りつけられたものを提供することが望ましい．

8．給食以外の校外学習などの対応

給食以外に，遠足，修学旅行，合宿，調理実習など食事が伴う場面，また図工や理科などで食材を扱う授業でも食物アレルギー対応の配慮が必要である．

宿泊や外食が伴うイベントの場合には，保育所や学校などの施設から宿泊施設や飲食店に食物アレルギーを持つ児童生徒がいることを伝え，食物アレルギー対応が可能であるかをあらかじめ確認する．宿泊施設や飲食店では，担当者間で情報を共有し，どのような食物アレルギー対応が可能であるかを検討し，保育所や学校にその検討結果を報告する．

食物アレルギー対応の料理を提供することになった場合は，正確な情報を共有するために書面でやりとりをする．提供するメニューの詳細な原材料を保育所や学校へ送り，保育所や学校の担任教諭や栄養士などが保護者と連携をとってアレルゲンの有無をチェックし，問題があれば宿泊施設や飲食店に改善の要求をする．バイキング方式などの食事の場合には，共通のトングや箸からのアレルゲンの混入の危険性があるため，あらかじめ取り分けておくなどの配慮も

△△△△ 年 △ 月 △ 日		No.	1
クラス	△年 △組	氏名	△△ △△
除去食物（〇をつける）	鶏卵・(牛乳)・小麦・えび・かに・落花生・そば・・・・		
一般食の献立名	牛乳のクリームシチュー		食パン（乳入り）
アレルギー食の献立名	トマトシチュー		ごはん
対応	除去・(代替)・弁当		除去・代替・(弁当)

担当者サイン

調理	盛付	引き渡し	喫食前
△△	△△	△△	△△

図3 食札（例）

行う．

食物アレルギーを持つ児童生徒への安全な食事の提供が困難である場合には，食事を持ち込んでもらうなどの対応も生じる．食事を持ち込む場合は，持ち込んだ食材の管理場所，管理方法，提供方法もあらかじめ決定しておく．預かった食材が本人の口に入るまでにアレルゲンが混入することのないよう，厳重な管理が必要である．

授業で食材を扱う場合には，どのような対応をとる必要があるのか，保育所や学校全体として対応方法を決定しておく．節分の豆まきで使用する大豆や落花生，図工で使用する小麦ねんど，家庭科の調理実習で使用する食材などとその施設に在籍している食物アレルギーを持つ児童生徒の除去食物を照らし合わせて，対応を検討することになる．

2 外食産業での食物アレルギー対応

1．食物アレルギーと外食

食物アレルギーがあると，特定の原因食物を除去しなければならず，食品の購入の選択肢が減り，外食も自由にできない．

最近では食物アレルギーに配慮したメニューを提供する飲食店なども増えてきているため，食物アレルギーのある人にとっても外食がしやすい環境に変わりつつある[6]．しかし，次に述べるように外食産業では食品の原材料の表示義務がないため注意が必要である．

2．外食産業での食物アレルギー対応

容器包装された加工食品には特定原材料のアレルギー表示義務があるが，外食産業にはアレルギー表示の義務はない．ファミリーレストランなどで“アレルギーに配慮したメニュー”としている場合でも，本当にアレルゲンが全く入っていない料理であるかを確かめることは難しい．容器包装された加工食品の場合は，アレルゲンである特定原材料が含まれているか表示されているが，飲食店では完成された料理にアレルゲンが含まれているかの検査をすることは不

可能である．“アレルギーに配慮したメニュー”で原材料に鶏卵や牛乳などを利用せずに調理している場合であっても，調理過程で鶏卵や牛乳が混入してしまう可能性がある．また，調理器具や食器に鶏卵や牛乳などのアレルゲンが付着する可能性も皆無ではない．そばアレルギーの患者が，そばを茹でたお湯を使用して茹でたうどんを食べて症状が出るといったこともあり，外食をする際には調理中のコンタミネーション防止策も十分にとられているかどうかを確認する必要がある．特に重篤な症状を起こす可能性のある患者が外食をする際には慎重に検討されたい．

給食対応と同様に飲食店の調理員などのスタッフに対しても，適切な食物アレルギー対応のための研修を行い，誤った対応をしないようにする必要がある．食物アレルギーのある人から，原材料についての問い合わせがあった場合に，正確な原材料の情報がわからないにもかかわらず，“入っていないと思います”，“たぶん入っていません”などと回答することは避けるべきである．小麦のアレルギー患者が，原材料に小麦粉が入っていないことを店員に確認したうえで米粉のピザを注文して食べたが，その後症状が出てしまい，実は原材料に小麦粉が入っていたことを店員が十分に確認できていなかったといった事例も報告されている．また，“グルテン”が小麦のタンパク質であることを知らないなど，食品について十分な知識がない飲食店のスタッフも多いため，原材料表示の用語についても教育する必要がある．

食物アレルギーのある子どもにとっては，外食をすることが憧れであり，その家族にとっては外食をすることが食生活の負担軽減につながるため，外食産業での正確な情報提供などの食物アレルギー対応は，今後ますます期待される．

文献

1）厚生労働省：保育所におけるアレルギー対応ガイドライン（2019 年改訂版）
https://www.mhlw.go.jp/content/000511242.pdf（参照 2022-2-11）
2）文部科学省：学校給食における食物アレルギー対応指針．2015
http://www.mext.go.jp/component/a_menu/education/detail/__icsFiles/afieldfile/2015/03/26/1355518_1.pdf（参照 2022-2-11）
3）「食物アレルギー栄養食事指導の手引き 2017」検討委員会（研究代表者：海老澤元宏）：厚生労働科学研究班による食物アレルギーの栄養食事指導の手引き 2017．2017
4）柳田紀之，ほか：厚生労働省「平成 27 年度子ども・子育て支援推進調査研究事業」保育所入所児童のアレルギー疾患罹患状況と保育所におけるアレルギー対策に関する実態調査結果報告．アレルギー **67**：202-210，2018
5）文部科学省スポーツ・青少年局学校健康教育課：学校給食調理従事者研修マニュアル．平成 24 年 3 月
6）ぴあ MOOK 食物アレルギーでも楽しくお出かけできる本．ぴあ．2015

B 患児・保護者への生活指導

岡藤郁夫
（神戸市立医療センター中央市民病院 小児科）

1 患児や保護者に必要な教育・生活指導の要点

食事は毎日欠かすことができないものであるがゆえに，調理や食事の時間以外でも自宅を含めた生活環境のどこにでも食物は存在する．したがって，食物アレルギー児およびその家族が安全な日常生活を送るためには，医療者が児のアレルゲンを正確に診断し，それを回避する方法を具体的に伝え，もし曝露されてしまった場合にどのように行動するかを繰り返し伝えることが必要である．

本項では，患児や保護者に必要な教育・生活指導の要点として，家庭，外食・旅行，園・学校，年齢，災害などそれぞれの場面別での対応や注意点について述べていく．

2 家庭内の安全管理

患児への対応はもっぱら母親が担うであろうが，日頃から父親のみならず祖父母とも食物アレルギーについて話し合い情報共有しておくこと（表 1）が重要である．実際にアレルギー症状を起こしたことがある食品のみならず，木の実類・ソバなどアレルギーを警戒して今まで食べたことがない食品も含めて除去食品内容を記載しておいて，自宅やよく行き来する家庭および祖父母宅の見えやすいところに貼り紙しておくこともよいだろう．

誤食が起こるのはとっさの事態に多い．空腹で不機嫌になっている患児をなだめるために，食べても大丈夫な食品やお菓子を常備しておく．なお，母親が家族や周囲の無理解に苦しみながら生活していることは多い．患児の今までのアレルギー症状の原因と経過を書き出すことや，父親や祖父母など母親にとって理解してもらいたい家族と一緒に食物経口負荷試験（oral food challenge：OFC）時に同席してもらうことは，情報共有のための有効な方法である．特に

表 1　家庭内での共有すべき情報

- 除去食品内容
- 空腹を訴えた際に食べても大丈夫な食品・菓子
- 今までのアレルギー発症の原因と経過
- アレルギー症状が出た時の対応
  （除去食品内容とともに記載して冷蔵庫の扉などに貼り紙しておく）
- 食事中の注意事項
  - ➢患児専用の食器類がどれか？
  - ➢患児が除去食以外の料理を食べないように！
  - ➢箸，コップだけでなく衣服を介した誤食にも注意する

OFC 時は医療者と家族が触れあう機会であり，場合によっては医療者とともにアレルギー症状の経過を追っていく機会でもあるので，この機会を患者家族に上手に利用してもらう．

誤食を防ぐ安全な家庭環境を作るには，特に過敏なアレルギー症状を誘発する食品に関しては，家庭に持ち込まないことも有効な手段である．家庭内におけるピーナッツ消費量は，埃中のピーナッツ抗原量と相関していることを示す報告もある．

3 外食・旅行における注意点

誤食による重篤なアレルギー症状誘発を回避するため，食品表示法により加工食品に含まれるアレルギー表示が義務づけられている．特定原材料 7 品目は義務表示であるが，店頭販売品や外食は対象外であるため注意が必要である．

最近はアレルギー対応を明記している店や宿泊施設も増えているが，特に小規模なところでは知識および対応が不十分な場合もあり，事前に直接確認しておく慎重さが必要である（表2）．どの程度の除去食まで対応可能か？　アレルギー食対応の実績や経験がどのくらいあるのか？　アレルギー対応のマニュアルがあるのか？　あるとすればその中にアレルギー症状が起こった際の従業員の対応についての文書があるか？　マニュアルを遵守するためにどのような取組みをしているのか？　については最低限確認しておく．

これらの質問への対応に疑問の余地があるなら家庭から食料を持参するほうが安全である．持ち込み可能か，冷蔵庫などを使わせてもらえるか，お湯やレンジが使用可能かを確認しておく．十分に対応していると判断した場合でも，本来は外食産業に食品表示の義務はないことを理解したうえで，何かあっても自己責任という心づもりでいたほうが患者および保護者のストレスは少ない．

現地でアレルギー症状が起こってしまった際の搬送先の確認も必要である．救急車到着までの時間や小児救急患者受け入れ可能な病院に搬送するまでにどのくらい時間がかかるかを，事前に調べておく．

店・宿泊施設で実際に外食するときも，現場にいる従業員とまず除去食内容を確認する．除去食配膳時に，食事内容を従業員と患児・家族で食事を 1 つひとつ指差してアレルゲンが入っ

表 2　外食・旅行における注意点

事前の対応
・アレルギー対応食を提供している店・宿泊施設かどうかを電話などで確認 ➢どの程度の除去食まで対応可能か？ ➢アレルギー食対応の経験はどのくらいあるか？ ➢マニュアルがあるか？ ➢マニュアル遵守の取り組みをどうしているか？ ➢アレルギー担当者がいるのか？ ➢場合によっては責任ある立場の従業員に文書で依頼することも考慮 ・現地近くの小児救急患者受け入れ可能病院の確認 ➢救急車到着までの時間 ➢小児救急患者受け入れ可能病院搬送までにかかる時間
店・宿泊施設で食事する際の注意点
・除去食内容を従業員に確認する ・配膳時に従業員と患児・家族で除去内容を確認する ・バイキングや中華料理など大皿から取り分ける場合はアレルゲン混入の危険がある

表3　園・学校生活への対応

- 「生活管理指導表（アレルギー疾患用）」を上手に利用する
- 緊急時の対応を学校側と可能な限り具体的に話し合いをしておく
- 要望や権利ばかりを主張する親と思われないように振る舞う
  - ➢家庭側ができることも最大限示す
  - ➢学校側が対応して当たり前という態度は論外で，任せきりにならないようにする
- 教職員に感謝の気持ちを笑顔を添えて伝える
- 不要な除去をしなくてもよいように日頃から主治医の指示のもとで取り組む

ていないか確認する．バイキングや中華料理に多い大皿から取り分ける場合は，取り箸やトングなどほかの料理と共有される可能性もあり，アレルゲン混入の危険がある．あらかじめ，患児用に小皿に盛って準備してもらうなど対応をしてもらう．

なお，小麦やソバ粉は吸入アレルゲンとしても注意が必要である．小麦やソバ粉が舞っているような環境には，これらのアレルギー患児を近づけないことが必要である．

4　園・学校生活への対応（表3）

園・学校生活での対応の基本は「学校生活管理指導表（アレルギー疾患用）」あるいは「保育園におけるアレルギー疾患生活管理指導表」である．これをもとに緊急時対応を含めて可能な限り具体的に，家族と教職員が話し合いをしておくことが重要である．詳細は別項「保育所・幼稚園・学校に対する情報提供」（p.285）に譲るが，患者側の要望を一方的に押しつけたり，対応してもらって当然とばかりに権利を主張したりすることがないように気を配る必要がある．教職員に感謝の気持ちを折に触れて笑顔とともに伝えることも重要である．患者および保護者と学校側の意思疎通がうまくいっていないようならば，主治医が間に入り三者面談を企画し，双方の不安や思いを聞き，患者が安全に楽しく学校生活を過ごすにはどうすればよいかという原則に立ち戻ってアドバイスできるように心がける．

なお，木の実類・甲殻類・軟体類・ソバ・魚卵・果物などアレルギーの頻度が高いことが知られている食物に関しては，念のために除去している患者が多い．就学前には可能な限り不要な除去をなくしておくように主治医とともに計画的に摂取可能か確認していくことも，集団生活でのリスク管理のうえで重要である．

5　年齢に応じた本人への教育（表4）

小児においては患者教育は母親に向けて行われることが多いが，一般に2歳以上では本人への働きかけが可能となってくる．「小児気管支喘息治療・管理ガイドライン 2020」では，発達段階を乳幼児期（0～5歳）・学童期（6歳～小学校低学年）・前思春期（小学校高学年）・思春期（中学生以降）の4つに分け，患者教育をそれぞれの患者の理解力に合わせて行うことを推奨している．食物アレルギーにおいても気管支喘息と同様に発達段階および患児の理解度に応じて指導することで，親からの自立を促して行くことが重要である．

幼児期は食べられるものと食べられないものを，自分で判断するのは困難である．食べる前に必ず保護者に確認してから食べるように子どもを導いていく．

学童期まで食物除去を必要とする患児は，幼児期から続く除去食が習慣化しており，除去食

表4 年齢に応じた本人への教育

乳幼児期（0～5歳）
・食べる前に必ず保護者に確認してから食べる習慣をつける
学童期（6歳～小学校低学年）
・本人の嗜好も考慮し，必要最小限の食物除去となるように導く
前思春期（小学校高学年）
・患児の理解力に合わせて，病態生理と除去食の必要性および食品表示の見方について患児に直接教育する機会を設ける ・アドレナリン自己注射の技術と知識を習得させる ・治療管理の主体を保護者から患児へ移行させる
思春期（中学生以降）
・セルフケア行動の確立 ・治療管理の主体が患児に移行していない場合は，食物負荷試験を積極的に利用して前思春期であげた項目を習得させる

品を自分は食べられないものだという考えが支配していることをよく経験する．またアナフィラキシーでつらい思いをした記憶が残っている児もいる．そのためか，たとえOFCで陰性を確認した後でも医師が勧める食品をなかなか自ら進んで食べない傾向にある．本人の意向を尊重しながら，本人の食事の嗜好も考慮して，耐性化を進めていくためにも，それぞれの食品が完全除去とならないように必要最小限の食物除去となるように導いていく．

前思春期まで食物除去を必要とする患児の中には，学童期以上に頑なに新たな食品にチャレンジすることに慎重になるケースもあれば，意欲的に少しでも食物除去の程度を軽くしたいとチャレンジを希望するケースもある．いずれにしても，患児の意向を尊重しながら，OFCを適宜実施して，必要最小限の食物除去という共通の目標に向かって一緒に進んで行く．

また，患児の理解力に合わせた病態生理と除去食の必要性および食品表示の見方について，親を通じてではなく，患児本人に直接教育する機会を設けることで，思春期に向けて自立を促す下地を作っておく必要がある．アドレナリン自己注射を携帯している場合は，患児本人が自分で使用することも想定して知識と技術を習得するように導いていく．なお，アトピー性皮膚炎や気管支喘息を合併している場合は，それぞれの疾患の病態生理および治療の必要性についても患児自身に説明する．今まで親に依存していたセルフモニタリングや治療に関して，自分でできそうなところから少しずつ始めて，その都度賞賛を与えて，自己効力感を高めるとともに，セルフケア行動ができるように導いていく．

思春期以降も食物除去を必要とする患児は，かつてかなり重篤なアナフィラキシーを起こした経験あるいは記憶がある場合が多い．また年齢とともに親から離れ，友人との交流が深まるにつれて，外食の機会も増えてくる．忙しい学生生活だからこそ，あえてOFCで病気と向きあう機会を作り，病態生理・食品表示の見方・緊急時対応について直接語りかけることも重要である．特に，アトピー性皮膚炎や気管支喘息を合併しており，治療管理の主体が保護者から患児にスムーズに移行できなかった場合には，このような機会を与えることがきっかけになり，アドヒアランスが向上することが期待できる．

6 災害への備え（表5）

アレルギー疾患は生活や環境に密着している疾患なので，災害という特殊な状況下では，一

表5 災害への備え

【自助】 自分の責任で行うこと
・平時の食物アレルギーの正確な診断
・最低３日分の食糧・物資の備蓄
【共助】 周囲や地域が協力して行うこと
・地域の活動とつながりを持つ
・自治体の防災課や自治会などとの情報交換
【公助】 公的機関が行うこと
・自治体のアレルギー食の備蓄状況を確認
・アレルギー関連の救援物資の受け取り方を確認

表6 災害時のアレルギー対応に有用な資料

- 日本小児アレルギー学会
  - 災害時のこどものアレルギー疾患対応パンフレット
  - 災害時のこどものアレルギー疾患対応ポスター
  - 災害派遣医療スタッフ向けのアレルギー児対応マニュアル
- 日本小児臨床アレルギー学会
  - アレルギー疾患のこどものための「災害の備え」パンフレット
- 農林水産省
  - 要配慮者のための災害時に備えた食品ストックガイド

これらの資料は日本アレルギー学会と厚生労働省で作成されたWebサイトである「アレルギーポータル」の災害時の対応の項目に整理されて公開されている（https://allergyportal.jp/just-in-case/）

般的な問題に加えて，疾患特異的な問題が発生する．情報伝達や交通手段が断たれ，公的機関も機能不全となった状況で，日頃からどのようなことを心がけていればよいのか？　学会や国がウェブページで災害時のアレルギー対策に有用な資料（表6）を公開しているので，まずはこれらを入手したうえで個別対応していくとよい．

一般的に防災の基本的理念は「自助・共助・公助」にまとめられる．自助とは自分の責任で行うこと，共助とは周囲や地域が協力して行うこと，公助とは公的機関が行うことを指している．災害直後においての公助には限界があるため，自助・共助による支えあいが基本となる．

1．個人の備え（自助）

まず大切なことは，食物アレルギーの正確な診断を受けて，本当に除去が必要な食品をしっかり把握しておくことである．念のために避けている食べ物があると，被災時の不安や不便はいっそう高まる．微量の混入まで完全除去が必要なのか，ある程度までは食べられるのか，も明らかにして，普段から可能なレベルまでは食べる習慣をつけておく．

次に，一般的な災害時の備えについて確認して，アレルギー児ならではの注意点について追加する．東日本大震災では，満足に食糧を調達できたのが災害発生後3日目，電気の復旧に1週間以上，水道の復旧に10日以上かかった地域もあった．阪神・淡路大震災では，都市ガス復旧に約3か月かかった地域もあった．できれば1週間程度の備えをしておく．

数日以上保存可能な普段安全に食べている食品，アレルギー用ミルク，加熱しなくても食べられるアレルギー対応アルファー化米（特定原材料等不使用のもの），ふりかけ，アレルギー対応レトルトカレーなど保存可能な商品を準備して，時々は食べ慣れておくとよいだろう．誤食時に備えた緊急薬も，数回分は準備しておく．アレルギーの情報や緊急連絡先を記入したサインプレートや，緊急カードを作っておくことも役立つ．農林水産省のホームページに食物アレルギー患者も対象としたローリングストック（普段の食品を少し多めに買い置きしておき，賞味期限を考えて古いものから消費し，消費した分を買い足すことで，常に一定量の食品が家庭で備蓄されている状態を保つための方法）の具体的な取り組み方について記述があるので参考になる．

気管支喘息を合併している場合は，普段の予防薬と発作時の治療薬を準備しておく．電源が使えないときに備えて，頓服の飲み薬，pMDI やドライパウダー式の吸入薬も準備して練習しておく．アトピー性皮膚炎を合併している場合は，普段の飲み薬と塗り薬に加えて，少し強めの塗り薬を準備して，悪化に備えておく．

2. 仲間と共同した備え（共助）

周囲の人とのつながりは，緊急時に何よりも助けになる．東日本大震災で支援活動を行った全国の患者会や NPO が真っ先に直面したのは，支援を必要としている人をみつけられない，という問題だった．こうした地域の活動とつながりを持ち，普段から身近な地域の「（患者）家族会」に入り，お互いに助け合う関係を作っておくことは，いざというときに最も役に立つ．さらに発災数日後以降は，アレルギー関連団体だけでなく，災害救助を専門とする NPO や栄養士会など関連団体も活動する．こうした人たちにも，アレルギー疾患の特殊性を理解していただけるような共同・協力関係を普段から培っておくと，緊急時には力になってもらえるだろう．

具体的には，日本小児アレルギー学会が発行している「災害時のこどものアレルギー疾患対応パンフレット」を配布することから始めてみる．これをもとに周囲の人の防災意識に火を点すこともできるかもしれない．また，こうした民間の活動は自治体の防災対策と無関係には動けない．自治体の防災課や自治会・民生委員などとの情報交換を行っておくことも必要である．

3. 公的な備え（公助）

自治体で防災対策を行う防災課などの立場では，災害弱者であるアレルギー疾患の特殊性を認識して対策を講じておくことが求められている．平成 30（2018）年 12 月に日本小児アレルギー学会から「大規模災害対策におけるアレルギー用食品の備蓄に関する提案について」という文書が提出されており，自治体の関係者と協議する際の参考となる．

ただし，全ての備蓄食品を自治体で確保することは予算上も困難であること，被災時の対策本部には全国から大量の救援物資が届けられるため，特別な人だけに届けたい物資を管理することは困難であること，担当職員がアレルギー対応用の食品を識別できないことも予想される．平時に居住地区の自治体にアレルギー食の備蓄やアレルギー関連の救援物資を受け取る方法について確認しつつ，自助・共助で賄うべきことを認識しておく必要がある．

なお，平成 27（2015）年 7 月に日本小児アレルギー学会災害対応ワーキンググループより「災害派遣医療スタッフ向けアレルギー児対応マニュアル」が発行されている．災害が発生した際には，小児あるいはアレルギーを専門としない医療者に配布し，診療する際の参考にしてもらう．

おわりに

患者や保護者の教育や指導に必要と思われる事項を具体的な状況ごとに記述した．しかし，どんな状況であっても，その時点での適切な食物アレルゲンの診断と必要最小限の食物除去が基本であり，それに基づいた指導が大切である．さらに，患者・保護者が医療者の指導を理解して受け入れることができるようになるためには，良好なコミュニケーションが必須である．そのためには，まず患者・保護者が聞いて欲しいことや悩んでいることなどを聞き，努力してきたことへの労いのひと言を添え，不適切であったかもしれないが今までの対応を否定しないことである．そのうえで，どのように行動すればよいか具体的に指導して，患者の健全な成長と食物アレルギー克服というゴールを，患者および家族と一緒に目指していく姿勢をみせることが指導を成功させるコツと考える．

参考文献

- 環境再生保全機構：ぜん息予防のためのよく分かる食物アレルギー対応ガイドブック 2021 改訂版．2022
  https://www.erca.go.jp/yobou/pamphlet/form/00/archives_31321.html（参照 2022-2-11）
- 海老澤元宏，ほか（監修）．日本小児アレルギー学会食物アレルギー委員会（作成）：食物アレルギー診療ガイドライン 2021，協和企画，2021
- 日本学校保健会：学校のアレルギー疾患に対する取り組みガイドライン（令和元年度改訂）．日本学校保健会，2020
  https://www.gakkohoken.jp/books/archives/226（参照 2022-2-11）
- 厚生労働省：保育所におけるアレルギー対応ガイドライン（2019 年改訂版）．2019
  https://www.mhlw.go.jp/content/000511242.pdf（参照 2022-2-11）

参考 Web サイト

- 公益財団法人日本アレルギー協会　https://www.jaanet.org
- NPO 法人アレルギーを考える母の会　https://hahanokai.org
- アレルギー児を支える全国ネット　アラジーポット　http://allergypot.net/toppage
- 一般社団法人エーエルサイン　https://www.alsign.org
- LFA 食物アレルギーと共に生きる会　http://lfa2014.com

C 保育所・幼稚園・学校に対する情報提供

吉原重美
(獨協医科大学医学部 小児科学講座/アレルギーセンター)

1 園・学校での管理体制

1. 生活管理指導表

2008年に文部科学省スポーツ・青少年局学校健康教育課の監修のもと，日本学校保健会から「学校のアレルギー疾患に対する取り組みガイドライン」が作成された．その内容の重要なポイントを下記に記載する．食物アレルギー，アナフィラキシー，気管支喘息，アトピー性皮膚炎，アレルギー性鼻炎，アレルギー性結膜炎などのアレルギー疾患を持つ児童生徒の中には，学校生活で，特に管理や配慮を必要とする児童生徒がいる．学校が，このような児童生徒に対して適切な管理や配慮を実施するために，主治医に「学校生活管理指導表（アレルギー疾患用）」を記載してもらうことを推奨した．これにより，アレルギー疾患のある児童生徒の学校生活を安心・安全なものにすることが期待された．しかしながら，残念なことに2012年12月20日に調布市立小学校で食物アレルギーに起因する児童死亡事故が発生した．この際に，誤食の防止やアナフィラキシー時のエピペン® 使用を含めた緊急対応の重要性が再認識された．その後，それらを踏まえて，アレルギー疾患の「学校のアレルギー疾患に対する取り組みガイドライン」および「学校生活管理指導表（アレルギー疾患用）」の適切な使用，緊急時のエピペン® 所持・使用状況など，より的確なアレルギー疾患を持つ子どもたちの管理・指導が強化されるようになった．2015年文部科学省は「学校給食における食物アレルギー対応指針」[1]を発刊し，すべての児童に給食を提供することを目指すとともに，生活管理指導表の提出を「必須」とする適切な運用，緊急時のアドレナリン自己注射薬携行・使用など，より的確な管理・指導の認識が強化された．さらに，2020年3月に「学校のアレルギー疾患に対する取り組みガイドライン（令和元年度改訂）」[2]が発行され，より役に立つ「学校生活管理指導表（アレルギー疾患用）」(p.330)に改変された．なお，本取り組みガイドラインで記載される学校とは幼稚園，幼保連携型認定こども園，小中学校，義務教育学校，中等教育学校，高等学校，特別支援学校，大学などを指している．

一方，保育所においては，厚生労働省が2011年3月に，初めて「保育所におけるアレルギー対応ガイドライン」を作成した．その後，2019年4月に「保育所におけるアレルギー対応ガイドライン（2019年改訂版）」[3]が改訂され，「生活管理指導表」(p.333)の提出を「必須」とするアレルギー対応の基本原則を明示した．その中で，「食物アレルギー・アナフィラキシー」において，記載内容の改善や充実を図るなど，最新の知見を取り込み現場で活用しやすいよう実用性に留意され作成されている．

実際の学校生活管理指導表の活用の流れを図1[4]に示す．

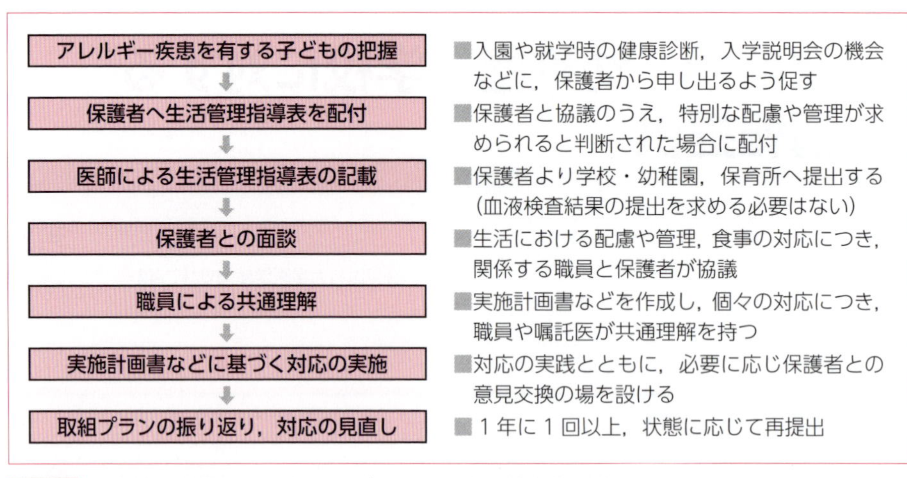

図1　学校・幼稚園・保育所などにおける生活管理指導表の活用の流れ
〔海老澤元宏，ほか（監修），日本小児アレルギー学会食物アレルギー委員会（作成）：食物アレルギー診療ガイドライン 2021．協和企画，2021〕

2．緊急時の対応

1）アナフィラキシー時の緊急時対応に関する取り組み

医療機関のみならず，園・学校での緊急対応のため，食物アレルギーの重症度に基づく治療[5)]が必要である．局所の蕁麻疹や浮腫などは，抗ヒスタミン薬，ステロイド薬の内服で軽快することが多い．しかし，2 臓器以上の全身にアレルギー症状が広がったアナフィラキシーの場合は，躊躇せずアドレナリン自己注射薬（エピペン®）の注射をすべきである[6〜12)]．そのため，園・学校では，誤食時の緊急対応として，保護者，医療機関，消防署との連携が必要である．そこで，緊急フロー[11,13,14)]を作成し，前 4 者でアナフィラキシー時の処置および対応を共有しておくことで円滑な行動が可能となる．

2）アドレナリン自己注射薬（エピペン®）について

実際に，平成 25 年度アレルギー疾患に関する学校生活調査結果によると，学校職員がエピペン® を注射した割合が，小学校 25.4%，中学校 29.9%，高等学校 22.1% であった[15,16)]．また，調布市立小学校での食物アレルギーに起因する児童死亡事故例の経験から，アナフィラキシーの緊急対応として，園・学校でエピペン® を適切に打つ必要がある．そのためには，園・学校の教職員全員が，エピペン® の打ち方のみならず，打つタイミングを知っておくことが重要である．そこで，小児アレルギー学会が作成した「一般向けエピペン® の適応となるアレルギー症状」[17〜19)]について，主治医あるいは学校医は，前もって園・学校の全職員に説明，指導をしておくことが大切である．また，エピペン® 誤射の報告が散見され注意が必要である．しかしながら，今のところ大きな問題は生じていない．さらに，アナフィラキシーが起きたときのことを考慮して，模擬訓練をすべきである．その際に，エピペン® を注射する打ち方および打つタイミングのほかに，誰が打つかを決めておくことが重要である．実際に表 1 に示すように，エピペン® を適切なタイミングで使用できない症例が多く存在する．これは，アナフィラキシーを起こした児を救命するうえできわめて大切なことである．そこで，アクションプラン[2,20,21)]を用いて，教員あるいは保育士の役割をしっかりと分担した模擬訓練を定期的に実施することで，第 1 発見者が 4〜5 名の教員あるいは保育士と相談し，打つべきタイミングに注射することができるようになり，アナフィラキシー発症時のより良い緊急対応が可能となる．

表1 エピペン® を適切なタイミングで使用できた症例の割合

著者	報告年	エピペン® 処方症例数	アナフィラキシー時のエピペン® 使用率
向田ら[1)]	2014	139	25%
山根ら[2)]	2014	240	63%
Nguyen-Luu NU ら[3)]	2012	1,411	21%
Fleischer DM ら[4)]	2012	512	30%
当院のデータ	**2016**	**208**	**47%**

1）向田公美子，ほか：アレルギー **63**：686-694，2014
2）山根慎治，ほか：同愛医学雑誌 **28**：34-38，2014
3）Nguyen-Luu NU, et al.：Pediatr Allergy Immunol **23**：133-139, 2012
4）Fleischer, et al.：Pediatrics **130**：e25-32, 2012

2 必要な情報提供

1. 文部科学省の取り組み

平成25年度アレルギー疾患に関する学校生活調査結果を踏まえ，2013年から文部科学省・日本学校保健会主催により，全国で食物アレルギー・アナフィラキシー対応研修会が開催されている．対象は県内の保育所から高校までの保育士，教諭や学校医である．講演内容は，学校での食物アレルギー対応が必要な患児には「学校生活管理指導表（アレルギー疾患用）」の提出を必須として，学校・保護者・医療機関・消防署の連携の構築やアナフィラキシーの学校での緊急対応としてエピペン® を打つタイミングや打ち方の指導などである．さらに，文部科学省は，2015年3月に事故再発防止のための学校研修資料として活用できるように，①学校のアレルギー疾患に対する取り組みガイドライン要約版，②学校におけるアレルギー疾患対応資料（DVD），③エピペン® 練習用トレーナー，④エピペン® 練習用トレーナーの紹介チラシを各学校に配布した．さらに，給食時の対応のポイントとしては，同時期に「学校給食における食物アレルギー対応指針」[1)]が作成され，学校給食での食物アレルギーを起こさないための安全性を重視した内容の指針が示された．さらに，前述したように2020年3月に「学校のアレルギー疾患に対する取り組みガイドライン（令和元年度改訂）」[2)]が改訂された．

2. 厚生労働省の取り組み

食物アレルギーの誤食事故が2008年の1年間に29%の保育所で発生している．なお，この食物アレルギーの10%程度がアナフィラキシーショックを引き起こす危険性があり，乳幼児の生命を守る観点からも慎重な対応が急務である[13,22)]．そこで，2011年に厚生労働省が中心となり「保育所におけるアレルギー対応の手引き」[22)]が作成された．学校での対応と同様に，「保育園生活管理指導表（アレルギー疾患用）」の提出や食物アレルギー・アナフィラキシーのエピペン® を含む緊急時対応の研修が必要であり，実施されている．しかしながら，2016年の統計でも誤食事故が26%と減少しないこともあり，前述したように2019年に「保育所におけるアレルギー対応ガイドライン（2019年改訂版）」[3)]が改訂された．特にp.333の「保育所におけるアレルギー疾患生活管理指導表」のように，より現場で役に立つ管理表に改変された．

3. 栃木県の取り組み

県内の実態調査から，給食対応における問題点を図2に示す[23)]．各施設において「問題点がある」と回答した割合は，保育園66.5%，幼稚園54.0%，小学校69.1%，中学校73.6%であり，図2に示すように，「原因食品の多様化」「除去する食品の不明確性」「食物アレルギー児の増加」の3項目が各施設とも選択の上位を占めている．しかし，「関係者の連携不足」や「人手不足」の選択は，保育園，小学校，中学校で多く認められ，「施設や設備の不備」は，小学校や中学校で多く認められていた．そこで，栃木県教育委員会は，栄養教諭，小児アレルギー専門医などと，2010年に「学校給食を中心とした食物アレルギー対応の手引き」[24]を作成した．2011年には，「学校のアレルギー疾患に対する取組ガイドライン」を作成し，現在2016年に改定版[25]が使用されている．さらに，栃木県医師会は2014年には県内の学校医に対して「学校の食物アレルギーに対する管理と緊急時の対応マニュアル2014」[26]学校指導用のCDを作成し配布した．

市町村教育委員会が中心となり，各市町村に学校給食における食物アレルギー対応マニュアルや食物アレルギー対応ガイドラインが作成された．筆者も，小児アレルギー専門医として，栃木県以外に，宇都宮市，栃木市，小山市，日光市などの委員を務めている．そこで，県と市町村，すなわち栃木県全域で園・学校とも厚労省・文科省で作成した「生活管理指導表」に統一されつつある．また，栃木市では，図3に示すように学校給食食物アレルギー対応調整会議

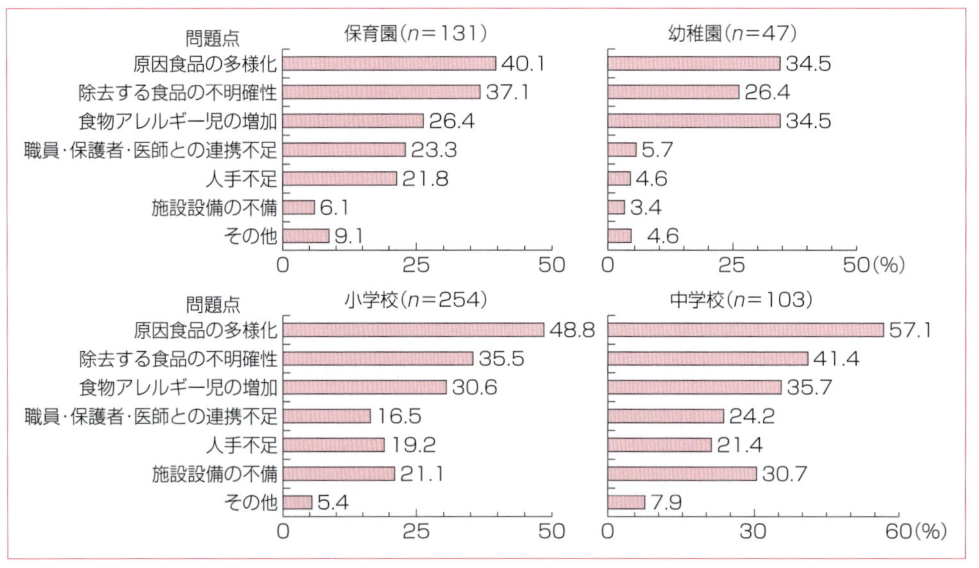

図2 保育園・幼稚園・小学校・中学校における食物アレルギー児の給食対応の比較検討―栃木県における実態調査―

〔山田裕美，ほか：保育園・幼稚園・小学校・中学校における食物アレルギー児の給食対応の比較検討．日本小児アレルギー学会誌 **25**：692-699，2011〕

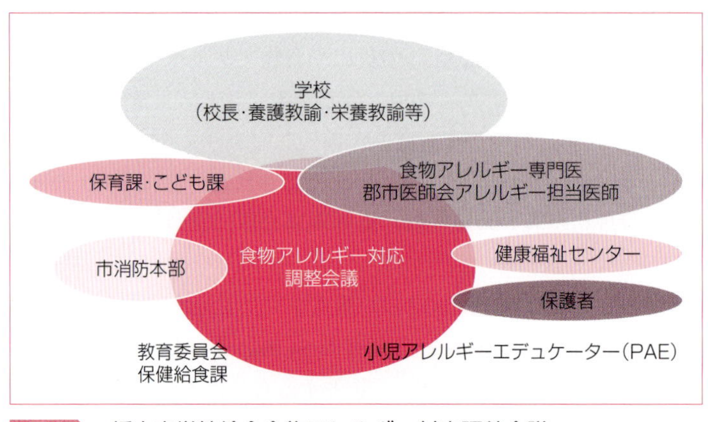

図3 栃木市学校給食食物アレルギー対応調整会議

が発足され，学校や園で「生活管理指導表（アレルギー疾患用）」の正しい運用方法や食物アレルギー・アナフィラキシーのエピペン® を含む緊急時対応研修会が定期的に実施され，食物アレルギーの対応が充実している．さらに，各郡市医師会，園・学校関係者，消防関係者，教育委員会などで，県全体で学校や園の「生活管理指導表（アレルギー疾患用）」の正しい運用方法等についての定期的な会議も実施している．

また，県内の管理栄養士と栃木県 Food allergy 研究会を立ち上げ，東日本大震災の教訓を生かして，被災地にある食物アレルギー患者の命を守るために，食物アレルギーの防災対策の手引き[27,28]を作成し，災害対策に着手している．

3 教職員に向けた啓発活動

1. 都道府県教育委員会

図 4 に示すような流れに従い，文部科学省の方針を理解し，都道府県教育委員会は市区町村教育委員会に対して危機意識と主体性を持った指導が求められる．そのためには，都道府県レベルで学校や園におけるアレルギー対応に関する正しい理解が求められる．取り組みが進んでいない地域に対して，重点的な指導や研修会の実施などの対策を講じ，ボトムアップを図ることが重要である．具体的な対策として，上記の栃木県の取り組みを紹介した．

2. 市区町村教育委員会

市区町村教育委員会は都道府県教育委員会と比較して，直に学校に接する機会が大きい．また，都道府県教育委員会は，規模が大きいため細部までの指導は困難であり，基本的な県レベルでの指導ができれば十分であるが，市区町村教育委員会は，より現場に密着する組織であり，最良の地域の指導的役割を果たす必要がある．具体的な対策として，上記の栃木県の取り組みを紹介した．

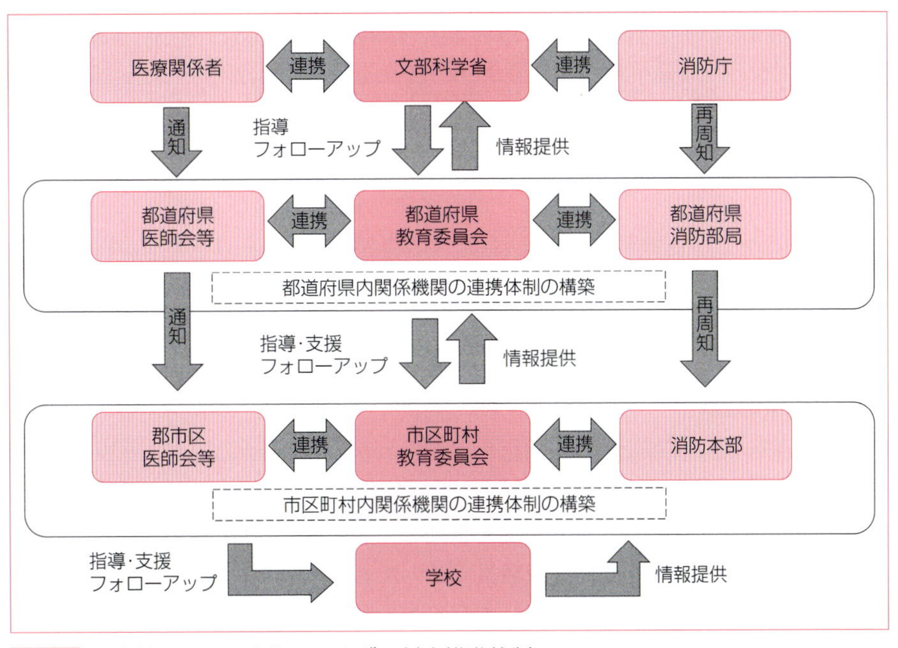

図 4 学校における食物アレルギー対応推進体制

学校での対応

①アレルギー対応委員会の設置
・具体的なアレルギー対応について，一定の方針を定める
・児童生徒ごとの取組プランを作成する
・症状の重い児童生徒に対する支援を重点化する

②全教職員で対応
・特定の教職員に任せずに，組織的に対応する

③疾患の理解に向けての研修会・緊急時の実践的な研修の実施
・DVD「緊急時の対応」等を活用する

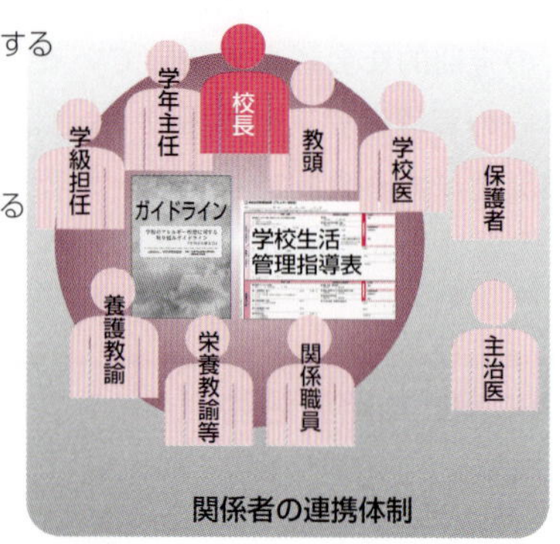

図5 学校でのアレルギー対応委員会の設置

〔日本学校保健会，文部科学省（監修）：学校のアレルギー疾患に対する取り組みガイドライン（令和元年度改訂），2020〕

表2 学校でのアレルギー対応委員会の構成委員と主たる役割

【委員構成例と主たる役割例】
◎委員長　校長（対応の総括責任者）
○委員
・副校長・教頭（校長補佐，指示伝達，外部対応）※校長不在時には代行
・教務主任・主幹教諭（教頭補佐，校内連絡，指示伝達，外部対応）
・養護教諭（実態把握，主治医や学校医と連携，事故防止）
・栄養教諭・学校栄養職員（給食調理・運営の安全管理，事故防止）
・保健主事（教務主任・主幹教諭・養護教諭・栄養教諭等の補佐）
・給食主任（栄養教諭等の補佐，各学級における給食時間の共通指導徹底）
・関係学級担任・学年主任（安全な給食運営，保護者連携，事故防止）
※各委員は相互に緊密な情報交換並びに連携を図ります．
※必要に応じて，委員会に，共同調理場長，教育委員会の担当者，学校医，調理員の代表，関係保護者，主治医等を加えます．

〔日本学校保健会，文部科学省（監修）：学校のアレルギー疾患に対する取り組みガイドライン（令和元年度改訂），2020〕

3．園・学校

アナフィラキシー時の緊急時の対応について，患児とその家族はもちろんのこと，主治医・学校医，および消防機関との連携を密にする必要性がある．そのために，「学校生活管理指導表（アレルギー疾患用）」や緊急対応フローは役に立つ．さらに，学校の役割として，アレルギー対応委員会の設置（図5）[2]と学校全体の組織的な取り組み（表2）[2]が必要である．

1）養護教諭・園看護師

食物アレルギー児の実態把握，主治医や学校医との連携，事故防止が主な役割である．学校内の患児の重症度を把握するため，保護者や主治医・学校医と連携し対応委員会を設置して情報を共有する．エピペン® の預かり状況を整理して，「学校生活管理指導表（アレルギー疾患用）」を有効に活用する．さらに，全教職員でアナフィラキシーの緊急対応を共有できるように準備する．また，消防機関との連携をしておくことも重要である．

2）栄養教諭

給食調理・運営の安全管理，事故防止が主な役割である．「学校給食における食物アレルギー対応指針」に従い学校給食を実施する．その際，給食現場の実態を管理職や職員全員に対応委員会などを通じて示し，適切な対応の道筋を立てることが重要である．さらに，わが国でのより良い食物アレルギー児の対応をするためには，栄養教諭を増やすことが必須であり，また地域偏在も解消しなければならない．栄養教諭が，食に関する指導に関して栄養職員をはじめ教職員および児童生徒に計画的に実施すれば，食物アレルギーの誤食は減少すると考える．

3）一般教師，保育士

安全な給食運営，保護者連携，事故防止，事故対応が主な役割である．研修やマニュアルを通じて正しい知識を学び，またそれを実践できるように準備する．アナフィラキシーは発症直後の対応が重要であり，この対応の遅れが重大な結果を招くことがある．対応は複数の教職員あるいは保育士で実施する必要があり，緊急対応マニュアルより，個々の役割を理解し，実際に行動に移せるよう準備しておくことが重要である．

正しい知識の習得と実践のため各都道府県でアレルギーに関する保育士等キャリアアップ研修会が開催されている．栃木県でも年に4回，「保育所におけるアレルギー対応ガイドライン」を用いて，食物アレルギーを中心にアレルギー疾患の理解と対応について概説している．

4）校長，園長

対応の総括責任者として，学校・園の食物アレルギー対応で不足している部分を強化するのが役割である．学校長あるいは園長は，学校・園におけるアレルギー対応を正しく理解し，危機感と主体性を持って推進することが強く求められる．学校対応（委員会の設置，教職員の理解度チェック，研修会の実施など）が自校でどの程度達成されているのかを把握し，不足分を早急に充足する必要がある．また，効果的な対策の充実のため定期的な校内研修会の実施などに取り組むことが重要である．アナフィラキシーなどが発生した場合には，誰がどのような対応をするかをマニュアル化しておくのは言うまでもなく，模擬訓練などを繰り返し実施し，普段から準備しておくことが大切である．

5）学童保育

宇都宮市の学童保育では「学校生活管理指導表（アレルギー疾患用）」を知っているが24.2%であった[29]．学童保育における食物アレルギー対応策は十分に整備されておらず，管理者や指導員・職員の知識習得や小学校との情報共有や連携体制を確立することが急務である．

4 食品の企業

食品を提供する企業は，全社員が食物アレルギーの基礎知識を持ち，正しい対応を行う必要がある．そこで，筆者らは社員向けの「保育園・幼稚園・認定こども園給食における食物アレルギー対応について」というガイドブック[30]を作成・監修した．

文献

1）文部科学省：学校給食における食物アレルギ―対応指針．2015
2）日本学校保健会，文部科学省（監修）：学校のアレルギー疾患に対する取り組みガイドライン（令和元年度改訂），2020
3）厚生労働省：保育所におけるアレルギー対応ガイドライン（2019年改訂版）．2019
4）海老澤元宏，ほか（監修），日本小児アレルギー学会食物アレルギー委員会（作成）：食物アレルギー診療ガ

イドライン 2021．協和企画，2021
5）吉原重美：重症度の評価．小児科 **55**：565-571，2014
6）福田啓伸，ほか：当院でのエピペン® 治療の現状と今後の課題．日本小児難治喘息・アレルギー疾患学会誌 **7**：15-20，2009
7）吉原重美：エピペン® の適正使用と諸問題．小児科診療 **73**：1167-1173，2010
8）西間三馨，ほか：アナフィラキシーショックへの適切な対応―アドレナリン自己注射の有用性―前編：アレルギー疾患に伴うアナフィラキシーの病態と診断のポイント；日医生涯教育協力講座，カラー図説，日本医師会雑誌 **142**：EP1-4，2013
9）西間三馨，ほか：アナフィラキシーショックへの適切な対応―アドレナリン自己注射の有用性―後編：アレルギー疾患に伴うアナフィラキシーの病態と診断のポイント；日医生涯教育協力講座，カラー図説，日本医師会雑誌 **142**：EP5-8，2013
10）吉原重美：学校給食における食物アレルギーの現状と対応．学校給食 **63**：26-32，2012
11）吉原重美：アドレナリン自己注射薬（エピペン®）の適切な使用のためにどうすべきか．日本小児臨床アレルギー学会誌 **16**：338-343，2018
12）吉原重美：食物アレルギー：福井次矢，ほか（総編集）：今日の治療指針 2021．医学書院，867-869，2021
13）吉原重美：アナフィラキシーの処置．小児科 **52**：800-805，2011
14）吉原重美：保育園での食物アレルギーへの対応～ガイドラインの活用の仕方～．保育と保健 **19**：22-26，2013
15）吉原重美，ほか：第 5 章アレルギー疾患に関する調査　平成 25 年度学校生活における健康管理に関する調査報告書．日本学校保健会発行　文部科学省（監修）：72-140，2014
16）吉原重美，ほか：アレルギー疾患の学校生活における健康管理に関する調査結果について．学校管理表評価ワーキンググループ．日本小児アレルギー学会誌 **28**：884-893，2014
17）海老澤元宏，ほか：「一般向けエピペン® の適応」作成の経緯．日本小児アレルギー学会誌 **28**：135-136，2014
18）吉原重美：エピペンの使い方徹底解説．教職研修 **503**：98-99，2014
19）吉原重美：食物アレルギーに対するアドレナリン自己注射薬の適応．日本医事新報 **4733**：53-54，2015
20）中田智子，ほか：栃木市におけるアクションカードを活用した食物アレルギーにおける緊急時の対応講習会の有用性．第 16 回食物アレルギー研究会 **16**：19，2016
21）中田智子，ほか：主治医・学校・教育委員会の連携によりアナフィラキシーを持つ児童生徒への対応が改善した症例：吉原重美(編集)：いま知っておきたい食物アレルギーケースファイル 30．診断と治療社，120-122，2017
22）日本保育園保健協議会　アレルギー対策委員会(編集)：保育園におけるアレルギー対応の手引き 2011．2011
23）山田裕美，ほか：保育園・幼稚園・小学校・中学校における食物アレルギー児の給食対応の比較検討．日本小児アレルギー学会誌 **25**：692-699，2011
24）栃木県教育委員会（作成）：学校給食を中心とした食物アレルギー対応の手引き．学校給食を中心とした食物アレルギー対応の手引き作成委員会，2010　http://www.pref.tochigi.lg.jp/m09/education/gakkoukyouiku/shidoushiryou/1265612967728.html（参照 2016-06-05）
25）栃木県教育委員会（作成），平成 27 年度アレルギー疾患対応検討委員会（編）：栃木県学校におけるアレルギー疾患対応マニュアル．2016　http://www.pref.tochigi.lg.jp/m09/2016arerugi_manyuaru/2016arerugi_manyuaru.html（参照 2016-06-05）
26）吉原重美，ほか：学校の食物アレルギーに対する管理と緊急時の対応マニュアル 2014．栃木県医師会，太田照男（監修），2014
27）池内寛子，ほか：被災地にある小さな一つの命を守るために私たちができること～食物アレルギーをもつ子どもを守るための防災対策～．栃木県 Food Allergy Care 研究会作成，2012
28）池内寛子：大規模災害で明らかになった食物アレルギー支援にかかわる被災地の課題と自治体などにおける防災対策：吉原重美（編集）：いま知っておきたい食物アレルギーケースファイル 30．診断と治療社，96-97，2017
29）山田裕美，ほか：学童保育における食物アレルギー児の実態と対応の課題．日小児会誌，**124**，864-869，2020
30）吉原重美（監修），田村博巳，ほか（執筆）：保育園・幼稚園・認定こども園給食における食物アレルギー対応について．イートランド，2020

D インシデント（ヒヤリ・ハット）事例から学ぶ安全対策

佐々木渓円
（実践女子大学 生活科学部 食生活科学科）

1 安全対策の必要性

「食物アレルギー診療ガイドライン 2021」では，患者管理の原則の 1 つとして，食物アレルギー患者の安全の確保があげられている[1)]．日常生活において，食物アレルギー患者が誤食などにより誘発症状を経験する機会は少なくない．楪村ら[2)]が行った調査では，保育所に在籍している食物アレルギー患児のうち約半数が，給食に関連した症状誘発を経験しており，17.6% の児が症状誘発を 5 回以上経験している．食物由来の成分は生活用品や一般用医薬品に含まれていることもあり，安全の確保のためには食事の場面に限らない日常生活での誤食防止の指導が必要である[1)]．また，十分な誤食防止対策を行うためには，周囲の人たちの理解が必要である．

私たち人間はエラーを起こしやすい生物である．しかし，エラーによって混入したアレルゲンを食物アレルギー患者が誤食すると，その摂取量によっては生命を左右する場合もある．したがって，食物アレルギー患者や家族の QOL を高めるためには，エラーを防止する有効性の高い安全対策が必要である．

労働災害事例を分析した H. W. Heinrich は，「1 件の重大アクシデントの背景には，29 件の軽微なアクシデントと 300 件の無傷のアクシデントがある」[※1] ことを示し，無傷のアクシデントやその背景にある不安全行動を分析して同定した根本要因の対策を講じることで，多くの重大アクシデントを予防できることを提唱した．食物アレルギーの安全対策についても，根本要因の解析に基づく対策が必要である．

2 インシデント（ヒヤリ・ハット）

医療安全対策においては，インシデントや同義語として「ヒヤリ・ハット」[※2] が用語として使用される場合が多いが，これらの定義する範囲は一定していない．

日本医療機能評価機構による医療事故情報収集等事業では，ヒヤリ・ハット事例の定義を，①医療に誤りがあったが，患者に実施される前に発見された事例，②誤った医療が実施されたが，患者への影響が認められなかった事例または軽微な処置・治療を要した事例．ただし，軽

[※1] これは Heinrich の法則とよばれており，1931 年に産業衛生の古典である *Industrial accident prevention : a scientific approach* で発表された．この考え方は，多くの分野で安全衛生対策の基本的な考え方とされている．

[※2] 医療安全対策の法令通知では，平成 12 年に当時の厚生省が局長通知「医療施設における医療事故防止対策の強化について」（健政発第 408 号，医薬発第 363 号）の添付資料で「インシデント事例（ヒヤリとしたりハッとした事例）」と説明し，その後，医療安全対策検討会議で同義語として使用されている．

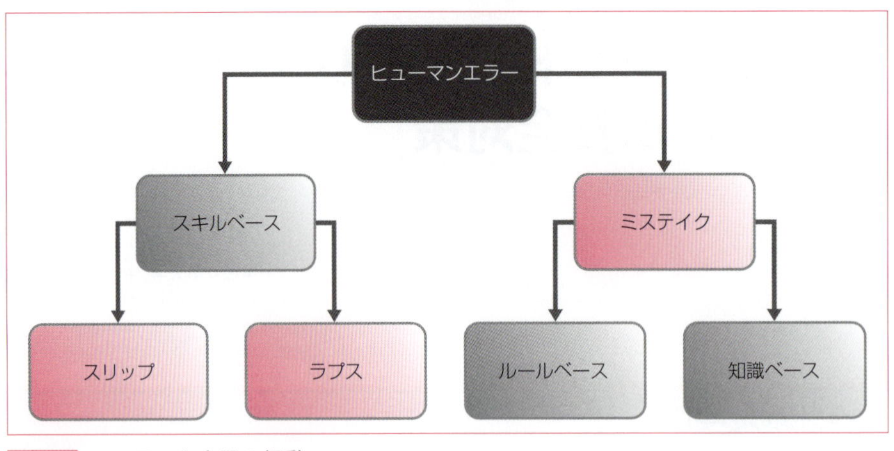

図1 エラーと人間の行動

微な処置・治療とは，消毒，湿布，鎮痛薬投与等とする，③誤った医療が実施されたが，患者への影響が不明な事例，としている（要綱第二十四条）．すなわち，この事業で収集されるインシデントは，誤った行為が「実施されたもの」を含んでいる．一方で，その行為が実施される前に気づき，「実施されなかったもの」をインシデントと定義する場合も多い．したがって，インシデントの発生率や安全対策の効果を施設間などで比較する場合は，定義の違いに留意する必要がある．

3 エラーと人間の行動

食物アレルギーに関するアクシデントは，ヒューマンエラーに基づく場合が多い．ヒューマンエラーと行動の意図（計画）の関係を考えると，計画した通りの結果が得られないエラーと，計画の内容が誤っていたエラーがある．このエラーと行動の関係性を考えた安全対策がさまざまな産業で活用されており，食物アレルギーの安全対策にも適用できる（図1）．このアプローチ方法では，人間の行動をスキルベース，ルールベース，知識ベースに分類する※3．スキルベースの行動では無意識的な動作が可能であり，人間の感覚器に入力された情報の分析結果が，訓練や経験によってすでに馴化されていた内容であれば生起される．情報分析結果に応じて行動を選択する場合は，ルールベースの行動が生起される．さらに慣れていない内容に直面した場合は，人間は知識と照合して行動している．

無意識のスキルベースの行動は日常生活の行動のほとんどを占めているが，用いられる注意量は少なく，当事者が意図しないエラーが発生する．スキルベースのエラーは，計画は正しいが実行段階で生じたエラーであるスリップと，実行の途中で行動を忘れたために生じるラプスに分類される．一方，行動を計画するために照合した内容が不適切であれば，誤った計画が立案されるため，正しく実行してもエラー（ミステイク）が発生する．ミステイクには，ルールベースの行動によるものと知識ベースの行動によるものがある（表1）．

※3 この行動の分類は認知科学者のJ. Rasmussenによるもので，スキル（Skill），ルール（Rule），知識（Knowledge）の頭文字からSRKモデルとよばれる．さらに，J. Reasonが，SRKモデルに基づいた行動とエラーの関係性を提示した．

表1 エラーの分類に対応した安全対策

<table>
<tr><th>エラーの分類</th><th>行動計画・判断</th><th>実行段階</th><th>インシデント・アクシデントの例</th><th>安全対策の例</th></tr>
<tr><td>スリップ(Slip)</td><td rowspan="2">適切</td><td rowspan="2">非意図的</td><td>○通常用の菓子の外観と似せて，鶏卵を除去した菓子を作った．
○配膳前に，除去用の菓子が，通常用の菓子の隣に置いてあった．
○鶏卵アレルギー児に，誤って，通常用の菓子を与えてしまった．</td><td rowspan="2">・チェックリスト，ダブルチェック，指差し確認の活用
・識別性が高い視覚情報（食器やトレーの色分けなど）
・作業工程の単純化による動作段階のエラー防止
（コンタミネーションを防止する動線設計など）
・「記憶の過信」禁止
（記憶ではなく記録に頼るルール）
・疲労を防ぐ勤務シフト
・作業者自身の自己点検〔IM SAFE（私は安全）チェック〕
I：Illness（病気），M：Medication（薬剤）
S：Stress（ストレス），A：Alcohol（飲酒）
F：Fatigue（疲労），E：Emotion（感情）</td></tr>
<tr><td>ラプス(Lapse)</td><td>○食物アレルギー患者の給食について，除去食物の追加指示が給食室に入った．
○直後に，病棟から別の患者について問い合わせ電話があり，その対応をした．
○その対応中に，食物アレルギー患者の追加指示があったことを忘れた．</td></tr>
<tr><td rowspan="2">ミステイク(Mistake)</td><td rowspan="2">不適切</td><td rowspan="2">意図的</td><td>（ルールベース）
○担任の先生は，鶏卵除去を要する児がいることを把握していた．
○延長保育は，担任以外の職員が担当した．
○延長保育を担当した職員は，鶏卵除去が必要と知らずに，全員にプリンを与えた．</td><td rowspan="2">・チェックリスト，ダブルチェック，指差し確認の活用
・識別性が高い視覚情報
・作業工程の単純化による動作段階のエラー防止
・正しい知識に基づくマニュアルの整備
・対象者の経験年数で分けた教育
例：新規採用時：基本知識の提供
経験が浅い職員：同業者の失敗・成功体験から学ぶ事例検討
経験が豊富な職員：柔軟な判断力を養う事例検討</td></tr>
<tr><td>（知識ベース）
○実家の祖父に子どもをあずけたときに子どもがチョコレートを欲しがった．
○祖父は，子どもに牛乳アレルギーがあることを知っていたが，少しぐらいは大丈夫だろうと考えて与えた．</td></tr>
</table>

4 インシデントレポートの活用

インシデントの発生要因を解析して安全対策に活用するためには，その発生状況を正確に把握する必要がある．インシデントレポートは，同じエラーの再発防止や重大アクシデントの予防に活用できるだけでなく，インシデントを振り返り組織で共有することで，エラーに対する個人や組織の感受性を高めることも可能である．さらに，レポートを集積することで，エラーの根本要因に関与する製品や，その問題点を抽出することができる．これらの情報をメーカーに還元することで，当該商品の食品表示や製品の改良が期待できるため，インシデントレポートは社会全体の食物アレルギー対策に寄与することもある．

このように，インシデントレポートは安全対策を向上するためにきわめて有用であるが，正確で有益なレポートを集積するためには，インシデントを起こした当事者を責めない環境づくりが組織や社会に求められる.

提出されたインシデントレポートの内容は必ず分析し，安全対策を計画・実施して，その効果を把握する．さらに，把握された効果を分析して改善する「計画—実行—評価—分析・改善(Plan-Do-Check-Action)」のPDCAサイクルを実践することで，安全対策が向上する．レポートの内容分析は関連する多職種の見地から実施し，立案した対策は組織の共通ルールとして運用する．職員一人ひとりが正しい知識と情報を持ち，行動の判断材料となるマニュアルを整備するだけでなく，インシデントレポートを活用した安全対策を実施することが望ましい.

5 事例分析方法

インシデントレポートを用いた事例分析は，量的情報に基づく定量分析と，事例の要因を質的に検討する定性分析に大別される.

定量分析では，インシデントの発生時間，関与した人の職種や経験年数，行動の内容などの項目別にインシデントの報告数を集計し，それらの事象が発生しやすい特徴を抽出する．定性分析では，収集した情報から根本要因を抽出し，安全対策を立案する．実際の分析手法としては，SHEL分析，4M4Eマトリックス分析などの多くの方法が開発されている．本項では，実践しやすい分析手法の1つであるSHEL分析を紹介する.

SHEL分析は，当事者（Liveware）とソフトウエア（Software），ハードウエア（Hardware），環境（Environment），当事者以外の人（Liveware）との関係性に着目した方法であり，これらの要素の頭文字からSHELとよばれている（図2）.

各要素について食物アレルギーに関係する項目を例示すると，Softwareにはマニュアル，Hardwareでは調理器具や給食室の構造，あるいはアドレナリン自己注射薬（AAI）などが該当する．さらに，Environmentには，給食室の照明や騒音などの物理的環境だけでなく，慣習や文化などのように行動に影響するすべての環境要因が含まれる．最後に，Livewareは，患者，インシデントの発生現場にいた職員や第三者など，インシデントを起こした当事者以外の人が該当する.

SHEL分析の手順としては，まず収集した情報を，SHELの各要素に分けて整理する．次に，すべての要素の視点から，インシデントが発生した要因を検討して抽出し，それらから関連性が強い根本要因を確定する．安全対策を立案する場合も，SHELの各要素の視点から幅広く立

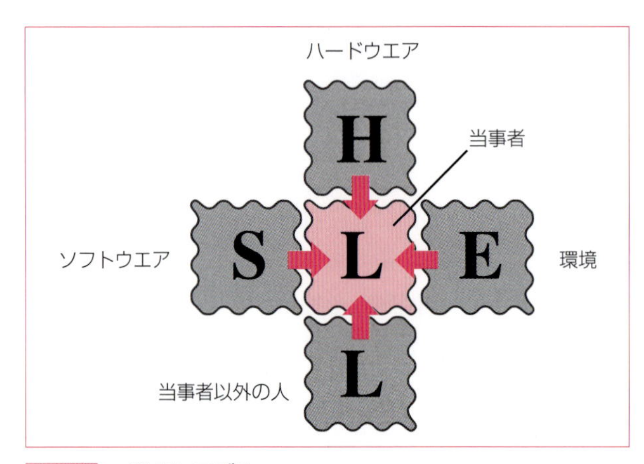

図2 SHELモデル

案するが，モデル図の矢印が中心の Liveware に向けられているように，人間の特性にほかの要素を適合させる方法を考える．

6 アクシデントの発生要因

愛知県の保育所，幼稚園，小学校に通う食物アレルギー患者を対象とした調査では，給食に関連したアクシデントの原因は調理や配膳に関連したエラーが多かった[2]．しかし，原因食品への接触など，子どものさまざまな日常活動がアクシデントの発生要因になることが示されている（図3）．また，カナダで行われたピーナッツアレルギー患者を対象としたコホート調査[3]では，患者の罹病年数によってアクシデントの発生率が変化することが示されている（図4）．

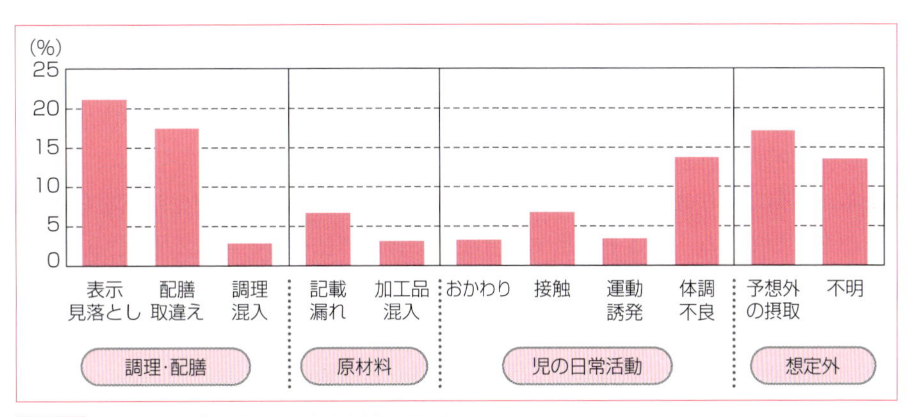

図3 小学生が経験した誘発症状の要因
あいち小児保健医療総合センターアレルギー科を受診した食物アレルギー児を対象とした．在籍している小学校で給食に関連した誘発症状の要因を調査して，誘発症状を経験した人数に占める割合を示した
〔楳村春江，ほか：当科通院中の食物アレルギー児が受けている給食対応の実態調査．日本小児アレルギー学会誌 **26**：589-598，2012 を元に作成〕

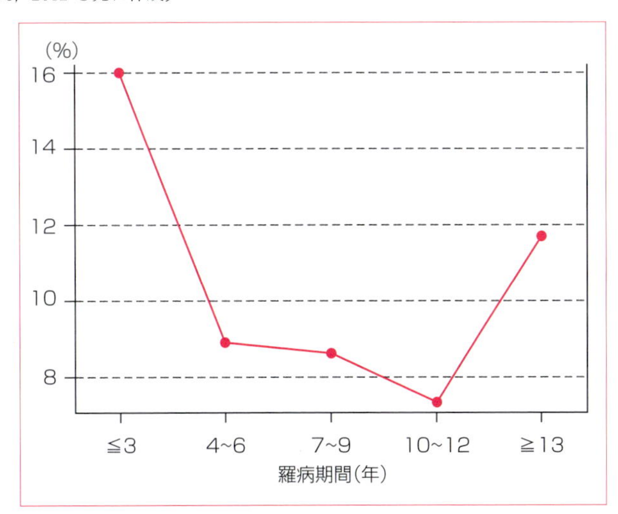

図4 罹病期間と誘発症状の発生率
ピーナッツアレルギー患者 429 人（4,589 人年）を対象としたコホート調査．値は調査開始時の罹病期間別にみた観察人年当たりの症状誘発率を示す
〔Cherkaoui S, et al.：Accidental exposures to peanut in a large cohort of Canadian children with peanut allergy. *Clin Transl Allergy* **5**：16, 2015 を元に作成〕

この報告では，調査開始時の罹病期間が12年までの患者は，罹病年数が長くなると誘発症状の発生率が減少しており，その原因は患者が成長とともに適切な安全対策を講じるためとしている．しかし，罹病期間が13年以上の中高生は，リスクが高い行動をとるためにアクシデントが発生しやすい．これらの結果は変化しうる多様な要因がアクシデントに関与していることを示しており，Software，Hardware，Environment，Liveware から多角的に考えた安全対策が必要であることを例示している．

7 アドレナリン自己注射薬を使用した事例

安全対策を講じてもエラーをゼロにすることは不可能であるため，アナフィラキシーのリスクが高い患者には，AAI が処方されている．中田らは，AAI を使用した25例の詳細な経過を報告しているが，そのうち18例（72%）の要因は，外食・店頭販売・市販品・給食に関連したヒューマンエラーであった[4)]．その他の7例（28%）は経口免疫療法に関連していたが，そのうち，必要な維持摂取の継続を怠った2例，誤って不十分な加熱をした鶏卵の摂取1例，禁止されていた体調不良時の摂取1例はエラーによるアクシデントである．

これらの事例は，リスクが高い食物アレルギー患者では，エラーが生命を左右する可能性があることを示している．AAI を使用すべき症状や操作方法は柳田による別項（p.202「アナフィラキシー」）を参照していただきたいが，過去の事例は安全対策に活用できるため，教訓的2事例を紹介する．

症例1

10歳，女児

鶏卵・牛乳アレルギー

日本料理専門店に行った患児と母親は，事前に，患児が鶏卵・牛乳アレルギーがあることを店員に伝えた．患児は，「アレルゲンは含まれない」と店員から説明された豆腐料理を摂取したが，違和感を訴えて摂取を中断した．摂取から45分後，顔の発赤腫脹，体幹の蕁麻疹だけでなく咳嗽が出現した．AAI の適応と判断した母が AAI を使用した．AAI 使用から15分後に救急隊が到着した時点では症状が軽快していたため，患児は救急車まで徒歩で移動した．その結果，症状が再燃し，搬送された病院でアドレナリンの筋肉注射，抗ヒスタミン薬とステロイド薬の静脈内投与を施行された．

〔アクシデントの要因〕

○豆腐料理に乳成分が含まれており，店員は原材料の確認を怠って説明した．

○母は外食に成分表示の義務がないことを知っていた．しかし，日本料理の専門店であるため豆腐に乳成分が含まれていると考えず，店員の説明を信じた．

○母は適切に AAI を使用しており，AAI の使用直後は患児の安静を保つことも知っていた．しかし，症状が速やかに軽快したため，再燃のリスクを判断できなかった．

症例 2

10 歳，男児

● **甲殻類・軟体類・貝類と一部の魚アレルギー**

患児は学校給食でかき玉汁を摂取し，30 分後に校庭で鬼ごっこをしていた．その途中に，呼吸苦，嗄声，蕁麻疹が出現したため，ただちに保健室にて養護教諭の指示で抗ヒスタミン薬を内服した．発症から 15 分後，養護教諭は症状の改善が乏しいと判断し，AAI を使用し救急搬送を要請した．搬送された病院では嗄声は消失していたが，抗ヒスタミン薬とステロイド薬の静脈投与を施行された．

〔アクシデントの要因〕

○学校との事前協議により，母が給食献立を事前に確認して摂取可否を判断していた．

○当日の献立には「魚」と表示されており，母は患児が摂取できるカツオだしと判断した．

○かき玉汁に患児が反応するだしが使われていた．

○摂取後の鬼ごっこが運動負荷となり，症状の誘発を促進した．

8 アドレナリン自己注射薬（AAI）使用時の安全対策の必要性

AAI 使用時にヒューマンエラーが生じることもあり，アドレナリン投与の遅れが人命を左右する場合もある[5]．本項では，AAI 使用時のアクシデントを「誤射」とよび，その特徴と対策について示す．

アメリカ中毒センターでは，1994〜2007 年までに 15,190 件の誤射が把握されており，その 60% が 2003 年以降に発生している[6]．また，同センターが 2013〜2014 年までに把握した事例は 6,806 件であり，選択バイアスを考慮する必要があるが，誤射の発生数の増加が推察される[7]．わが国で発生した誤射の分析では，誤射は初回処方だけでなく継続処方例でも発生しており[8]，AAI 処方医は患者や保護者などに対して誤射を防ぐ指導を繰り返し行う必要がある．

わが国で使用されているエピペン® では，手指が誤射部位の多くを占めている[5〜8]．手指に対する誤射の後方視的検討では全身症状は認められず，局所症状として蒼白，浮腫，体表温度の低下が認められている[9]．これらの α 作用による血管収縮に伴う症状は，多くの軽症例では加温などの応急処置あるいは経過観察のみで改善している[9]．しかし，これらの軽微なアクシデントの根本要因の対策を怠ることで，重大アクシデントが発生する可能性は否定できず，AAI 使用における安全対策が必要である．

9 誤射の発生要因と対策

わが国で発生した誤射の要因分析では，小児による誤射のほとんどは AAI の不適切な管理と小児の発達過程が関連していた[8]．小児は常に発達過程にあり，誤射に限らず安全管理のためには「昨日できなかったことが今日できる」ことを予期した対策が必要である．

非医療従事者が AAI を実際に使用する際は，直面したアナフィラキシー症状や侵襲的行為に対する強い不安感が介在する．このため，AAI の投与時はミステイクが発生しやすい状況にあり，誤射によって患者に AAI を投与できなかった事例もある[8]．また，誤射以外にも，下肢の固定が不十分な状態では，AAI の投与によって皮膚裂傷が生じるリスクがある．したがって，緊急時でも理解しやすいマニュアル[10]やロールプレイなどを活用して，適確な判断や行動をサポートする体制が必要である．

一方で，誤射を防止するために，国内で流通しているAAIであるエピペン®にはいくつかの改良がされてきた．初期の製品は両端を識別しにくい色調であり，針側と安全キャップ側を誤った誤射が発生していた．この安全対策として，現行の製品のニードルカバーと安全キャップは判別しやすい色調が採用されている．

また，製剤とトレーナーの外観がきわめて類似しており，両者を取り違えるスリップのリスクが指摘されてきた．この問題点に対して，2013年にトレーナーのラベルに「練習用トレーナー」と表示がされる等の識別性の向上が図られた．しかし，このデザイン変更後も製剤とトレーナーを間違える誤射は発生している[8]．その理由は，トレーナーのラベルには，当該表示を含む多くの情報が表示されており，使用者が注意表記を視覚情報として把握しにくいためと考えられる．同様の指摘は国外でもされており，メーカーには識別性を高めるデザインの見直しを期待したい．一方で，製剤とトレーナーを別に保管するなどのスリップを防ぐ患者指導が，安全対策として有効であることが示唆されている[8]．

文献

1）海老澤元宏，ほか（監修），日本小児アレルギー学会食物アレルギー委員会（作成）：食物アレルギー診療ガイドライン2021，協和企画，120-122，2021
2）楪村春江，ほか：当科通院中の食物アレルギー児が受けている給食対応の実態調査．日本小児アレルギー学会誌 **26**：589-598，2012
3）Cherkaoui S, et al.：Accidental exposures to peanut in a large cohort of Canadian children with peanut allergy. *Clin Transl Allergy* **5**：16, 2015
4）中田如音，ほか：当科で処方したアドレナリン自己注射薬（エピペン®）の使用事例報告．日本小児アレルギー学会誌 **28**：796-805，2014
5）Simons FE, et al.：Hazards of unintentional injection of epinephrine from autoinjectors：a systematic review. *Ann Allergy Asthma Immunol* **102**：282-287, 2009
6）Simons FE, et al.：Voluntarily reported unintentional injections from epinephrine auto-injectors. *J Allergy Clin Immunol* **125**：419-423, 2010
7）Anshien M, et al.：Unintentional Epinephrine Auto-injector Injuries：A National Poison Center Observational Study. *Am J Ther* **26**：e110-e114, 2019
8）Sasaki K, et al.：Identifying the factors and root causes associated with the unintentional usage of an adrenaline auto-injector in Japanese children and their caregivers. *Allergol Int* **67**；475-480, 2018
9）Muck AE, et al.：Six years of epinephrine digital injections：absence of significant local or systemic effects. *Ann Emerg Med* **56**：270-274, 2010
10）名古屋市教育委員会：食物アレルギー対応の手引き≪改訂版≫（令和3年1月発行）．2021 http://www.city.nagoya.jp/kyoiku/page/0000050793.html（参照 2021-12-10）

E アレルゲンを含む加工食品の表示

藤森正宏
（食の安全サポートオフィス）

1 アレルギー表示制度の概要

食品のアレルゲン*1の表示制度は，2001（平成13）年，アレルギー患者の健康危害の発生を防止する観点からスタートした．特に発症数，重篤度から勘案して表示する必要性の高い5品目（卵，乳，小麦，そば，落花生）を「特定原材料」（以下，義務表示品目と称す）とし，これらを含む加工食品にアレルゲンの表示を義務づけた[1)]．2010（平成22）年，「えび」と「かに」がこれに追加され，7品目となった．また，過去に一定の頻度で重篤な健康危害がみられたアレルゲンを含むものを「特定原材料に準ずるもの」（以下，任意表示品目と称す）とし，表示を推奨した．これらは，当初，19品目であったが，2004（平成16）年に「バナナ」，2013（平成25）年に「ごま」と「カシューナッツ」が追加された．2015（平成27）年4月，「食品表示法」[2)]および「食品表示基準」[3)]が施行され，これに伴いアレルゲンを含む表示も見直された．大きな変更点は，誤認を防止するため「特定原材料等の代替表記等方法リスト」の見直しと，アレルギー患者の商品選択の幅を広げるため「個別表示」を原則としたことである．2019（令和元）年，「アーモンド」を追加し，任意表示品目を21品目とした．「くるみ」については，任意表示品目から義務表示品目への変更が検討されている．

アレルギー表示がわかりにくいとされる要因は，表示ルールの難しさに加え，食品パッケージにはさまざまな表示が同時に掲載され，必要な情報が見つけにくいことや，なじみのない法令用語や食品用語が障壁となっているように思われる．本項では，実践的な読み方に重点をおき，多くの事例をあげて解説した．

なお，わかりやすさを優先したため，法令用語をそのまま使用していない部分がある．また，解説のなかで□枠や下線で内容を強調した部分があるが，実際の表示にはない．「食品表示基準Q＆A」の一部改正について，別添アレルゲンを含む食品に関する表示[4)]は，食品表示基準Q＆Aと略した．

2 加工食品に必要な表示事項（表1）[5)]

加工食品は，製造や加工を経ることにより，食品の本質が変化したり，新たな属性が加わり，外見からアレルゲンの情報を得ることはできない．食品表示法では，容器包装された加工食品には，原則，①～⑨までの一括表示事項と，⑩の栄養成分表示を義務づけている．商品によっ

*1 食品表示法（平成25年法律第70号）第4条に，「アレルゲン（食物アレルギーの原因となる物質をいう）」と明記．

表1　加工食品に必要な一括表示事項（義務）と表示例

	項目	内容
①	名称	食品の内容を的確に表現するもので，一般に通用する名称を表示
②	原材料名	使用した重量の割合の多いものから順に表示．アレルゲンの表示のほか，複合原材料，遺伝子組換え，スラッシュで区分した添加物，原料原産地名，同種の原材料のまとめ表示，これらをあわせて掲載することも可能
③	添加物	使用した重量の割合の多いものから順に表示アレルゲンに由来する添加物である旨を表示
④	原料原産地名	輸入品を除き，使用した重量の割合が上位一位の原材料の原産地を原料原産地として表示
⑤	内容量	重量や体積等，単位を付して表示
⑥	消費期限又は賞味期限	急速に品質劣化しやすいものは消費期限，品質の劣化が比較的遅いものについては賞味期限を表示
⑦	保存方法	商品の特性にしたがって，具体的な保存方法を表示
⑧	原産国名（輸入品のみ）	商品内容について，実質的な変更をもたらす行為が行われた国を記載
⑨	製造者等	食品関連事業者（製造者・輸入者・販売者）の名称や住所を表示
⑩	栄養成分表示	食品表示基準に定められた表示内容，表示方法にしたがって，栄養成分を表示

	項目	表示例
①	名称	スナック菓子(ポテトチップス)
②③④	原材料名	馬鈴薯（遺伝子組換えでない）(国産)、植物油脂（パーム油、米油)、食塩、粉末しょうゆ（小麦・大豆を含む)、肉エキスパウダー（豚肉・小麦を含む)/調味料（アミノ酸等)、カロチノイド色素（えび由来)
⑤	内容量	70 g
⑥	賞味期限	枠外右下に記載
⑦	保存方法	直射日光、高温多湿の場所を避けて保存
⑨	製造者	㈱□□食品 東京都□□市□区□町 1-2

⑩

栄養成分表示（1袋70 g あたり）	
熱量	350 kcal
たんぱく質	4.3 g
脂質	18.0 g
炭水化物	40.0 g
食塩相当量	0.7 g

〔消費者庁：早わかり食品表示ガイド（令和4年1月版・事業者向け）．2022 を元に作成〕

ては，①～⑨以外に，無脂肪固形分や調理方法などの事項が必要となる．なお，容器包装の面積が 30 cm^2以下のものは，アレルゲンの表示を含め7項目[*2]を義務づけた．

3　アレルギー表示の考え方と表示例

1．表示対象品目（表2）[4]

健康危害を防止するため，表示の必要性の高い「義務表示7品目」と，表示が推奨される「任意表示21品目」からなる．

2．表示の対象範囲

容器包装された，加工食品および食品添加物が対象である．次のものについては，適正表示の検証と監視指導の実現性から，表示が免除されている．「ばら売りや量り売りで販売する食品」，「飲食店で提供する食品，出前など」，「酒類」．また，食品中に含まれるアレルゲンの総たんぱく量が，数 μg/g または数 μg/mL レベルに満たないもの[*3]についても，表示が免除されている．

3．アレルゲンの表示ルール

食品によっては，すべてのアレルゲンを表示するとわかりにくかったり（例：弁当など），表示面積が狭く表示が困難となる場合がある．このため，原材料および添加物に含まれるアレル

[*2] 記載が必要な項目は，名称，保存方法，消費期限または賞味期限，アレルゲン，L-フェニルアラニン化合物を含む旨，食品関連事業者の氏名または名称および住所．

[*3] 食品表示基準Q＆A：C-3

表2 表示対象品目と表記

法令	表示の基準	アレルゲンの品目と表記（法令の「特定原材料等の名称」）	表示の理由
特定原材料	義務表示（7品目）	えび，かに，小麦，そば，卵，乳，落花生（ピーナッツ）	特に発症数，重篤度から勘案して，表示する必要性の高いもの
特定原材料に準ずるもの	任意表示（21品目）	アーモンド，あわび，いか，いくら，オレンジ，カシューナッツ，キウイフルーツ，牛肉，くるみ，ごま，さけ，さば，大豆，鶏肉，バナナ，豚肉，まつたけ，もも，やまいも，りんご	症例数や重篤な症状を呈する者の数が継続して相当数みられるが，特定原材料に比べると少ないもの．特定原材料とするか否かについては，今後，引き続き調査を行うことが必要
		ゼラチン	牛肉・豚肉由来であることが多く，これらは特定原材料に準ずるものであるため，既に牛肉，豚肉としての表示が必要であるが，過去のパブリックコメント手続において「ゼラチン」としての単独の表示を行うことへの要望が多く，専門家からの指摘も多いため，独立の項目を立てている

＊卵の範囲は，食用鳥卵（鶏，あひる，うずらなど）で，魚卵，爬虫類卵，昆虫卵などは対象外
＊乳の範囲は，牛の乳から製造された食品すべてが対象で，牛乳以外（ヤギ乳，めんよう乳，水牛乳など）は対象外
〔消費者庁食品表記企画課：消食表第115号,「食品表示基準Q & A」の一部改正について（最終改正令和3年3月17日）. 2021：Q & A, B-4, D-5, 6を元に作成〕

ゲンは，以下のルールで表示する．

1）アレルゲンを個別に表示する「個別表示」＊4

原則の表示方法である．アレルゲンを原材料として含む旨，または添加物がアレルゲンに由来する旨を，個々の原材料や添加物の直後に，カッコを付して表示する．ただし，以下の場合，カッコ書きの表示は不要である．

・たとえば，原材料に「卵」や「鶏肉」など，アレルゲンそのものが使用された際は，「卵（卵を含む）」，「鶏肉（鶏肉を含む）」ではなく，「卵」，「鶏肉」と「アレルゲンの表記（表2）」でよい．

・アレルゲンが同じであると理解できる表記（例：「たまご」，「とり肉」）や，アレルゲンを用いた加工食品と理解できる表記（例：「厚焼玉子」，「チキンスープ」）がある．こうした表記をアレルゲンの替わりの表記（表3，4）[6]（法令の「代替表記」および「拡大表記」）とし，上記同様カッコ書きは不要で，「アレルゲンの替わりの表記」でよい．

2）アレルゲンを一括で表示する「一括表示」＊5

個別表示が困難な場合や個別表示がなじまない場合，例外として，原材料の最後に，すべてのアレルゲンをまとめて表示する．

3）注意喚起＊6

アレルゲンを含まないにもかかわらず，十分な対策をとっても，製造工程や周囲の環境から，ごく微量のアレルゲンが混入してしまうことが否定できない場合（コンタミあるいはコンタミネーションともいう）は，一括表示事項欄の枠の外に注意喚起（任意）を表示する．

＊4 食品表示基準Q & A：E-2～E-5
＊5 食品表示基準Q & A：E-6～E-8
＊6 食品表示基準Q & A：G-1～G-3

表3 アレルゲンとアレルゲンの替わりの表記（義務表示）

アレルゲンの表記	アレルゲンの替わりの表記	
	アレルゲンが同じであると理解できる表記（法令の代替表記）	アレルゲンを用いた食品と理解できる表記の例示（法令の拡大表記）
えび	海老，エビ	えび天ぷら，サクラエビ
かに	蟹，カニ	上海がに，カニシューマイ，マツバガニ
小麦	こむぎ，コムギ	小麦粉，こむぎ胚芽
そば	ソバ	そばがき，そば粉
卵	玉子，たまご，タマゴ，エッグ，鶏卵，あひる卵，うずら卵	厚焼玉子，ハムエッグ
乳	ミルク，バター，バターオイル，チーズ，アイスクリーム	アイスミルク，ガーリックバター，プロセスチーズ，牛乳，生乳，濃縮乳，乳糖，加糖れん乳，乳たんぱく，調製粉乳
落花生	ピーナッツ	ピーナッツバター，ピーナッツクリーム

「乳等を主要原料とする食品」と表記した商品がある．この表記は，乳・乳製品の定義からはずれた乳の加工品を指し，「乳を用いた食品と理解できる表記」である

〔消費者庁：消食表第第389号消費者庁次長通知，食品表示基準について，別添アレルゲン関係(最終改正令和3年9月15日)．2021：別表3を元に作成〕

表4 アレルゲンとアレルゲンの替わりの表記（任意表示）

アレルゲンの表記	アレルゲンの替わりの表記	
	アレルゲンが同じであると理解できる表記（法令の代替表記）	アレルゲンを用いた食品と理解できる表記の例示（法令の拡大表記）
アーモンド		アーモンドオイル
あわび	アワビ	煮あわび
いか	イカ	いかフライ，イカ墨
いくら	イクラ，すじこ，スジコ	いくら醤油漬け，塩すじこ
オレンジ		オレンジソース，オレンジジュース
カシューナッツ		
キウイフルーツ	キウイ，キウィー，キーウィー，キーウィ，キウィ	キウイジャム，キウイソース，キーウィジャム，キーウィーソース
牛肉	牛，ビーフ，ぎゅうにく，ぎゅう肉，牛にく	牛すじ，牛脂，ビーフコロッケ
くるみ	クルミ	くるみパン，くるみケーキ
ごま	ゴマ，胡麻	ごま油，練りごま，すりゴマ，切り胡麻，ゴマペースト
さけ	鮭，サケ，サーモン，しゃけ，シャケ	鮭フレーク，スモークサーモン，紅しゃけ，焼鮭
さば	鯖，サバ	さば節，さば寿司
大豆	だいず，ダイズ	大豆煮，大豆たんぱく，大豆油，脱脂大豆
鶏肉	とりにく，とり肉，鳥肉，鶏，鳥，とり，チキン	焼き鳥，ローストチキン，鶏レバー，チキンブイヨン，チキンスープ，鶏ガラスープ
バナナ	ばなな	バナナジュース
豚肉	ぶたにく，豚にく，ぶた肉，豚，ポーク	ポークウインナー，豚生姜焼，豚ミンチ
まつたけ	松茸，マツタケ	焼きまつたけ，まつたけ土瓶蒸し
もも	モモ，桃，ピーチ	もも果汁，黄桃，白桃，ピーチペースト
やまいも	山芋，ヤマイモ，山いも	千切りやまいも
りんご	リンゴ，アップル	アップルパイ，リンゴ酢，焼きりんご，りんご飴
ゼラチン		板ゼラチン，粉ゼラチン

〔消費者庁：消食表第第389号消費者庁次長通知，食品表示基準について，別添アレルゲン関係（最終改正令和3年9月15日）．2021：別表3を元に作成〕

4）事業者による自主表示

一括表示事項欄の枠の外に記載する．

表5 個別表示

名称	米菓
原材料名	うるち米（国産）、でんぷん、しょうゆ（小麦・大豆を含む）、砂糖、植物油脂、たん白加水分解物（小麦・大豆・鶏肉・豚肉を含む）、カツオ節エキス、果糖、香辛料、調味料（アミノ酸等）、乳化剤（大豆由来）、カラメル色素

＊個別表示を□で示した

〔消費者庁食品表記企画課：消食表第115号,「食品表示基準Q & A」の一部改正について（最終改正令和3年3月17日）. 2021：食品表示基準Q & A, E-2, 3を参照して作成〕

表6 重複するアレルゲンを省略した個別表示

名称	米菓
原材料名	うるち米（国産）、でんぷん、しょうゆ、砂糖、植物油脂、たん白加水分解物（小麦・大豆・鶏肉・豚肉を含む）、カツオ節エキス、果糖、香辛料、調味料（アミノ酸等）、乳化剤、カラメル色素

＊個別表示を□で示した

＊重複する小麦と大豆を省略した原材料は下線で示した

〔消費者庁食品表記企画課：消食表第115号,「食品表示基準Q & A」の一部改正について（最終改正令和3年3月17日）. 2021：食品表示基準Q & A, E-4を参照して作成〕

表7 一括表示

名称	米菓
原材料名	うるち米（国産）、でんぷん、しょうゆ、砂糖、植物油脂、たん白加水分解物、カツオ節エキス、果糖、香辛料、調味料（アミノ酸等）、乳化剤、カラメル色素、（一部に小麦・大豆・鶏肉・豚肉を含む）

＊一括表示を□で示した

〔消費者庁食品表記企画課：消食表第115号,「食品表示基準Q & A」の一部改正について（最終改正令和3年3月17日）. 2021：食品表示基準Q & A, E-7を参照して作成〕

4. 表示例

1）個別表示

個々の原材料の直後に（○○を含む），添加物では（△△由来）と，含まれるアレルゲンが表示してある．

①個別表示（表5）[4]

含まれるアレルゲン（替わりの表記含む）がすべて表示してある．以降，この基本形をもとに表示のバリエーションを解説する．

②重複するアレルゲンを省略した個別表示（表6）[4]

同じアレルゲンが重複する場合，見やすさや表示スペースを節減するため，当該アレルゲンは一度表示をすればよく，繰り返して表示をする必要はない．

・留意点　どの原材料のアレルゲンが省略されたか，確認できない．必要な場合は，事業者に問い合わせる．

2）一括表示（表7）[4]

表5の個別表示を，一括表示したものである．最後に（一部に○○を含む）と，アレルゲンがまとめて表示してある．このため，すべてのアレルゲンが一覧できるので見やすい．

・留意点　どの原材料に何のアレルゲンが含まれるか，確認できない．原材料によっては摂取可能な場合（表13参照）もあるので，摂取する場合は，必ず事業者に問い合わせる．

表8　注意喚起（コンタミ表示）

・同じ生産ラインで「卵・乳・えび・かに」を含んだ食品を扱っています．
・本品は卵、乳を含む製品と共通の設備で製造しています．
・本製品で使用しているしらすは、かにが混ざる漁法で採取しています．

〔消費者庁食品表記企画課：消食表第115号,「食品表示基準Q & A」の一部改正について（最終改正令和3年3月17日）．2021：食品表示基準Q & A，G-3を参照して作成〕

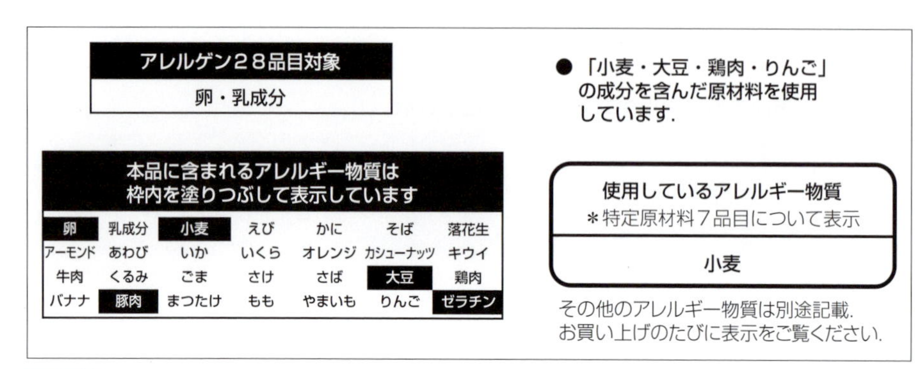

図1　アレルゲンのまとめ記載

3）注意喚起（コンタミ表示）（表8）[4]

任意のため，一括表示事項欄の枠の外にある．重度のアレルギーでない限り，摂取を避ける必要はないとされている．

・留意点　通常，一括表示事項欄の近くにある．表示がないときは，必要に応じ，事業者に問い合わせる．

4）アレルゲンのまとめ記載（図1）

事業者による自主的な表示は，一括表示事項欄の枠の外にある．商品によっては，含まれるアレルゲンを見える化した「アレルゲンのまとめ記載」がある．内容は，一括表示と同じで，留意点も同じである．

4　注意を要する表示と対策

1．個別表示で，アレルゲンおよびアレルゲンの替わりの表記とカッコを付した表示の混在例（表9）

たとえば,「小麦粉」は小麦の替わりの表記で,「小麦粉（小麦を含む）」と表示した商品はない．（〇〇を含む），（△△由来）だけ拾い読みをすると，含まれるアレルゲンを見逃す．対策は，表示のダブルチェックのほか,「アレルゲンのまとめ記載」のある商品は，これとの併用読みをお勧めする．

2．重複するアレルゲンの誤った省略表示が原因の誤食例（個別表示）（表10）

繰り返しとなるアレルゲンの表示は一度行えばよいと解説した．一般にアレルゲンが含まれても摂取可能といわれている食品（例：しょうゆの小麦と大豆，乳糖など，p.270 第V部A「給食・外食産業」参照）がある．こうした食品と繰り返しになるアレルゲン表示を省略する場合は，食品表示基準Q & A[*7]のなかで,「一般的に摂取可能といわれている食品（例，しょうゆ）以外の同一のアレルゲンが含まれる原材料（例，たん白加水分解物）に含む旨を表示すること

表9 アレルゲンおよびアレルゲンの替わりの表記とカッコを付した表示の混在例

名称	クッキー
原材料名	小麦粉、砂糖、植物油脂、チョコレートチップ（乳成分を含む）、白ねりあん（乳成分を含む）、卵、水あめ、脱脂粉乳、食塩、全粉乳/乳化剤（大豆由来）、香料（乳・大豆由来）

＊個別表示を□で示した
＊アレルゲンとアレルゲンの替わりの表記の原材料を下線で示した
（○○を含む），（△△由来）だけを拾い読みすると，「小麦」と「卵」を見落とす

表10 重複するアレルゲンの誤った省略表示が原因の誤食例

名称	米菓
原材料名	うるち米（国産）、でんぷん、しょうゆ（小麦・大豆を含む）、砂糖、植物油脂、たん白加水分解物（鶏肉・豚肉を含む）、カツオ節エキス、果糖、香辛料、調味料（アミノ酸等）、乳化剤、カラメル色素

＊個別表示を□で示した
＊省略した小麦と大豆を含む原材料は下線で示した
しょうゆの小麦・大豆は摂取できるが，しょうゆ以外に含まれるこれらのアレルゲンを摂取すると，アレルギーを発症する人がいる．正しい省略表示は，表6参照

が望ましい」と示されている．これが重要で，ほとんどの事業者は遵守しているが，義務でないため，ごくまれに，省略が不適切な商品が流通する．対策は，小規模事業者の中にはアレルゲンの表示知識に乏しい業者がいるため，名前の通ったメーカーの商品を選ぶ．

3. 一括表示で，原材料でアレルゲンを判断したため誤食した例（表11）

一括表示の欠点は，どの原材料に何のアレルゲンが含まれるか，確認できないことである．この例は，一括表示の乳成分を乳糖（一般に摂取可能，p.270 第Ⅴ部A「給食・外食産業」参照）だけと判断し，摂取したため発症したものである．摂取する場合は，必ず事業者に問い合わせる．

4. 一括表示とカッコを付した表示の混在例（表12）

原材料および添加物直後のカッコ書きには，アレルゲンではない表示もある（表1の②原材料名を参照）．見誤らないよう注意が必要である．なお，個別表示と一括表示を組み合わせた表示はない．

5. 注意喚起（コンタミ表示）（任意）

1）表示場所

多くは一括表示事項欄の近くにあるが，そうでないものもある．対策は，パッケージをくまなくチェックするほか，事業者に問い合わせる．

2）コンタミの有無

表示がない場合,「コンタミがない」のか, 任意のため「表示されていない」のか判断できない．必要な場合は事業者に問い合わせる．

3）その他

弁当のおかずのように，それぞれのアレルゲンが明らかとなっても，輸送時や摂取時に交差汚染の可能性がある．

＊7 食品表示基準Q＆A：E-5

表11 原材料でアレルゲンを判断したため誤食した例（一括表示）

名称	デザートベース（ムースの素）
原材料名	糖類（砂糖、乳糖）、植物油脂、ゼラチン、食塩/ゲル化剤（紅藻抽出物）、香料、着色料（紅麹）、(一部に乳成分・大豆を含む)

＊一括表示を□で示した
＊乳成分を含む原材料は下線で示した
本事例は，アレルギーを発症したため，事業者に問い合わせたところ，“表示にありませんが，「植物油脂」に微量のカゼインナトリウム（乳成分）が入っています”，と回答があったものである．一括表示では，どの原材料にアレルゲンが含まれるか確認できない

表12 一括表示とカッコを付した表示の混在例

名称	菓子パン
原材料名	キャラメル味フラワーペースト（砂糖、植物油脂、全粉乳、キャラメルペースト、その他）（国内製造）、小麦粉、砂糖、ミックス粉（小麦粉、小麦たん白、大豆たん白、その他）、マーガリン、卵、乳等を主要原料とする食品、パン酵母、食塩/加工デンプン、乳化剤、糊料（増粘多糖類、アルギン酸エステル）、膨張剤、香料、保存料（ソルビン酸）、(一部に乳成分・卵・小麦・大豆を含む)

＊一括表示を□で示した
＊①複合原材料（2 種類以上の原材料からなる原材料が，何からできているのかを記載したもの）の表示
②原料原産地の製造地表示
③添加物の用途名併記の表示

6. アレルゲンの表示品目数

任意表示の対象品目については，「使用していない」のか，「表示をしていない」のか，正確に判断できないことがある．食品表示基準 Q & A[*8] では，対象が「義務表示 7 品目」か「任意表示の対象範囲が明確になるよう」，一括表示事項欄の枠に近接した箇所に表示するよう努めるとしているが，明らかでない場合もある．必要な場合は事業者に問い合わせる．

5 アレルゲンの知識が必要な原材料と添加物

1. 一般に摂取可能な調味料など（表 13）

アレルゲンのタンパク質量が無視できるほど微量しか混入していない，または製造過程で加熱や発酵などにより，タンパク質が変化・低分子化し，アレルギーを発症しないとされているものがある[7]．ただし，一部の患者では発症するので，医師による確認が必要である．

2. アレルゲンが連想しにくい原材料など（表 14，15）

近年，加工食品が多様化し，さまざまな形態の原材料が使われるようになった．アレルゲンが連想しにくい原材料・添加物を表 14 にまとめた．用語の成り立ちを理解し，注意深く表示を読めば誤食に至ることはない．

表 15 に，スナック菓子の表示と，実際に含まれるアレルゲンを示した．これらのアレルゲンは，事業者に問い合わせた結果である．

3. 誤認しやすい「乳」に関連する原材料など（表 16）

誤食のなかで，乳成分を含むものが多い．

[*8] 食品表示基準 Q & A：E-23

表13 一般に摂取可能な調味料など

原因の食物	除去不要な調味料など	根拠
鶏卵	卵殻カルシウム	「卵殻カルシウム」は卵の殻が原料で，焼成でも未焼成でも，鶏卵のタンパク質の混入はほぼなく，除去する必要は基本的にない
牛乳 乳製品	乳糖	「乳糖」は乳汁に含まれる糖類で，牛乳アレルギーであっても摂取できる
小麦	しょうゆ 穀物酢	「しょうゆ」は，発酵過程で小麦タンパクは分解され，基本的に小麦アレルギーであっても摂取できる．「穀物酢」に小麦が使用されている可能性があるが，酢に含まれるタンパク量は非常に少なく（0.1 g/100 mL），また一回の摂取量も少ないため，基本的には摂取できる
大豆	大豆油 しょうゆ みそ	「大豆油」のタンパク質は 0 g/100 mL であり，除去の必要がないことがほとんど．「しょうゆ」の大豆タンパクも，小麦タンパクと同様，分解が進むので，重篤な大豆アレルギーでなければ利用できることが多い．「みそ」は，本来，小麦は使用しない
ごま	ごま油	「ゴマ油」も大豆油と同様，除去の必要がないことが多い．ただし，精製度の低いゴマ油は，ゴマタンパクの混入の可能性があり，まれに除去対象となることがある
魚類	かつおだし いりこだし	「かつおだし」「魚類の出汁（だし）」に含まれるタンパク量は，かつおだしで 0.5 g/100 mL で，ほとんどの魚類アレルギーは出汁を摂取できる
肉類	肉エキス	「肉エキス」とは肉から熱水で抽出された抽出液を濃縮したもので，一般的に加工食品に使用される量は非常に少量なので摂取できる

〔厚生労働省：保育所におけるアレルギー対応ガイドライン（2019 年改訂版）．44-45，2019 を元に作成〕

・乳成分を含むもの：「乳」は，加工で名称が変わり，「乳の文字がないもの」もある．これらは，美味しさのほか，加工がしやすく，食感を改善するなど多くの優れた機能があり，さまざまな加工品に幅広く使用されている．

・乳成分と関係ないもの：「乳化剤」は表示頻度が高い．これには，天然系と，合成系のものがある．天然系は，大豆油から抽出した大豆レシチンが主流で，「乳化剤（大豆由来）」と表示される．（大豆由来）がないものは，①大豆が重複するため省略，②合成系の乳化剤（例：ショ糖脂肪酸エステルなど）を使用，③大豆は任意表示のため表示がない，かのいずれかである．

6 表示情報の活用

1. 原材料の表示順位とアレルゲン量の間には相関がない

原材料の表示順位は，表示の見やすさ・わかりやすさの観点から，一部簡略された部分はあるものの，製造時の重量の割合の高いものから順に表示されている．一方，アレルゲンは，最終商品に含まれる個々のアレルゲンが，総たんぱく量が数 μg/g または数 μg/mL レベル以上であれば表示してある．したがって，表示順位とアレルゲン量とは，表示の基準が異なる．

2. 「○○を使用していない」旨の表示（不使用表示）[*9]

「使用していない」（例：「本品は，小麦を使っていません」）の意味は，直接にはその原材料を使用していないことを指し，必ずしも「含んでいない」ことを意味するものではない（製造過程でアレルゲンが混入する可能性がある）．必要な場合は，アレルゲンの管理状況について事業者に問い合わせ，最終は消費者自身で判断する．

[*9] 食品表示基準 Q & A：E-25

表14　アレルゲンが連想しにく原材料など

原材料・添加物		解説
食品	たんぱく加水分解物	動物性（「畜肉，乳製品，卵，魚介類，ゼラチンなど」）や植物性（「大豆・小麦など」）のタンパク質を加水分解し製造する．用途は，添加物では出せないコクやうまみをつける．なお，分解度により抗原性に差がある
	○○エキス	動物性（「畜肉，卵，魚介類など」）や植物性（「大豆，小麦など」）あるいは食用酵母を抽出または分解し製造する．これに種々の副原料や呈味成分を加えることがある．用途は，食品に複雑な風味をつける．なお，「○○エキス」とは，○○を主原料とするエキスの意味で，○○以外のアレルゲンを含むことがあるので留意する
	でん粉	原料は，ばれいしょ，「小麦」，コーン，タピオカ，サゴヤシなど
	植物性たんぱく	「大豆，小麦」を原料に製造する
	粒状植物性たんぱく	「粉末状大豆たんぱく」を粒状化するときに「小麦グルテン」を添加し製造するものがある
	発酵調味料（液）	発酵させた調味料（しょうゆ，みりんなど，一般的な名称があるのものを除く）の総称で，明確な定義はない．原料は，「小麦・大豆のほか」，さまざまである
	○○パウダー	「乳糖」や「小麦粉」，「大豆粉」が含まれることがある
	ショートニング	主体はパーム油（アブラヤシの果実から得られる植物油）である．添加物として使用した乳化剤に「大豆」が含まれることがある．輸入品の場合，「ピーナッツ油」が使用されていることもある
	マーガリン	主体の食用植物油脂に「大豆油」，副原料に「粉乳」，添加物の乳化剤に「大豆」が含まれることがある
	コラーゲン	「鶏」や「豚」の皮から抽出して製造する．ほかに，「魚」の皮・鱗由来のものがある
	麩（ふ）	「小麦粉」を水で練って製造する．主な成分はグルテンである
添加物	加工でん粉	でん粉を化学処理したもの．「小麦でん粉」を化学処理したものもある．用途は，粘り気を出したり，でん粉の老化による劣化を防ぐなど
	レシチン	「大豆」の種子や「卵黄」から製造する．食品用の主流は大豆レシチン．用途は乳化剤である
	結着剤	肉どうしを結着させたり，水分が流出しないように使用する添加物．「カゼインNa（乳由来）」，「ゼラチン」などがある
	ゲル化剤	ゼリーなどのように，食品を固めるために使用する．「ゲル化剤（ペクチン：りんご由来）」などがある

〔消費者庁：加工食品の食物アレルギー表示ハンドブック（令和3年3月）．2021，藤巻正生：食料工業．恒星社厚生閣，1182-1183，1985．天然添加物調味料：食品と科学社，398-401，1969，日本エキス調味料協会：エキスの規格に関するガイドライン（平成21年12月改訂版）．2009，食品製造・流通データ集：産業調査会辞典出版センター，584-585，678-679，1998などを元に作成〕

表15　スナック菓子の表示と実際に含まれるアレルゲン

名称	スナック菓子
	小麦粉（国内製造）、植物油脂、しょうゆ、砂糖、食塩、チキンエキス、たんぱく加水分解物、ミート調味エキス、ミート調味パウダー、酵母エキスパウダー/加工デンプン、調味料（アミノ酸等）、酸化防止剤（ビタミンE）、（一部に小麦・大豆・鶏肉・豚肉・ゼラチンを含む）

原材料	アレルゲン				
	小麦	大豆	鶏肉	豚肉	ゼラチン
小麦粉	○				
しょうゆ	●	●			
チキンエキス			○	●	●
たんぱく加水分解物	●			●	●
ミート調味エキス	●		●	●	●
ミート調味パウダー	●		●	●	●

○：アレルゲンの替わりの表記
●：事業者に問い合わせてわかったアレルゲン

3. 加工食品の表示に関心を持つ（表17）

加工食品には，味や食感の改良，増量などを目的に，さまざまな食材が使用され，以前の常識が通用しないこともある．表17に，含まれることのある見落としがちなアレルゲンを例示

表16 誤認しやすい「乳」に関連する原材料など

原材料・添加物		解説
乳成分を含むもの	乳糖	乳たんぱくを製造する際の副産物．高度に精製してもタンパク質が 0.3% 残存するが，最終の加工食品に含まれるタンパク量は微量で，除去を必要とする場合はまれとされている．水に溶けやすくサラサラの状態を保つなど，医薬品の賦形剤にも広く使用される
	ホエイ（ホエイパウダー）	牛乳に含まれるタンパク質で，乳清ともいう
	カゼイン Na	牛乳に含まれる主要なタンパク質のカゼインを，水溶性にしたもの．ハム，ソーセージ，菓子，パンなどに入っていることが多い
	乳酸菌飲料・発酵乳	乳などを乳酸菌または酵母で発酵させたもの
乳成分と関係ないもの	アーモンドミルク	アーモンドのペーストを液状にしたもの
	ココナッツミルク	ココナッツの種子の内側に形成される固形胚乳から得られる飲料
	オーツミルク	オーツ麦（オート麦）を原料にした飲料
	豆乳	大豆を原料にした飲料
	ピーナッツバター	ピーナッツをすりつぶして，ペースト状にしたもの．バターという名称は外観からつけられたもの
	カカオバター	カカオ豆をローストしたあと，すりつぶしたもの
	乳酸	酸っぱくなった牛乳から発見されたことからつけられた名称の添加物
	乳酸カルシウム	「乳酸」とカルシウムを反応させた添加物
	乳酸菌	菌の名称である
	乳化剤	混ざりにくい液体どうしを乳液状（クリーム状）にする添加物

〔消費者庁：加工食品の食物アレルギー表示ハンドブック（令和 3 年 3 月）．2021，上野川修一（編）：乳の科学．朝倉書店，185-191，1996 などを元に作成〕

表17 含まれることのある見落としがちなアレルゲン

加工食品	アレルゲンの種類			
	卵	乳	小麦	大豆
ハム類・ベーコン類	● 卵たんぱく	● カゼイン Na，乳たんぱく	● 小麦たんぱく	● 大豆たんぱく
水産ねり製品	● 卵たんぱく		● 小麦たんぱく	● 大豆たんぱく
米粉パン			● グルテン	
粉末コーンスープ		● 乳糖	●	
ソフトクリーム	●	●	● コーンのカップ	● 乳化剤

した．日頃から表示に関心を持ち，思い込みで読まない．

4．その他留意事項

・摂取したことがあっても，安心せず，購入の都度，表示を確認する．同じ商品名でも，品質改良・生産工場の変更などで，いつの間にか原材料や注意喚起の表示が変わっていることがある．

・商品名や先入感で読むと，誤食につながる．せんべいの味付けに使った「たん白加水分解物」に卵，果汁入り飴のコクだしに「脱脂粉乳」，コンソメスープの「香辛料」に「小麦」が含ま

コラム1 EUやアメリカ等における「グルテンフリー表示」と，日本の「アレルギー表示」では基準が異なる

アメリカやEU等で表示可能な基準は，グルテン濃度が20 ppm以下である．一方，日本の表示基準は，数ppm以上の小麦総たんぱく量を含む状況であれば，小麦のアレルギー表示をしなければならない

〔消費者庁：食品表示の適正化に向けた取組について，ニュースリリース（平成28年6月23日）を元に作成〕

コラム2 米粉パンなどの米粉製品には，グルテンなど小麦を含む原材料が使用されていることがある

米粉製品のチェックポイント

- 原材料または添加物に小麦粉，グルテンが表示されていないか？
- 「製造工場では，小麦を含む製品を生産しています」などの注意表示はないか？
- 小麦以外のアレルギーの要因となる原材料は含まれていないか？
- 表示のないインストアベーカリーでは，原材料について，お店の人に質問しましょう

〔消費者庁：米粉製品による小麦アレルギーに気を付けましょう !!（平成27年6月19日）を元に作成〕

れる例などがある．

- 大袋（大箱）に入った個包装の食品は，バラで売ることはないので，法令上，表示は不要である．摂取後，確認が必要になることもあるので，念のため，大袋（大箱）は翌日まで保管することが望ましい．
- 表示義務のない，対面販売の惣菜や飲食店のメーニュー表示は，消費者へのサービスである．慎重な判断が望まれる．

5. 食品事業者への問い合わせ

表示に，すべての情報が掲載されているわけではない．必要な場合は，事業者のWebサイトにアクセスし，対象商品の情報を入手するか，お客さま相談部門に電話やメールで問い合わせをする．事業者は，問い合わせに備え，製造工程や原料規格書などを用意している．問い合わせの多いものとして，アレルゲンを含む原材料の使用状況，表示が省略された原材料，コンタミの可能性，原材料についての基本的な知識，アレルギーが発症した際の製造状況などのようである．なお，メールでの問い合わせは，回答が翌日以降になること，電話によるものは，営業時間外は通じないので留意する．

文献

1) 厚生労働省：食品衛生法施行規則及び乳及び乳製品の成分規格等に関する省令の一部を改正する省令等の施行について（平成13年3月15日食発第79号）．2001
2) 食品表示法（平成25年6月28日法律第70号）．2013
3) 食品表示基準（平成27年内閣府令第10号）．2015
4) 消費者庁食品表示企画課：消食表第115号，「食品表示基準Q & A」の一部改正について（最終改正令和3年3月17日）．2021
5) 消費者庁：早わかり食品表示ガイド（令和4年1月版・事業者向け）．2022
6) 消費者庁：消食表第389号消費者庁次長通知，食品表示基準について，別添アレルゲン関係（最終改正令和3年9月15日）．2021
7) 厚生労働省：保育所におけるアレルギー対応ガイドライン（2019年改訂版）．44-45，2019

患者会・NPO 法人による地域づくり

中西里映子
(認定 NPO 法人アレルギー支援ネットワーク)

1 はじめに

アレルギー疾患対策基本法が2015年12月に施行され,「アレルギー疾患対策の推進に関する基本的な指針」(以下「基本的な指針」)が2017年に策定された. その基本理念には, アレルギー疾患を有するものが, その居住する地域にかかわらず等しく科学的知見に基づく適切な医療を受けることができるようにすることや, 国民が, アレルギー疾患に関し, 適切な情報を入手することができるとともに, アレルギー疾患にかかった場合には, その状態および置かれている環境に応じ, 生活の質の維持向上のための支援を受けることができるような体制整備をすることなどがあげられている.

アレルギー患者が増加傾向にあることで, 妊娠・出産・子育て中の親は, アレルギーについて関心が高い. また, アレルギーの診断がなされると, 治療方法や食事づくり, 症状の対応, 入園入学時の話し合いなどに大きな不安を抱える. しかし, 公的機関から正しい情報を得る機会も少なく, 膨大なインターネット情報から, 最新の正しい情報を選択することが困難な現状がある.

しかし, 法律と指針ができたことにより, 厚生労働省の補助事業として日本アレルギー学会が2018年より運営をしている「アレルギーポータル」から適切な情報を入手できるようになり, 地域の拠点病院が指定されアレルギー疾患医療連絡協議会が設立されたことにより, 各都道府県単位で, アレルギー疾患対策の具体的な取り組みも始まっている. アレルギー患者家族にとって待ち望まれた法律であり, 生活の質の向上に寄与することが大いに期待される.

専門医による正しい診断がなされ, 患者家族もアレルギーに関する正しい知識を持って子どもに向き合い, 周囲の人や, 園や学校に理解を求めることが最も大切であるが, そのためには, 医療機関, 保健センターなど公的機関や専門職などからの社会的な支援が欠かせない. 患者家族とさまざまな支援者の橋渡し役(中間支援組織)として活動をしている, アレルギー支援ネットワークの事業を紹介する.

2 アレルギー支援ネットワークの活動

アレルギー支援ネットワーク(以下「支援ネット」)は, 医療・栄養・食品・保育・住宅など各分野の専門家, 患者家族などで構成する特定非営利活動法人(NPO 法人)で, 自治体や企業, 各分野の専門家と患者家族を結ぶ「中間支援組織」として活動をしている. 2009年9月にはアレルギーの分野では初めて「認定 NPO 法人」の認証を受けた.

主な事業として, アレルギー大学, ホームページ, メールマガジンなどによる科学的なアレルギー知識の普及，アレルギー疾患を持つ人々への支援，「アレルギーの子どもを持つ親の会」（以下「患者会」）の設立・運営支援，災害対策の普及，アレルギーにかかわる調査研究，書籍の出版などを行っている．

2014年には，「アレルギー大学」と「災害救援活動」が評価され，第66回保健文化賞（主催：第一生命，後援：厚生労働省・朝日新聞厚生文化事業団・NHK厚生文化事業団）を受賞し，当時の天皇皇后両陛下のご拝謁を賜った．

1. アレルギー大学の開催と専門職の育成

1) アレルギー大学とは

アレルギー疾患をもつ子どもたちを支える立場の，保育士，幼稚園教諭，養護教諭など教職員，給食調理員，栄養士，保健師，看護師などの専門職を対象に，食物アレルギーに関する体系的な知識と献立作成，調理技術を習得する全国唯一の講座「アレルギー大学」を，2006年に創設した．

講師は，アレルギー専門医・研究者など，アレルギーに関する専門家が務めており，基礎・初級講座では，医学・食品栄養学・食育など最新の基本的な知識を，中・上級講座では，アトピー性皮膚炎や喘息など食物アレルギーに合併する疾患や，保育所・幼稚園・学校でのアレルギー対応，ヒヤリ・ハット事例の紹介・考察と緊急時の対応など，アレルギー対応を管理指導する立場の方が習得すべき知識と技術を学ぶことができる．さらに調理実習では，安全安心に給食を提供するための献立作成のポイント，アレルゲンを除去・代替した調理技術やコンタミネーションの防止技術の習得はもちろんのこと，受講生同士の交流やディスカッションを通じて，異分野の専門職と患者家族や患者会のリーダーとがお互いの立場を理解することで食物アレルギーについて考えを深め合うことができる場ともなっており，受講生の満足度は非常に高い．

2013年からは，保育士・栄養士・教員を目指す学生を対象に，「アレルギー大学・ベーシックプログラム」を，また，2020年からは，新型コロナ感染拡大状況を鑑み，それまでの対面講座からインターネット講座に変更し，ニーズや社会情勢に合わせた受講システムを準備している（図1，2）．

最近では，自治体や企業が職員に，大学の教員が学生に受講を勧めるケースも多く，栄養士の採用条件にアレルギー大学の修了を掲げる企業や給食センターもあり，ニーズの高まりを感じている．講座運営は，NPO法人千葉アレルギーネットワーク，沖縄アレルギーゆいまーるの会とも協力して行っている．

2) 食物アレルギーマイスターの活躍

アレルギー大学で専門知識と技術を習得したうえで成果発表を行い，認定委員会の審査に合格すると，「食物アレルギーマイスター」の資格取得ができる．マイスターには，常にアレルギーに関する最新の情報収集や知識の習得に務め，地域や職場において，医療機関や自治体と連携をし，アレルギー疾患を持つ患者家族のQOLの向上のために活動することを期待している．

マイスターの活動実績としては，アレルギー大学の講師，地域の患者会の設立および運営支援，医療機関や自治体との橋渡し役，地域の防災活動におけるアレルギーの啓発活動などで，患者家族の心のよりどころとなる活動があげられる．

2. 患者家族および患者会への支援（図3）

地域に患者会があると，同じ疾患を持つ親同士が情報交換し，悩みを分かち合い，共感する

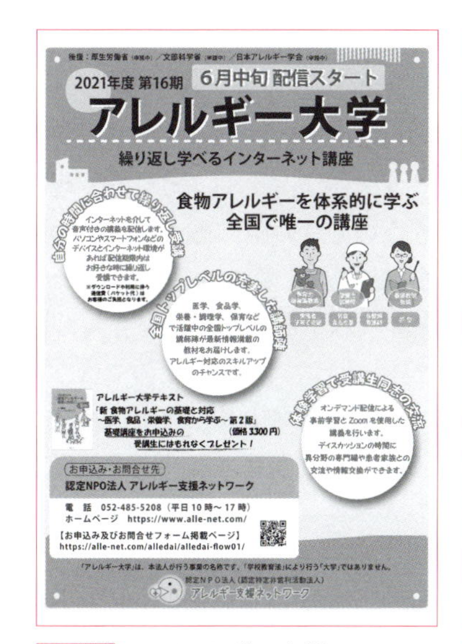

図1 アレルギー大学
（認定 NPO 法人アレルギー支援ネットワーク作成）

図2 アレルギー大学ベーシックプログラム
（認定 NPO 法人アレルギー支援ネットワーク作成）

図3 愛知県 K 市患者会

ことで，アレルギー児の子育てをするうえで心のよりどころとなる．周囲に理解を求めることにより，子どもたちの住みやすい環境をつくることができる．

また災害時には，食物アレルギー児は支給されたものが食べられない，環境の悪化により喘息・アトピー性皮膚炎が悪化する，などの状況に陥るが，地域に患者会があることにより，平常時からの備えを強化したり，災害時に患者家族同士が助け合ったりすることができる．

加えて，子育てや園や学校の給食，災害対策などに関して自治体に，患者会として要望を伝えることで，その市区町村のアレルギーに関する施策を進めてもらうことができる．

こうした患者会が，全国で活動をしているが，その運営は，幼子を抱えた母親が担っているため精神的な不安や，財政的な困難を伴っていることも少なくない．しかも，アレルギー疾患がよくなると会を離れる患者家族も多く，リーダーの世代交代ができないという悩みを抱えている．全国の患者会の数の把握はしていないが，東海地域ほどは存在していないのではないかと考えられる．

筆者がアレルギー児の子育てをしはじめた30年前は，インターネットからの情報もなく，専門医も存在しない時代で，途方に暮れて1994年に地域の患者会を設立し，情報を収集するために他地域の団体と交流を始めた．全国各地に患者会が設立されるようになり現在に至っているが，第1回アレルギーの会全国交流会が開催されたのもこの年であった．翌1995年，阪神淡路大震災が起き，アレルギー支援ネットワークの前身である「愛知アレルギーネットワーク」が，全国の患者会に呼びかけて協働でアレルギー患者に対する支援活動を行ったこともきっかけで，「患者支援」をより能動的に行う組織として，NPO法人が増えたのではないかと考えられる．全国には，地域の患者会とは別に，アレルギー問題に取り組む多くの組織があり，電話相談窓口やサポートデスクの設置，研修会や講演会の開催，災害支援や啓発活動など，それぞれの事業を精力的に展開している．

1）患者会の活動を支えるために

各市区町村に1つずつ患者会があることを目標に，設立・運営支援と正しい知識や最新情報を伝える活動を続けている．支援ネットの主な活動エリアである東海地域では，約40の患者会が活動をしているが，まだ4割程度の市区町村にしか存在していないのが実情である．そこで，会のない地域には，保健センターや市民活動センターなど自治体と協働して会づくりのお手伝いを，また，会があっても運営が困難な会に対しては，人的・財政的な支援を行っている．

地域には，市民の自主的な社会貢献活動に対する助成金の仕組みがあることも多く，患者家族の支えになる活動（交流会や勉強会）や，一般市民に対する啓発活動（講演会やシンポジウム）などをテーマに申請をすることができる．助成金を得ることができると活動に広がりができるため，助成金の申請における支援も行っている．

新型コロナ感染拡大の状況下，会場に集合しての交流会は開催が難しく，患者会の存続が危ぶまれたため，2020年から支援ネットがホストを務めWeb交流会を開催している．遠方の患者会や，患者会のない地域からの個人参加も多く，ニーズの高さがうかがえる．一方，東海地域の市区町村単位の患者会は，顔の見える会場での交流を希望することが多いため，今後は，感染対策を十分にしたうえで対面型の交流を，遠方の患者家族対象にはWeb交流会開催の予定をしている．

また，患者会の運営は，リーダーのスキルによることも多いため，「アレルギー大学」の受講費を支援する取り組み（会のリーダー養成講座）も行っている．

参加したリーダーからは，「アレルギーのスペシャリストの先生方から正しい情報を教えていただけることで自分自身がアレルギーの正しい知識が持て，患者交流会の参加者に適切なアドバイスできるので，受講してとてもよかったと感じています」などの感想が寄せられている．

2）患者会と自治体（行政）とのかかわり

「基本的な指針」では，国は，地方公共団体に対して市区町村保健センター等で実施する乳幼児健康診査等の母子保健事業の機会を捉え，乳幼児の保護者に対する適切な保健指導や医療機関への受診勧奨等，適切な情報提供を実施するよう求めている．

乳幼児の頃から健康状態を把握できる地域の保健師には，アレルギーが心配な乳幼児を抱える家族を対象に，勉強会（講演会）や相談会を開催したり，地域の保健情報を伝えたり，地域のネットワークを築いたりするサポートをぜひお願いしたい．

地域の患者会に自主的に参加する親は，全体の患者数からいうとほんのひとにぎりである．ほとんどの親子が出席する健診などで，「小児のアレルギー疾患保健指導の手引き」を活用した情報提供や，患者会の紹介がされれば，患者の親の不安解消につながったり，アレルギーが心配な乳幼児を抱える家族を正しい医療に結びつけたりすることができる．

患者会が活発に活動するようになれば，アレルギーで悩む患者家族が孤立することなく子育てに向き合うことができる．自治体がアレルギー児の親が集う場を設定し出会いを作っていただくことがきっかけで，育児友達ができたり，グループ活動を立ち上げたりすることにつながった事例が多く存在している．

たとえば，愛知県 S 市では，母子保健担当課と患者会の協働事業として予算化（2020 年・2021 年）し，食物アレルギーの理解や知識の普及のための講演会を市民対象に開催した．

また，愛知県 A 市では，市民活動を推進する課のサポートで患者会の設立・運営をしたり，災害対策のセミナーを開催（2021 年度）したりした．

3) アレルギー大学修了生による患者会の支援（サポーター制度）

アレルギー大学を修了した専門職（栄養士・保健師・防災士など）が，支援ネットのサポーターとして登録をし，地域の患者会の交流会にアドバイザーとして参加をしたり，勉強会や調理実習の講師を務めたりする「サポーター制度」を作り活動を進めている．全国には，アレルギー大学の受講生が約 9,000 人おり，それぞれの職場や地域で，学んだ知識を活用し患者家族の支えとなっている．

3. 地域医療への貢献（図 4）

支援ネットでは，「アレルギー大学」の上級講座まで修了し，あいち小児保健医療総合センターで 6 か月以上研修した管理栄養士が東海 4 県のクリニックに出張し，アレルギー児の患者家族に対する栄養食事指導を行っている．

専門医が食物経口負荷試験をした後に，具体的に食事の進め方や栄養の補い方を指導する管理栄養士の役割は重要で，医師や患者家族からのニーズが非常に高いが，アレルギーの栄養食事指導ができる管理栄養士はまだ少なく，十分な対応ができていないのが現状である．

支援ネットの管理栄養士が指導する具体的な内容は，表 1 のとおりである．

患者家族からは，調理の仕方や食べさせ方，除去した場合の栄養の補い方など，具体的な方法を知ることができて安心したという声がたくさん寄せられている．

図 4 医療機関における食事指導

表1 支援ネットの管理栄養士が指導する具体的な内容

- ・除去食を伴う離乳食指導
- ・アレルギー用ミルクに関する指導
- ・カルシウム・鉄摂取指導
- ・栄養バランス・調理の基本手技
- ・除去食に伴う代替食指導
- ・アレルギー食品表示の説明
- ・食物除去・摂取諸状況の把握と整理
- ・除去食から解除を進める指導
- ・園・学校給食対応に関するアドバイス
- ・そのほか医師が求める食品情報の提供，など

4．災害の備え

アレルギー疾患があると，避難所などで配布される食料や炊き出しの食事を食べることができない，薬を持ち出すことができなくて困った，入浴できないためアトピー性皮膚炎が悪化した，瓦礫の粉塵やホコリなどで喘息が悪化したなど，多くの困りごとが起きる．災害が起きてからアレルギーに関する理解を慌てて求めても対応は難しく，また，自治体は市民全員に対応する食料や医薬品を備蓄しているわけではない．

そこでアレルギー患者は，「避難所に行けば助けてもらえる」とは考えず，日頃から災害時に備えた対策を十分にしておく必要がある．

私たちは，阪神淡路大震災や東日本大震災，熊本地震，西日本豪雨などにおけるアレルギー患者家族に対する支援活動の経験から多くを学んだ．自宅や職場の地形や災害時の危険性をハザードマップで確認，家屋の耐震診断をして対策を立てておく，家具の転倒防止をする，トイレの準備をするなど，一般的な備えは当然行うことを前提で以下の備えが大切である．

1）自助の備え

直接被害がなくても，電気・ガス・水道などライフラインがストップする可能性があることを念頭に備える．

a．水と食料の備蓄

各家庭において，アレルギー対応の食料は，1週間分以上，好ましくは10日間分を備蓄し，可能であれば，ベランダ・倉庫・車庫などにも分散配置しておく．水は，飲食用だけでも，1人1日3L×家族分が必要である．

b．調理器具・電源確保

電気・ガス調理器具の代替として，カセットコンロ（ガスボンベ）やキャンプ用のコンロなどの調理器具を備蓄しておく．暖房機も電気を必要としない石油ストーブがあれば好ましい．

自家用車が無事な場合は，車内での生活も可能なため，ガソリンはいつも十分な状態にしておくことを心がける．シガーライターまたはバッテリーから100Vに変換する機械を購入するなどの電源確保対策を立てておくとよい．自家発電機があればなおのことよい．

c．緊急時（災害時）のおねがいカード（耐水紙）の携帯（図5）

災害時，親と離ればなれになっても，アレルギー情報が確認できるよう，住所・氏名・緊急時の連絡先や主治医・疾患名・アレルゲンなどを記入し，ランドセルの中・名札の中・非常持ち出し袋の中など常時，身に着けておくとよい（支援ネットのホームページより注文できる）．

d．園や学校に非常持ち出し袋を設置

「保育所におけるアレルギー対応ガイドライン」や「学校のアレルギー疾患に対する取り組み

20 年 月 日現在

緊急時(災害時)のおねがい

私はアレルギーを持っています。私が倒れている場合には、救急車を呼んで、病院へ大至急運んでください。

すぐに読んでください。

ふりがな
氏名：

血液型：　(Rh ＋ −)

生年月日：　年　月　日

年齢：　歳

性別：　男・女

住所：

電話番号：

保護者氏名：

保護者氏名：

私は　食物アレルギー
喘息　アトピー性皮膚炎
その他 ＿＿＿＿＿＿です。
症状は　喘息　じんましん
嘔吐　下痢　呼吸困難
＿＿＿＿＿＿ が出ます。
私は、＿＿＿＿＿＿で、
アナフィラキシーショックを
起こしたことがあります。

私は　卵・乳・小麦・そば・落花生
えび・かに・キウイフルーツ・りんご
オレンジ・もも・いか・いくら
あわび・さけ・さば・牛肉・鶏肉
豚肉・くるみ・大豆・まつたけ
やまいも・ゼラチン・バナナ
＿＿＿＿＿＿
にアレルギーを起こします。

緊急連絡先

名　前	続柄等	連絡先(TEL等)

かかりつけ医院

病院名：

住所：

電話番号：

服用薬：

家族の集合場所避難先

避難先 1
名称：
電話番号：

避難先 2
名称：
電話番号：

集合場所
名称：
電話番号：

メ モ

図5　緊急時（災害時）のおねがいカード
（認定 NPO 法人アレルギー支援ネットワーク作成）

ガイドライン」には，日頃から災害に備えて必要なものを準備し体制を整えておく重要性について記載がある．

園や学校は，ライフラインがストップしたり，親が帰宅困難になる可能性があることも考慮して，水・トイレ・食料・照明器具等の備えをする必要がある．食料は，アレルギー患児にも配慮した特定原材料等 28 品目不使用のものを備蓄し，特別な薬や物品が必要な場合は，患児の親が準備したものを預かっておく．

2）共助の仕組み作り

a．地域の自治会，隣組，近隣者とのお付き合い

被災時に最初に助け合うのは，近隣者である．日頃よりアレルギー児がいることを知らせ，理解を得ておくことにより，被災時の緊急連絡がスムーズにいく．地域の「自主防災組織」に対して，アレルギー児も要援護者として，高齢者・障害者とともにその対策に加えていただけるようお願いをしておく．

b．家族・患者会・近隣の患者会との連絡手段の確保

被災時における，家族の避難場所や連絡方法を決めておくことはもちろん，自分の所属する患者会内の緊急連絡網を作り，相互援助ができる体制を整えておく．

また，近隣の会と連絡を取り合うなど，被災時に相互救援活動ができるような環境を，日頃から整えておくことが大切である．

c．社会福祉協議会や防災ボランティアへのお願い

災害時にボランティアセンターを立ち上げる社会福祉協議会や，そこで活動をする地域のボランティア団体に対し，日頃よりアレルギーに関する理解を深めるための働きかけをすることで，災害時の支援に繋がる．そのために以下のツールを使うことも 1 つの方法である．

図6 紙芝居「じしんがきたゾ～」
（認定NPO法人アレルギー支援ネットワーク作成）

d．理解を深めるためのツール（アレルギーポータルサイトや支援ネットホームページからダウンロード可）

「災害時のこどものアレルギー疾患対応パンフレット」（日本小児アレルギー学会作成），「アレルギー疾患のこどものための「災害の備え」パンフレット」（日本小児臨床アレルギー学会作成），紙芝居「じしんがきたゾ～」（認定NPO法人アレルギー支援ネットワーク作成）（図6），「地域のみんなで考えよう！アレルギーっ子にやさしい防災」（認定NPO法人レスキューストックヤード作成）（図7）．

3）公的機関の備え

「基本的な指針」には，災害時の対応として

ア　国及び地方公共団体は，平常時において，関係学会等と連携体制を構築し，様々な規模の災害を想定した対応の準備を行う．

イ　国は，災害時において，乳アレルギーに対応したミルク等の確実な集積と適切な分配に資するため，それらの確保及び輸送を行う．また，国は，地方公共団体に対して防災や備蓄集配等に関わる担当部署とアレルギー疾患対策を担当する部署が連携協力の上，食物アレルギーに対応した食品等の集積場所を速やかに設置し，物資の受け取りや適切なタイミングで必要な者へ提供できるよう支援する．

ウ　国及び地方公共団体は，災害時において，関係学会等と連携し，Webサイトやパンフレット等を用いた周知を行い，アナフィラキシー等の重症化の予防に努める．

エ　国及び地方公共団体は，災害時において，関係団体等と協力し，アレルギー疾患を有する者，その家族及び関係者並びに医療従事者向けの相談窓口の設置を速やかに行う．

をあげている．

大規模災害対策におけるアレルギー用食品の備蓄については，2018年に日本小児アレルギー学会・災害対応委員会が，基本的な考え方として，特定原材料等28品目を含まない食品を，総備蓄食の25%以上を目安とし，すべての避難所で入手可能なことを目指すこと，備蓄用アレルギー対応食品は，乳アレルギー用ミルクと特定原材料不使用のアルファ化米を推奨する，とし

図7 「地域のみんなで考えよう！アレルギーっ子にやさしい防災」
（認定NPO法人レスキューストックヤード作成）

食物アレルギーの子を持つご家族へ

災害時（緊急時）食の備えをしていますか？

誰もが大変な災害時。
災害初期には十分な食事がとれるとは言えません。

食の備え

◆日ごろから、アレルギー用食材に余裕を持ちましょう。
・最低3日分、できれば7日分の食料・水は確保しましょう。
（例）水なら飲食用として1日1人2ℓ、
生活用なら雨水の利用など。
◆災害直後は緊急を要する人の治療が優先されます。
・日ごろ使用している薬に余裕をもち、持ち出せるように
しましょう。

初期の配給に多い物
日持ちする菓子パン、牛乳、カップラーメン
☆備えるなら…安心な「ごはん・箸・みそ」
水を注ぐだけでできるごはんを！

日ごろから 地域・仲間を大切に

◆災害時、最初に助け合うのはご近所さん。
・地域の防災訓練に参加し日頃から自主防災会の方など、
地域の方に話をしておきましょう。
◆サークル（患者会）に参加しましょう。
・アレルギーの子を持つママの会など、日ごろから地域で情報交換できる仲間とのつながりが大切です。

緊急時…伝える

◆災害時、周りの人にアレルギーがあることを知らせましょう。
・命を守るため、周りに知らせることを本人に伝えておきましょう。

▲緊急時（災害時）個人カード
活用はNPO法人アレルギー支援ネットワークへお問い合わせください。

食べられません

非常持ち出し品『自分セット』
□水・アレルギー対応の非常食
（主食・おかず・お菓子）
□粉ミルク・哺乳瓶・紙コップ
□カセットコンロ・ガスボンベ
□鍋・ポリ袋・ごみ袋 必需品！
□はさみ・缶切り
□食器（器・割り箸・スプーン）
□ラップ
□ウェットティッシュ
□薬・健康保険証コピー
□緊急時（災害時）個人カード

● 参考資料の検索先
NPO法人アレルギー支援ネットワーク
Tel：052-485-5208
Fax：03-6893-5801
E-mail：info@alle-net.com
アレルギーっ子の防災ネットワーク
RSY アレルギーっ子にやさしい防災
災害時の子どものアレルギー対応マニュアル
日本小児アレルギー学会
パッククッキング倶楽部食育部会・防災部会

● ○○アレルギーっ子の会
連絡先 - - （担当者）

● ○○市役所健康課
【○ ○ 市 役 所】☎99-9999
【○○○○○○ランド】☎99-9999

図8 保健センター配布チラシ
（愛知県市町村保健行政栄養士連絡協議会）

ている．

また，内閣府が2013年に策定（2016年改定）した「避難所における良好な生活環境の確保に向けた取組指針」には，食物アレルギーの誤食事故防止等の食料や食事に関する配慮として，以下の2点があげられている．

「食事の原材料表示」

食物アレルギーの避難者が食料や食事を安心して食べることができるよう，避難所で提供する食事の原材料表示を示した包装や食材料を示した献立表を掲示し，避難者が確認できるようにすること．

「避難者自身によるアレルギーを起こす原因食品の情報提供」

避難所において，食物アレルギーの避難者の誤食事故の防止に向けた工夫として，配慮願いたい旨を周囲に伝えるために，周りから目視で確認できるよう食物アレルギーの対象食料が示されたビブス，アレルギーサインプレート等を活用すること．

公的機関には，これら指針をもとに要望を出すとアレルギー対応の進展につながる．

＜保健所・保健センターでの取り組み＞

アレルギー疾患を持つ患者家族のみならず，子育て中の保護者は特に災害時の備えが必要であることを，健診などの機会に周知することが一番有効である．愛知県市町村保健行政栄養士連絡協議会と支援ネットが協働で製作し健診などで食物アレルギーをお持ちの方に配布しているチラシと，名古屋市南区役所で配布しているパンフレットを参考に掲載する（図8，9）．

＜防災訓練における取り組み＞

防災課や社会福祉協議会はもちろんのこと，消防，赤十字奉仕団，自衛隊，自主防災会，婦人会などが参画をする自治体主催の「防災訓練」は，アレルギーに関する啓発活動の絶好の機会である．アレルギーのブースを設けたり，炊き出し訓練の中に，アレルギー対応を取り入れたりしていただくことで，多くの関係機関や市民にアレルギーに関する啓発活動をすることが

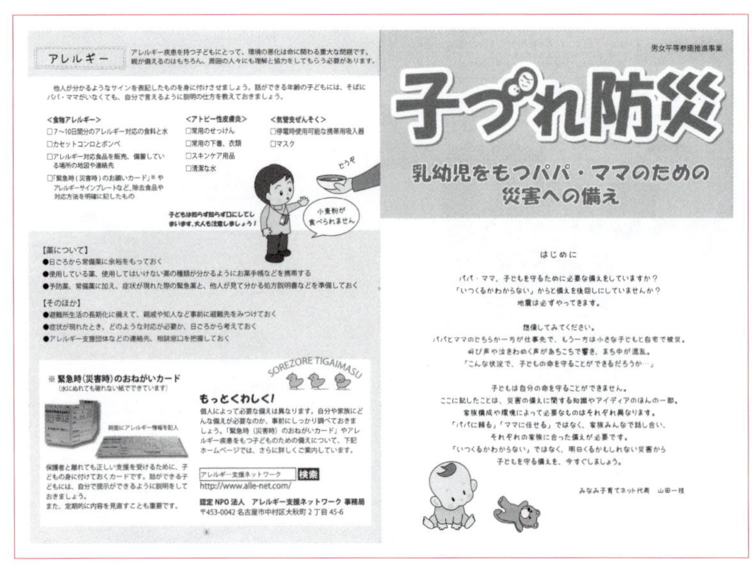

アレルギー

アレルギー疾患を持つ子どもにとって、環境の悪化は命に関わる重大な問題です。親が備えるのはもちろん、周囲の人々にも理解と協力をしてもらう必要があります。

他人が分かるようなサインを表記したものを身に付けさせましょう。話ができる年齢の子どもには、そばにパパ・ママがいなくても、自分で言えるように説明の仕方を教えておきましょう。

<食物アレルギー>

□7～10日間分のアレルギー対応の食料と水

□カセットコンロとボンベ

□アレルギー対応食品を販売、備蓄している場所の地図や連絡先

□「緊急時（災害時）のお願いカード」※ やアレルギーサインプレートなど、除去食品や対応方法を明確に記したもの

<アトピー性皮膚炎>

□常用のせっけん

□常用の下着、衣類

□スキンケア用品

□清潔な水

<気管支ぜんそく>

□停電時使用可能な携帯用吸入器

□マスク

【薬について】

●日ごろから常備薬に余裕をもっておく

●使用している薬、使用してはいけない薬の種類が分かるようにお薬手帳などを携帯する

●予防薬、常備薬に加え、症状が現れた際の緊急薬と、他人が見て分かる処方説明書などを準備しておく

【そのほか】

●避難所生活の長期化に備えて、親戚や知人など事前に避難先をみつけておく

●症状が現れたとき、どのような対応が必要か、日ごろから考えておく

●アレルギー支援団体などの連絡先、相談窓口を把握しておく

※ 緊急時（災害時）のおねがいカード

（水にぬれても破れない紙でできています）

両面にアレルギー情報を記入

保護者と離れても正しい支援を受けるために、子どもの身に付けておくカードです。話ができる子どもには、自分で提示ができるように説明をしておきましょう。

また、定期的に内容を見直すことも重要です。

SOREZORE TIGAIMASU

もっとくわしく!

個人によって必要な備えは異なります。自分や家族にどんな備えが必要なのか、事前にしっかり調べておきましょう。「緊急時（災害時）のおねがいカード」やアレルギー疾患をもつ子どものための備えについて、下記ホームページでは、さらに詳しくご案内しています。

アレルギー支援ネットワーク　検索

http://www.alle-net.com/

認定 NPO 法人　アレルギー支援ネットワーク 事務局

〒453-0042 名古屋市中村区大秋町 2 丁目 45-6

男女平等参画推進事業

子づれ防災

乳幼児をもつパパ・ママのための災害への備え

はじめに

パパ・ママ、子どもを守るために必要な備えをしていますか？

「いつくるかわからない」からと備えを後回しにしていませんか？

地震は必ずやってきます。

想像してみてください。

パパとママのどちらか一方が仕事先で、もう一方は小さな子どもと自宅で被災。

叫び声や泣きわめく声があちこちで響き、まち中が混乱。

「こんな状況で、子どもの命を守ることができるだろうか…」

子どもは自分の命を守ることができません。

ここに記したことは、災害の備えに関する知識やアイディアのほんの一部。

家族構成や環境によって必要なものはそれぞれ異なります。

「パパに頼る」「ママに任せる」ではなく、家族みんなで話し合い、

それぞれの家族に合った備えが必要です。

「いつくるかわからない」ではなく、明日くるかもしれない災害から

子どもを守る備えを、今すぐしましょう。

みなみ子育てネット代表　山田一枝

図9　子連れ防災のパンフレット（名古屋市南区役所）

できる．東海地域では，患者会と支援ネットが協働で市区町村主催の防災訓練に参画をする地域が増えている（図 10）．

おわりに

患者および患者会支援の活動をする中で，最も重要と考えていることがある．それは，

・地域の専門医とともに活動をすること

・地域の保健センター，市民活動推進センターなど，行政機関の協力をいただき活動をすること

・診療のガイドラインなど科学的な知識に基づいた標準的な治療を推奨すること

・特定の非科学的な考え方（アトピービジネスなど）に走らず，標準的な医療水準を踏まえて活動すること

・自治体に対して要望を伝えるときには，単に要求するのではなく，自治体の役割の一部に協力をする姿勢を持つこと

・患者会が給食センターや防災課などの自治体と話し合いをするときには，患者個人としてではなく組織（患者会）として行うようにアドバイスすること

である．

文部科学省より 2015 年 3 月に出された「学校給食における食物アレルギー対応指針」には，安全安心にアレルギー対応給食を提供するための問題点が整理され，統一見解が掲載されている．しかし，調理の現場では，その指針の内容の理解が不十分で，インシデント・アクシデントが少なからず起きている．指針には，市区町村教育委員会に「アレルギー対応委員会」を設置し，共同調理場や学校からあがってきた報告を受け，調理環境の整備や給食指導・支援，医療機関や消防との連携をする，と掲載されているが，その設置率は，愛知県下でもまだ，6 割程度（2020 年度調査）である．委員会は，学校関係者，学校給食関係者，医療関係者，消防機関，保護者などで組織されることが多いが，保育担当課や保健センター，放課後児童クラブ担当課の職員が入ることで，市区町村全体の問題として検討ができる．アレルギー専門医や栄養

図10 愛知県西尾市防災訓練

教諭など専門職，患者の保護者（患者会）は，献立の工夫一つで人的財政的な問題なくアレルギー対応ができる方法を委員会で提案してほしい．

法律や指針をもとに，少しでもアレルギー対応が進むような働きかけを患者家族とともに行い，医療機関や自治体との連携を十分にし，専門職とアレルギー大学の修了生とともに患者家族の支援を続けていきたい．

G 食物アレルギーサインプレート

服部佳苗
(NPO 法人ピアサポート F. A. cafe)
医療監修：今井孝成
(昭和大学医学部 小児科学講座)

1 食物アレルギーサインプレートとは

乳幼児の食物アレルギー患者の誤飲誤食防止のため，食物アレルギーがあることと，症状を誘発する原因食物を周囲に明確に伝えることを目的とした名刺サイズのメッセージカードである．発案当時4歳の食物アレルギー患児と保護者が遠足に参加する際に，誤食防止のために利用したことがきっかけで広がり，現在では全国の医療機関から配布している．使用方法に決まりはない．患者が衣類につけたり，毎日使用する登園リュックにつけたり，保護者がカードホルダーに入れたりして，必要な場面で伝えやすい方法で，食物アレルギーの周知に活用している．

2 食物アレルギーの診断を受けた患者に医療機関から配布

保護者の思い込みや自己判断による不必要な除去を助長してしまうことがないように，この食物アレルギーサインプレートは医師または医療スタッフから食物アレルギーと診断を受けた患者に配布される．正しい診断を受けて必要最小限の除去を行う患者をサポートするコミュニケーションツールであるため，下記のいずれかの医療機関に取り扱いを限定している．

- 都道府県アレルギー疾患医療拠点病院
- 食物アレルギー経口負荷試験実施医療機関
- 食物アレルギー経口負荷試験に理解があり，必要に応じて当該試験実施医療機関と診療連携している医療機関

3 貼れるアレルゲンの数はせいぜい4品目

下記中央のサインプレート台紙面に貼れるアレルゲンの数はせいぜい4品目である（図1，2）．なぜかというと，血液検査だけでなく食物経口負荷試験を含む正しい診断を受けると本当に食べられない食品の数はせいぜい4品目程度という報告に基づいている．

あれもこれもと過剰な除去にならないように4品目しか貼れない仕様になった．

4 小児食物アレルギー患者の自覚をサポート

食物アレルギーの診断を受けた親子が前向きな気持ちで食物除去に取り組めることを願って，さまざまな工夫を詰め込んだ．受け取ったときに気持ちが明るくなるようなカラフルな色づかいと，開いた瞬間にワクワクするような可愛いアレルゲンイラストが並ぶ．親子で除去品

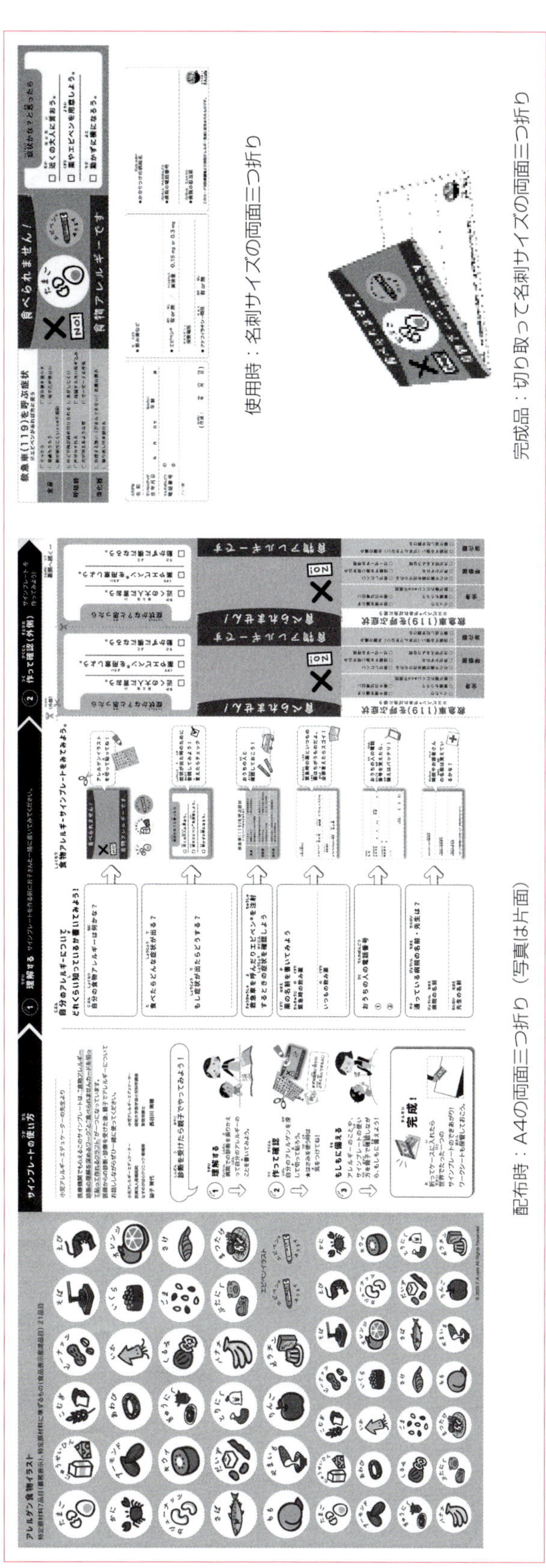

図1 食物アレルギーサインプレート

図2　複数アレルゲン貼付例

① 理解する

病院での診断をふりかえって
自分のアレルギーのことを
書いてみよう.

②作ってみる

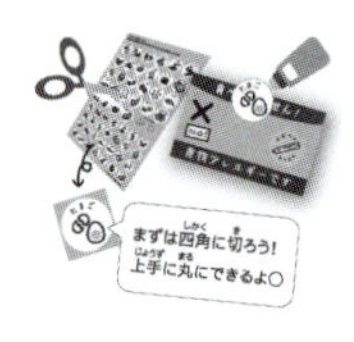

自分のアレルゲンを探して切って貼ろう. 小さいお子さんはお母さんが作ってあげてくださいね.

③完成！

折ってケースに入れたら
世界でたった一つのサインプレートのできあがり！

図3　食物アレルギーサインプレート作りで自覚と理解をサポート

目やご家庭のルールも話し合いながら，鉛筆で書き込みやすいように，マット紙を使用している．ぜひ切って，貼って，書いて工作気分で完成させてほしい．子どもが参加しながら作ることで自覚と理解をサポートする（図3）．

5　取り寄せ先

乳幼児を連れての通院は大変である．食物アレルギーと診断された患者親子ができるだけ最寄りの病院で受け取れるように，多くの病院に配布のご協力をお願いしている．

下記ホームページから取り寄せてほしい．費用は無料である．

NPO 法人ピアサポート F. A. cafe　Web：www.facafe.org

住所：〒251-0052　神奈川県藤沢市藤沢 1049　藤沢市地域ささえあいセンター内

H 行政・専門学会の動向

伊藤浩明
（あいち小児保健医療総合センター）

日本において食物アレルギーという疾患概念は，1960年代に，松村龍雄（当時群馬大学小児科教授）が牛乳アレルギーを提唱したことが始まりといえる．同時期にアメリカでもAlbert H. Rowe（1889-1970）が食物アレルギーの父といわれ，Herbert J. Rinkel（1896-1963）が「隠れ型食物アレルギー」の概念を提唱した．

この当時の食物アレルギーの概念は，食べ物によって何らかの健康問題が発生することを総称しており，日本ではアトピー性皮膚炎の悪化因子，アメリカではむしろ化学物質過敏症を含む環境医学全般の問題として発展した[1]．

1966年に石坂公成がIgE抗体を発見し，上記の概念と特異的IgE抗体がもたらす即時型アレルギー反応が混同して語られることにより，歴史的混乱が引き起こされたともいえる．実際，1980～1990年代に国内で議論されていた食物アレルギーは，もっぱらアトピー性皮膚炎の悪化因子という問題であり，当時の議論の中に「アナフィラキシー」というキーワードはほとんど登場しない．

この問題は，食物アレルギーの概念をIgE依存性の即時型アレルギー反応に限定して理解することと，「アトピー性皮膚炎診療ガイドライン」が作られてステロイド外用薬を中心とした標準治療が普及したことにより，一応の決着をみた．その背景には，アナフィラキシーに至る重症食物アレルギーが顕在化して，明らかな社会的問題に浮上してきたこともあげられる．

1 専門学会の取り組み

1．日本小児アレルギー学会

こうした歴史の中で，日本小児アレルギー学会は2005年に「食物アレルギー診療ガイドライン」を初めて発行した．これは，IgE依存性食物アレルギーの診断の基本を記載したもので，2006年に食物経口負荷試験および食物アレルギーに対する栄養食事指導が保険適用となることに大きく貢献した．これに続いて，食物経口負荷試験の方法を詳細に解説した「食物アレルギー経口負荷試験ガイドライン2009」を発行し，診療ガイドラインは2012年，2016年（2018年改訂版），2021年[2]と改訂を重ねてきた（図1）．

「食物アレルギー診療ガイドライン」の発展してきた方向性について，筆者の私見を表1に列記する．このガイドラインは，治療方針の選択を示すというよりも，食物アレルギーの概念と知識を正しく普及する教科書的な性格の強いものである．2021年版に初めて，一部の問題についてClinical Question（CQ）を立ててSystematic review（SR）を行い，診療方針の推奨を提案するMinds準拠の方式を取り入れた．

また，「食物アレルギー診療ガイドライン」に準拠した正しい知識を一般に普及するため，

「食物アレルギーハンドブック 2018」を発行している．

2. 日本アレルギー学会（アレルギーポータル）

日本アレルギー学会はアレルギー専門医制度を運営して，標準的な知識と診療レベルを持つ専門医の育成に貢献している．

食物アレルギーは小児期発症が多いことから，「食物アレルギー診療ガイドライン」の主体は上記の小児アレルギー学会が担っており，その要約版として「アレルギー総合ガイドライン 2019」に記述がある[3)]．また，英文誌 Allergology International の中で，その英語版を公開している[4)]．

大きく関連するものとして，「アナフィラキシーガイドライン 2014」を発行しており，現在その改訂作業が進められている．

また，アレルギーに関する公的で正しい情報にアクセスするワンストップ窓口として，厚生労働省の委託を受けて Web サイト「アレルギーポータル」を開設している[5)]．このサイトから，本項で紹介するほぼすべての情報にアクセスすることができる．

3. 日本小児臨床アレルギー学会

日本小児臨床アレルギー学会（旧：日本小児難治喘息・アレルギー疾患学会）は，アレルギー疾患の患者に正しい情報に基づいた患者教育を行い，アドヒアランスの向上を目指すチーム医療を推進することを目指して活動している．2009 年から「小児アレルギーエデュケーター（pediatric allergy educator：PAE）」制度を運営し，アレルギー疾患の患者指導を専門的に行うことが

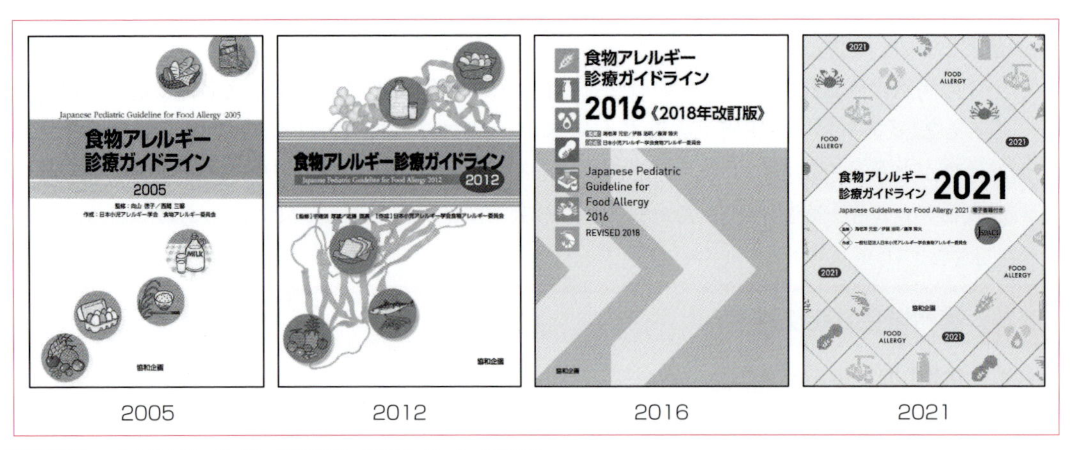

図 1 「食物アレルギー診療ガイドライン」の歴史

表 1 「食物アレルギー診療ガイドライン」の発展してきた方向性（筆者私見）

1. 食物アレルギーの定義と疾病概念および用語を明確にする
2. 食物アレルゲンに対する分子レベルの理解を促進する
3. 食物アレルギーとアトピー性皮膚炎の関係性を整理する
4. 特異的 IgE 抗体検査の正しい理解を普及する
5. 食物経口負荷試験による診断を標準的な医療レベルとして普及する
6. 「食べられる範囲」を見きわめて，できるだけ食べる食事指導を行う
7. 経口免疫療法の位置づけを明確にする
8. 食物アレルギーの発症予防に関するエビデンスを整理する
9. 成人発症の食物アレルギーも取り上げる

できる看護師・薬剤師・管理栄養士の育成と認定を行っている[6].

4. 食物アレルギー研究会

国立病院機構相模原病院が事務局を務めて，年 1 回研究会が開催される．医療関係者だけでなく，行政・教育・保育・栄養・患者団体など幅広い立場の参加者が会するユニークな研究会である．研究会 Web サイトでは，食物アレルギーに関する診療の手引きなどや，全国の食物経口負荷試験実施施設の一覧などを公開している[7].

2 行政の取り組み

政府は，アレルギー疾患に対する総合的な取り組みを，各関係省庁において推進している．この動きは，アレルギー疾患対策基本法（2015 年）の制定を受けて加速され，それぞれの制度や提供される情報は国内の食物アレルギーに対する理解と取り組みを大きく支えている．

1. 文部科学省

学校給食に関連した死亡事故として，1988 年 12 月 8 日に札幌市で起きたソバによる事例と，2012 年 12 月 20 日に東京都で起きた牛乳（チーズ入りチヂミ）による事例が社会を大きく動かした．前者は，食物によるアナフィラキシーの怖さを広く社会に認識させた．後者は給食の食物アレルギー対応に熱心に取り組んでいる中で発生したものであり，この教訓から全国の学校におけるアレルギー疾患対策が大きく強化された．

文部科学省は「学校におけるアレルギー疾患に対する取組推進検討委員会」を設置して，2008 年 3 月に日本学校保健会を通して「学校のアレルギー疾患に対する取り組みガイドライン」（図 2）を作成し，2019 年度に改訂版を発行した[8]．このガイドラインでは，学校でのアレルギー疾患に対する取り組みのポイントを掲げ（表 2），「学校生活管理指導表（アレルギー疾患用）」（図 3）に基づく対応を求めている．さらに，学校給食の管理については「学校給食における食物アレルギー対応指針」を 2015 年に発行し，表 3 の大原則に基づく対応の整備を指示している[9]．さらに，これらの指針に対する現場の理解を促進するため，研修用の動画を組み合わせた DVD およびエピペン® トレーナーを 2015 年 3 月に全国の学校に配布した．

2012 年東京都で発生した事故を受けて，全国的に学校，保育所，児童施設の教職員，職員に対する食物アレルギーおよび緊急時対応の研修が盛んに実施された．東京都からは「食物アレ

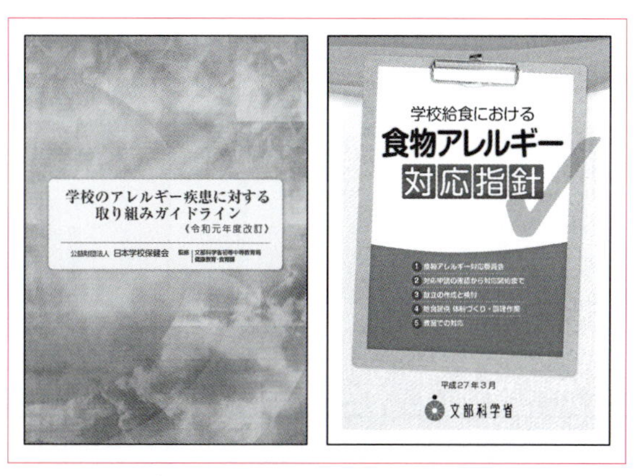

図 2 文部科学省が管轄するガイドラインと対応指針

表2 アレルギー疾患に対する取り組みのポイント

○各疾患の特徴をよく知ること
○個々の児童生徒等の症状等の特徴を把握すること
○症状が急速に変化しうることを理解し，日頃から緊急時の対応への準備を行っておくこと

〔日本学校保健会：学校のアレルギー疾患に対する取り組みガイドライン（令和元年度改訂）．2020〕

表 学校生活管理指導表（アレルギー疾患用）

名前＿＿＿＿＿＿（男・女）＿＿年＿＿月＿＿日生　＿＿年＿＿組　　提出日＿＿年＿＿月＿＿日

※この生活管理指導表は、学校の生活において特別な配慮や管理が必要となった場合に医師が作成するものです。

アナフィラキシー（あり・なし）／食物アレルギー（あり・なし）

病型・治療	学校生活上の留意点	【緊急時連絡先】
A 食物アレルギー病型（食物アレルギーありの場合のみ記載） 1．即時型 2．口腔アレルギー症候群 3．食物依存性運動誘発アナフィラキシー **B アナフィラキシー病型（アナフィラキシーの既往ありの場合のみ記載）** 1．食物（原因　） 2．食物依存性運動誘発アナフィラキシー 3．運動誘発アナフィラキシー 4．昆虫（　） 5．医薬品（　） 6．その他（　） **C 原因食物・除去根拠**　該当する食品の番号に○をし、かつ《　》内に除去根拠を記載 1．鶏卵《　》 2．牛乳・乳製品《　》 3．小麦《　》 4．ソバ《　》 5．ピーナッツ《　》 6．甲殻類《　》（すべて・エビ・カニ　） 7．木の実類《　》（すべて・クルミ・カシュー・アーモンド　） 8．果物類《　》（　） 9．魚類《　》（　） 10．肉類《　》（　） 11．その他1《　》（　） 12．その他2《　》（　） ［除去根拠］該当するもの全てを《　》内に記載 ①明らかな症状の既往　②食物経口負荷試験陽性 ③IgE抗体等検査結果陽性　④未摂取 （　）に具体的な食品名を記載 **D 緊急時に備えた処方薬** 1．内服薬（抗ヒスタミン薬、ステロイド薬） 2．アドレナリン自己注射薬（「エピペン®」） 3．その他（　）	**A 給食** 1．管理不要　2．管理必要 **B 食物・食材を扱う授業・活動** 1．管理不要　2．管理必要 **C 運動（体育・部活動等）** 1．管理不要　2．管理必要 **D 宿泊を伴う校外活動** 1．管理不要　2．管理必要 **E 原因食物を除去する場合により厳しい除去が必要なもの** ※本欄に○がついた場合、該当する食品を使用した料理については、給食対応が困難となる場合があります。 鶏卵：卵殻カルシウム 牛乳：乳糖・乳清焼成カルシウム 小麦：醤油・酢・味噌 大豆：大豆油・醤油・味噌 ゴマ：ゴマ油 魚類：かつおだし・いりこだし・魚醤 肉類：エキス **F その他の配慮・管理事項（自由記述）**	★保護者 電話： ★連絡医療機関 医療機関名： 電話： 記載日　年　月　日 医師名　印 医療機関名

気管支ぜん息（あり・なし）

病型・治療	学校生活上の留意点	【緊急時連絡先】
A 症状のコントロール状態 1．良好　2．比較的良好　3．不良 **B-1 長期管理薬（吸入）**　薬剤名　投与量／日 1．ステロイド吸入薬（　）（　） 2．ステロイド吸入薬／長時間作用性吸入ベータ刺激薬配合剤（　）（　） 3．その他（　）（　） **B-2 長期管理薬（内服）**　薬剤名 1．ロイコトリエン受容体拮抗薬（　） 2．その他（　） **B-3 長期管理薬（注射）**　薬剤名 1．生物学的製剤（　） **C 発作時の対応**　薬剤名　投与量／日 1．ベータ刺激薬吸入（　）（　） 2．ベータ刺激薬内服（　）（　）	**A 運動（体育・部活動等）** 1．管理不要　2．管理必要 **B 動物との接触やホコリ等の舞う環境での活動** 1．管理不要　2．管理必要 **C 宿泊を伴う校外活動** 1．管理不要　2．管理必要 **D その他の配慮・管理事項（自由記述）**	★保護者 電話： ★連絡医療機関 医療機関名： 電話： 記載日　年　月　日 医師名　印 医療機関名

（公財）日本学校保健会 作成

図3 学校生活管理指導表（アレルギー疾患用）

〔日本学校保健会：学校生活管理指導表（アレルギー疾患用）令和元年度改訂．2019〕

表3 学校給食における食物アレルギー対応の大原則

- 食物アレルギーを有する児童生徒にも，給食を提供する．そのためにも，安全性を最優先とする．
- 食物アレルギー対応委員会等により組織的に行う．
- 「学校のアレルギー疾患に対する取り組みガイドライン」に基づき，医師の診断による「学校生活管理指導表」の提出を必須とする．
- 安全性確保のため，原因食物の完全除去対応（提供するかしないか）を原則とする．
- 学校及び調理場の施設設備，人員等を鑑み無理な（過度に複雑な）対応は行わない．
- 教育委員会等は食物アレルギー対応について一定の方針を示すとともに，各学校の取組を支援する．

〔文部科学省：学校給食における食物アレルギー対応指針．2015〕

ルギー緊急時対応マニュアル」という8ページの冊子が都の全教職員に配布された[10]．このマニュアルは，その後全国の多くの地域で直接，あるいは地域のマニュアルのひな形として活用されている．その結果，全国で作られたマニュアルの原型が統一され，情報の食い違いがなくなった意義は大きい．

2. 厚生労働省

厚生労働省は，厚生労働科学研究費補助金または日本医療研究開発機構（AMED）免疫アレルギー疾患実用化研究事業によって，「食物アレルギーの診療の手引き」「食物アレルギーの栄養食事指導の手引き」「食物経口負荷試験の手引き」（代表者：海老澤元宏）を発行している（図4上段）．これらは「食物アレルギー診療ガイドライン」に準拠して改訂を重ね，食物アレルギー診療の進め方の基本を医療関係者に簡潔に伝える目的で作られ，オンラインで公開されている．また，2018年には「小児のアレルギー疾患保健指導の手引き」（代表者：足立雄一）を作成し，母子保健にかかわる専門職にわかりやすい指導のポイントを解説している（図4下段）．

さらに厚生労働省は，保育所を対象に2011年に「保育所におけるアレルギー対応ガイドライン」を作成し，2019年に改訂版を公開した[11]（図4下段）．ここでも学校とほぼ同様に，「生活管理指導表」に基づく対応を強調している（図5）．

3. 消費者庁

食物アレルギーの表示制度は，当初は厚生労働省の管轄で2001年に法制化された．現在は食品表示制度全体が統合されて消費者庁が管轄しており，食品関連事業者に向けた「加工食品の食物アレルギー表示ハンドブック」（2021年）を公開している[12]（図6）．

4. 農林水産省

農林水産省は，食品全般を取り扱う立場からユニークな情報提供として，「要配慮者のための災害時に備えた食品ストックガイド」（2019年）を公開した[13]（図6）．ここには，食物アレルギーを含む災害時の要配慮者が準備しておくべき食糧に関する情報が，きわめてわかりやすく解説されている．

5. 環境省

環境省は，2011年1月より世界最大規模の出生コホートとなる「子どもの健康と環境に関する全国調査（エコチル調査）」を開始した[14]．これは，全国15地域10万組の参加者を募り，出生前から13年間追跡調査するものである．アレルギー疾患は，本質的に生体と環境の関係性から発症するものであり，エコチル調査の中でも重要なテーマとされている．現在すでに最長で9歳までのフォローが進んでおり，さまざまな知見が報告されつつある（図7）．

図4 厚生労働省等が発行している手引き

3 環境再生保全機構

1960年代から高度経済成長の中で大気汚染（公害）に係る気管支喘息などの健康被害が各地で発生した．その原因となる企業や国を相手取った訴訟が各地で行われ，国はそれに応じて「公害健康被害の補償等に関する法律」を制定した．その中で，全国の事業者から徴収した賦課金を原資として被害者に補償すること，および喘息発症の予防を目指す各種事業を行うために，環境再生保全機構を設立した．

したがって，この機構の本務は環境（大気汚染）に関連する気管支喘息など呼吸器疾患への対策である．しかし，子どもの気管支喘息が食物アレルギーを含むアレルギーマーチから発症することから，社会的なニーズに応えて食物アレルギーやアトピー性皮膚炎に関する情報発信や啓発活動を行っている．

食物アレルギー関係では「ぜん息予防のためのよくわかる食物アレルギー対応ガイドブック（2021改訂版）」「ぜんそく予防のために食物アレルギーを正しく知ろう（2021改訂版）」「食物アレルギーの子どものためのレシピ集（2021改訂版）」などがあり，無償で提供している（図8）．また，生活情報誌「すこやかライフ」を定期発行して，ぜん息等の情報とともに食物アレルギーの情報提供を行っている．

さらに保健師やメディカルスタッフ向けの研修会を毎年開催し，eラーニング学習支援ツールも公開している[15]．

保育所におけるアレルギー疾患生活管理指導表　（食物アレルギー・アナフィラキシー・気管支ぜん息）

提出日　　年　月　日

名前＿＿＿＿＿　男・女　＿＿年＿月＿日生（＿歳＿ヶ月）　＿＿＿組

※ この生活管理指導表は、保育所の生活において特別な配慮や管理が必要となった子どもに限って、医師が作成するものです。

緊急連絡先
★保護者
電話：
★連絡医療機関
医療機関名：
電話：

食物アレルギー（あり・なし）　アナフィラキシー（あり・なし）

病型・治療	保育所での生活上の留意点	
A. 食物アレルギー病型 1. 食物アレルギーの関与する乳児アトピー性皮膚炎 2. 即時型 3. その他　（新生児・乳児消化管アレルギー・口腔アレルギー症候群・食物依存性運動誘発アナフィラキシー・その他：　）	A. 給食・離乳食 1. 管理不要 2. 管理必要（管理内容については、病型・治療のC. 欄及び下記C. E欄を参照）	記載日 年　月　日
B. アナフィラキシー病型 1. 食物　（原因：　） 2. その他（医薬品・食物依存性運動誘発アナフィラキシー・ラテックスアレルギー・昆虫・動物のフケや毛）	B. アレルギー用調整粉乳 1. 不要 2. 必要　下記該当ミルクに○、又は（ ）内に記入 ミルフィーHP ・ ニューMA-1 ・ MA-mi ・ ペプディエット ・ エレメンタルフォーミュラ その他（　）	医師名
C. 原因食品・除去根拠 該当する食品の番号に○をし、かつ《 》内に除去根拠を記載 1. 鶏卵《 》 2. 牛乳・乳製品《 》 3. 小麦《 》 4. ソバ《 》 5. ピーナッツ《 》 6. 大豆《 》 7. ゴマ《 》 8. ナッツ類*《 》（すべて・クルミ・カシューナッツ・アーモンド・　） 9. 甲殻類*《 》（すべて・エビ・カニ・　） 10. 軟体類・貝類*《 》（すべて・イカ・タコ・ホタテ・アサリ・　） 11. 魚卵*《 》（すべて・イクラ・タラコ・　） 12. 魚類*《 》（すべて・サバ・サケ・　） 13. 肉類*《 》（鶏肉・牛肉・豚肉・　） 14. 果物類*《 》（キウイ・バナナ・　） 15. その他（　） 「＊は（ ）の中の該当する項目に○をするか具体的に記載すること」 [除去根拠] 該当するもの全てを《 》内に番号を記載 ①明らかな症状の既往 ②食物負荷試験陽性 ③IgE抗体等検査結果陽性 ④未摂取	C. 除去食品においてより厳しい除去が必要なもの 病型・治療のC. 欄で除去の際に、より厳しい除去が必要となるもののみに○をつける ※本欄に○がついた場合、該当する食品を使用した料理については、給食対応が困難となる場合があります。 1. 鶏卵：　卵殻カルシウム 2. 牛乳・乳製品：　乳糖 3. 小麦：　醤油・酢・麦茶 6. 大豆：　大豆油・醤油・味噌 7. ゴマ：　ゴマ油 12. 魚類：　かつおだし・いりこだし 13. 肉類：　エキス E. 特記事項 （その他に特別な配慮や管理が必要な事項がある場合には、医師が保護者と相談のうえ記載。対応内容は保育所が保護者と相談のうえ決定）	医療機関名 電話
D. 緊急時に備えた処方薬 1. 内服薬（抗ヒスタミン薬、ステロイド薬） 2. アドレナリン自己注射薬「エピペン®」 3. その他（　）	D. 食物・食材を扱う活動 1. 管理不要 2. 原因食材を教材とする活動の制限（　） 3. 調理活動時の制限（　） 4. その他（　）	

気管支ぜん息（あり・なし）

病型・治療		保育所での生活上の留意点		
A. 症状のコントロール状態 1. 良好 2. 比較的良好 3. 不良	C. 急性増悪（発作）治療薬 1. ベータ刺激薬吸入 2. ベータ刺激薬内服 3. その他	A. 寝具に関して 1. 管理不要 2. 防ダニシーツ等の使用 3. その他の管理が必要（　）	C. 外遊び、運動に対する配慮 1. 管理不要 2. 管理必要 （管理内容：　）	記載日 年　月　日 医師名
B. 長期管理薬 （短期追加治療薬を含む） 1. ステロイド吸入薬 剤形： 投与量（日）： 2. ロイコトリエン受容体拮抗薬 3. DSCG吸入薬 4. ベータ刺激薬（内服・貼付薬） 5. その他（　）	D. 急性増悪（発作）時の対応 （自由記載）	B. 動物との接触 1. 管理不要 2. 動物への反応が強いため不可 動物名（　） 3. 飼育活動等の制限（　）	D.特記事項 （その他に特別な配慮や管理が必要な事項がある場合には、医師が保護者と相談のうえ記載。対応内容は保育所が保護者と相談のうえ決定）	医療機関名 電話

● 保育所における日常の取り組み及び緊急時の対応に活用するため、本表に記載された内容を保育所の職員及び消防機関・医療機関等と共有することに同意しますか。
・ 同意する
・ 同意しない

保護者氏名＿＿＿＿＿＿

図5　保育所生活管理指導表
〔厚生労働省：保育所におけるアレルギー対応ガイドライン（2019年改訂版）. 2019〕

図6 消費者庁/農林水産省が発行しているリーフレット

図7 環境省エコチル調査

図8 環境再生保全機構が発行しているパンフレット

4 日本栄養士会

日本栄養士会は，全国の栄養士・管理栄養士を組織する公益社団法人である．その中で，特定分野別認定制度として「食物アレルギー管理栄養士・栄養士」制度を運営している．ここでは，まず「食物アレルギー栄養士（給食管理分野）」として，食物アレルギーを持つ人に集団食事を提供する際に必要な知識を身につけた人を認定する．さらに管理栄養士については，栄養指導に関する認定研修を重ねて「食物アレルギー管理栄養士」認定を取得することができる[16]．

また日本栄養士会は，大規模災害時に総合的な栄養・食生活支援活動を行うため「日本栄養士会災害支援チーム（JDA-DAT）」を設けている．各地の指定栄養士会に所属する会員が一定の研修を受けてチームに登録し，災害時には専用の救急車両が出動し，特殊栄養食品ステーションを設置して支援活動を展開する[17]．食物アレルギーもその重要な分野の1つであり，日本小児アレルギー学会は専門的な知識と情報をもってその後方支援にあたる関係を築いている．

表4 アレルギー疾患対策基本法が掲げる基本的施策

1. 知識の普及
2. 生活環境の改善
3. 専門的な知識・技能を有する医師などの育成
4. 医療機関の整備など
5. 専門コメディカルスタッフの育成
6. 学校職員への研修
7. 研究の推進
8. 治験の推進
9. 地方公共団体が行う基本的施策

5 アレルギー疾患対策基本法

アレルギー疾患対策基本法は，アレルギー疾患対策を総合的に推進することを目的として2014年6月に成立し，2015年12月に施行された[18]．それを推進するために，アレルギー疾患対策の推進に関する基本的な指針を策定し，表4に示すような基本的施策を実行している．

これらの事項を推進するため，全国および各県に「アレルギー疾患対策推進協議会」を設置した．国が定める拠点病院として国立病院機構相模原病院と国立成育医療研究センターを指定し，各県に1～数施設のアレルギー疾患医療拠点病院を設置して地域の啓発活動や医療提供の均てん化を図っている．

また，今後の免疫アレルギー疾患の重点的な研究戦略として「免疫アレルギー疾患研究10か年戦略」を打ち出した[19]．

おわりに

日本における食物アレルギーに対する諸政策は，多方面に発展してきた．少なくとも小児の食物アレルギーに対しては，標準的な医療の進歩と社会的な整備が有機的に結びつき，見解の相違による混乱が最小化されてきたことは，日本が世界に誇るべき成果と思われる．

しかし，食物アレルギーの専門的な診療を行う医師の地域偏在は根強く残っており，アレルギー疾患医療の均てん化は今後の大きな課題といえる．また，食物アレルギーという疾患そのものが，木の実類など新しい原因食物の急激な増加，食物以外の感作源に起因する疾患群の出現，摂取後の運動によって誘発される病型の増加など大きく変化しつつある．実際に，諸制度が比較的整っている愛知県においても，食物に関連したアナフィラキシーによる緊急受診患者数は，経年的に減少していない[20]．さらに，成人期に新規発症，あるいは小児期から遷延した食物アレルギーを持つ成人に対する専門的医療の提供など，新たな課題も多く残されている．

また，このように公的機関から発信されている情報に対する国民の認知度はまだまだ低く，標準的な医療や情報にアクセスしていない人が多数存在することも，今後さらに改善すべき課題であろう．

文献

1）The American Academy of Environmental Medicine Web サイト：https://www.aaemonline.org（参照 2021-12-26）
2）海老澤元宏，ほか（監修），日本小児アレルギー学会食物アレルギー委員会（作成）：食物アレルギー診療ガ

イドライン 2021．協和企画，2021
3）東田有智（監修），日本アレルギー学会（作成）：アレルギー総合ガイドライン 2019．協和企画，2019
4）Ebisawa M, et al.：Japanese guidelines for food allergy 2020. *Allergol Int* **69**：370-386, 2020
5）アレルギーポータル：https://allergyportal.jp（参照 2021-12-26）
6）日本小児臨床アレルギー学会：http://jspca.kenkyuukai.jp/special/index.asp?id=25088（参照 2021-12-26）
7）食物アレルギー研究会：https://www.foodallergy.jp（参照 2021-12-26）
8）日本学校保健会：学校のアレルギー疾患に対する取り組みガイドライン．https://www.gakkohoken.jp/books/archives/226（参照 2021-12-26）
9）文部科学省：学校給食における食物アレルギー対応について．https://www.mext.go.jp/a_menu/sports/syokuiku/1355536.htm（参照 2021-12-26 日）
10）東京都福祉保健局：緊急時対応（食物アレルギー）．https://www.fukushihoken.metro.tokyo.lg.jp/allergy/measure/emergency.html（参照 2021-12-26）
11）厚生労働省：保育所保育指針関係．https://www.mhlw.go.jp/stf/seisakunitsuite/bunya/kodomo/kodomo_kosodate/hoiku/index.html（参照 2021-12-26）
12）消費者庁：食物アレルギー表示に関する情報．https://www.caa.go.jp/policies/policy/food_labeling/food_sanitation/allergy/（参照 2021-12-26）
13）農林水産省：要配慮者のための災害時に備えた食品ストックガイド．https://www.maff.go.jp/j/zyukyu/foodstock/guidebook.html（参照 2021-12-26）
14）環境省：子どもの健康と環境に関する全国調査（エコチル調査）．https://www.env.go.jp/chemi/ceh/（参照 2021-12-26）
15）環境再生保全機構：大気汚染・ぜん息などの情報館．https://www.erca.go.jp/yobou/index.html（参照 2021-12-26）
16）日本栄養士会：食物アレルギー管理栄養士・栄養士．https://www.dietitian.or.jp/career/specialcertifications/allergy/（参照 2021-12-26）
17）日本栄養士会：災害支援．https://www.dietitian.or.jp/jdadat/（参照 2021-12-26）
18）厚生労働省：リウマチ・アレルギー対策．https://www.mhlw.go.jp/stf/seisakunitsuite/bunya/kenkou_iryou/kenkou/ryumachi/index.html（参照 2021-12-26）
19）足立剛也，ほか：免疫アレルギー疾患研究 10 か年戦略 2030：「見える化」による安心社会の醸成．アレルギー **69**：23-33，2020
20）Kitamura K, et al.：Comprehensive hospital-based regional survey of anaphylaxis in Japanese children：Time trends of triggers and adrenaline use. *Allergol Int* **70**：452-457, 2021

索引

和文索引

食物（しょくもつ）アレルギーのすべて　改訂第２版（かいていだいはん）
基礎（きそ）から臨床（りんしょう）・社会的対応（しゃかいてきたいおう）まで

ISBN978-4-7878-2522-3

2022 年 6 月 21 日　改訂第 2 版第 1 刷発行

2016 年 10 月 21 日　初版第 1 刷発行
2017 年 7 月 24 日　初版第 2 刷発行

編　　集　伊藤浩明（いとうこうめい）
発 行 者　藤実彰一
発 行 所　株式会社　診断と治療社
〒 100-0014　東京都千代田区永田町 2-14-2　山王グランドビル 4 階
TEL：03-3580-2750（編集）　03-3580-2770（営業）
FAX：03-3580-2776
E-mail：hen@shindan.co.jp（編集）
eigyobu@shindan.co.jp（営業）
URL：http://www.shindan.co.jp/
表紙デザイン　株式会社ジェイアイプラス
本文イラスト　松永えりか
印刷・製本　三報社印刷株式会社